U0818871

读者®

校园版

我们都是这样长大的

总第346、350期

成长合订本（第三辑）（中）

读者杂志社　编

读者出版社

目录 | Contents

专题 漫天星光闪耀　青春扬帆起航

成长 CHENGZHANG

天下 TIANXIA

读写 DUXIE

互动 HUDONG

世相 SHIXIANG

踮起脚就能够上春天的绽放

咏梅

时令已渐入佳境
人间被雨水反复喂养
一天天修改自己
在馥郁的阳光里加速发酵
不厌其烦地填上丰满的形容词

要给每一座山，每一条河
都取一个永恒的姓氏：
山要姓青
河水要姓绿
要让每朵花都认领一个名字
在每一条路上都刻下足迹

而我熟知的南方
流水正生出粼粼皱纹
终其一生，执守向下的信奉
编织一幅山河复苏图

白云的影子要在水中缓缓澄清
然后被带向远方
偶遇的一场雨
是春天章节的植入部分
它有晶莹剔透的表达
深谙语言的密度与节奏之美

在局促的注视里
梨花开了桃花接着开
风把万物一一拥怀并注解
那个在树下仰望的人
仿佛踮起脚就能够上春天的绽放
够上远方的理想
多像抽绿的柳树低一低头
就够着了大地上的生长

（大喜摘自《中国校园文学》2023年第35期，视觉中国供图）

半透明的秘密 与它的代保管员

●卿风向晚

1

长大之后，我似乎对“秘密”一词有了新的定义。最初我以为，除我之外无人知晓的事才是秘密，后来也习惯与不同的朋友分享不同的秘密，又感觉得到他人保守的秘密更为奇妙，因为那是我们关系亲密的证明。很久之后我才明白，还有一种“秘密”甚至未经沟通便已完成传递，双方都不曾说破却又心知肚明——那是一种无比珍贵的尊重、信任与默契。

我曾有一个留在14岁的遗憾。初中时，我喜欢好友圈里的一个男生。中考后，我约了包括他在内的几个好友聚会，庆祝毕业。作为活动的组织者，我提前给每个朋友手写了告别信，虽也算出于本心，但很大程度上是用来掩饰我想给他一封“情书”的私心。

然而我的“心动男嘉宾”并未让我大费周章想要实现的目标得以落地。他确实答应了我的邀约，聚会当天却不巧生病，没能赴约。手里的信一封封送了出去，看着朋友们纷纷发自内心地流露出惊喜，我却没能彻底欢欣。

我灰心丧气地把那封信带回家，随手扔进柜子。那个暑假我没能再约到那个男生见面，后来虽与他共同参加过同学聚会，却也找不到合适的理由送出那封信。或者说，我本身也不再有送出的欲望。

也许人与人之间总是来不及好好地告别。

随着时间的流逝，我的情绪发生了微妙的变化。先前觉得遗憾，无数次渴望能将那封信传递，妄想只凭着短短几行文字，就能改变高中的我们渐行渐远的事实。后来竟然觉得庆幸，至少这样我还能以朋友的身份偶尔联系他。此时想到写信时的情景，我的心中满是懊悔和羞耻感。

青春期的心动总是自相矛盾的。关于表达心意这件事，我一时间生出无畏的冲动和勇气，事后又难免陷入自我怀疑。所以，时隔数月，某次我打开柜子找东西，再次瞥见那封信时，气急败坏地将它埋在一大堆零碎物件之下，恨不得再也看不到它，却又不忍直接扔掉。

2

高中时我搬了家，旧房子被卖掉之前，母亲让我回去收拾书柜。我并未多想。有用的东西早已带到新家，我记得书柜里只留了些不用的文具和不看的旧书，便回道：“懒得去了，那些东西都不要了，您帮我扔掉吧。”

“回来看看吧，万一有用呢？”她又说道。我还是嫌麻烦，坚决拒绝了她试图劝我贡献体力劳动的“邀请”。

新家陆续收拾了半个月，一直是母亲在做收纳。她将一个内设带锁抽屉的衣柜分配给我，可我向来没有什么需要故意隐藏的物件，甚至觉得这样的设计多此一举。

我的生活节奏比初中时紧张了许多，学业更加繁重，社团活动也参加得更多了。我结识了更多兴趣相投的好友，也喜欢上了新的男生。当然，这一次的喜欢也没能落地生根，同样是在同窗相处中悄然生长，又随着毕业的渐行渐远而无声消失。

学生时代的喜欢从来没能在我心里落下“白月光”一般的痕迹，我喜欢的，可能只是有限的时空条件下的某种“青春感”。

上大学后的某一个寒假，我与初中的朋友们聚会，其中一位朋友提起了当年我写给她的毕业留言，她说：“信我一直留着，前几天还翻出来看过。”几位朋友也纷纷附和，大抵是说我心思细腻或是说手写信很难得。我喜欢过的男生没有问“是什么信？为什么大家都有，我却没收到”之类的话，其余好友似乎也忘了毕业聚餐那天他没有来。

记忆就是一种会越来越模糊的东西，且其中的细枝末节本就微末到可以忽略不计。

不知不觉，我与他们已经是相识10年的老友了。若不是他们提起这个话题，我自己也差点忘了那个“遗憾”。回家后，我心中突然涌起好奇，想把那封未送出的信翻出来看看，才恍然发现我并未将其保管。左思右想，它大抵是被我“埋”在旧家的某个柜子里了。但我不死心，想问问母亲，却不知如何开口，总不能说“有没有见过我写的情书”吧……

我倏然灵光一现，回想起刚搬家时母亲交给我的小钥匙和衣柜里带锁的抽屉。我从未使用过那个抽屉，好在听从母亲的“号令”，特意收好了钥匙。抽屉很空，只放着两三个旧本子，而在最底下的本子下面，竟然压着那封信！

3

看到信时，我惊讶又激动，心中充满失而复得的喜悦，下一秒就忍不住嗤笑自己——信封上赫然写着那个男生的名字外加“亲启”二字，其上还画着一个硕大的爱心，好似生怕人家接过信时不知道是情书——这些我都忘了，至于信上的内容，就更不记得了。原来这封信从被收进信封起，就再未被打开。

我从未怀疑母亲私自看过信，甚至我自己也惊讶于我对她的高度信任。这大概是源于她一直以来对我的尊重所带给我的安全感吧！成长过程中，她对我的生活很关心，却从不过度干涉。她偶尔会与我闲聊感情话题，却从不谈及具体的某个人、某件事。她像一位探访者，既足够了解我，又始终守护着我内心的私密空间。

至于那封信，我写下时是2014年，再打开，已是2020年，至今又是3年，9年岁月倏忽而逝，我和信的收件人很久都没有联系，我们在相距很远的城市里各自生活，以后大概也少有联系。

信上的文字没有我想象的“声势浩大”，大概就是我详细地描述了同窗3年他留给我的印象，并送上毕业祝福，结尾留下一句“我们永远是好朋友”。原来我的语句如此单纯，全然读不出情书的意味，落笔时小鹿乱撞、面红耳赤的模样却也不假。如今再看当年的自己，只觉得可爱。

年少的时候，总是轻易将“永远”挂在嘴边。

我没有问过母亲，那封信她是从哪里找到的、是否打开看过，以及看到信封上的文字时作何感想；她也没有问过我收信人是谁、当时和我

总有一个属于你的天堂

●叶倾城

在小巷，忽然听到了小提琴的乐音，拉的是《冰山上的来客》。

是一家小小的乐器古玩店，就开在街面上，店面顶多有三平方米，门口散落地坐了几个人。

其中一人可能是老板，在躺椅上向我打招呼，叮嘱我："随便拍，但不要拍人，拍人就不好了。"

有一位坐在门的一边，背对街面，在拉小提琴。

不知道为什么那琴是素色的，没上过漆的样子，呈现的是木本色。

另一位坐在门的另一边，对着街面，怀里抱着的是吉他。

这两位自如地弹奏着，自得其乐。

街市喧嚣，不远处的商铺在循环播放促销广告。

他们的乐音非但不受影响，反而格外悠扬。

我站在那儿，听了好久——突然间，起了学小提琴的心思。

当然，我肯定学不好。

只是又一次，我意识到拥有一种爱好、一种技能的意义。

不是每个人都能拥有自己的豪宅，也不是每个人都有自己的舞台，当然更不是每个人都能遇到自己的人生知音、灵魂伴侣。

但只要你有一个属于自己的东西，能让自己沉下心，你就给了自己一个安乐窝。

那在地铁上一手抓着吊环、一手拿着书本阅读的人。

那在马路牙子上下棋的人。

那在公园里唱《穆桂英挂帅》的人……

他们的所念所行，给自己搭建了空中楼阁、看不见的城堡。

外面的风雨再大、骄阳再烈，总有一个属于你的天堂。

这，就是一种幸福呀。

（梅源摘自微信公众号"作家叶倾城"，视觉中国供图）

是什么关系，以及为什么信没能送出。时过境迁，我早已放下了对那个男生朦胧的喜欢，这封信也不再是我的遗憾，反倒让我后知后觉地感受到母亲心思的细腻，和她对我的理解与关爱。

不同于我主动向朋友分享，而后再三叮嘱对方帮我保守的"秘密"，母亲不小心"撞破"了我藏着少女心事的"秘密"，却又不动声色地安放了它。对这个秘密的真正持有者，她没有询问、没有调侃，而是小心珍藏了我险些遗落的情感证明。她"偷偷"帮我留下那封信，就像留住我青春懵懂的心境，留住那段浅粉色的光阴。

原来母亲早就埋下了伏笔——她明明可以直接处理掉，却叫我亲自收拾书柜的旧物；她没有说看到了什么东西，只说"万一有用"；搬家后她将新家唯一带锁的抽屉分给我，没有说里面有什么东西，只递给我一把钥匙。她大概也不会想到，那封信对我来说并没有那么重要，更不会知道我过了这么久才读懂她的暗示。

我很感激她的"一番苦心"，不过我并未打算就此事向她表达谢意。因为从某种角度而言，这也是她的"秘密"。

（何淼摘自《哲思2.0》2023年第9期，林佳晨图）

巨树有三思

●王湲雯

大学的教室里，一个平淡无奇的周一，正在被此起彼伏的争吵声打破……

这次的争吵要从一次小组演讲说起。三个不同国籍的交换生被随机分配到了同一组，这三个交换生都曾是各自国家顶尖学府的“超级学霸”。可遗憾的是，有时候，优秀的选手未必是优秀的队友。

小组讨论时，三个人各执一词、互不相让，可演讲的规则是全员必须同题演讲。个性强势的三个人都认为自己的题目最合适，然后“讨论”就逐渐变成了“辩论”，最后演变为“争吵”……

直到教授走进教室，争吵声才得以控制。站在讲台上的教授只字不提刚才的争吵，也没有言明这节课要学习的内容，而是带着大家玩起了游戏。

教授拿来了三本书，一本是英文版的短篇故事《巨树》，另外两本分别是不同语言的译本。

他将这三本书分别给了刚才的三个同学，让他们去阅读各自国家的译本，然后和大家分享故事中的观点。

这个故事的梗概是：一个小男孩与一棵苹果树一起长大。当儿时的男孩想玩游戏时，苹果树的树枝充当了他的玩具；当成年后的男孩渴望赚钱时，苹果树把所有的苹果都给了他；当事业有成的男孩想要远行时，苹果树把粗壮的树干给了他，让他去做船只。再后来，垂垂老矣的男孩再次回到了苹果树旁，此时的他只想歇息一下，而苹果树用自己仅剩的树墩给了他一处休憩之所。至此，故事结束。

如此简单的故事情节，轮到这三个人各自讲述观点时，却出现了极具戏剧性的一幕。

英文版的《巨树》主要向读者传达了“人与自然应该和平相处，不要过度开发自然资源”。

其中一种语言翻译的《巨树》主要向读者传达了“人与人之间的友情，应该是彼此付出，而不应该是单方面的奉献与索取”。

而另一种语言翻译的《巨树》主要向读者传达了“母亲对孩子的爱就像这棵巨树般无私”。

明明是同样的人物和场景，在三个国家的语境中，竟然展现出了三种完全不同的观点。

分享完感想的三位同学一脸惊讶地看向教授，在座的同学们也纷纷陷入了思考。这时，讲台上的教授在黑板上缓缓写下了这节课的学习内容：异文化理解。

然后，他转身对同学们说：“当所有人都置身于巨树之下，理解与包容就成了每个人的必修课。真正的理解与包容，并不在于你读过多少书，脑海中可以瞬间生成多少种创意，而是当你遇到了与你的思维方式完全不同的人时，你要时刻意识到一个问题，那就是你必须允许每一个人的脑海中都有一棵与你完全不同的‘树’。正是因为这些完全不同的树和谐共生在同一片森林里，森林才得以变得更加厚重和广博，不是吗？”

语罢，教室里响起了雷鸣般的掌声。也许此刻，每个人的“心树”上都悄然长出了一簇新枝吧……

（小小摘自微信公众号“B座西窗”，莉莉夏图）

海底"书斋"，梦开始的地方

●汤养宗

汤养宗，第七届鲁迅文学奖诗歌奖获得者，代表作品有《水上吉普赛》《黑得无比的白》《去人间》等。

我读书的场所跟别人有点不一样。其中有一处，在海底。

一切的悲愤皆来自我这辈子再也无缘踏进大学校园了。"我要读书。我要自学一点知识，让自己强大起来。"这是我每每打开书本时都要默念的两句话。

萌发这个意识时，我已经告别父母，离家当上了一名海军部队的兵。当兵的第一年，我在上海接受了一整年的舰上声呐专业知识培训，空闲时间便到上海南京路的书店里买了许多属于大学中文系的课本。

我最初只是想了解一下，看看同龄人在大学中文系里都读了哪些书。

这有点儿像在有意地要跟谁赌气，也是让自己接受人生的下一项任务，更是一个不能向他人透露的秘密。后来，不知不觉中，我竟深陷于不可自拔的阅读乐趣中。所谓"春蚕吐丝，竟不知吐出了一条丝绸之路"，说的可能也有这分意外。

后来我被分配到海军某某导弹护卫舰，当上了一名正式的声呐兵。

那时我20岁上下，班里分配给我的战位是仅由我看守的声呐升降舱。战位的操作非常简单：每当军舰出海需要打开声呐演练或搜寻海底目标时，位于甲板上声呐工作室那头的班长便会下达命令，由我把声呐搜寻杆下降到海水深处，过后再把它上升，恢复到原位。

这给我提供了大把的自己可以做主的时间。几年时间中，都是因了这个与人隔绝的声呐舱，我在悄无声息又自由自在中偷偷读了许多书。

这个声呐舱距军舰甲板有20多米，属于整艘军舰船舱的最底层，需要从甲板穿过一层又一层的舱体才能到达。在一个水兵舱过道的一侧，掀开两层铁铸的盖板，再沿着一架垂直的铁梯而下，才能来到这个神奇的地方。

这就是我当兵时的"书斋"，处在水平面以下的海水深处，只要侧耳倾听，四周都是水波冲流与摩擦的声音。一个人坐在这里，边上像有人正与我窃窃私语。

当我再想到这地方正处在大海里，便会感到自己已经是一个“沉浸中”的人。没有人看到我，我已经与世隔绝，深深的海水那头，有人可以为我做证，我们却永远无法相认。

如果这时正处在阅读中，我便会感到眼前所有值得领会的文字，也会在轻轻的荡漾中进入大脑喧响起来，产生可以融入大海而鼓荡起来的效果。因为海水这时正在我的左侧，也在我的右侧，或者既在我的脚下，也在我的头顶。我如同在大海里的一个房间里读书，四周都是我要看到的文字。

更神奇的是，每当军舰出航后，我的阅读又出现了另一种情景。那时，我整个人与这艘军舰都是漂浮着的。船在行进，我的阅读也在行进。我感觉到在向后退去的浪涌中，有两样东西在并排向前走，一样是我正在阅读的书籍，另一样是穿越在水波之间的舰船，而它，也像在一米又一米地阅读着海水。

这让我在阅读中有了新奇的行进速度。这种速度放在书籍的章节里，有着整个身心和文字被谁一起端走的感觉。

这种感觉十分迷人。在你与一本书或一段文字共同前进的时候，你分不清是自己带走了一本书，还是这本书正在把你的整个身心带远。你翻动书页，内心突然有了迷人的幻觉，感到自己同时也在一页又一页地翻动着大海。

这是一种带有双重性的穿越，海水与书籍在同时被翻动。你必须在阅读中警醒自己，你必须与自己的阅读相互追赶，因为你的阅读速度也是一艘舰船行进的速度，你所处的地带也是这艘军舰行程中的所在。

我吃惊地发现，这种置身于海底的阅读，会让一个读书人感觉自己的肉身是形同虚设的。因为在阅读当中，这个人已经化作了大海的一部分，他的思维也会在海水里喧响着，鼓涌而起或者突然陷落，一切都随着大海的呼吸而呼吸，灵魂不知是在下沉，抑或飘升。

我实在迷恋这种置身在海水里阅读的经历。面对文字时，海水在头顶劈头盖脸地翻涌而过。一种自身无法拒绝的深深淹没，及阅读中随时可能发生的高高托起，成为另一种激活，成为另一个人或者另一个精灵，在自己所要的文字里停下或者离去，羽化或者空荡荡。

而后军舰突然停住，靠岸，我从最深的舱底爬上来，登上甲板一看，发现自己的船已经来到了另一座城市的另一个港湾。也像是，大海翻开了崭新的一页。

这种迷幻的经历与感觉，后来都在我的写作中有了深刻的体现。我后来的文字显得那样摇晃及虚实难辨，还有多维的对待事物的视角与习惯顾左右而言他的伎俩，不得不说都与这段阅读经历所带给我的奇幻的感受有关。

人生的开悟往往在一灯即明的暗室，而我的暗室就在这四处都是波涌之声的海底。

而我还要感谢允许我这样阅读的另一个人，他就是我的班长。整艘军舰的上百人中，只有他一个人知道我在自己的战位上偷偷阅读大量的文学书籍。他对于我的这种爱好，睁一只眼闭一只眼地惯着和掖着。

这助推了我后来走上长长的文学道路。如果没有这个独一无二的读书环境，我一生的文学梦在当兵服役这几年怕就已经断链了。同时我不知道，后来的我所延续下去的人生会是什么样的。

2020年年底，这位与我阔别40年的老班长，终于带着他的太太以及几位朋友来到我所在的家乡霞浦旅游。当他在这里的一些景点看到我的文字时，才知道当初那个小兵偷偷摸摸躲在船舱底下看书，便是为了能够写出今天他所看到的这些文字。

（一朵云摘自《福建文学》2022年第10期，本刊节选，勾犇图）

山谷有回响

●方紫颖

17岁的我，沉默得像是荒凉的极地——冰雪覆盖的厚重寒冷之下，是一颗沉郁的心脏在缓慢跳动。

那时我觉得自己糟糕极了。没有耀眼的成绩，没有出众的外表，也没有一项拿得出手的才艺。我只喜欢拿着笔记本，站在走廊眺望远处的群山。5楼的高度，足以让我看清江南丘陵地带的低矮山丘。我时常用笔记录，纸张沾染了墨水的黑色，不算娟秀的字迹盛满了大大小小的心事。我不觉得自己是个多么有才气的女孩，而拿笔记录下的生活，不过是一片波澜不惊的水面。也会有同学好奇我在写什么，问我："可以看看你写的东西吗？"而我只是愣愣神，在摇头的同时轻轻合上笔记本。我拒绝与别人沟通，说话只会令我心烦意乱。

自我封闭像是厚厚的茧，我如毛虫般安稳地栖于茧中，一呼一吸都是自己再熟悉不过的节奏。我保持安静，建立起自己与他人之间的一堵空气墙——透明却又真实存在。

在这种极其封闭的状态下，我遵从自己的兴趣，加入了同学口中"佛系"的文学社。我的想法是多一事不如少一事，况且自己确实喜欢写作，尽管写出来的东西有些不堪卒读。

这种状态一直持续到高二。

在高二的秋冬之际，冷空气开始南下。文学社社长通知所有成员开会，而他在会议上提出要组织活动。

"你们可以写信装进信封，投到门口的那个信箱里。没有人知道自己的信会被谁看到，也没有人知道自己会不会收到回信。就像漂流瓶。"社长扶了扶自己的镜框，结束了本次会议。

走回教室的路上，我拿着笔记本，心里思索着要写些什么。摊开信纸，我头一次在文字与思绪里感到迷茫。我觉得自己有千言万语，它们争先恐后地在我的笔尖喧闹着，我却不知从何下笔。思考了很久之后，我终于写下了第一句话。

"展信佳。"我看向窗外，落日缓缓地消失在地平线，散落漫天霞光；银杏枝在风中轻颤，银杏叶像金黄的伞，在风里飘摇旋转，而后掉落在地上。我慢慢地写，将这些景色织成文字的衣裳。我发现自己其实有很强的表达欲，只是不喜欢开口，给一个不知道是谁的人写信，反倒令我将想法和盘托出。几张信纸里，我写到食堂门口那只胖乎乎的猫咪，写到自己考砸的数学小测验，也写到最近正在看的《瓦尔登湖》……文字在笔尖倾泻而出。在写到末尾时，我忽然停下了在纸上不停跃动的钢笔。

会有人耐心地看完吗？也许在对方看来，这不过是一个素不相识的人，对平淡生活发的一些牢骚。我像卡壳了一样，不知道末尾应该写些什么。

“如果你看完了我写的信，那么非常感谢；如果你没看完，那就算了，毕竟大家都很忙。”那一刻我忽然很想笑，要是对方没看完这封信，又怎么会看到信的末尾呢？无论如何，这封信终于被我写完了。我郑重地将它装好，投进了信箱。

接下来的日子依然沉闷。在某个不经意的瞬间，我会突然想起那封信，却暗自伤心于自己仍未收到回信的事实。我努力劝说自己“没收到回信也很正常”，脸上却露出难以掩盖的失落。有几天，我连笔记本都不想打开。也许事实就是这样，我写信的行为就像一个人冲着一片空荡的平原喊了几声，但可笑的是我听不见回响。或者说，平原根本就不会给我回响。

距离投出信件不知过去了多久，久到我都快忘记这件事了。那天早晨我坐在座位上整理卷子，忽然听见班级门口有人喊我的名字。我迷茫地抬起头，发现是文学社的人，他手中握着一封信。

“你的信。”我愣愣地接过信，刚想问是谁给我写的，对方又来了句“我们也不知道是谁寄来的”。虽然不知道是谁回复了我，但我还是非常高兴地走回座位，打开了信。

那一瞬间我低呼了一声。足足四五张信纸，还夹着精美的明信片，漂亮得让我说不出话来。我急切地摊开信纸，逐字逐句地开始阅读。

“我一直觉得，银杏叶是秋冬寄给人间的礼物”“那只胖胖的小猫我也很喜欢”“推荐你去看《一个人的村庄》，也很有味道”——信中的文字，犹如泉水叮咚。直到末尾，那句“顺颂时祺，秋绥冬禧”就像一朵花，盛放在我的心间。我看向落款处，写信人称自己为“山谷小姐”。

那是灵魂一震的感觉。尚未收到回信的那些日子，我曾悲哀于自己的孤寂，觉得自己的真心话不过是喊向了一片平原。而这封信的笔者，居然用“山谷”来称呼自己。我摩挲着厚厚的信纸，指尖与纸张之间，是一片从未有过的温暖与明媚。最终，我将心事托付给了一片山谷，也幸运地听见了回声，它清脆、沉稳而又无比响亮。

直到毕业那天，我仍不知道山谷小姐究竟是谁。在我收到信的那个冬天，我尝试着与他人进行沟通，也将自己笔记本里的文字分享给朋友看。沉默寡言的女孩渐渐推倒隐形的空气墙，发现世界远比自己认为的要五彩斑斓。

上大学时，我去了一趟安吉。公路蜿蜒，日暮将至，落日熔金，晚霞灿烂，眼前的风景美得像一幅画。当地人告诉我，这个地方虽然没有特定的名字，但他们都叫它“最美落日山谷”。

远处炊烟升起，连云朵也羞红了脸。我再一次想起高中时期，那个有关山谷小姐与信件传递的故事。那时我还是个抗拒与外界接触的人，没想到现在，自己也能与他人侃侃而谈。

身边的人渐渐走远。我远远望去，层峦叠翠之间，是一片化不开的美好。

我将双手扩成喇叭的形状，然后用尽所有的力气，朝着群山呐喊。

那一刻，我没有担心自己的声音不会被人听到，或会被人嘲笑，又或是不会得到内心所期盼的回应。我的声音回荡在山谷里，清晰无比。层层回响之间，是我对自己平凡生命的接纳，也是我对青春里的山谷小姐致以的感谢。

直到今天，我还在书写青春的故事，内容虽然平凡朴素，却是最为真切的独家回忆。生命中的呐喊总会得到同频共振的回复——它也许会出现在下一秒，或是下个周末、下个季节。

怀揣真心的我们，不用着急。

只要你对着生命里的山谷呐喊，它总能听到，也总能给你最好的答复。

（本刊原创稿件，豆薇图）

有只丑小鸭，没有变天鹅

●简洁

我并不喜欢丑小鸭的故事。在我看来，这表面的励志背后，其实是一种高傲的命中注定。以为在成长的某个时间点后就会脱胎换骨，这样坚定而无凭据的希望，总带着一股天真的悲情。

养过鸭子的城市小孩不多，我恰巧是其中一个。并不是我对这个物种有特别的喜爱，而是我妈在筛选之后，认为鸭子可以自己洗澡，养起来比较干净。小时候的我有着泛滥的悲悯之心，凡是我妈带回来做菜的活物，我总是阻止她“处决”。我一定要亲眼看到鱼翻白肚了才准吃，而一只本该拿来煲汤的母鸡甚至拖到下了一个蛋。看着那个蛋，我妈觉得，或许应该给我养个什么转移一下注意力。

于是，我得到了五只毛茸茸的小黄鸭，它们稚嫩，弱小，惹人怜爱。喂食，散步，我在它们的吵闹中感到欢喜，认真准备它们的下水仪式。在一个日光倾城的午后，我把它们放进蓄满水的水池。也许是想给它们一段自由玩耍的时光，我走开了一阵，回来时看到的却是它们集体“躺尸”的场面。

鸭子游泳被淹死了。这对我来说绝不是一个吊诡的笑话。鸭子在长出尾羽分泌脂肪之前，是不能浮在水上游泳的。这是我之后每次和别人聊起宠物时必背的内容。惊讶者有之，淡定者有之，我像一个不合时宜的赎罪者。

而在当时，我受到了极大的惊吓。我妈把它们捞起来，用报纸垫着，让阳光照在它们身上。一只，两只，三只，我看到它们羽毛渐干，有了微弱的呼吸，而另外两只，却怎么都不再动了。我守着它们直到太阳落山，那是我人生中第一次产生面对死亡的无力感。

劫后余生的三只鸭子，连叫声都蔫儿了，没过多久，又有一只悄无声息地死在了纸盒里。剩下的两只，莫名有了相依为命的感觉。我很容易就能分辨出它们：一只精力明显旺盛一些，整日围着安静的那只打转；安静的那只冷淡而傲娇，偶尔回应一声，吵闹的那只就越发欢天喜地起来。

如果时间再长一些，我大概会给它们取名字。它们却没有等到。某个清晨，在比平时更加聒噪的鸭叫声中，安静的那只再也没有醒过来。剩下的那只，明显焦急起来，它将盛食的小碟拱到死去的同伴面前，绕一圈，再拍打几下。不知重复了多久之后，它依偎过去假寐，隔一会儿就抬头看看，期待着某一次会有回应。直到我们把那只不动的小鸭子拿出来，它的半边身子还沾染着同伴的温暖。

我最终没有给最后这只鸭子取名字，全家人都只是叫它“鸭子”。

鸭子再也不复之前的吵闹，连着两天，似乎都只呷了点水。赶它出来散步，它也不肯挪动，倔强地缩成一团，表达着它的悲伤和寂寞。我将鸭子造型的闹钟放进它的窝里，按下模仿鸭叫的闹铃。听见声响，它精神一振，连忙凑近，依偎着团起来。但很快它就发现自己受骗了，灰心丧气地走开，然后以十倍的冷淡来对抗我。

我想尽办法，也没能获得它的丝毫理睬。“喂，”我对它说，“等你长大了，我就带你去游泳。”我以为，“长大”是所有未解问题的终极答案。它缩了缩脖子，我把这当成约定的示意。

鸭子依然每天团在窝里，偶尔被带下楼在草地上晒太阳。它执着地孤僻着，我很少再去看它。

它再回到我的视线时，我几乎认不出来。它黄色的绒毛已经脱尽，长出了灰黑的杂色羽翎。真丑。在我的认知里，所有的“长大”都是关于美的魔术。这样的变化，我始料未及。

它依旧孤僻，但随着丑陋的羽翎一起长出来的，还有它的坏脾气。它像是突然进入了青春期，不耐烦于安静地蹲在纸盒里，在家里和楼道间横冲直撞，上蹿下跳，将羽绒散到各处，时不时还顶一下人。我妈只好用一个箩筐把它罩起来，只在喂食的时候让它放风一阵。除了短暂的嫌恶，它并没有给我带来太多的烦扰。

在我久违的一次给它喂食时，我发现它的步态有些不正常——不知何时它长成了一只驼背鸭子，背部怪异地高耸着，像一只变形的骆驼，丑陋、肮脏、畸形。它显然已经习惯了这样的放风规律，别扭地摇摆着，在木质的楼梯间努力地踱着步子。它年少时期的忧伤气质已经一扫而光，我却已经难受得发不出声。

我没有再把箩筐罩回去。

我妈回来时，看到的是鸭子在床单上留下的污渍。又过了几天，它变成了桌上一锅热气腾腾的肉汤。那顿饭我一口都没有吃。

我认得它，是因为那高耸的畸形骨架。

它的长大，并没有给它带来闪亮的新生。它的命运，让我对某种认知埋下幻灭的因子。

我并不相信丑小鸭的故事。因为我始终记得，有一只丑小鸭，没有变天鹅。

（秋水长天摘自微信公众号“简影录”，胡晓江图）

阅读是一件美好的事情

●苏童

阅读是一件美好的事情。在阅读中，你的兴奋点往往会被触发，那就给你带来了愉悦。那种进入作品的感觉是令人心旷神怡的。往往会出现这样的情形：对于一部你喜欢的书，你会记得某些极琐碎的细节，拗口的人名、地名，一个小小的场景，几句人物的对话，甚至书中写到的花与植物的名称，女孩裙子的颜色，房间里的摆设和气味。

两年前我读了杜鲁门·卡波特的《蒂凡尼的早餐》，我至今记得霍莉小姐不带公寓钥匙乱揿邻居门铃的情节，记得她的乡下口音和一只方形藤篮。

卡森·麦卡勒斯的《伤心咖啡馆之歌》我读过两遍。第一遍是高中时候，我用零花钱买了生平第一本有价值的文学书籍——上海译文出版社的《美国当代短篇小说集》。通过这本书，我初识美国文学，也初读《伤心咖啡馆之歌》，当时觉得小说中的人物太奇怪，不懂其中三昧。到后来重读此篇时，我不禁要说，什么叫人物，什么叫氛围，什么叫底蕴和内涵，去读一读《伤心咖啡馆之歌》就明白了。阅读确实是一件美好的事情。

（张秋伟摘自人民日报出版社《纸上的美女》一书，本刊节选，视觉中国供图）

他在村小造火箭，背后有个“云端智囊团”

●李林

作为河南省固始县张广庙镇第一小学唯一的专职科学老师，35岁的张建涛带着这里的留守儿童真正走进了科学的世界：他们将塑料瓶组装成水火箭一飞冲天，用废纸盒发射空气炮击倒整排可乐罐……

如今，张建涛的视频账号“科学小小小实验”已经发布了200多个视频，收获50多万点赞量。这些实验视频，正成为全国科学老师的“云课件”，在各地的教室里被播放。张建涛和全国各地的科学老师们，因为短视频连接到了一起。

1

回到家乡后，张建涛陆续做过中学的物理老师、小学的数学老师。

做物理老师时，他是学校里为数不多做实验的老师。他从网上买来材料和道具，向学生展示“光的反射”“液体的压强”等。

来到张广庙镇第一小学时，张建涛担任数学老师。闲着的时候，他会从办公桌底下掏出那几套物理实验道具摆弄。

为了激励孩子们认真听讲，有一次，他告诉学生：“等你们听完课做完作业，我就带你们去做实验。”

那一次，他给孩子们展示了“风的形成”。班上的54个孩子围满了实验室的9张桌子，每张桌子上都有一个风车，用打火机点燃下方的可燃物，在热能的驱动下，风轮就开始自己转动。

一个很简单的实验，却一下子点燃了课堂。下课后，一个平时不爱说话的女孩拉住了张建涛的衣角，小声地问他什么时候能再做实验。

张建涛被打动了。

在张建涛看来，对像他这样的老师来说，做实验不麻烦，麻烦的是缺钱——学校没有更多的预算购买器具，他得想尽办法，用最省钱的方式自制一些实验器具。

张建涛开始改造生活废品作为实验器具。

他在网上搜索“科学实验”，就会跳出来成千上万个短视频。这些视频里，简单的生活物品变成了科学实验的“魔术”道具。

“希罗喷泉”，是3个饮料瓶加上几根吸管做成的；“机关枪”，是一个纯净水桶连上一根透明塑料管，再加一些乒乓球做成的。

即使是一张纸也有它的魔力。张建涛折了四五十次，尝试不同的角度、力度，让它成为真正的回旋纸飞机。

偶尔，他也会从网上买一点装备。便宜的螺旋桨被安装在一个垃圾桶上，就做成了孩子们的“无人机”。

张建涛陆续从网上自学了100多个实验。

2022年，他干脆申请转岗，正式成为一名科学老师。

2

如今，张建涛的办公室里存放着不少废品：啤酒易拉罐、米醋瓶子、4.9升的酱油桶、冷冻食品泡沫盒、装牛奶的纸箱、装修用的排水管、不锈钢汤盆……

他还有一些五金工具，是几年来积攒下来的，都不值钱。他舍不得扔掉任何一个，心想着总有一天用得上。他希望自己用最简单的方式、最便宜的价格、最易得的材料，让孩子们去感知科学。

一次，张建涛在电视上看到一个水火箭的实验。后来，他在网上找到了"科学老师王印"的账号。在自制水火箭这个领域，浙江的王印老师小有名气。

那时已经将近深夜12点，张建涛兴奋得睡不着，把王印账号里的几十个视频全部看了一遍。

2021年3月，王印开始自制水火箭，但制作的过程并不顺利。起初，他的火箭不是飞不高，就是飞不直。他一共失败了16次。后来，王印成了做水火箭的专家。

过了几天，张建涛试着模仿做了一个水火箭。他觉得自己当时做的实验很"小儿科"，孩子们却沸腾了，围着水火箭一个劲儿地拍手。

张建涛还加入了王印的交流群，发现群里一共有3000多名科学、物理老师。大家会一起交流技术细节："为什么降落伞总是打不开？""为什么飞不高？"

不久之后，张建涛也在学校的操场上，在全校1000多名师生的见证下发射了水火箭。火箭腾空而起，再缓缓降落，落下来大家一看，降落伞是一个红色的塑料垃圾袋。

在与水火箭有关的短视频里，火箭发射的背景，有时是洋气的塑胶地，有时是高大崭新的教学楼，有时是乡村的土地，有时是远处的群山。每当火箭腾空而起时，总会伴随着学生们的欢呼。

因为短视频，张建涛如今也有了由各地老师组织的线上实验交流群。大家定期分享作品或实验方面的研究报告，还会定期组织活动。

这就像一种云端的接力学习。

实验正在潜移默化地改变着学生。

以前，张建涛觉得当老师"有时很崩溃"，因为有的知识点不管怎么讲，学生也不太容易理解；做实验时间久了，张建涛发现，孩子们收获了思考和解决问题的能力。

3

张建涛从没料到自己会像今天这样。

有人统计过，两年来，他带着学生们在全国一共拿了59个奖状和奖杯。其中，有35个是航模类的奖项。

他已经35岁，教龄只有3年，却是学校最受欢迎的老师之一。

他的头发白了不少，但依然是"全校精力最旺盛的老师"，也是"幸福指数最高的老师"。

一位小学老师曾在网上给他留言，希望他能把视频发给自己，这样就能在课堂上播放给孩子们观看。

张建涛有个雄心勃勃的计划。2024年，他想制作出100个实验教程的"云课件"，放到网上，全都可以免费观看。他还决定，拍视频时要让学生们多出镜，因为科学教育需要"用孩子带动孩子"。

实验留给孩子们的不仅是知识，还有梦想。

有一次，张建涛让孩子们把写了梦想的字条放进水火箭，一起发射到空中。课后，他偷偷把这些字条捡了回来，许多孩子在上面写了想成为"科学家""宇航员"。

（紫陌红尘摘自微信公众号"新华每日电讯"，本刊节选）

一支冰激凌中存在着一个宇宙

●苗园柯

你能想象，冰激凌的制作和矿石的形成过程、动植物抗寒的原理，甚至森林再生的规律，都有千丝万缕的联系吗？

冰激凌是冰晶、奶油和空气的奇妙组合，甜腻而清爽，软糯又润滑。其中水占据了冰激凌总质量的60%～72%，它们以小冰晶的形式存在。除此之外，8%～10%是美味的油脂，25%～50%则是空气。

冰晶尺寸是决定冰激凌口感的关键因素。如果冰晶太大，冰激凌会直接变成冰沙，再大的话，就会像嚼冰碴儿一样，只有小到血细胞尺寸的几微米的小冰晶，才能产生丝滑的口感。

那么，需要什么样的条件，才能让水凝固成小冰晶呢？

如果在显微镜下观察冰激凌的微观结构，会发现它和地球岩浆冷却形成的一块花岗岩没有太大区别。炽热的岩浆来到地表时冷却速度越快，岩石中矿物晶体的尺寸就越小。所以，要得到微小的冰晶，也可以用快速冷却的方法。

传统方法制作的冰激凌，冰晶只能达到几微米的量级，而用-196℃的液氮制造冰激凌，其内部的冰晶可以达到纳米级别。难怪家里的冰箱只能冻出大块的冰棍。

如果没有液氮，就不能生产出优质的冰激凌了吗？当然不是。获得微小冰晶的方法不止一种。

在冰激凌的生产工艺中，第一个步骤叫动态冷冻，也就是边搅拌边冷冻。在这个过程中，冰晶会不停地聚集在搅拌器内壁，搅拌器要迅速把内壁的冰晶刮下来，和其他冰激凌搅拌到一起——两次刮削的时间间隔非常短，只有0.1秒。如此迅速地操作可以防止冰晶一直生长。

不仅如此，刮下来的冰晶被打散之后还可以成为新的晶核，供其他水分子附着在上面长出更多冰晶。这样一来，冰激凌中的晶核数量不断增加，而水分子的数量不断减少，大量的晶核竞争有限的水分子，结果就是，每一个晶核都没有机会长大成冰碴儿了。

这个过程和森林再生的原理非常相似。当森林遭到外部力量侵袭，比如人类的砍伐活动、一场大的野火，或者飓风等自然灾害，很多树木会消失不见，留下空缺，新的小树苗会长出来。但一小片土地能够提供的资源有限，第二茬树苗的生长速度会非常慢，就像刮下来的冰晶一样很难长大。只有强壮的树苗才能长成大树。

很多生活在两极和高海拔地区的鱼类、昆虫和植物，可以生活在温度低于0℃的寒冷环境中，并保持体液不结冰。这是因为，它们的体内含有一种抗冻蛋白，可以吸附到冰核表面，阻止水分子聚过来，冰晶就无法继续生长，生物体也得以避免低温下细胞损伤甚至死亡的厄运。

抗冻蛋白最初是在极地冰水中的鱼类身上发现的，后来，人们可以在实验室中用基因编辑酵母来合成。如今，抗冻蛋白作为食品添加剂被放入冰激凌，以抑制冰激凌的重结晶，从而让我们在超市的冰柜中也能买到冰激凌。

冰激凌的主要成分除了水，还有奶油、牛奶

两个鼻孔各有独特嗅觉

●水水

人类的嗅觉系统有两条感觉输入通道，分别由左鼻孔和右鼻孔的嗅觉上皮细胞构成。2023年11月的一项研究表明，在人类嗅觉系统处理气味的过程中，每个鼻孔都产生了独特的嗅觉。

一直以来困扰科学家的一个问题是，人脑中的初级嗅觉皮层究竟是将两个鼻孔的气味信息作为整体进行编码，还是编码为不同的刺激？为此，科学家让10位携带着颅内深部电极的受试者执行气味识别任务，并使用专门的仪器将气味输入受试者的左鼻孔、右鼻孔或双鼻孔。受到嗅觉刺激后，受试者需要识别出那是什么气味，并指出气味来自哪个鼻孔。

研究发现，双鼻孔受刺激时，受试者识别气味的表现比单鼻孔受刺激时更好。研究人员又分析了受试者执行任务时的脑电图，发现在单鼻孔受刺激时，信号会先到达同侧皮层，后到达对侧皮层；而在双鼻孔受刺激时，气味信号会出现在两个不同的时期。研究人员表示，初级嗅觉皮层可以通过时间间隔来保持每个鼻孔输入的气味特征，这有助于大脑记录气味对应的空间信息。

（禾苗摘自《科学画报》2023年第12期，Raven图）

中的油脂。我们知道，油和水是无法相互溶解的，即使混到一起也会很快分层，所以火锅的表面总是漂浮着一层厚厚的油脂。冰激凌中的水和油脂却混合得如此完美。

不妨看看冰激凌的微观结构。

大家可能都熟悉拌沙拉常用的油醋汁。油醋汁一般由三分油和一分醋组成，油和醋原本不相容，但放在一起疯狂搅拌，油最终会分解成微小的球形油滴，均匀分散到醋中，形成乳浊液。

乳浊液是两种不相容液体形成的均匀混合物，大多数不稳定，放置久了两种液体还是会分层，恢复到更简单、更有组织的结构。但也存在稳定的乳浊液，比如牛奶和椰浆，无论等待多久，它们始终可以保持混合状态。这是因为牛奶中含有天然乳化蛋白，这些蛋白的分子结构一头亲水、一头亲油，可以降低油和水之间的表面张力，将一个个小油滴包裹在里面，使它们难以聚集，结果看起来就是油溶在水里了。

不过光靠牛奶中自带的天然乳化蛋白，还不足以让冰激凌保持长时间稳定。一般来说，制作冰激凌时还要额外加入卵磷脂、酪蛋白等乳化剂，来帮助冰激凌中的水和油脂更稳定地保持乳浊液状态。

卵磷脂不光是优秀的乳化剂，也是一种起泡剂。说到这里，还要提到冰激凌中的另一种主要成分——空气。

冰激凌中空气的体积通常可达25%～50%，这样才会有蓬松的口感。和乳化剂的原理类似，起泡剂也可以降低液体的表面张力，让空气更容易被液体包裹起来，就像加了肥皂水才能吹出肥皂泡一样。所以，冰激凌中的气泡其实就像一大群被冷冻起来的微小肥皂泡。

或许，我们也可以说，一支冰激凌中存在着一个宇宙。

（恒星摘自微信公众号“十点科学”，视觉中国供图）

初级版：载歌载舞

《列子》中写了一个周代的故事。一个叫偃师的人给周穆王造了一个“机器人”，会唱歌跳舞。在给周穆王表演的时候，它偷偷向周穆王的左右侍妾抛媚眼。周穆王大怒，要杀偃师。偃师慌忙解释说，这是假人，不信拆开看看。

拆开之后，周穆王发现，“机器人”是由革、木、胶、漆、白、黑、丹、青等制成的，肝胆、心肺、脾肾、肠胃，筋骨、肢节、皮毛、齿发等都是假的。当周穆王把它的心拿出来，它就不能说话了；把肝拿出来，它就看不见东西了；把肾拿出来，它就不能走路了。如此看来，这个“机器人”极为高级。五脏与身体活动能力的对应关系，体现了古人对人体的认识。

周穆王是西周的，再来看一则东周的。《拾遗记》记载，周灵王时期，有个叫“机妍”的玉人，能够自己转动。

再来看看秦朝的“机器人”。汉晋时期的《西京杂记》记载，刘邦进入咸阳宫，在秦朝府库中发现了不少珍宝，其中就有十二铜人，都有三尺高（按秦尺，合今70厘米左右），在同一张席子上。每人持一种乐器，衣服华丽，和真人一样。席子下有两根铜管，上边的管口离地数尺，从席后伸出。其中一根管是空的，一根管里装有手指那么粗的绳子。一个人吹空管，一个人扭动绳子，琴、筑、笙、竽就会一齐鸣奏，和真人所奏音乐没什么两样。

唐代段安节《乐府杂录》记载，汉高祖刘邦征讨匈奴，在平城被围。谋士陈平想了一个计策，他知道匈奴首领的妻子爱“吃醋”，于是制造了一个美女“机器人”在城头跳舞。果然，匈奴首领的妻子看到后，以为是真人。她担心攻下城池后，单于会纳此女为妾，影响自己的地位，于是劝单于退兵。就这样，陈平靠着这个跳舞的“机器人”，解了刘邦的平城之围。

《三国志》还曾记载，一个叫马钧的人改进了一套进贡来的、不会动的杂技木人。他用木头做齿轮，设机关，用水做动力。这套杂技“机器人”在戏台上可以奏乐跳舞。还有打鼓、吹箫、叠罗汉的，有丢木球、掷剑、走绳索、翻筋斗的，动作灵活。“机器人”还能坐堂审案，做出舂米、磨面、斗鸡等各种各样的动作。

升级版：仿真“机器人”

唐代《朝野佥载》记载，南北朝时期北齐的兰陵王聪慧过人——他制作了一个“机器人”。每次宴会时，兰陵王想要劝谁喝酒，就控制这个“机器人”捧着酒杯向对方作揖劝酒。

隋朝第二个皇帝杨广在登基之前和文士柳抃就是好友。《隋书》记载杨广登基之后，因为礼制，有时不便把柳抃召进宫，于是命人照柳抃的模样做了一个仿真“机器人”。装上机关，这个机器人能坐能站，还能叩拜。杨广每次在月下喝酒，想起自己这个好友时，就让人把像柳抃的“机器人”取来，与他一起对饮欢笑。感觉这个“机器人”有点儿克隆人的水平了。

唐代也有劝酒的“机器人”。《朝野佥载》记载，有个县官叫殷文亮，喜欢制造一些小玩意儿，且喜好喝酒。有一次他制作了一个衣着华丽的木人，和朋友们聚宴饮酒时，这个木人就会按照次序给客人斟酒、敬酒。如果你的酒杯里有酒没喝完，木人会识别出来，就不斟酒。

《朝野佥载》还记载，有一个叫杨务廉的人，制作了一个木僧。这个“机器人”手里拿着一个碗向人们乞讨，碗中的钱满了，就会触发机关，木僧就说“谢谢布施”。大家都想听木僧说话，于是一天内，杨务廉靠这个投币“机器人”就获得了数千钱。

孟元老《东京梦华录》记载了宋代水上表演的“机器人”。船上有白衣小木偶人钓鱼，过一会儿真的钓上一条活着的小鱼。“又有一小船，上结小彩楼，下有三小门，如傀儡棚，正对水中乐船，上参军色进致语，乐作，彩棚中门开，出小木偶人。小船子上，有一白衣人垂钓，后有小童举棹划船，辽绕数回，作语乐作，钓出活小鱼一枚，又作乐，小船入棚。继有木偶筑球舞旋之类，亦各念致语唱和乐作而已，谓之‘水傀儡’。”

高级版：“ChatGPT”

刘若愚《酌中志》详细介绍了明代“机器人”的故事表演。明代盛行表演的剧目有《英国公三败黎王》《孔明七擒孟获》《三宝太监下西洋》《八仙过海》《孙行者大闹龙宫》等。

清代《聊斋志异·木雕美人》中写了一个木雕美女。她有一尺（按清尺，木工一尺合今31.1厘米）多高，穿着艳丽的衣服，跟真人很像。给狗安一个小鞍子，她就可以骑在真狗的身上，把狗当成马，表演各种“马术”。比如，她脚踩马镫，蹲藏到狗肚子一侧，从狗腰向狗尾滑坠，抓住狗尾“飞身上狗”，或者在狗背上跪拜站立，变化灵巧而不失手。她还会和另一个木雕男子一起表演《昭君出塞》的故事。木雕男子帽插野雉尾，身披羊皮袍子，跨在另一只狗身上，跟在木雕美女后面，木雕美女扮演的昭君频频回头张望，男子则扬鞭追赶，跟真人表演一样。

清代《埋忧集》记载，一个叫戴旷如的村民向一个茅山道士学习法术。道士从怀里拿出一个小竹筒给他，告诉他，要是有什么问题，对着竹筒询问，从中就会出来一个小人为他解答。戴旷如试了试，念动咒语，果然从竹筒中出来一个二寸许的小人。小人跳在地上，瞬间长丈余。这个竹筒有点儿像现在的chatGPT了。

这些古代文献中记载的“机器人”，有些是确实存在的，是古代科技水平的一种体现，有些可能是出于想象，属于科幻范畴。总之，从历代记载可以看出，我国古人在科技上并不缺乏瑰丽的想象力和强大的动手能力。

（卷卷摘自《光明日报》2023年10月27日，本刊节选，邱炯图）

伟大作家的巅峰，是在几岁时

●张佳玮

历史上来看，伟大作家写出巅峰作品的岁数不一。列夫·托尔斯泰这种一辈子不必为经济担忧的爵爷，和菲茨杰拉德这种在30岁之后都得靠喝酒写剧本赚钱养家的，状态不一样。兰波这种21岁之后就不太写了的，和村上春树这种30岁才开始发表作品的，又不能一概而论。

海明威认为，经济优裕加上生活规律，才能写出好东西。但罗西尼也说过，他30多岁就发财之后，这辈子都不想写歌剧了。而且，巅峰作品也不好定义。纳博科夫自认最好的作品都是1938年之前在欧洲写的俄语作品，但他最有名的作品恰好是50岁后才完全搞定的《洛丽塔》。

“上古”的作家很难作为样本，因为经济状况、健康状况、作者地位之类的不好评判。放到现当代，大致能有个范围：20多岁，容易出意气风发的天才之作，但往往不是真巅峰；30多岁出初次巅峰，或曰大成名作。这是大多数大师的创作规律。少部分大师能在40多岁，出一个真巅峰。这是能坚持创作，经得起风霜的大师。极少部分人，到60多岁，还能出大总结型作品。这就是叙述欲旺盛的文豪了。所以，作家的初次巅峰年龄，应该在31岁到40岁。

只举一些众所周知的例子。比如：《战争与和平》，是列夫·托尔斯泰36岁到40岁搞定的；《百年孤独》是马尔克斯38岁搞定的；老舍《骆驼祥子》出版时，37岁；沈从文《边城》连载时，32岁；余华著名的三大本小说《活着》《许三观卖血记》《在细雨中呼喊》，都是30岁出头写的；莫言出版《红高粱》，31岁……

为何说初次巅峰年龄？因为大多数伟大作家，不止一部巅峰作品。大概可以说，第一个巅峰期，一般是激情澎湃型作品。如果持续写作，第二个巅峰期一般在45岁到50岁到来。那一般是作家深思熟虑、技法成熟的作品。

比如：列夫·托尔斯泰完成史诗《战争与和平》后歇了几年，45岁开始写《安娜·卡列尼娜》；老舍43岁到47岁写了《四世同堂》。

最后，还有一种特殊的情况。老而弥辣的作者，到老年还保有叙述欲，则能写出最伟大的作品。这类作品不那么激情洋溢，技巧上甚至也有些内敛，但技法或思想已经接近完美，通常是对时代的总结。这需要身体与叙述欲都撑得住。干得了这个的，那都是文豪级的。

托尔斯泰71岁，《复活》；雨果60岁到72岁，《悲惨世界》；陀思妥耶夫斯基59岁，《卡拉马佐夫兄弟》；川端康成“妖艳”了一辈子，到63岁，写出大成的《古都》。

这就是规律：极少数天才，20多岁写伟大作品；大多数澎湃型作家，30多岁（相对集中在35岁到38岁）写首部伟大作品；一部分成熟的作家，40多岁（相对集中在43岁到47岁）写成熟伟大作品；极少数文豪，到六七十岁依然能继续写大总结型作品。

（张秋伟摘自微信公众号“张佳玮写字的地方”）

言论

2061年哈雷彗星回归，记得替我问声好。

——2023年年末，一篇名为《最后一排的最后一课——记一位南大天文教师》的文章引发关注。网友“吴楠”表示，自己至今仍记得20年前南京大学萧耐园教授在天文学选修课上的叮嘱

小时候最讨厌的事就是睡觉，长大后却怎么也睡不够。

——孩子和大人，各有各的烦恼

感谢给我崇高的荣誉，我不过是勤于耕作、不问收获罢了。

——2023年12月15日，“第五届世界考古论坛”将“终身成就奖”授予北京大学的严文明教授，这是该论坛首次授予中国考古学家该奖项

夕阳无限好，只因近黄昏。

——如何改变一个字，让“夕阳无限好，只是近黄昏”产生不同的意境

生成式人工智能、全球文明倡议、村超、新质生产力、全国生态日、消费提振年、特种兵式旅游、显眼包、百模大战、墨子巡天。

——国家语言资源监测与研究中心发布的2023年度“十大新词语”

我们为体验这些可怜的、美妙的、灿烂的感觉而活，每一种被我们排斥的感情，都是一颗被我们熄灭的星星。

——赫尔曼·黑塞《克林索尔的最后夏天》

我们很幸运地可以出于喜爱而攀登，但登顶珠峰对我来说不仅是为了让世界看到我，我希望大家还能看到我们这一代中国新青年。

——2023年5月，经过近10个小时的艰难攀登，16岁女孩徐卓媛成功登顶珠穆朗玛峰，成为中国年龄最小的从南坡登顶珠峰的人

中学：体育课时间怎么过得这么快？

大学：体育课时间怎么过得这么慢？

——中学和大学的区别

2023年是有记录以来人类历史上最热的一年。

——语出世界气象组织《2023年全球气候状况（临时报告）》。临时报告中使用的温度数据为截至2023年9月底的数据，《2023年全球气候状况报告》最终版将于2024年4月发布

优秀的阅读是有力量的，因为在阅读的时候，你不是一个人，而是和古今中外的先驱者们并行。

——毕淑敏谈阅读

成语让中国人在说话或写作的时候，随时可以插入超链接。

——关于“成语对中国人来说意味着什么”，网友“孟德尔的豌豆”如是说

什么是勇敢？就是不要回头看。我一直要坚持往前走，穿过喜怒哀乐，穿过爱恨情仇，去看看大海上的春天，和那盛开的花。

——电影《再见，李可乐》

第一阶段：已读秒回；第二阶段：已读不回；第三阶段：已读乱回。

——如何判断朋友和你的熟悉程度

放假是为了逃避上学生活，上学是为了逃避家庭生活，但无论哪种，最终的结果都是精神崩溃，所以我喜欢回家的那段路。

——为什么“上学喜欢放假回家，放假又想回学校上课”，网友“唐寅”给出了答案

（木木、萌芽等摘）

我去肯尼亚看动物

●卢美慧

过去几年，身边许多朋友都变成了博物学爱好者或户外“狂魔”。当我发现有朋友在张罗去非洲看动物的行程时，我毫不犹豫地报了名。2023年9月的一天，我登上了飞往肯尼亚的飞机。

1

11天的时间，我们一共看到55种动物，即使在资深的观兽爱好者之中，也是非常不错的成绩。

我们的第一站是位于肯尼亚中北部的桑布鲁保护区，那里干燥、炎热，符合我对非洲的想象。我在桑布鲁看到的第一种动物是葛氏瞪羚——同行的伙伴中有一位资深的动物爱好者，接下来的几天，在他的帮助和讲解下，我学会了辨别十几种羚羊的方法——又是一些无用的知识，但这种无用制造着一种前所未有的快乐，那是书本、影像、道听途说都无法提供的满足。世界原本如此，那些生灵世世代代生活在那里，而人生须臾一瞬，能在偶得的片刻与它们四目相对，知晓它们的存在，识得世界的广大，也算是疲惫人生中难得的际遇。

2

此次非洲之行，我最盼望见到的动物是犀牛。

我在动物园看过几次犀牛。动物园里，日子最惨的应该是巨型动物，食量大，活动空间小，笼子小一点的话转个身子都能撞到墙，实在憋屈。巨兽里面犀牛又有点儿特殊，大象和长颈鹿都生得更有特点，粉丝基础扎实，河马丑得很有力度，人类的关注度遵循一种势利的分配法则，犀牛没啥特殊优势，所以多数时候只在笼子一侧懒洋洋地或躺或站。

看得久了，也就有了好奇心，那些笼子之外的犀牛过着怎样的生活？是不是同样因为对禁闭的厌倦而懒洋洋的？

后来读已故的环保主义者劳伦斯·安东尼所写的《最后的犀牛》，书里开篇即写道：“犀牛的美丽古老而恒久。巨大的身体，隐藏在厚厚的如同盔甲一样的褶皱皮肤中，加上一个华丽的弯角，让它们如此迷人。”在劳伦斯笔下，犀牛是一种俏皮滑稽的动物，它们对人类好奇，喜欢近距离偷窥游客，“然后夸张地用犀牛特有的那种蹦蹦跶跶的方式跑开”。

在动物园，我只看到犀牛的疲惫和厌倦。我想象不到，它们特有的那种蹦蹦跶跶是什么样貌。劳伦斯生前，为保护非洲大陆的濒危物种做出过数次孤胆英雄式的冒险。他与非洲猖獗一时的盗猎者周旋，深入被反政府武装占领的丛林，只为营救当时地球上已经寥寥无几的北白犀。2012年，劳伦斯死于心脏病。6年后，地球上最后一头叫苏丹的雄性北白犀去世。在物种理论上，北白犀已经走向灭绝。

肯尼亚目前生活着地球上最后两头雌性北白犀，一番周折之后，我见到了那两头终将与人类、与这个星球告别的美丽生灵。

两头大家伙的名字分别是法图和纳金，它们是一对母女，对于自己是地球上最孤单的生灵浑然不知，只是安静地在自己的专属领地悠闲地吃草。与其他亚种相比，北白犀体形更大，站在它们身前，人会感觉到本能的压迫。但它们的性情也最温顺，动作迟缓得让人感觉时间正在减速。

总体上说，犀牛是非常胆小的生物，不会主动伤人。它们的视力不好，反应也没那么机敏。这样的特点让它们在漫长的历史中一直承受着悲惨的命运。犀牛角在东西方历史上都是显贵们的心头好，犀角还是一味有着悠久历史的中药，这让犀牛在20世纪八九十年代遭遇了几近毁灭式的猎杀。面对眼前沉默、巨大、优美的生灵，我很难不去联想人类的这些罪责。苏丹死后，法图和纳金被24小时持枪保护。这迟来和徒劳的努力透着无力和悲伤，却也是人类唯一能为它们做的事了。

奥佩杰塔还生活着黑犀和南白犀。我们在路上看到了散步的犀牛、奔跑的犀牛，甚至运气爆棚，看到了一对正在交配的犀牛。犀牛跑起来的样子真的是“蹦蹦跶跶”的，相比于在动物园里的憋屈，以天地为背景欣赏它们，会让人感觉到一种本能的开阔，“荒野之上，生而自由”的念头在脑海中反复出现。如果把人生切割成不同的段落，我想从那个时候开始，人生里一段因封闭而扭曲而痛苦而慌不择路的日子，彻底结束了。

3

遗憾的是，夏日将尽，角马过河已临近尾声，我没能亲眼看到在纪录片里温习过无数次的壮烈景象。不过在马赛马拉河的一处激流，我们看到了很多淤积在河口的角马尸体。它们在迁徙途中死于踩踏或溺水，空气中弥漫着腐臭的气味。非洲秃鹳和兀鹫等食腐鸟类在岸边大快朵颐，展现出生命的一种残酷秩序。

行驶在边界线的时候，向导会指着角马或其他动物跟我们说，它们上午在肯尼亚吃会儿草，可能下午就回坦桑尼亚去了，动物没有那些规则和限制。

在马赛马拉，向导带我们找到了一头独行的雄狮。眼前的草原望不到尽头，那头狮子来回走了几步之后，平静坦然地卧在一片极速消失的光芒之中。

它似乎刚刚经历过一次打斗，眼角充血、脸上有明显的伤痕。它的鬃毛浓密厚实，自带王者气息，但打斗过的疲惫也很明显，夕阳西下，很有英雄迟暮的意味。同行的伙伴判断，这头狮子年纪不小了，它输掉的可能是狮群的权力更迭之战，它的时代结束了。

似乎是冥冥中特别的安排，第二天，迎着初升的朝阳，我们碰到了两个狮群，一群是母狮带着几头小狮子在草原嬉戏，另一群是几头结伴的少年雄狮。生命的卷轴铺陈在马赛马拉的一片壮阔之中，消逝与新生并存，古老的秩序不可撼动。

非洲的夜晚很安静，能听到各种鸟兽的叫声。那是一种切实的置身荒野的感觉，能让人瞬间明白什么叫“我们由奇迹构成”。那也是绝佳的觉察到自己在这个星球上位置的瞬间，能让人脱离身体的限制，在亘古的安静中知晓生命的独立。

肯尼亚的最后一夜，头顶的星空璀璨安宁，给人恒久的抚慰。那个时刻，我对旅行的意义有了更多的体认。宇宙浩渺，人生须臾，眼前浮现的，便是将行的道路了。

（平林月摘自微信公众号“人物”，本刊节选，视觉中国供图）

如何拍出最佳掌声

●袁则明

据说在2000多年前的古罗马，经常发生战争，有一支蛮族部队的士兵，在首领讲完话或发出号召后，都会敲击手中的武器，以示支持。这种敲击的做法比呐喊更有声势，所以罗马士兵也渐渐学会，最后演变成了“鼓掌”。

从此，鼓掌成了一种肢体语言。掌声不再是士兵专用，鼓励、欢迎或高兴时，人们都会鼓掌。在19世纪的法国，有些人甚至以鼓掌为职业，只要拍出的掌声热烈，就能获得报酬和免费门票。那么，怎样才能拍出最佳掌声，让对方感觉到你的热情洋溢呢？

希腊克里特科技大学的一位工程师在教授声学课时发现，很多学生都觉得测量声音的设备太昂贵，希望用一种更简单的方法来替代。于是，这位工程师在学生提出的众多建议中选择了拍手，因为拍手不仅不需要花钱，而且声音短暂又响亮，十分符合研究人员对声源的要求。

为了检测拍手的声音与昂贵的声学设备是否具有相同的效果，研究人员让20多名学生在至少11种不同的手势配置下，在不同的场地，用一只手拍打另一只手。每一种手势的配置，区别在于两只手掌之间的角度、一只手的手指与另一只手的手指或手掌的重叠程度。

研究人员还规定，被拍打的手掌要伸直，让另一手掌变换不同手势来拍打，如完全重叠、部分重叠、呈45度角等，手形可以伸直，或呈圆顶状，或略呈圆顶状等。

通过检测发现，双手手掌交叉呈45度角左右时，若手掌部分重叠，则拍手的声音最响亮，平均声压级为85.2分贝；若手掌完全重叠，拍手的声音最小。

但是，提到声音，分贝不是唯一的标准，频率也非常重要。我们知道，声音的响度由振幅决定，频率则决定了声音的音调。

研究人员通过不断地将振幅和频率进行对比分析，最后确定，将双手保持45度角，手掌完全重叠并略微呈圆顶状是最佳鼓掌手势。虽然这种拍手方式产生的音调特别低，但能产生亥姆霍兹共振。

亥姆霍兹共振指的是空气在一个腔中的共振现象。德国物理学家赫尔曼·冯·亥姆霍兹将海螺贴在耳边时，听到了一种神秘的“海洋声音”。随后，他在多次实验中发现，空气在某种特定容器中会引发神奇的共振。于是他设计并命名了亥姆霍兹共振器。这种共振器有一个已知容积的刚性容器，形状非常接近球形，容器一端有一个细口，另外一端开了一个大口，为了让声音进入。

这种形状与双手保持45度角，手掌完全重叠并略微呈圆顶状的手势相似。因拇指周围留有一点空隙，两掌之间就形成了一个小的封闭空间，它通过吸收环境中的声音而使得掌心那缕空气产生振动，从而得到一个共振频率，使得声音更大。

当你用这种方式鼓掌时，虽然声音的频率较低，但这种共振频率发出的声音既短暂又响亮，同时能因为频率特殊而在复杂的声音环境中被分辨出来。所以，你用这种手势鼓掌，就容易在众多鼓掌的人中被注意到，从而更能让人感觉到你的热情洋溢。

（王世全摘自《知识窗》2023年第11期，Raven图）

我爸教会我的事

●冯唐

我爸教会我三件事：喝茶、自然、自在。没有教科书一般的说教，而是在无数小事上，我爸默默做，我在一旁默默看，认真学。

是我爸让我喜欢上喝茶的。

每次回到家，我叫他一声爸，他就给我泡一杯茶，往我面前一放，一句话不说，就忙着去做饭了。这些年我回过家几百次，我爸给我放茶的动作我也看了几百遍。我爸的意思我明白，男人之间没有那么多的话可说。

一杯茶解决口渴，一顿饭解决饥饿，父爱可能在我爸眼里没有那么花里胡哨。这就是我爸教我喝茶的方式，完全和茶叶、茶具、水没有一点儿关系。喝茶这件事，他教我的就是一个动作，这个动作重复几百遍，我自然也爱上了喝茶。到现在，每当我端起一杯茶，就非常想念他。

第二件我爸教会我的美好的事情是爱上自然。我小的时候，没有别的娱乐，只能看书。那时候的夏天，家里连电扇都没有，我就一边流汗一边看《资治通鉴》。今天我能讲《资治通鉴》，也得亏那些年流过的无数的汗。

那时候的我为了看书，什么都可以忍受。我爸担心我把眼睛看坏了，但他什么都不说。一到星期天，他就拉着我去骑车，或者去天坛，或者去龙潭湖，再不济也会去护城河边，看看蜻蜓，看看各种小玩意儿，花花草草，鱼虫鼠蚁。他会耐心地跟我说这个花叫什么，那个鱼叫什么，就是不和我说要注意保护眼睛。那时候的龙潭湖公园还有鱼市、鸟市、花市，我爸仿佛认识所有的花鸟鱼虫。当时也没有什么钱，就只能一次买一点点，慢慢我就爱上了和自然相处……

后来我开始爱上跑步。我每回只沿着护城河跑步，那时候的河床还没有硬化，都是土质的河坝，我就在每个清晨和日暮时分，踩着松软的泥土慢慢跑步。

现在每次跑步时，我都能回忆起我和我爸当年在河床边玩耍的光景，我甚至能够听到那时候的声音，能够闻到那时候的味道——那时候夏天的傍晚大雨落下前，空气里有重重的泥土的味道。这些声音和味道在我的脑海里挥散不去，已经成为我人生的一部分。我爸就是这样教我爱上了大自然，可能他也没有意识到这些微小的动作给我带来的巨大变化。

第三件我爸教会我的事是人间美好，是自在。我爸这人，好像在面对世界的变化也好、家庭的变故也好、我妈的咆哮也好，他都能够保持内心的安宁。面对各种各样不平和的问题时，我爸就会喝茶，用自己拿手的厨艺给孩子们做饭吃，余暇时看一本武侠小说。好像外边无论给他的日子里扔进多少砖头、瓦片、石子、炸弹，日子在他心里一直就像水一样，慢慢地，一天天地过。

我在他呈现自在状态时，偷偷观察过他很多次，但他从来不说话。我觉得他的字典里都没有“自在”这个词，但我发现了一个现象——他待着的地方往往是这个空间里边通风最好、阳光最好、最舒服的地方。哪怕在河边坐，也可能是那段河边最舒服的地方。我坐在我爸的身边，随时随地都能感受到内心的自在愉悦。

喝茶、爱自然，无论顺境逆境，无论生活条件好坏，保持自在，用不说话的方式去影响别人，这些都是我爸教会我的事。

（晓晓竹摘自微信公众号“冯唐”，与鱼图）

谁的青春不是潮湿的雨季

●李柏林

14岁那年，我上初二，我还记得我穿着肥大的校服，一个人走在路上的情景。

那时，我留着发黄的短发，人也很瘦弱，看起来一副营养不良的样子。老人家有种说法，如果孩子头发不好，剃几次光头，头发就会变得又黑又硬。可我已经不是小孩子了，于是我妈只能把我的头发剪得很短，希望以后能长出黑色的头发。

初中时，大家都还处在长身体的阶段。我妈总担心我长得太快，买校服的时候恨不得报大两个尺码。可是时光好像在我这里按下了暂停键，当别人都在疯狂生长的时候，我像一株被时光遗忘的小草。所以那些年，我的外套总是长到盖住膝盖，裤脚的地方还堆在了一起。因为总是一个人低头走路，我甚至看起来有些驼背。

学生时代，好看的女生自然是大家议论的焦点。下课的时候，不经意间就会听到同学们讨论谁长得好看，谁更有气质，谁有异性缘……这些话题都与我无关。不仅时光遗忘了我，同学们也遗忘了我。

我妈天天提醒我，要以学业为重，不要过分注重外表。那些年土气的穿衣打扮，让我甚至丧失了欣赏美的能力。我还很怕自己的闯入会遭人嫌弃，所以只敢坐在座位上假装看书，像一个趴在墙脚偷听的探子，偷偷羡慕着她们。

我唯一能拿得出手的，就是语文成绩。升学考试时，我的语文成绩是班里的第一名，我也因此成了语文课代表。在语文老师的眼里，我应该是个很乖巧的学生，没有叛逆的性格，也不喜欢拉帮结派，所以他有时候会让我帮他整理一些材料，还会在课后问大家“听懂了没”的时候望向我。

这些都成了同学们介意的地方，他们觉得我和语文老师走得太近了，肯定会打小报告；老师偏心，让我得到了太多的优待。所以，每当语文老师夸我作文写得好的时候，我的内心十分煎熬。

我很害怕考砸，更害怕别人说：“她才不是班里语文学得最好的，因为老师喜欢她，她才是语文课代表。”我也不敢跟同学们一起玩闹，我害怕老师觉得我在慢慢变得叛逆，从而不喜欢我。有一次，一个男生当着我的面说，他觉得语文老师教得一点儿都不好，水平很差。我其实心里很不舒服，好像我也遭到了否定，但是我什么也不敢说。我害怕被同学们孤立，尽管我那时候的状态，和被孤立差不多。

我也曾试图融入他们。记得有一次放学，我要去给语文老师送作业本，便专门让后桌的女生帮我打饭，并许诺回头请她喝奶茶。在我心里，这样的你来我往之后，可能我们就是朋友了。她答应了。等我赶到食堂的时候，我却看见她正和别的女生坐在一起边吃饭边聊天，全然忘记帮我打饭的事。见到我后，她略显歉意地说：“呀，我跟她一说话，就把打饭的事给忘了，对不起啊。”我忙说没事，然后一个人排起了队。

其实，这不算最孤独的时候，我最怕的是下晚自习的时候——大家都会喊上自己的同伴回家，我却只能一个人走在回家的路上。当时学校附近都是没开发的荒野，夜晚安静得能听到自己的脚步声。即使头顶上有昏黄的路灯，我也是很害怕的，有时候只能唱着歌给自己壮胆。

这种孤独和压力一直持续到我读高中才停止。升高中的那个暑假，我的个子开始疯长，头发也终于长到了可以扎起马尾的长度，而且又黑又直。升入了新的学校，我成了班里个子最高的女孩子，可高中的学习生活紧张，大家好像一下子都不关注这些了。

我的语文成绩不再是最好的，所以，我没有突然光芒万丈，也没有再因为成绩被同学孤立。高中离家比较远，我开始住校，再也不用走夜路了。曾经那段不美好的记忆，也渐渐因为成长变得不值一提。

后来，我走上了写作的道路。有人问我，你是从什么时候开始写作的呢？我想大概就是初中吧，那个时候我没有什么朋友，年少的心思在大人看来又显得矫情。于是，我把自己的敏感脆弱，还有那些隐秘的心事，都记了下来。

然后别人会觉得，我上初中时作文一定就很好了，那个时候我在学校肯定很耀眼吧？

我想了想，耀眼吗？那时候的我并没有因为语文好而觉得自己有多厉害，反而第一次感受到那种处于人群中的孤独——没有人同我讲八卦，没有人陪我吃饭，没有人把我当朋友……我就是在这样的情况下走了很远的路。它好像一点儿也不耀眼，反而有些凄凉。

也许很多人提到青春，都是自卑的、怯懦的、暗潮涌动的，即使那些看起来很耀眼的人，也肯定有他们的烦恼吧！就像一个没有带伞的人走在下雨的路上，衣服怎么也焐不干，只能任由那些情愫在心里长满青苔。

但是对别人而言，他们会因看到的那缕微光，而觉得你肯定是乘着光跑来的。其实不然。我们都是黑夜中的赶路人，当有一天遇见光明了，才会用现在的光芒，照亮曾经的自己，却从来不会用现在的光芒，让曾经的自己好过一些。

谁的青春不是潮湿的雨季呢？人无法在经历青春的时候，同时拥有对青春的感受。那些年淋过的雨，也许会因为后来的阳光渐渐褪去，但是青春的那些不美好，只能埋藏在自己的心底。也许在成长的道路上，努力自洽，才是青春的意义吧。

（本刊原创稿件，视觉中国供图）

《西游记》里的“显眼包”

●詹忆梦

在《西游记》里，出现了非常多的小妖。虽然只是跑个龙套，撑个场面，然而，正是有了这群可爱的“显眼包”，《西游记》才能长盛不衰。

名字不简单，实力却一般

在平顶山，猪八戒巡山时，遇到一群小妖。他本可以“化万道火光”而逃，但慌了阵脚，接连绊倒后，被一群小妖按住——抓鬃毛的，揪耳朵的，扯脚的，拉尾巴的，没挣扎几下就被擒住了。盘点《西游记》，大妖手下的小妖不计其数，出场时一拥而上，退场时无声无息，看似是群众演员，却倾注了作者独有的心思。

碧波潭的鲇鱼怪（奔波儿灞）和黑鱼精（灞波儿奔），一个“暴腮乌甲，尖嘴利牙”，一个则“滑皮大肚，巨口长须”。他们俩的长相怪异丑陋，为典型的妖怪长相，却不具备灵异能力。这两只鱼精是九头虫的手下，被安排去祭赛国巡塔，因远离“老板”的视线，便想到“摸鱼”偷闲，在金光寺塔心里猜拳喝酒。不幸得很，他们俩被孙悟空捉住后，为了活命，道出了“老板”所有的秘密。

神话故事中的妖怪，往往是“物老成精”，带着人性、物性以及超自然的能力，所以也被称为“精魅”。先秦奇书《山海经》就记载了一些能通异象的灵异动物，比如鱄鱼、薄鱼、鲔鱼，预示干旱的发生；蠃鱼，预示水灾的降临。东晋干宝的《搜神记》中，精怪还有变形的能力，如大蛇变成树，鸠变成金钩等。而《西游记》里的小妖则平淡无奇，既没有法力，也没有显赫的背景，只是在大妖手下当差。尽管如此，他们却有着与众不同的名字。

有什么性格，就有什么名字

碧波潭的两只鱼精，名为奔波儿灞、灞波儿奔，这叫啥名字？又有何用意？清人张书绅在《新说西游记》中揭示说“心上有游物，无怪其奔波不已”。而清人陈士斌在《西游真诠》中，侧重于从小妖的性格特点来理解，即“颠倒参差仓皇急遽之情状”。

两种说法都有其合理性，而后者更能揭示《西游记》对小妖的命名原则，即采用语词颠倒且对仗的名字，比如刁钻古怪和古怪刁钻，红孩儿六健将中的兴烘掀和掀烘兴，读起来像绕口令，充满趣味，还有一定的含义。

另一重取名原则便与小妖的性格有关了。红孩儿六健将中还有两组搭档：云里雾和雾里云，一看名字便知是一对儿糊涂虫——看见孙悟空假扮的牛魔王，丝毫未起疑心；快如风和急如火，一看便知是急性子，做事火急火燎，慌张冒失——迅速确认了牛魔王为真，就连滚带爬地“撞进洞里”报告。《西游记》里的小妖，可谓有什么性格，就有什么名字。

不过，有时情形恰好相反。巴山虎和倚海龙，名字听上去有万夫不当之勇，实际战斗力极弱，刚出场便被打死；精细鬼和伶俐虫，名字透露着机灵，实际又如何呢？

银角大王用大山压住孙悟空后，让俩小妖带着紫金红葫芦和羊脂玉净瓶去收孙悟空。得了宝贝又领到好差事的俩妖全然忘了自己处在一场你死我活的战斗中，反而与孙悟空玩起了“斗宝贝”的游戏。这对形影不离的小妖遇小事机灵，但碰到大事糊涂，可见名字与性格形成了对比。

说到这里，我们大概明白，小妖的出场使取经故事充满了欢乐。不过奇怪的是，《西游记》的作者为何要给严肃的取经朝圣故事添上喜剧色彩呢？其实，这颇符合晚明思想界逐渐兴起的追求真实、解放人性的思想风气。当时的思想家李贽提出“童心说”，希望人们找回“绝假纯真”“最初一念之本心”。如何帮助世故老到的成年人找回“童心”呢？那便是创造一个童话世界。

取经路实苦，童话来解闷

儿童的重要性已在先秦道家典籍《道德经》里得到阐明，如“常德不离，复归于婴儿”，又说“圣人皆孩之”。圣人和婴儿，他们的道德没有受到外界玷污，所以应该向他们看齐。

后来，儿童的身影越来越多地出现在诗词中，比如唐代诗人刘禹锡的《同乐天和微之深春二十首·其二十》写尽童趣：“何处春深好，春深稚子家。争骑一竿竹，偷折四邻花。笑击羊皮鼓，行牵犊颔车。中庭贪夜戏，不觉玉绳斜。”为了一根竹竿，争来抢去；偷采左邻右舍的花；夜戏精彩，便玩性大发，不想回家。这些事，大概只有儿童会做，也只有葆有童心的大人，才会写成诗句吧！

在儿童的世界里，不起眼的小事物往往能引起他们极大的关注，当出现紧张、焦虑的情绪时，他们也会从身边的小物件中寻求排解。《西游记》深谙此道，加入了大量带有儿童特征的思维和言语。

与青狮怪的对决中，小妖就像看热闹的孩子。孙悟空跑到青狮怪的肚子里大闹，而在外面，众小妖你一句我一句地在青狮怪的伤口上撒盐。一个小妖提醒青狮怪：“大王，不好了！孙行者在你肚里说话哩！”另一小妖喊了一声：“大王，孙行者要在你肚里过冬哩！”在青狮怪和孙悟空的搏斗中，小妖不但没能解围，反而看到什么说什么，沉浸于一场好玩的游戏，全然忘了自己的阵营。

儿童浅显易懂的市井白话在带来欢乐的同时，何尝不是在讲述道理？李贽认为，“有德之言”常常是“令人听之忘厌倦”，所以，《西游记》看似创造了一群“人来疯”的小妖，但也不乏能说出“有德之言”的小妖。

林庚先生在《〈西游记〉漫话》中指出，小妖组成的童话世界，尽管是“非逻辑的”“片段的”“跳跃性的”，但它的存在不是为了单纯的逗乐，而是带着深刻的道理。童话故事“暗含着当时社会思潮中寻求精神解放与回到心灵原初状态的普遍向往”。

《西游记》为何能长盛不衰？因为它不仅有唐僧师徒成圣的励志故事，有博人眼球的斗法场景，还有一群可爱的小妖——他们慌慌张张地把我们带入剧情，虽从不讲述大道理，却让我们体会到人情的质朴和人性的局限。

（秋水长天摘自《中华遗产》2023年第6期，邱炯图）

提升读后感写作的五个方法

●贝小戎

跟写人、记事的作文相比，读后感更难写。以《鲁滨逊漂流记》为例，要写出一篇高分读后感，有下列5个方法：

1.开头不要以第一人称讲自己的阅读经历

网上有很多精选出来的《鲁滨逊漂流记》的读后感，开头都会说自己是在怎样的契机之下看了这本书：“这个寒假，我有幸读完了一本书——《鲁滨逊漂流记》”“周末妈妈带我去图书馆看书，突然我的目光被一本名叫《鲁滨逊漂流记》的书吸引了”……

这样的开头是写读后感时很自然的起点——我怎样读了这样一本书。然而统统没必要，现在你既然能写一本书的读后感，你肯定已经读了它，至于为什么要读、谁让你读的，都不重要。

开头直接介绍作者和主要内容也显得很平淡，因为都是众所周知的事实。开头一定要出奇制胜，比如可以说：“什么样的故事最好玩？要不把一个人丢到一个偏远的荒岛上，逼迫他在那里复制出一个缩小版的人类文明，几十年间，从刀耕火种、茹毛饮血迅速发展到能建出粮仓、造出创可贴……”

2.用抽象的词语概括故事情节

读后感需要概括一本书的主要内容，概括时最好用一些抽象的大词。比如，库切是这么写笛福的：“他老年时所创作的小说涉及的题材众多——犯罪、征服、野心、孤独，这些小说即使在今天读来，也和300年前一样，让人感到生动而有趣。”库切说的“野心、孤独”，比你说鲁滨逊在荒岛上养家畜、制作雨伞更吸引人。

3.除了概括内容，也要谈作者的叙述手法和文字特征

指出小说的故事弧——在《鲁滨逊漂流记》中，笛福有意使历险者的故事迎合自己的需要，让他依次经历叛逆、惩罚（船难）、悔恨（孤独的教训）和救赎（返家）。

伍尔夫说，读这部小说，“我们发觉自己也在海上漂流，遭遇狂风暴雨，一眼望去，看到的所有景象都与鲁滨逊目睹的一模一样。海浪、水手、天空、船只——一切都是通过他那双细心的、中产阶级的、缺乏想象力的眼睛所观察到的。看到一群身躯庞大的生物深夜泅水包围他的木船，我们比他更加惊慌”。

库切这样描述笛福的叙述技巧：为了把失事船只上的东西挪到岸上，为了用泥土垒一个锅灶，鲁滨逊不得不解决数不清

人类历史上的第一部穷游指南

●毛利

多年后再次打开《鲁滨逊漂流记》，我发现自己跟20多年前的那个下午一样，刚看一个开头，就被迅速吸引。十三四岁时，我在小镇图书馆借到一本《鲁滨逊漂流记》，封面粗糙，属于20世纪80年代的旧译本。但是打开之后，我仿佛掉入一个神奇的宝盒，眼睛再没有移开过。

从天亮读到天黑，吃晚饭时托着书在桌子上看，我母亲在旁边说了什么，我置若罔闻。当时我正跟着鲁滨逊在荒岛上大冒险呢，看他是怎么盖房子的，又是怎么种麦子、做面包、养山羊的。而一切的起因，是他有一种古怪的不安分。

这股不安分牵引着他，让他从18岁开始，一次又一次地浪迹天涯。正如书中所说："我这颗倒霉的脑袋，它总是要让我清楚，它生来就是为了折磨我的肉体的。"我那时还从未去过上海以外的地方，但毫无疑问，我应该也有一颗这样的脑袋，不安分守己，不想听从父母的话，过上幸福安康的生活，总觉得外面有着什么，两条腿不听使唤一般，总想跑出去。

《鲁滨逊漂流记》应该是人类历史上的第一部穷游指南，它生动地描绘了一个一无所有，被命运之风暴刮到荒岛上的文明人，是如何赤手空拳存活下来的。

（布可摘自《青年文摘》2023年第24期）

的、很实际的小问题，作者将这些写得快速有效，而且栩栩如生、十分感人；读者一页一页地读下去，看到主人公为了活下去，一件事接着一件事地忙碌着，作者将这些事描写得细腻非凡，很有条理。

4.做一些比较，显得自己读书广博

史蒂文森说，西方文学中有4个令人过目不忘的高潮时刻：鲁滨逊在海滩上看到一个人的脚印后，吓得两三步一回头地逃回堡垒；阿喀琉斯令特洛伊人心惊肉跳的呐喊、哮吼；尤利西斯拉开巨大的弓箭；班扬的《天路历程》中，基督徒在妻子、儿女喊他回去时，用手指塞住耳朵奔跑。

卢梭在《爱弥儿》中说，《鲁滨逊漂流记》对自然教育的论述很精彩，它可以同时作为爱弥儿消遣和教育的读物。孩子可以研究在处于鲁滨逊那样的情况下时应当怎样办，在缺少这个或那个的时候，要思考解决问题的办法；同时留心他的错误，以免在同样的情况下也犯那样的错误。

5.使用金句和排比

300多年来，这本书受到一代代读者的喜爱，在库切看来，这是因为："人人都像克鲁索。和克鲁索一样，每个人都是一座孤岛。"（编者注：此处的"克鲁索"即"鲁滨逊·克鲁索"）

牛津版序言这样表述："《鲁滨逊漂流记》是一部异域历险记，是对孤独的研究，是一部关于罪恶、赎罪和救赎的寓言，是个人主义的神话，是一个漂泊者的自传，是对帝国扩张的预言，然而，这些解释都无法穷尽它的内涵。"

（木子李摘自微信公众号"贝书单"，本刊节选，阿砂砂图）

幽默&漫画

味道

小时候每次生病，妈妈都会给我冲一杯咖啡，那味道又酸又涩。她每次都会以温柔的语气告诉我，外国人都喝这个。

如今我长大了，喝过很多品牌的咖啡，但是再也找不到童年时的那个味道。直到有一天，我喝了一杯抗病毒冲剂……

爬山

爸爸和小明爬上山顶，累得汗流浃背。

爸爸长舒一口气，感叹道：“看，山下的风景多美啊！”

小明问：“那我们还上山干吗？”

爸爸给的

客人对豆豆说：“瞧，你妈妈给你的头发多漂亮啊。”

豆豆思考数秒后说：“我想，这头发应该是爸爸给我的，因为现在他头上一根头发都没有，全给我了。”

鸡怎么叫

小明：“狗会汪汪叫，猫会喵喵叫，鸡会怎么叫？”

小花：“咯咯嗒……咯咯嗒……”

小明：“‘鸡会’（机会）是留给有准备的人的。”

自不量力

物理课上，老师津津有味地讲完“力”这一章后说道：“接下来我举个例子，请同学们细细分析究竟有什么力？”

彼时，老师正好看到窗外有一辆汽车停在那里，便说道：“如果一个人去推一辆汽车，其中有哪些力？想想我们学过的重力、压力、摩擦力……”

一个同学马上站起来回答：“还有自不量力！”

换水

老板：“这些鱼需要用山泉水养着，每7天换一次水。”

我：“不换水可以吗？”

老板：“也可以，那就7天换一次鱼。”

阿姨，小点儿声

我妈坐公交车时戴着蓝牙耳机接电话，说话声音特别大。我站在旁边很尴尬，想提醒她，又觉得丢脸，于是我说了一句：“阿姨，麻烦小点儿声。”

电梯

我家住在23层。

回家时电梯停运，无奈我只能爬楼梯。爬到16层时，我发现电梯运行了，赶紧跑去等电梯。

坐上电梯，我却发现是去1层的，心想一会儿再坐上来就行。

不料到了1层，进来一位维修师傅，他对我说：“电梯正在检修，请走楼梯。”

孤注一掷

问：“人生中有没有那么一件事，你明知风险很大，有很多理由放弃，却还是孤注一掷？”

答：“交卷之前改答案。”

扫雪

前两天下大雪，雪停后，学校组织高一年级的学生扫雪。扫完雪后，同学们纷纷喊累。

老师见状，安慰道：“学校说了，今年让你们扫，明年让高二的扫，后年让高三的扫。”

现场顿时一片寂静。

一支牙膏能挤多长

东东听到妈妈下班回来，忙从房间里冲出来大叫：“妈妈，您知道一支牙膏能挤多长吗？”

“不知道。”妈妈疑惑地说。

“我也是刚刚知道，能从沙发挤到厨房门口。”

（余娟、潘光贤等摘）

HUMOR & CARTOON

每天都想见到你

●BAMBOOMATES

困在树上

避暑

好朋友

（小肥羊摘自北京联合出版公司《每天都想见到你》一书）

名字和脸，哪个更好记

●大科技

都说一个人的脸好认，名字却不好记。你一定很好奇，记住人脸和名字不是一回事吗，怎么二者还有难易之分？

神经科学家指出，这是两个不同的过程：识别和回忆。

我们通过情景设定来具体区分一下。假设你去参加同学会，来的有些是以前的老同学，有些可能素未谋面。其中有个同学的右眼下方长了一颗泪痣，于是，你的大脑可能会根据这个面部特征进行识别，最终得出“认识”或“不认识”两个答案的其中之一。在你确定那个同学是自己的老朋友后，你们开始闲聊。此时，一个你认识但你的同学不认识的人对你们聊的话题饶有兴趣，想加入你们并交个朋友。出于礼貌，你需要将这两个人分别介绍给对方：“这是我的朋友张三”“这是我的老同学李四”。那么，在你搜索张三和李四的名字时，大脑的活动过程被称为回忆。

在确定是否认识一个人时，我们的大脑会做出三个反应。首先，我们会确认那个人的面部特征，例如他是否戴眼镜，是双眼皮还是单眼皮、厚嘴唇还是薄嘴唇；之后，大脑根据这些特征进行人脸识别，判定我们是否认得这张脸；最后再回忆他的名字。

简单地说，我们在看到一张脸后，大脑只需简单地识别是否见过；而人的名字藏在记忆的某个角落，我们需要通过检索、回忆等过程，才能最终确定答案，这比面部识别更加复杂。所以，记住一个人的名字比记住他的长相要难得多。

想要更好地记住人名，多加使用或许会有帮助。比如，在做自我介绍时，对方说：“你好，我叫张三。”这时候你可以说：“张三你好，你是哪里人呢？”在你第一次接触“张三”这个名字时就及时使用，可以帮助你加深印象。或者你发现张三是个重庆小伙，重庆人多数爱吃辣，那你可以想象他坐在火锅店里吃辣锅的画面。如此，“张三”这个名字也就变得生动了起来。

我们人类特别擅长识别人脸，即使面对自然万物，比如看到天上的星云、地上的流水、周围岩石形成的随机图案，也能让我们联想到某个人的脸。既然如此，那“脸盲”又是怎么回事呢？

专门用于处理面部识别的梭状回面孔区，位于大脑的颞叶区域（大致在耳朵后方）。梭状回面孔区受损的人无法通过识别人脸来判定自己与某人是否相识，这一症状被称为“脸盲症”。

科学家曾做过实验，让脸盲症患者从一堆照片中识别哪些是他们的朋友，哪些是家人，或者哪张照片是自己。结果显示，尽管脸盲症患者的视觉、听觉还是正常的，他们却很难完成指定的要求。在生活中，他们仍然可以通过识别朋友的声音、衣服颜色、发型等来判定，但若是朋友换了衣服和发型，一言不发地从旁边经过，此时朋友于他们而言或许与陌生人没多大区别。

名字记忆不像人脸一样有个专门的“管辖区”，它和我们对词语、句子的记忆是连在一起的，而与之相关联的大脑区域一旦受损，我们不仅叫不上人的名字，包括“手机”“水杯”“铅笔”等所有事物的名称也会随之从我们的脑海中消失。

（秋水长天摘自微信公众号“大科技”，小黑孩图）

达·芬奇画错的马

●Ziv

你好奇过四足动物走路时脚的着地顺序吗？

四足动物走路时，四只脚的着地顺序是：左后——左前——右后——右前，这样循环起来。不管是狮子、马、猫，还是狗，都是这样。不同动物的区别，可能只在于它们完成这套动作的速度有所不同。

这种步态被称为“横向顺序行走”。虽然一些四足动物也会使用对角顺序行走（主要是灵长类动物），但横向更常见。研究人员认为这种步态会让动物们走得更稳，不容易摔倒。

100多年前，摄影师埃德沃德·迈布里奇捕捉到了马、野牛、水豚之类的动物在运动中的步态。

在这之后，人们对于四足动物的步态描绘是不是真的更准确了呢？研究人员考证了1000幅艺术作品，其中既有史前人类绘制的壁画，也有不同时期艺术家的作品。他们发现，在前迈布里奇时期，插图中四足动物步态的错误率为83.5%，在后迈布里奇时期，错误率下降到57.9%。在前迈布里奇时期，甚至连达·芬奇都绘制过错误的马的步态。

在达·芬奇的一幅作品（A）中，马的右前脚还没落地，左后脚就抬起来了。虽然也可以理解为这是一匹正在疾驰的马，但是它前腿的形态更像在慢行。C和D是研究人员修正后的马的步态，可以是落下右前脚后抬起了左后脚（C），或者是右后脚落下后，只有右前脚抬着（D）。

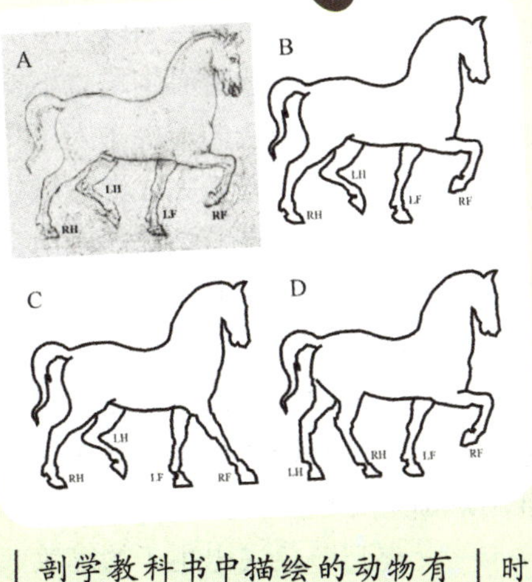

在后迈布里奇时期，解剖学教科书中描绘的动物有63.6%的步态是错误的，而自然历史博物馆的插图错误率较低，为41%。不过最令研究人员意想不到的是，史前壁画中描绘的动物，步态的错误率只有46.2%。

他们推测，这是因为史前人类与自然几乎是零距离的，他们在狩猎时经常观察自己的猎物，因此画出来的动物步态准确率也更高。艺术家们除了在画动物时出过错，画闪电时也并不是那么准确。数百年来，艺术家们习惯画“之”字形闪电。在与迈布里奇拍下马的步态的差不多同时期，摄影先驱威廉·尼克尔森·詹宁斯拍下了世界上第一张闪电的照片。

在此之后，艺术家确实逐渐开始用树杈形闪电替代“之”字形闪电，尤其自2000年以来，艺术作品有了很大的改变。不过，艺术作品中闪电的分支数量还是要比闪电实际的分支数量少很多。

图画可以传达出人们对于大自然，或者对于某种客观事物的理解。“一画胜千言”在这方面体现得淋漓尽致。很多科学家认为，绘画让人结合视觉、动作和语义处理信息，从这种角度来看，它比阅读或写作更能锻炼人的大脑。同时，科学家发现，绘画可以有效增强记忆力，记忆效果可以提高近一倍。还有研究发现，画画有助于学生理解新的知识。

最重要的是，不管画画水平如何，只要拿起画笔，就能从中获益。

（羊毛卷摘自微信公众号“把科学带回家”）

每个人，都曾是年轻时的他

●瑾山月

罗曼·罗兰

世界文坛上，盛行这样一句话：“很少有人读了《约翰·克利斯朵夫》，不被鼓舞与震撼！”这部罗曼·罗兰的巨著，自1912年诞生之日起，就被誉为“20世纪最为高贵的小说”，并于3年后荣获诺贝尔文学奖。

在作者笔下，一个莱茵河畔的音乐天才，在人生的汹涌险峻中，像满弓射出的利箭，刺破黑暗的苍穹，点燃生命的烈火。

这个名为约翰·克利斯朵夫的音乐家，无数次惨遭背叛与羞辱，几番卷入阴谋与暗算，一度坠入绝望的深渊。但命运之锤越是重击，他越是顽强，用坚忍的意志战胜偏见与苦难，最终迎来了暮年的平稳顺遂。

他是罗曼·罗兰引以为傲的英雄，亦是读者心中屹立不倒的丰碑。当我们迷失于人生的渡口，克利斯朵夫或许可以成为一个领航者，指引我们勇敢地对抗世俗，迎战生活，最后达成与自己的和解。

如果你正为人生的意义感到迷茫，不妨看看《约翰·克利斯朵夫》。

克利斯朵夫出生于德国莱茵河畔的一户音乐世家，从小便展现出惊人的天赋与不同流俗的傲骨。他3岁学会弹钢琴，11岁成为宫廷小提琴手，被不少人视作“在世莫扎特”。只可惜，他家道中落，父亲是个酒鬼，母亲成了女佣，一家人活在众人的鄙夷中。

有一次，正在路边玩耍的小克利斯朵夫碰上了一对贵族姐弟。对方先是嘲笑他满是补丁的衣服，又用难听的话骂他，还夸张地模仿他母亲的窘态。他们本以为克利斯朵夫会像其他穷人那样，哭着跪地求饶，却没料到他噌地冲过来，挥舞着拳头，骂了回去。这天晚上，父母得知此事，生怕得罪了权贵，逼克利斯朵夫去道歉。但无论被怎么打骂，哪怕被关在阁楼里饿了一整天，克利斯朵夫仍然不认错。这份骨子里的“倔强”，在克利斯朵夫长大后越发明显。

外界越要他做个循规蹈矩的小市民，他越是叛逆；众人越是希望他收敛锋芒，他越是张扬。见众人附庸风雅，他勇敢地扯下人们虚伪的面纱；见艺术家沽名钓誉，他更是极尽批判之能事。在公爵府做乐师时，他不止一次揭露上流社会的矫揉造作，拒绝权贵们的无理要求。

一次宴席上，公爵命他演奏一曲，克利斯朵夫见曲目粗俗不堪，断然罢演。只听他幽幽地说：“我不是任何人的奴仆。”此话一出，公爵怒不可遏，拿起花瓶砸了过去，而克利斯朵夫在众人的错愕中优雅地转身离开。结果可想而知，克利斯朵夫被公爵辞退，成了无业游民。但他毫不灰心，反而干劲十足地四处谋职：为杂志社写乐评，去学校当老师，去剧院弹钢琴……

每个人，都曾是年轻时的克利斯朵夫，在尚未被生活的藤蔓拴牢时，都似一条灵动的火蛇，焚烧着世俗的荆棘。

与公爵的交恶，为克利斯朵夫带来了灾难性的“连锁效应”。杂志社和学校先后辞退了他，亲友们不敢前来接济，更多的人则落井下石。很快，他的曲子无人欣赏，演出全部被取消，收入少得可怜。克利斯朵夫本想卖乐谱赚点钱，不料被出版社坑骗，乐谱一本没卖出去，还欠下了不少债……屈辱与愤懑伴随着无助，像冷雨一般，从克利斯朵夫的头上浇下，让他措手不及。

某个寒冷的清晨，他看见一匹老马跌倒在泥泞中。马被主人抽打，伤口汩汩地冒着鲜血，它却极力挣扎着起来，驮起沉重的麻袋，继续前行。这一刻，克利斯朵夫仿佛看见了自己，他也是一匹被生活蹂躏的马，必须爬起来继续战斗。他必须在自己与生活之间搭起一座独木桥，临万丈深渊而面不改色地走过去。

莱茵河畔已无立足之地，克利斯朵夫决定去法国谋生。

为了节省开支，他搬去贫民窟，每天只吃一个黑面包；为了赚钱，他去破烂的小剧场当指挥，在酒馆给粗俗的客人演出。他咽下委屈埋头工作，丢掉尊严拼命赚钱，终于还清债务，养活了一大家子人。克利斯朵夫晃晃悠悠行至人生的半坡，如蚕蛹蜕去了坚硬的壳，却也有了对生活四两拨千斤的力道。这一场“中年之战”，惨烈又激荡人心。

克利斯朵夫于苦厄中冲锋的背影，让我们看到了现实中自己的狼狈与坚韧。人生最大的劲敌，其实是顽固的自己。

当克利斯朵夫的生命年轮行至晚年，他的生活不再颠沛流离，有爱慕他的情人与忠诚的朋友，还能不慌不忙地进行创作。每当忆起往事，克利斯朵夫还是时常陷入自我纠缠的旋涡。直到一桩意外降临，克利斯朵夫才正式开启他与命运的和解之门。

偶然的机会下，一家知名媒体刊发了克利斯朵夫的一篇乐评。谁承想，文章中的观点被肆意曲解。克利斯朵夫怒不可遏，立马发文澄清，几番论战下来，却于事无补，还令自己的生活陷入混乱。无奈之下，克利斯朵夫索性不管了。当他放弃争辩后，事态竟很快平息。他这才发现：原来世间的许多事不必硬碰硬，改变不了别人就改变自己。

岁月不慌不忙地向前走，克利斯朵夫在日渐衰老中，亲历了友人的病逝、爱人的离去。他也终于在生离死别的无常中，彻底学会了接纳自己。

当不再固执地与命运对抗，克利斯朵夫反而可以赞美任何一种生活。

晚年时的克利斯朵夫释怀了一切，安下心来过自己的小日子，读书、写作、听音乐。

小说最后，他隐居山林，在曼妙的自然景色中，活出了自己的悠游自在。

（林冬冬摘自微信公众号“每晚一卷书”，视觉中国供图）

亲爱的读者朋友，你最喜欢的一本书是什么呢？欢迎留言告诉我们，并分享你的阅读感受。

参与方式：微信扫码关注“读者校园版”微信公众号，点击菜单栏“发消息”，即可参与。

冰激凌的“祖宗”其实在中国，你知道吗？

唐朝时，一个寒风刺骨的冬天，北方一个牧场里，一个牧民在挤完一桶热乎乎的牛奶后，因为要忙别的事，忘记将牛奶拿回家储存，第二天早上，他收获了全世界最早的一桶牛奶冰激凌。

长安的一位食品店商人在此基础上突发奇想，试着将牛奶、蜜糖和珍珠粉等混合在一起，制成了初具现代雏形的冰激凌，立刻火爆全城。

自那以后，一到夏天，冰激凌就成为“吃货”们的消暑标配。

马可·波罗们“偷”了啥

●李志刚

13世纪，马可·波罗来到中国，游历17年的他收获满满，其中就有中国冰激凌的制作配方。他回国后仿造的冰激凌，一时风靡整个亚平宁半岛。

1500年，法国国王与意大利王室的一位成员结婚，冰激凌由此从意大利传入法国。法国人在原有做法的基础上，又增加了许多新的配料。1625年，新继位的英国国王查理一世为能吃到这种消暑食品，专门聘请了厨师，改进了冰激凌的配方和味道，并要求严加保密。1700年前后，冰激凌传入美洲大陆。1851年，美国第一家冰激凌工厂诞生。

工业革命的力量，将冰激凌推向世界。现在，全世界冰激凌人均消费量逐年递增。

除了冰激凌，马可·波罗在中国居住期间，几乎天天吃葱油馅饼。回国后他十分想念，意欲如法炮制，但遗憾的是，他没有悟透制作精髓，味道总是差那么一点点。他做了很多种样子的饼，其中有两样味道还行，于是成了现在的比萨和汉堡包。后来，比萨和汉堡包从意大利传到法国、美国，再到韩国，围着地球转了一圈。

至于面条的发明专利属于谁，中国和意大利一直争论不休。直到中国考古工作者在青海省发掘出4000多年前的面条，意大利这才沉默。风靡全球的“意面”“意粉”，尽管《马可·波罗游记》里记载称“意大利空心粉，模仿的是河北藁城宫面”，但意大利人不认账。不管是不是模仿，“意面”“意粉”的出现，倒逼西方人改变了长达几千年用手抓饭的饮食习惯，刀、叉等西方餐具应运而生。

如果“面条是由中国传入意大利”的观点能通过考古挖掘来坐实，那中国对于西方饮食文化的贡献，功莫大焉！

交流总是相互的。

当年张骞出使西域，也把中国的桃、李、杏、梨、姜、茶叶、筷子等，以及中国的饮食文化传到了西方。在中亚地区出土的文物中，就有来自中国的木制筷子和水果种子。

在张骞开辟了丝绸之路后，中国还向全世界输出了无数优质的粮食和水果。比如，粮食有小米、大米、大豆等，水果有柑橙、猕猴桃、枇杷、杧果、荔枝、龙眼等。

其中，大豆的贡献尤为突出。关于大豆的最早记载，见于西周的文献，当时称其为“菽”。早在3000年前，我们的祖先就把大豆制成了酱油；到了西汉，又把大豆做成豆腐。这些豆制品，现在已成为很多国家的人民重要

瞬间奇遇里的诗意

○韦芳杰 整理

When the sun went down, it sparkled in the sky, and before long, the lamp would be lit sequentially.

太阳落下时溅起了漫天霞光，用不了多久，灯盏也将次第亮起。

As we walked forward, the kite hanging from the wire was floating like a small piece of torn cloud.

我们向前走去，挂在电线上的风筝飘着，像撕下来的一小片白云。

The Milky Way seemed to crash pour down from my heart.

银河好像“哗啦”一声，从我的心坎上倾泻了下来。

The wind blew up the fallen leaves, as if to say something.

风把地上的落叶吹起来，像是补充了一句话。

Unknown fruit fell splat into the window, with sunlight on its one side, and the fragrance on the other side.

不知名的果子，“啪嗒”一声落入车窗，一面是日光，一面是果香。

I hid behind the broken wall and watched two boys reaching for stars with their bare hands. The stars were reflected in their eyes, but the light shined on me.

我躲在断墙后，偷看两个少年徒手摘星，星星映在他们眼里，光却洒在我身上。

（萌芽摘自《时代青年·哲语》2023年第11期，插图由视觉中国AI生成）

的植物蛋白来源。

在中国向世界递出的三张最亮丽的文化名片中，饮食文化就占了两张：一张是茶叶，一张是陶瓷餐具。马克思曾盛赞中国茶叶，说在他写作《资本论》期间，中国茶叶起到了提神醒脑的巨大作用。

中国的饮食文化不仅对全球贡献巨大，对邻国更是影响深远。

东汉建立时，光武帝刘秀派马援将军南征，马援到达交趾（今越南）一带，将端午节吃粽子等习俗带到了越南等地，东南亚各国至今仍然保留着端午节吃粽子的习俗。

大唐时期，日本、朝鲜以及东南亚很多邻国，以唐朝为榜样，每年派留学生到长安学习，中国的饮食文化得以广泛传播。现在，这些邻国都使用筷子吃饭，中国的粽子、面条、馒头、饺子、馄饨等食物，也成为他们餐桌上的“香饽饽”。

当今世界，中国、法国和土耳其，被公认为全球“三大烹饪流派”的代表。而中国烹饪，以其历史最悠久、特色最显著、文化内涵最博大精深、使用人口最多的特点而首屈一指。

（月亮摘自中国作家出版社《生活中的历史饥渴：千年百姓的时尚智慧》一书，小黑孩图）

打开接收的天线

●闫晗

在我刚刚开始写作的时候，总发愁没东西可写。

自己经历的那点儿事，如果写尽了怎么办？

向一些前辈请教，为什么他们可以一年发表200多篇文章。有前辈说，多观察、多打听，听来的、看来的，都会是素材。后来，我发现自己写的不少故事的确是听来的。

生活中并不缺少故事，只是缺少发现的眼睛。只要持续生活，就会遇见新的人和事，创作也会涌入源头活水。

鲁迅在写《阿Q正传》时，有两处对赌博做了生动的描写。一处是阿Q押牌宝的情景：

阿Q即汗流满面的夹在这中间，声音他最响：

“青龙四百！”

“咳……开……啦！”桩家揭开盒子盖，也是汗流满面的唱。“天门啦……角回啦！人和穿堂空在那里啦！阿Q的铜钱拿过来！”

另一处是阿Q从城里长了见识回来：

未庄的乡下人不过打三十二张的竹牌，只有假洋鬼子能够叉“麻酱”，城里却连小乌龟子都叉得精熟的。什么假洋鬼子，只要放在城里的十几岁的小乌龟子的手里，也就立刻是“小鬼见阎王”。

赌博场面写得这么有画面感，是因为鲁迅本人精通赌博吗？并不是。

为了写好这些情节，让人物更真实，鲁迅专门找人学习，拜了一个名叫王鹤照的工人为师。王鹤照对市井生活熟悉，懂得赌博场上的押牌宝、搓麻将、玩竹牌的方法以及赌徒们的规矩。他把自己知道的都讲给鲁迅听，还给鲁迅哼唱了赌博时唱的歌谣。鲁迅一边听，一边记，不懂就问。大师从来不糊弄读者。

作家冯骥才讲过自己接待一个叫高登的美国作家的故事。两个人交流过小说的主要内容。高登听说谁家有人过世，就登门拜访，表明作家身份，向亲友询问逝者一生中有哪些值得讲述的事情。有些人会把他轰走，也有一些人会对他讲一讲死者过去的事情。如果觉得事情有意思，能引起他的感触或思考，他就要来死者生前的照片，写一本关于死者的书。这个作家靠听来的故事进行写作。

好莱坞电影中经常出现“根据真实事件改编”的声明，这说明生活有与生俱来的戏剧性。善于采访和倾听，是获得写作素材的重要方法。

日剧《重启人生》是一部优秀作品，获得了很多奖项。主角麻美重启了很多次人生，从事的工作五花八门——从公务员、药剂师、电视台工作人员、研究医生到飞行员。怎样才能写得真实？编剧花了大量的时间采访，线上采访了50多人，问得非常细致。比如，采访理科研究员的时候，他会问：“研究室里前一个人用完显微镜之后，每次都要调回去是不是很麻烦？”没想到对方回答“真的是这样”。在采

一句话科幻

●知乎日报

1

一次星际旅行的冷冻睡眠后，他发现自己自动交了480年的视频网站包月会员费。

2

那天地磁场突然消失了，这改变了整个人类的历史。

小明因此挂掉了物理实验考试。

他本来可以成为一个科学家的。

3

科学家从深海的遗迹中找到了一些不属于地球的细菌。

在显微镜下检查时，他发现细菌排成了奇怪的样子，他发现那是一段文字：“不要告诉其他人。”

4

电视台新拍了一部纪录片，讲了一个星球上文明的诞生和毁灭。全部都是实景拍摄的。

5

当人类满怀期待地从殖民飞船上走下来时，却被从地下钻出的怪物抓住了。

怪物告知他们要缴纳过路费和停车费，并向他们推荐了当地的特色熔岩食物和风情民宿。

6

第一艘飞向殖民行星的飞船上有一只鸵鸟和一只企鹅。据那个出钱的神秘富豪说：“这下好了，地球上不会飞的鸟飞得最远！”

7

当科学家观察月亮时，却发现天上的并不是月亮，而是一个巨大的发光板。

之后，每当人们抬头看向月亮，都得先看一段10秒钟的开机广告。

（探索者摘自知乎网，插图由视觉中国AI生成）

访药剂师的时候，有一位药剂师提到自己的同事即使提前来了也不自己开门，编剧觉得很有趣，就写到剧本里，变成剧中某个人物的习惯。

我听大妈讲起她刚刚嫁给大伯的往事时，灵感的天线立即竖了起来。大妈与新中国同龄，说起奶奶家的厕纸，她说自己刚结婚的时候，全家人用玉米棒芯擦屁股，后来我妈嫁过来才有条件拿学生用过的作业本当手纸，又过了一些年才用上了卫生纸。我觉得这个题材很有意思，细节丰富，富有温度，侧面反映了时代的变迁，就写了一篇文章——《厕纸上的人生》。这个角度非常特别，与生活贴近，容易让人有共鸣。

我曾经听奶奶讲鸡下蛋的故事。她讲得极为生动，甚至比汪曾祺散文中写的还要丰富。我便向她提出关于鸡的各种问题。比如鸡的食物、生活习惯、下蛋的姿势、性格等等。很多细节让我大吃一惊，只有养过多年鸡的人才能讲出来，但奶奶没有念过多少书，又不会把这些写成文章。很多故事是“采访”出来的，保持一颗好奇心，多问问，就能有新鲜的题材可写。

自从家里养了狗，我对狗的生活习性有了更多的了解，还认识了很多狗和狗主人。闲谈之中，我了解到这些狗的趣事，有的是生活小片段，有的是狗的身世。我最难忘的是一只叫太阳的中华田园犬。原本我只是从它的性别和有没有做绝育聊起，它的主人接着说到它的身世、收养它的情形，又说起它的家族中其他狗的命运。在一问一答中，我得到了很多的关键细节，一个好故事就出来了，因为它真实而富有冲击力。

打开接收的天线，你会收听到许多生动有趣的故事和细节，这些都可以作为你的素材储备。当几件事碰撞到一起，可能就会融会贯通，激发出新的火花，变成不一样的文章。

（大浪淘沙摘自微信公众号“闫晗”，橙子酱图）

我的浪潮

●汤泳思

我喜欢听海水争吵，向前一步，向后一步，撞个满怀，成为浪花。我也总这样吵吵，分明空闲，大脑却不受控制地变成一个繁忙的停车场，无聊的想法随意地进进出出。于是我与海水共情。

我的大脑自童年就如此混沌，不经意间听到玩伴的议论、偶然间捕捉到父母的眼神，或收到来自他人随口的称赞、一个令我狂喜的童话故事……生活让一个个瞬间成为过去，我却爱站在过去的浪潮里，让它们再一次如海水般拍打我。在睡眠应当最为充足的童年，我却时常失眠。我合上眼，各种思绪便扑上来。我乐意在里面捡起没有来得及玩味的生活碎片，或者让自己去那些白日所听到的童话故事里当一回主角。

那时，我还不太明白什么是睡眠。我只知道，长辈常说，别人家的孩子每天九点就睡了，所以个子才高。可你要怎么让一个孩子明白个子高的好处呢？我能想到且可以接受的一个事实是，我个子矮，而妈妈个子高，总能轻松地帮我把摆在书柜上头的小玩意儿拿下来。可妈妈也告诉我，她不在家的时候，我可以用阳台上的梯子，自己去拿高处的玩具。

因此，似乎没有什么理由可以让我放弃游走在那些还可以反复玩味的想法里。当我的脑瓜子变为各种思绪的跑马场时，我便甘愿它沦为跑马场。无数个童年的夜晚，我就那样躺在床上，盯着头顶的壁灯思来想去。往往这样，不知道过了多久，我终会睡去。

我记得妈妈曾告诉我，睡得晚的孩子会被时间老人抓走。为此我总把门窗闭得严严实实。或许是我的安保措施很有效，因此我还未与那位时间老人谋面。

直到快小学毕业，昔日一块儿嬉戏的伙伴逐渐有了形形色色的课外班。说实话，我哪懂什么升学，我只晓得自己的朋友都在忙活着去省会上学，那么我也要去，否则谁和我做伴呢？我吵着要报各种课外班，就像我吵着要买和某某相同的玩具一样。

我的成绩多多少少开始有起色，某次考试竟进入了年级的前几名，而我也顺理成章地成为同学嘴里“成绩好的学生”、老师眼里“有潜力的学生”。一旦品尝到生活中有观众、有掌声的味道，我便不愿回到演员是我、观众也是我的生活。

我这才初尝睡眠的重要。放学了总要上课外班，若还如以往一样，到了夜里睁着眼睛、望着壁灯胡思乱想，第二天就会在课堂上昏昏沉沉。可这转变总是很难发生，我早就习惯躺在床上天马行空，把捡起来的思绪拿来缝补成故事，探望故事里忘不了的人。壁灯可以在适当的时候关

树的苦恼

●王宜振

一只小鸟
给一棵树讲了许多飞翔的故事
树听着听着流泪了
树也是一只鸟
树有许多翅膀

树不能飞翔
树的苦恼
是夜晚老做飞翔的梦

（小双摘自浙江少年儿童出版社《星星的脚印》一书，视觉中国供图）

掉，我的脑子却不能像它一样装上开关。我为此苦恼了很久。

那个时候的房子隔音极差。我爸在隔壁房里睡熟后，便传来规律得如海浪的鼾声。只是那时候的我还在内陆城市，未曾如现在一般这样熟悉大海。当时我只觉得这声音如规律行走的挂钟一样，只不过声音要大得多，听得让人烦躁得无法入睡。

某夜，一个想法突然出现在我的脑海中。既然爸爸打鼾不能吵醒他自己，假如我的呼吸和爸爸的鼾声在同一频率，我是否就能忽略这惹人厌的噪声呢？我随着此起彼伏的鼾声一吸一呼，就如同体育课上“一二一”的口号。想不到这办法竟十分奏效，我一下便进入梦乡。

自此，我的睡眠出奇地好。虽然我仍旧忍不住在脑子里反复玩味某些情节，可只要我跟上那一吸一呼的节奏，我便像躺上了自动摇晃的婴儿床，可以安然入睡。

这个习惯跟了我许久。当我处在每场重大的比赛、考试的前夜，即使没有父亲的鼾声，我也可以熟练地为自己的呼吸编好节奏，逐渐平静，而后慢慢入睡。

这些年，我听了不少长辈的敦促，听得最多的便是珍惜时间。我在成长压力的裹挟下，一次次在心里否定我那玩味过去的习惯，告诉自己那些爱好是无用的，是在浪费时间，我该花费精力的无疑是温习功课，为人生的无数个关口做准备。我该看向的是未来。在一次次推着自己向前后，我变得神经紧绷。

后来，我顺利地考了一个不错的高考分数，机缘巧合下来到了海边的大学。

入学报到后的第一个周末，我一个人跟着地图来到海边。我无数次读到过人们对大海的赞颂，我乐意去领略我不曾熟悉的美景。

我迎着落日，踩在细软的沙滩上。海浪的声音由远及近轻轻地震动着我的耳膜。人们说海的声音是由于浪花拍打了沙滩，可我分明看到，浪花在前浪收回和后浪打过的一刹那才会产生。那一刻，我听到了浪潮的声音，它规律地传入我的耳朵。

我先是想到了我每晚逼迫自己进行的规律的呼吸，但我依然察觉出了差异：大海的声音不如我“一二一”的节奏那样死板，那是一种真正的呼吸，是未经编排过节奏的呼吸。我随着那呼吸看到了我未曾编完的故事、未曾温故的泪水和笑声，还有我急着一路走来却没有回头捡起的碎片。

它和我童年那肆意生长的思绪一般，轻快地走，冲开了那座由我修建的防止各种思绪占据大脑的堤坝。我解除了那浪费时间的罪名，任它遨游。我又像个孩子般，在记忆里搜寻着值得收藏的贝壳，或者让奇思妙想变成故事。

我哼着歌，此刻路人不是我的观众，所以我可以肆意地随着节拍晃着头。我终于明白，这才是我真正的浪潮。

（本刊原创稿件，视觉中国供图）

骑在哥哥的肩头

●鹿郴

小时候，哥哥很瘦，但正是这样一个肩膀单薄的少年，曾无数次将我举过头顶。骑在他的肩上，我走过了脚下的崎岖，看见了更广阔的世界。

我最初骑在哥哥肩头的记忆，是在归家的森林小径，夏天的黄昏里。那年的黄昏很美，晚风拂过松林，阳光也下了班，栖息在松叶间。好端端地在枝头“摆龙门阵”（作者注：四川方言里指“聊天”）的阳光，一不小心没站稳，就摔碎成地上铜钱般的斑驳。

哥哥就站在那里，见我跌跌撞撞地跑来，他从红色书包里掏出一个彩色的泡泡糖，慢慢地塞进我的嘴里，然后把我置于肩头，说：“开始飞喽，抓稳喽！”甜味在我的嘴里慢慢散开，带着林间的松香味，身子也变得暖暖的。我的小脚下吹过自由快乐的风，拖长了那个夏天的蝉鸣声。

“让一让，哎，你差点踩到我妹妹啦！”在拥挤的人群中，哥哥大声的喊叫没有掀起一丝浪花。望着一排排硕大的身影，高年级的哥哥姐姐就像岸边迅猛的潮汐，不停地拍打、“侵占”着我们的领地。“哥，我们今天中午是不是吃不上饭了？”我拽住哥哥的衣角，眼巴巴地望着他。他的头上像是长出了一片失落的森林，细小的枝丫垂挂着慌张。他重重地叹了一口气。这时，我那不争气的肚子“咕咕”地叫了起来。望着我眸子里凝结的一个冬天，哥哥摸着我的脑袋说：“不会的，哥今天一定让你吃上饭。”

这一次，他没有把我高高举起，而是把我领到一边，然后独自闯进了那片拥挤的人潮。只见他向左扒扒，向右挤挤，像盘古开天地那般撕开混沌。盘古开天地的时候一定很辛苦吧！因为我望见哥哥像一只钩子不断地往里攀，虽然半个身子已经进去了，但后背仍被现实冷漠地留在了外面。

过了很长时间，他才从人群里挤出来。“哥哥对不起你，已经没有开水了，只能让你吃干方便面了。”说话的时候，他的嗓子哑哑的，就像被谁偷走了清澈的嗓音。

那天的方便面真的很干。噎住我的，不仅是又干又硬的泡面，还有哥哥脸上放肆奔腾

的汗水，以及他的衣服后背莫名变大的尺寸和平白无故多出的褶皱。

这是我入学第一天吃的第一顿午饭，也是我人生记忆里难以忘记的午饭。那顿午饭没有管我们是多少岁的孩童，直接对我们重拳出击。我没有忘记困难第一次噎住我的喉咙时的感觉，我更不能忘记的是那个闯进人群的孤勇少年。是他用小小的肩膀为我撑开了饱腹的蓝天，让我的双脚不被踩踏。

这么多年来，哥哥始终把我置于他的肩头，让我的眼睛得以看到更广阔的风景，双脚继续踩着自由的风儿去遨游。他总能做各种奇怪又好吃的小玩意儿，因为我贪吃；他总能帮我把头发吹得柔柔顺顺，因为我的头发总爱“炸毛”；他的零花钱似乎总比我的少一些，因为我自私小气，不舍得买的东西都让哥哥买下来了；他的成绩有所下降，是因为他不想让我学习分心，自己花了大量的时间在家务上。

可是随着年龄的增长，我似乎将这一切当作理所当然。我那颗烟囱般的心脏，像舍不得吐出很多事物一般，很难将表达爱、感受爱的烟雾吐出来。我不再成天跟在哥哥的屁股后面，哥哥也默契地收起对我的宠溺。他澄澈的眼神里充满了现实的忧郁，他变得格外沉默。

我知道我长大了，无可奈何地长大了。哥哥也是。原来可以无所顾忌地撒娇，让哥哥给我洗脸、叫我小花猫的时光过去了，给我们以距离的是一条叫作成长的河流。往日的温馨被如同女大避父般的羞涩取而代之。

那天，我们在回家途中遇到一个较高的坎。我正准备自己跳下去，哥哥突然回头对我说：“到哥哥背上来，哥哥背你下去。”“不用啦，我可以的。”我下意识地将拒绝的话说出了口，哥哥也习惯性地点了点头。我望着坎的高度——其实坎并不算高，我自己也可以跳下去——不知道为什么，在一瞬间，就想趴在他的背上。

再次趴在他背上的时候，一股熟悉的快乐涌上心头。哥哥早在时光的打磨中富足了肩头，不再似从前那般单薄，骨头也不再硌人，取而代之的是紧实的肌肉。那宽厚的臂膀就像一片雄伟的青山，使我的内心如此安宁，带给我亲情的高度和自由的甜蜜。我只想安安静静，像一只鸟那样依偎在他的背上，像从前那样。迷糊之中，我又见到了从前那片森林里灿若星光的梦境。

我突然发现，如果我不弯腿，我的脚都能够到他的小腿肚了。这是时光最深的印迹吧！

下了坎，哥哥继续背着我往前走。走了一段路程，哥哥的后背开始被汗水浸湿。我再一次意识到，我确实不轻了。这一年，我104斤，哥哥150斤。自从学了舞蹈之后，哥哥因为自身条件一直难以达到成功的高度，教师资格证考试也一直没有通过，他早已负重太多。这相差的46斤不但是年岁的积累、生理性别上的悬殊，还有长我两岁的哥哥肩上背负着的责任与担当。

我越发感觉到他背上的汗渍在一点点地扩大。

关于那多出来的46斤，我从心底还生出了一个疑问：为什么最初骑在哥哥肩头的记忆碎片里，他没有那么多的汗水呢？更何况那时他本就瘦弱，养尊处优的我则更像一只加菲猫。哥哥比我大两岁，竟只比我多了两斤，他到底是如何把我背起来的？

为何那时的我只闻见了风里的松香？

为何此时我的眼睛蒙了一层水雾？

一切答案都不得而知，一切答案又呼之欲出。

（本刊原创稿件，陆世清图）

旋转木马和宝玉挨打

●岑嵘

假如你站在一架旋转木马前，看着上面游戏的孩子，你能发现些什么？你或许会说，这些孩子玩得很愉快，他们都很喜欢这个游戏。

美国社会学家欧文·戈夫曼喜欢观察日常生活的点点滴滴，即便是观察一群旋转木马上的孩子，他也能够看到和别人不一样的东西。

戈夫曼说，儿童对自己的年龄非常敏感，他们会骄傲地告诉别人自己的年龄。儿童了解什么样的规范适用于多大的年龄，他们也清楚地知道大龄儿童的行为应当有别于低龄儿童。

因此，在乘坐旋转木马时，不同年龄的儿童，反应是不一样的。四岁以下的儿童享受着在父母的陪伴下骑乘，四五岁大的儿童则可以独自骑乘——他们对自己的成就深感自豪，不断地向等候在一旁的父母挥手示意。更大一点的儿童骑旋转木马时，他们的内心很兴奋，但极力表现得若无其事。

戈夫曼曾经观察了一个13岁的男孩，他先是不安分地骑在一匹马上，随后换到了一头鸵鸟的背上，接着又开始变换坐骑，在游戏音乐停止之前，他就下来了。为什么大龄儿童会有上述行为呢？这并不是因为他们不喜欢旋转木马。大龄儿童和低龄儿童同样着迷于这种旋转的游戏和音乐，但其内心充满矛盾。他们既喜欢这项活动，又认为这只是给小朋友玩耍的，而自己已经长大了。

好的作家一定和戈夫曼一样观察细致。同一件事情因为身份的差别，其表现也会千差万别。

我们来看一个有趣的例子。《红楼梦》第三十三回中，贾政因为宝玉“在外流荡优伶，表赠私物，在家荒疏学业，淫辱母婢”，所以结结实实打了他一顿。这时每个人的反应差别是很大的。

宝玉的母亲作为贾政的夫人，她只能抱住板子，肯定丈夫的做法，并委婉地求情：“宝玉虽然该打，老爷也要自重。况且炎天暑日的，老太太身上也不大好，打死宝玉事小，倘或老太太一时不自在了，岂不事大！”

贾母作为贾府最高地位的人，只有她可以教训贾政。贾母厉声道：“你原来是和我说话！我倒有话吩咐，只是可怜我一生没养个好儿子，却叫我和谁说去……你说教训儿子是光宗耀祖，当初你父亲怎么教训你来……你的儿子，我也不该管你打不打。我猜着你也厌烦我们娘儿们。不如我们赶早儿离了你，大家干净！”

袭人的身份是丫鬟，哭也轮不到她，她只有等贾母、王夫人等主子离开后，这才走到宝玉身边坐下，含泪问他：“怎么就打到这步田地？”宝钗为人理性，采取实用的做法。她送了丸药来，“晚上把这药用酒研开，替他敷上，把那淤血的热毒散开，可以就好了”。黛玉是真情流露，“两个眼睛肿的桃儿一般，满面泪光……虽不是嚎啕大哭，然越是这等无声之泣，气噎喉堵，更觉得利害”。王熙凤是贾府的管家人，她问宝玉：“可好些了？

天冷时，应该原地不动、漫步还是狂奔

●科学奶爸

冬天很冷时，究竟是原地不动、漫步还是狂奔，才能使身体散失更少的热量呢？

对此，外国科普博主“分钟物理”进行了详细的分析，给出了颇具参考意义的判断。

当外面很冷但你原地不动的时候，你散失的热量会加热你周围的空气，从而形成一层稍微温暖的保护层，所以你的热量散失得较慢。

但是如果你在移动（或者有风），你会暴露在新鲜寒冷的空气中，并且速度越快，散失的热量越多。实际上，你是在逃离被你暖热的空气层，因此你的热量比待在原地时散失得更快。

当你奔跑的速度达到一定程度时，暖空气保护层就会完全消失。此时，不管你跑得有多快，你基本上都会以同样的速度散失热量。

众所周知，奔跑时，我们的体内也会产生相应的热量。据测算，每行进1千米，我们产生的热量大致是恒定的。换句话说，你奔跑的速度越快，在单位时间内产生的热量就越多。

那么，若想让跑步产生的热量与散失的热量达到平衡，此时要求的最慢速度是多少呢？

通过测算，当室外温度为0摄氏度时，最慢速度是每分钟320米左右，才能使热量产生和散失达到平衡。如果气温比0摄氏度更低的话，所需的速度会更快。

这并不意味着你不会散失热量。这只是说，在这样的速度下，跑步比待在原地让你感觉更暖和。

如果这听起来像一个挑战，别害怕，你所需要做的就是再加一些衣服。这样可以让你减少一半的热量损失，速度只要达到每分钟107米（基本上是快步走）就可以了。

因此，针对这个问题，可以得出如下结论：如果没有足够的体力，待在原地等待救援或许是明智的做法；如果身上有保暖衣物且体力充足，则按照每分钟107米左右或更快的速度行进；如果什么保暖衣物都没有，那么就在雪地里狂奔吧！

（离萧天摘自微信公众号“魔力科学小实验”，Raven图）

想什么吃，叫人往我那里取去。”但用黛玉的话说，“必定也是要来打个花胡哨，讨老太太和太太的好儿才是”。周瑞媳妇等人身份低微，但一定也要过来问安的，这几个媳妇都悄悄地坐了一会儿，向袭人说：“等二爷醒了，你替我们说罢。”

这一段情节中，每个人都在做符合自己身份的事情，说着符合规范的话，其中的差别表现得一清二楚。

诺贝尔经济学奖得主乔治·阿克洛夫在《身份经济学》一书中说：“人们的身份决定了他们的社会类型，身份影响着人们的决策，因为不同的行为规范与不同的社会类型紧密相连。”什么身份的人应该做什么、不应该做什么的规范，是真实存在的。即便是旋转木马上的孩子，因为年龄不同，也存在不同的规范。这种规范才让大龄儿童对旋转木马产生了矛盾的心理。

在宝玉被打接下来的故事中，有了一个有趣的发展。袭人对王夫人说了一番既符合自己身份，也超越自己身份的话：“我今儿在太太跟前大胆说句不知好歹的话……太太别生气，我才敢说……论理，我二爷也须得老爷教训两顿。若老爷再不管，将来不知做出什么事来呢。”因为这些大胆的话，从此王夫人对袭人另眼相看。

（画中花·未来香摘自《今晚报》2023年12月5日，老老老鱼图）

马背上的少年

●王若冰

少年听到一声野马的嘶鸣，而后是逐渐清晰的马蹄踏在沙土上的声音。

少年从小就爱马，每天都会从自己的家走到野马活动的区域。他第一次看到野马时，被眼前的景象惊呆了。他根本不知道，在离自己这么近的地方，竟然有如此多的野马。那些野马有黑色的，有棕色的，也有白色的，毛色光亮，身体高大而健硕。它们奔跑在草地上，它们驰骋在树林之间，或三五成群，或成双成对。

少年抬头看看天，那时的太阳正在头顶上，明晃晃地照着。光线在树叶之间，在马与马之间，在树与草之间来回跳跃，形成了一道道斑驳、灿烂而又奇特的光景。那一瞬间，少年的心立刻就灿烂起来。少年又回头看看自己的家，脸上转而浮现出忧郁的神色。

这时，一辆越野车停在了离他十几米远的土石路边。很快，车上走下一个身材高大的中年人，他冲少年招招手，用典型的澳大利亚口音的英语说："小伙子，你好，这里离加油站有多远？"

中年人一边说，一边朝少年走过来。少年用手指了指西边，说："在那个路口的拐角处。我不知道究竟有多远，要是我走，我想我会走几个小时才能到那里呢。也许要走一天也说不好。总之，我不知道。"

中年人的脸上浮现出一缕忧虑，说："哦，真糟糕，我的车要没有油了。"

少年问："你要去哪里？"

中年人说："我要穿过中部沙漠，到达尔文去。我边走边看，游玩而已。你，你怎么一个人在这里？"

少年说："我的家在这里。"

中年人说："那么你的家人呢？你的爸爸妈妈呢？他们有车吧？他们有没有多余的汽油？"

少年说："我们家没有汽车。"

中年人惊讶地说："没有汽车？那你们不出去吗？你们不去购买食品吗？"

少年说："我们住在山洞里，我们在森林里会找到需要的食物，我们不需要出去。"

中年人仔细地看着少年的脸，说："对对，我忘记了，你是土著，这是你们传统的生活方式。可是，外边的世界很大很精彩，你还这么小，难道你还要继续像你的祖父辈一样，在山洞里过完一辈子吗？你真的不想出去吗？"中年人看着少年，一脸不解。

创意

趣味性的包装，尤其吸引年轻消费者。商家通过设计的巧思，将拆封产品变成让消费者会心一笑的惊喜时刻。

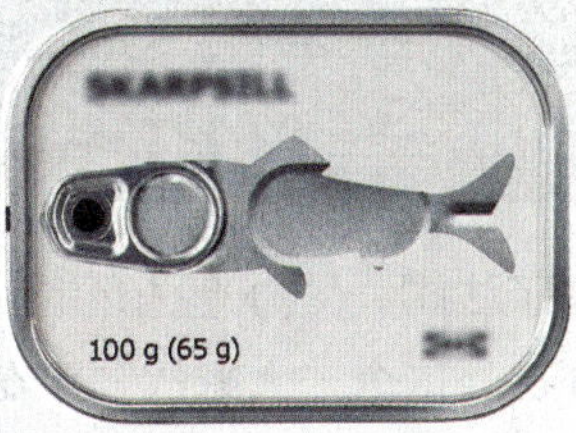

之后，中年人说了再见，一边坐上车，一边摇下车窗探出头对他说：“我要去看更美的世界了，年轻人。”然后，车“呼”一下开出很远。少年觉得自己似乎失去了什么。他跑到树林中的野马中间，那匹枣红色的野马看到他，“嗒嗒嗒”地走过来，用头蹭了蹭他的脸。少年将脸贴在枣红马的脸上，他的泪水很快就渗进了马那光亮的鬃毛。

枣红马安静地任凭少年的泪水在它的脸上泛滥成灾。

几声清脆的鸟鸣划过天际，少年拍拍马，一跃而起，跳到了马背上。

枣红马一声长鸣，带着少年朝红土地奔驰。

少年的眼前浮现出很多画面：有几次，有人来让他们去生活更方便一些的村庄居住，他们说那里有学校，孩子们可以上学，有超市、加油站、医院等。少年听得津津有味，父母却一口拒绝了。

少年爱山林树木、野马与草原。

但是，少年对外边世界的向往，如野草一般在心头滋生、疯长。

枣红马奔驰在草原，又来到红土地上，一直向南而去。少年骑在马背上，思绪随着马蹄声飞得越来越远。

那天，少年很晚才回到山林。回到山洞里，他看到家人已经横躺竖卧地睡着了。少年却睡不着，他不知道中年人是否找到了加油站，他在想外边的世界到底是什么样。那一夜，少年睁着双眼，一直到洞内射进丝丝缕缕的光。

天亮后，少年离开了山洞，离开了山林。

20年后，那个马背上的少年在墨尔本活出了一片新天地，娶妻生子，住进了大房子。偶尔，与妻子、儿女讲起山林里的时光，他总是能听到一阵“嗒嗒嗒”的马蹄声在耳边响起。

儿子说：“爸爸，您小时候的生活可真幸福啊！”

已经是中年人的他一愣，问：“为什么？”

儿子说：“山林里多自由，想干什么就干什么！有树有鸟有草原，有各种动物，还有那么多野马，您为什么要跑出来呢？”儿子满脸羡慕和不解。

他一愣，耳边再次响起“嗒嗒嗒”的马蹄声，仿佛那匹枣红马正在向自己跑来。

（木木摘自中译出版社《马背上的少年》一书，勾犇图）

带着古筝“出海”的女孩

●牛志远

在法国的埃菲尔铁塔、波尔多大剧院等许多地方，总能看到一个中国女孩的身影：她穿着仙气飘飘的汉服，头发绾成一个髻，背着一把比她还高的古筝，正在寻一处阳光普照的空地。

不一会儿，空地上便围满了金发碧眼的观众，《青花瓷》《大鱼》《云宫迅音》等美妙的中国乐曲从她的指尖流淌出来。

有法国人如此评价她的演奏：“仿佛听了一场来自中国几千年前的摇滚。”

午后的奇遇

女孩名叫彭静旋，是一名“95后”，也是一名短视频创作者。目前，她在国内外各个网络平台的粉丝加起来已经超过3000万。而就在2017年，刚到法国的彭静旋还只是一名普通的留学生。那时，她对法国的一切都充满了新鲜感，没有课程安排时，常常喜欢出门走走。

奇遇发生在一个阳光明媚的午后。

“那天下午，我在街上散步，到处都是街头艺术家在演奏，走到哪儿都能听到音乐声，气氛太好了！”彭静旋心头只剩下一个念头：“要是古筝在手边就好了！我一定要让他们听听中国乐器的声音。”

于是，第二年返校时，彭静旋把陪着自己长大的那把长达163厘米、宽为22.5厘米的古筝带去了法国，“办理托运时，花了好大一笔钱”。好在，这个“大家伙”平安到达了。

2018年9月，彭静旋发布了第一条在法国街头弹奏古筝的视频。从此，她便开始了每周末早早去街头占位置的生活。因为，“这条长街‘寸土寸金’，每隔几百米就有一位街头艺术家”。彭静旋一出现，总能引起许多人的注目。她的古筝对当地人而言太特别了，许多人都没见过。

一次，一个正与妈妈视频通话的非洲小伙将手机镜头对准了彭静旋。他问彭静旋这个乐器叫什么名字，还请彭静旋为他妈妈介绍一下。于是，彭静旋边弹奏边讲解。看着屏幕那头陌生人的表情从疑惑到惊叹，最后竖起大拇指，她意识到，自己和外国友人进行了一场跨越文化、跨越空间的对话。

还有一次，一位法国老奶奶听完演奏，跟彭静旋说这是她第一次听到如此美妙的声音。她还摸了一下古筝。触碰到琴弦的那一刻，彭静旋看到老奶奶的指尖都在微微颤抖，她的眼眶一下子湿润了。

“双向奔赴”

彭静旋被这些画面打动了，她决定做些什么。

后来，她演奏的现场多了一个古色古香的小

成为像花瓶一样的人

●〔韩〕金银珠
○朴艺丹 译

有很多人想成为花朵，
希望自己美丽动人、芳香四溢、惹人注目。
然而，再美的花朵，也只是一枝独秀。

所以，我要成为像花瓶那样的人，将姹紫嫣红全都揽入怀中。
我将会发现他人内心深处绽放的花朵，
发现他的美丽动人，
发现他的馥郁芬芳，
发现他的清新脱俗。
就像在花瓶里插的都是明艳动人的鲜花一样，
像花瓶一样的人身边围绕的也都是花一样的人物。

花瓶本身没有香气，
却总是能散发出阵阵清香。

（米粒摘自广西科学技术出版社《我决定养一株名叫“自己”的植物：118个自我成长的生活哲学》一书，〔澳〕焦虑线条〔Worry Lines〕图）

箱子，这是她精心打造的“中国角”。在“中国角”，彭静旋放了一些琵琶、古琴、唢呐等迷你版的乐器摆件，一本微缩“古琴谱”，还有一些个人名片，最近又新添了一只熊猫玩偶。

彭静旋想通过这方小小的“中国角”，让法国观众了解古筝、了解中国。

渐渐地，许多人拿着这把“钥匙”打开了与中国交流的大门：有作曲家通过名片找到彭静旋，期待与她进行音乐交流；有舞者被旋律打动，想和彭静旋开展合作。

在彭静旋的视频账号中，有一条中国网友的评论令她印象深刻：“视频很美，更棒的是，来自世界各地的人们都表示赞赏。我看到的前10条评论，是用不同的语言写的。这太神奇了，音乐无国界。”

2019年，彭静旋被法国高等教育署授予“中国留学生网络大使”称号；2022年，她又被中央网信办网络社会工作局、共青团中央宣传部评选为“青年网络文明使者”。为了不辜负这些肯定，她想去做更多的事，来促进两国音乐文化的交流。

彭静旋带着古筝“出海”的同时，也在积极拥抱来自法国的优秀文化。2020年研究生毕业后，她选择学习竖琴这种源自西方的古老大型拨弦乐器，还不断从法国的电子音乐当中寻找灵感。

一次，彭静旋背着古筝去了老师的办公室。见到古筝，老师的眼睛“一下子亮了”，他打开了话匣子。

他们从古筝说到二胡、琵琶、唢呐，又从巴黎管、勃兰特管说到圆号。两个同样热爱音乐的人背靠着不同的文化长大，他们在交流中碰撞出火花，探寻音乐的多元可能。

3个小时后，彭静旋有了一个大胆的想法：“古筝两边的弦发出的音色是不一样的，我国传统的曲目通常是用右手弹奏，左手按、滑、揉、颤，这样出来的声音是清脆、悦耳的。我想把这种音色加入创作，作出一首古筝与电子音乐交互的实验性作品。”

这是彭静旋正在忙的事，她的初衷简单却又有些不一般。她期待能通过这种方式，让中国古老的乐器和法国新兴的音乐结合，让中法两国的音乐实现“双向奔赴”。

（怡然摘自《环球人物》2024年第1期）

一个不一样的高三故事

●沈杰群

在拼命刷题的高三，有些看似成绩不好的“问题学生”，真的只是因为态度不端正吗？有些难言的困境，是否能被看见？电视剧《鸣龙少年》给我们讲了一个不一样的高三故事。

李燃自幼失去父母，一直跟奶奶相依为命。奶奶拖着病体打工，坚持让他考大学实现自己研发机器人的梦想。孝顺的李燃为了给奶奶治病，打算退学赚钱养家。老师雷鸣从不放弃每一个学生，他想尽办法阻止李燃退学，并将其和程雨杉等有各种困难的学生招入11班。

《鸣龙少年》的特别之处在于，这一段看起来组团“打怪升级”的征程，并非只为“逆袭”，而是让孩子们学会面对人生这场漫长而复杂的“考试”。

《鸣龙少年》作为一部校园剧，却让观众看出了“悬疑味儿”。看似寻常的学校生活和人际关系，充满了悬念和反转。11班每个曾经让老师、家长头疼的“问题学生”，其实都在经历着只有他们自己才知道的隐秘的煎熬、迷茫和痛苦，而大人们对此一无所知，还会做出让孩子完全排斥的行为。

剧中，有一个男孩参加了一场有多名学生和家长的饭局。他进门时，大圆桌上的气氛十分诡异，所有大人都魔怔地盯着手机，满脸写着紧张，忽然又恢复正常。等到悬念揭晓，真相令人啼笑皆非，原来大家都在抢一位名师的课程。

在《鸣龙少年》里，在11班往前奔跑的这一段征程中，学生们不只拥有一个能督促他们好好学习的老师雷鸣，性格阳光开朗的心理老师桑夏也发挥着重要的作用。

在剧中，桑夏服从安排成为雷鸣的助理，帮助他组建了由“问题学生”组成的11班。与雷鸣成绩至上的教育理念不同，桑夏坚持育人为本，认为学生的出路不止考上大学这一条。桑夏能敏锐地注意到每个学生课业之外的负面情绪，更能理解和尊重学生不愿说出口的纠结和迷茫。

电视剧一开始，聪明漂亮的女孩程雨杉无论在家里还是在学校，都遇到了诸多困扰。桑夏没有指责她软弱，没有直接揭开她的伤疤，而是讲了一个发生在自己身上的故事，来安慰和鼓励程雨杉。

“因为裙子穿得短而受到侵犯，不是你的错；因为你性格开放、思想独立，又或者情感丰富而遭到排挤，也不是你的错；暂时很弱小，还不能反抗，不是你的错；本应该保护你、爱护你的人，却并没有尽责，更不是你的错；身为一个女孩，绝对不是你的错。”剧中，桑夏老师的这段台词，引起了观众强烈的共鸣。

桑夏是那种不管别人对自己怎样，她都能自行发光的“小太阳”。在同为中学心理老师的观众陈舒看来：“到了后半程，雷鸣和桑夏的教育观有了微妙的转换和融合。他们俩一个是‘狼性’的，推崇唯分数论、成功论；一个更在意学生人格的完善，更在意学生的成长体验，关心学生到底想要什么，到底开心不开心。”

不少网友评价，《鸣龙少年》的“孩子视角”值得肯定。电视剧以11班学生为主体时，镜头并不以客观讲述的方式聚焦在他们身上，而是直接从未成年人的视角出发，让他们凝视整个成人世界的规则。

（王传生摘自《中国青年报》2023年12月25日，本刊节选）

全世界最无聊的人，都在吉尼斯世界纪录里

●答案如下

周一，是吉尼斯世界纪录公认最糟糕的一天。吉尼斯世界纪录怎么这么爱管闲事？从打呼噜声音最大的猫，到整容次数最多的女人，再到抽纸巾最快的桥本环奈……

这些纪录看起来有一些意义……但不多。

不过，无聊本来就是吉尼斯与生俱来的底色。

吉尼斯本来是一家建于爱尔兰的啤酒厂，1932年，其总部迁至伦敦。1951年的一天，啤酒厂总经理休·比弗和人争论欧洲什么鸟飞得最快，结果发现这么重大的问题，居然找不到现成的答案。

于是他找到牛津大学的高才生诺里斯和罗斯，请他们共同撰写了一本关于世界之最的书籍，这就是《吉尼斯世界纪录大全》。

这本书最早放在酒吧里供人们免费阅读，它有效解决了男人们一喝酒上头就爱争论的问题，比10个酒保还好使，再也没有人为找不到答案而打得头破血流。

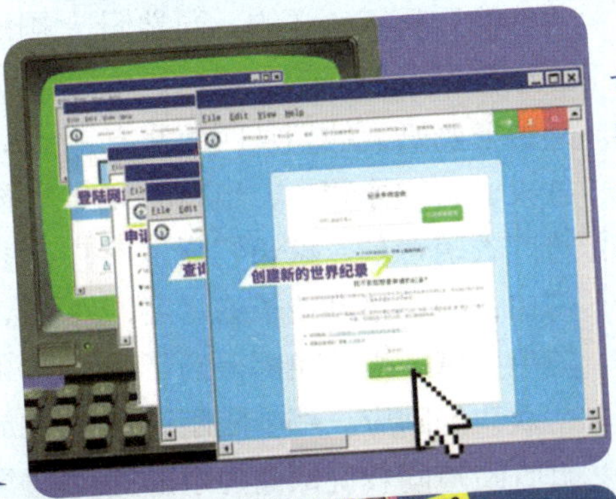

到了1955年，《吉尼斯世界纪录大全》正式走上了商业化道路，首次印刷的5万本在英国各地被抢购一空。第二年，它漂洋过海来到美国，再次受到读者追捧。1960年，《吉尼斯世界纪录大全》的全球销量冲破了50万本。

但这还无法满足大家旺盛的好奇心，后来的《吉尼斯世界纪录大全》开始接收读者申请。尤其在互联网时代，只要登录吉尼斯世界纪录的官网，就能申请一项纪录；如果没找到自己想要的项目，也可以创建一项新的世界纪录。

事情从此开始变得奇怪起来。

比如“3分钟自拍最多次”的纪录保持者之一，是美国演员“巨石”强森——他在3分钟内自拍了105次。想要打败强森，一键申请就行了。

除此之外，世界上最大的嘴、最长的指甲、眼球能弹射出的最远距离、面部扎针最多的人……都可以申请纪录。

但是世界上最美的女人、最帅的男人……那些不能被标准化衡量的条目，都不会得到批准。

在吉尼斯世界里，长得奇怪、玩得够野真的比长得好看有用。

要是申请被接受，你就会收到世界纪录挑战规则和具体步骤说明。为了保证证据充足，除了安排摄像机全程记录，你还需要安排两位及以上的独立见证人或其他专业人士到场监督。见证人必须和你没有任何直接关系，而是吉尼斯自己的评审员、当地的律师或政府官员、专业的审计公司。

上传挑战证据、审核通过后，你就会获得吉尼斯世界纪录的官方证书。

一般来说，申请是免费的，但要花3个月的时间等待申请被接受，再花3个月的时间等待审核结果。不过，只用支出一定的费用，就可以把等待时间缩短到10个工作日。

（沫旬摘自微信公众号“答案如下”，本刊节选）

童年不曾有人来送伞

●杨柳青

我上小学的时候，爸妈正处于创业期，一个小物流公司几乎占用了他们全部的时间。印象里，我很少吃到妈妈做的早饭，也很少在放学回家的时候推开门看到一室温馨。他们早出晚归，顾不上将我精细养育。于是，我练就了越来越多的生活技能。刚开始，我只会自己上下学，后来就连买菜做饭也不在话下。整个童年里，我既自豪于自己的独立，又失落于自己的孤单。而那份失落感在雨天显得尤为沉重。

童年里的雨对我来说并不是美好的回忆。下雨的时候，凉风从领口直往衣服里钻，叫人浑身不舒服。路上遍布大大小小的水坑，一不留神就弄湿了鞋。遇到路过的汽车，若是司机不留意，我便只能迎接一场泥水浴。然而，雨天的麻烦还不止这些。小的时候没有手机可以随时查看天气预报，我经常会在大雨到来时才想起自己并没有提前准备雨具。

有一天放学，我在整理书包的时候听见教室外轰隆隆地响起一阵雷声，紧接着倾盆大雨从天而降。无奈之下，我只能跟其他没带伞的同学一起站在教学楼的连廊下等待。那时，我并不知道“等待”与“等待”是不一样的。同学们陆续等来了他们的爸爸妈妈或是爷爷奶奶。他们从四面八方赶来，有的撑着伞，也有的穿着雨衣骑着车。家长们到了校门口，喊着自家孩子的名字，随后，每一声呼唤都得到了一个欢快的回应。那个刚刚还在叽叽喳喳同我说课间趣事的好朋友，在听到熟悉的呼喊声后立刻拿起书包，举过头顶，飞进雨幕，冲进家长的怀里。他的一句“再见”是那么敷衍。

如果我也能听到熟悉的呼唤该多好，我一定也会像小鸟一样飞到爸妈的怀中。我在心中演练着那样的场景。后来我真的听到有人在喊我的名字，我连忙应答，回头一看，却是好朋友的妈妈，她邀请我和好朋友一起回家。我想了想，还是拒绝了阿姨的好意。我说：“我的爸爸妈妈一会儿就来。”我依然相信我的爸爸妈妈会来接我。

校门口的一把把伞像一朵朵盛开的花，聚在一起好似花团锦簇，可那花团总有散开的时候。到最后，仅剩的一枝雨伞花也消失在了雨幕中。刚刚还喧闹的校门口，此时只剩下风声和雨声。我渐渐明白，别人在等家长来送伞，我却要等雨停。

那天我不止一遍地告诉自己，等雨小一些我就冲回家。可雨水总也听不到我的心声。后来我的耐心被耗尽，我心一横，也把书包举过头顶，冲进雨幕。跑不动的时候，我把书包放下来斜挎在肩上，淋着雨慢慢走。那雨可真凉，雨珠打在头顶，头皮瞬间就麻了，湿冷的感觉从上到下遍布全身。走一段路，我就会躲在路边商铺的房檐下等一会儿。慢慢地，雨势小了，我也离家越来越近。

回到家中，又是一室冷清。从那天起，我就赌气似的不愿跟晚归的爸妈说话。小小

摘抄本

我的脚陷在泥土里。松软的泥土紧紧握着我。握着我的脚跟、脚心，和每一只脚趾。我像是从大地上长出来的一株野蔷薇、一棵桂花树或者河岸上的那棵枫杨。

——申赋渔《一只山雀总会懂另一只山雀》

马路上的店家大都已经关了门。对过有一个黄色的大月亮，低低地悬在街头，完全像一盏街灯。今天这月亮特别有人间味，它仿佛是从苍茫的人海中升起来的。

——张爱玲《半生缘》

黄昏真像一首诗，一支歌，一篇童话；像一片月明楼上传来的悠扬的笛声；像一声缭绕在长空里亮唳的鹤鸣；像陈了几十年的绍酒；像一切美到说不出来的东西。

——季羡林《悲喜自渡》

好多年了，都有人问，读书到底有什么用。我都是这么回答的，读书能填上心里的洞。

——卢思浩《漫长的旅途》

太阳落山了。西边缤纷的色彩让万物都有了不同的风貌。派勒特峰山脊上的树静静地沉思着，与太阳默默道别，庄严肃穆的气氛，仿佛它们与太阳将不能再相见。白日淡出，色彩的魔法被打破了，星光下的树林在夜风中自由地呼吸着。

——约翰·缪尔《夏日走过山间》

冬是孤独，夏是离别，春是两者之间的桥梁，唯独秋，渗透所有的季节。

——阿多尼斯《我的孤独是一座花园》

的我实在想不通：为什么别人的家长都惦记自己的孩子，而我的爸妈只关心工作？

我那别扭的情绪持续到周末才得以纾解。周末闲暇时间长，我便跟着爸爸妈妈到他们工作的物流园里打发时间。不料下午突然下起了大雨。在雷声响起的第一时间，我看到爸爸迅速冲出门，跑向那辆极高的大货车。他三两下便爬上了车顶，大声招呼着工人们往上扔雨棚。妈妈则匆忙叫来其他人，一起抢收露天摆放的小件货物。雨下大了，我想去帮忙，可是我发现自己什么也做不了。小小的我扛不动箱子，也爬不上货车。我想去送伞，但是他们顾不上打伞，雨伞只会遮挡他们的视线，让他们放不开手脚。爸妈刚处理好货物回到办公室，擦把脸的工夫，电话铃声一阵接一阵地响了起来。

我在这场忙乱中瞥见墙上的挂钟，若是在平常，这个时间我正好放学。一瞬间，愧疚的海淹没了我心中那座名为别扭的小岛。原来，在我因为没带伞而失落的时候，我的爸爸妈妈却因为工作需要，主动扔下雨伞，泡在雨里。于我而言，下雨只是一件令人讨厌的琐事；而对我的父母来说，下雨是一场争分夺秒的战斗。他们多抢回一件货物，就能多挽回一分损失。

后来的一个雨天，为了躲雨，我走进了一家书店。店外是嘈杂的雨声和鸣笛声，店内是纸张翻动的沙沙声。来到这里，我的心也渐渐平静了下来。我不再感到孤单，也不再因为没有人来送伞而感到失落，而是在书香中寻找心灵的庇护。这家书店成了我的“奇遇”，我也终于学会了如何等一场雨停。

（本刊原创稿件，习k图）

盘点中国大学里的“网红神兽”

●秋褚

每一所大学，都少不了一位有着独特魅力的“镇校宝”。

上海海事大学：大白鹅“咕咕”

上海海事大学曾经录取了一只名叫“咕咕”的鹅——通知书得到官方认证的那种。

“你好，我是一只宠物鹅的主人，大鹅非常英俊，已经养了一年半了。现在准备搬家没法继续养，想问一下上海海事大学是不是有鹅，能不能帮忙收留……”

由于“咕咕”原主人的新居不具备养鹅条件，经网友介绍后，主人便向“养鹅大户”上海海事大学求助。

对此，上海海事大学官方微博做出回应：“经过请示，已经决定接收‘咕咕’加入‘上海海事大学的鹅’这个大家庭啦，希望‘咕咕’在海大茁壮成长。”

有热心网友为“咕咕”制作了专属的“录取通知书”：咕咕已被“智慧湖生态养殖学院家禽养殖与研究专业”录取，成为一名“农学生”。

中山大学：猫头鹰

常年位居“全国大学校园观鸟赏鸟排行榜”榜首的中山大学，向来是高校中的观鸟胜地。

早在2012年，“中大校园里有猫头鹰”的消息就传遍了观鸟界。一时间，这种小生物既成了“团宠”，又成了“网红”。可没想到，疯狂追捧猫头鹰的不是活力四射的小年轻，而是扛着“长枪短炮”的大爷大叔们。

“好林，好鸟啊，拍！”有人打着手电筒来拍猫头鹰，还有人为了拍鸟而踢树。这样一来，可把不少鸟儿吓坏了，也让中山大学的学生们很担心。

对此，中山大学的学生曾在网上呼吁，希望大家不要去打扰这些可爱的生灵。甚至有多名学生自发到树下为猫头鹰“守夜”，可见学生们对猫头鹰情真意切。

西北工业大学：流浪狗“三哥”

如果说不少“校宠”是凭借可爱或珍稀获得殊荣的，那这只名叫“三哥”的流浪狗之所以能在西北工业大学“笑傲江湖”，靠的是血性和硬气。

“三哥”可不是凭空而来的绰号。

据该校学生介绍，这只流浪狗在学校里长大。2012年，它意外失去了自己的右后腿，却也坚强地活了下来，“三哥”的名号自此打响。

因为励志，“三哥”的事迹还登上了当地的报纸，彻底在校内外火了一把。

有同学将“三哥”当作精神楷模：“每次看到它在校园里一瘸一拐地奔跑时，都觉得既心酸又励志。三条腿的狗都能坚强活着，我们遇到的困难和小麻烦，又算得了什么……”

上海大学：孔雀

据说，上海大学有五大“神奇宝贝”，按名次排，依次为傲娇的孔雀、肥美的鲤鱼、七嘴八舌的鸽子、仙气的天鹅以及传说中的鸳鸯。

三明治学习法

●陆丽萍 冷佳萍

三明治学习法是指利用课前和课后的1分钟进行复习，把课堂学习变成“三明治”的一种学习方法。

很多同学会忽视课前的1分钟，但是，如果能充分利用这1分钟，那么课堂的学习效率会得到大大提高。

在上课前1分钟，快速复习老师上节课所讲的内容。可以采用“过电影”的方式，重新回顾上节课老师讲的内容，想不起来就看看课本或者笔记。也可以采用自问自答的方式，看着笔记上的关键词对自己提问：这个地方老师上节课是怎么讲的？这道题该怎么解答？

等上节课的内容重新进入大脑后，再听老师讲新课，可以更快地进入高效学习的状态。老师通常也会结合上节课的内容进行新知识的讲授。课前的1分钟复习可以让学习更有连贯性，让新知识被吸收得更好。

下课后，立刻再利用1分钟的时间复习本节课的内容，同样可以采用“过电影”或自问自答的方式，尽量做到当堂课当堂毕，不留任何知识漏洞。

（紫陌红尘摘自北京联合出版有限公司《火箭学习法》一书，视觉中国供图）

既然位居第一，当然有当第一的非凡气质。早前，据《新闻晚报》报道，上海大学校园内的这只孔雀曾偷偷跑出笼子，闲逛于校园，气定神闲，悠然自得，对笼子外的生活毫无畏惧。

毕竟，它集上海大学学生的宠爱于一身，胆子自然大了嘛。

不过，小家伙的失踪，在校园里引起了一场寻找孔雀的风波。幸好孔雀最后被顺利找到，并送回了笼中，这才让同学们悬着的心放了下来。虚惊一场，足见真情了！

北京师范大学：乌鸦

一到冬天傍晚，北京师范大学的上空不时会猝不及防地黑压压一阵。

不是变天了，而是“师大天使”们集体飞来了。受热岛效应的影响，白天，乌鸦们爱飞到郊外觅食，晚上则飞回城里休息。由于位置好、植被佳，北京师范大学一带成了北京乌鸦最集中的区域之一。据统计，最多的时候，校园里会出现1.2万多只乌鸦。

乌鸦的青睐，虽然点赞了北京师范大学的生态环境，可“天使”一多，稍微没有绷住，就会变成灾难。

在不少北京师范大学学生的回忆中，乌鸦成了大学生活中必不可少的一部分，“没在北师淋过乌鸦屎，都不好意思说自己是北师人”。

华南理工大学：鱼

“华工有鱼，其名为鲲，鲲之大，一锅炖不下。”别人家的校园宠物大多只可远观不可亵玩，而华南理工大学的鱼还要承担起改善伙食的重任。

由于环境佳、水质好，华南理工大学的湖里有不少野生鱼，其中以罗非鱼居多，还有草鱼、鲫鱼和塘鲺鱼等，它们长势喜人、可爱活泼，为校园增添了不少生机。

有一年冬天，天气转冷，湖水供氧能力不足，为了避免鱼类因缺氧而大量死亡，影响校园景观和师生生活，学校后勤处聘请捕捞队进行捕捞，把一部分鱼拿去食堂免费做给师生吃，把另一部分直接发放给教职员工。

还有一年夏天，广州暴雨，华南理工大学的西湖被淹，湖里的鱼全跑到校道上，全校又切换成抓鱼模式。

（秋水长天摘自微信公众号“惊蛰青年”，本刊节选）

不知从什么时候开始，我习惯了边走路边埋头看手机。青春期时，母亲对我这样的行为会加以制止，上大学远离父母后，我则毫无心理负担地沦陷于缥缈自由的网络世界。所以，当我步履匆匆地从教学楼走回宿舍，在应用首页推送的帖子中浏览到“抬头接力企划”这个话题时，仿佛看见我在16岁那年满怀希望投向天际的箭矢，瞄准了19岁的我，正中靶心。

16岁的时候，我的梦想是拥有一辆房车，开着它和家人或好友一起环游世界。那时的我，向往极北之地的璀璨极光，向往群鸟争相飞越的远山青黛，向往桥下的水波荡漾，向往走过海水浸湿的沙滩，向往登上仿佛能直达云巅的石梯……

可是18岁以后，我经常低着头往外走，有时会紧紧握住手机，有时会挎着背包。曾经的向往悄无声息地成为我16岁的纪念品，许多向往也成了埋在贫瘠的土地里开不出花的种子。

抱着一种难以言喻的心情，我点开“抬头接力企划”这个话题，慢慢地翻看着别人抬头看到并分享出来的风景。最热门的一组图片的主角是几棵枝繁叶茂的树，它们身上的生机与春意确实让人着迷。但我想，迷人的不只是照片里定格的风景，还有拍摄者补充的一行文字：“奶奶说，树要抬头看。”

我的手指习惯性地下滑翻到评论区，发现其中的一条评论获得了极高的点赞量：“树要抬头看，人要向上长。”这句话真是动人，我感觉到点点滴滴的触动，复又细细观察这组图片，发现野蛮生长的枝丫与“树枝想去撕裂天空，却只戳了几个微小的窟窿”这句诗真的很契合。接着，我的视线偏移到图片旁边“邀请看到这条笔记的你，抬头看看，记录下来，参与接力”的提示语，我不禁停住了活跃在手机屏幕上方的手指，也停下了挤进人潮的脚步。

“抬起头。”我在心底暗暗对自己说着这三个字。我下意识地环顾四周赶路的人们，他们三五成群，有的在热火朝天地交谈，有的和前一秒钟的我一样与手机难舍难分。

我微微仰起头，顺势站在路旁的一棵树下，从树叶那细细密密的缝隙里窥见太阳的一点余光。这点余光于我而言，点亮了我的眼睛和心灵，让我走到视野辽阔的广场上，去眺望将要落山的太阳。

夕阳用余光照亮了周围的云朵，仿佛在贴心地给身旁怕冷的云朵们披上金色的外套。同时，它还贯彻自己慷慨的本色，无私地分享给高楼和远山许多闪闪发光的碎片作为点缀，让它们在明暗之间潇洒而立。

我情不自禁地打开手机摄像头，对着这片风景按下了快门。可我仍然觉得不满意，想要怪罪手机的像素太低，加上自己的拍照技术太差。直到走过身边的路人和同伴说出“你看这个天空蛮漂亮的嘛”这句话，摆弄着手机的我顿觉拨云见日：风景不应只存在于手机相册里，有些美丽，要用眼睛看，用心记。

后来很长一段时间，我还是处在走路看手机的戒断期，每每熟练地用指纹解锁屏幕后，才如梦初醒般发出一声叹息。但我在一步步地坚持抬头，也许是一瞬间，也许是一刻钟。树要抬头看，人要向上长，路要向前走。有些道理，不必多言，抬起头，你就会懂。

（本刊原创稿件，橙子酱图）

球未落地，就要向上看

●禾吾

“还有还有！”

在声音响起的同时，副攻、主攻手和自由人同时向那个即将落地的球扑了过去。自由人更快，他一个鱼跃，手往前伸，“砰”的一声，球再次高高弹起！

队内负责传球的二传手是球队大脑，在这千钧一发之际，他必须传球给这时最有可能撕开对方防御的攻手！

他突然感受到了一道强烈的目光，仿佛听到了主攻手充满强烈扣杀欲望的声音，“给我”，于是他下意识一个背传，传给了球队主攻手。主攻手已经做好助跑准备，球在空中，他奋力一跃，打开双臂。对面预判他会打直线扣球，万万没想到，他打出了一个威力巨大又防不胜防的小斜线扣球，刚好瞄准的是那块因为疏忽而无人防守的区域。场内场外都沸腾了。

从扑去救球，到自由人接球之后迅速做好攻击准备，不过短短数秒。

屏幕前的我，被这一幕深深震撼。后来我看了《排球少年》，爱上了里面每一个认真努力，并且一直向上看的人。

我喜欢上了在体育课打排球，也报名参加了学院排球赛的选拔。万幸，我被选上了。

接着我开始了每天训练的生活，尽管只有短短一周的时间，我却觉得无比快乐。时值冬季，气温很低，手已经被冻硬，垫球的时候，我的手如同脆皮，打多了，干皮便也裂了。我的右手肿成了“猪蹄”——皮下血管出血、组织水肿、大面积淤青，医生让我艾灸，打四天石膏，虽然我是临时被选拔参加训练的，自己大概率是替补，没有上场的机会，但即使是替补，我也不想放弃。

为了防吊球，我的腿比扎马步时蹲得还要低。训练得多了，腿部拉伤，走路都有点瘸，但队里的学姐曾跟我说，只要球还没落地，拼死也要去接。很神奇，每一次不管训练之前有多痛，上下楼梯有多难，训练时我都好像忘记了痛苦，身体也变得轻盈起来。我享受打排球时的快乐，一个即将落地的球被救起来的时候，比扣球得分的时候让我更有成就感。

过去我总是低头。而现在，我时常向上看。我常常看到球高高飞起，被扣向对方的场地，看到球队的守护神奋力救球。球一直在往上飞，我体内的血液也随之沸腾了。

每当我看到校队成员在打比赛时，看着球来回过场，在每一次我以为它会这样被扣到地面时，总会有人将它高高击起。我突然明白，也许生活也是一样，这颗叫“人生”的排球还没有落地，比赛也还没有成定局，怎么能在这里轻言放弃呢？

排球是属于天空的运动，而我也因此学会了向上看。

从前我喜欢看热血动漫的主角，长大后更喜欢看群像。我逐渐意识到，每个人都是自己人生的主角，而不是谁故事里的NPC（游戏中的非玩家角色）。身处淤泥之中也可仰望星空，我们都是摘星人。

“干什么呢？球还没落地，拼死也要给我去接！”我迅速向右一跨，接住了朝我飞过来的排球。

排球是向上看的运动。

人生也是。

（本刊原创稿件，视觉中国供图）

我不是你最出色的学生

●叶羡

教师节那天，手机弹出来一条信息：“虽然我不是你最出色的学生，但你是我最好的老师！教师节快乐呀！”

送祝福的，是我之前带过的小学毕业班的一个女生。如果不是知道她在小升初语文考试中发挥失常，我会认为这只是她的客套话。

简短的文字仿佛一块尖锐的石头，穿越厚重的尘埃，击破紧闭的时空之门。我看到门内有一个人向我走来，那轮廓越来越大，面貌也越来越清晰——是学生时代的我。

曾经的我也会因为不是老师最出色的学生而难过、不安。那时候，观念里的出色是用成绩衡量的，分数高，便自认是老师眼中的好学生，而一旦成绩跌落，无论跌落多少，都会生出一种愧疚，认为对不起老师。所以自小学起，我就懂得用努力、拿名次来维持自己在老师心目中的好学生形象。我既怕自己做得不够好，不能让老师骄傲，又怕自己做得太好，却不能一直维持这种状态而让老师失望，所以我患得患失，时喜时悲。

然而，就像所有的食品都有它的保质期一样，光环这种东西也有它的保质期。中学时代的我，已无法单纯靠勤写勤记来消化复杂的知识。当大脑太久跟不上知识的步伐，我自然泯然众人。意识到这一点，我焦虑、挣扎过，但时间久了，便习惯隐匿在人群之中。唯一不变的是，我还是会在老师偶然的关注下，因觉得自己不够出色而抱有歉意。

是的，因为不够出色，所以我不能在老师抛出问题而全班鸦雀无声时，给他一个完美的答案；因为不够出色，所以我没有机会在众多佼佼者中为班级争夺一份荣誉；因为不够出色，所以我无法在老师需要时，成为他管理班级的左膀右臂……青春期的我，为自己的普通而内疚。

初入大学，我仍然是班里的“小透明”。大二竞选上班级的学习委员后，我才有了走出人群，独挑大梁的勇气。彼时的我也在为自己是否担得起大任、做得好表率而担忧。因为害怕辜负老师和同学的信任，所以我要想常人不能想，将事情做细、做精。虽然其间我因对工作负责而获得不少任科老师的认可，但我始终无法重新定义老师眼中的出色。

直到有一次，心理老师让大家上台分享关于“惩罚式教育”的看法，我提前三天思考、打底稿、背熟稿子。上台后我没有像其他同学一样直接念从网上抄来的稿件，而是结合自身经历全程脱稿。我记得下讲台时，在第一排做记录的老师不加掩饰地表扬了我，后来又在微信聊天中再次夸我的发言精彩，说我的发言让他印象深刻，他很欣赏我。

那一刻，我意识到，做好一件事何尝不是出色的另一种诠释？也许只做一件事和出色依然有差距，不妨保持认真的态度去做好每一件事。

仔细想来，我的中学时代

智趣

交换小球

如上图所示，最少交换几次小球的位置，能使小球黑白交替？（答案见下期）

上期答案：从已知条件看，古树的年龄比100大，比1000小，所以它一定是个3位数。又知个、十、百位的数字之和是21，且个位的数字比十位的数字多2，十位的数字比百位的数字多2，则个位的数字比百位的数字多4。因此，百位的数字是[21－(2＋4)]÷3=5，十位的数字为5＋2=7，个位的数字为7＋2=9，所以古柏树的年龄是579岁。

没有值得炫耀的成绩和才艺，但不止一位班主任曾在我的家庭报告书上写下“该生努力、踏实，能做好本职工作，深受大家喜爱”之类的评语。我初二时的英语老师，曾在我的英语日记本的最后一页，用红笔工整地写下：“You really did great and I’m proud of you.（你做得很棒，我为你感到自豪。）”显然，我是班上一篇不落写完整个学期日记的少数学生之一。

我又想起大学时教我们中国古代文学史课程的老师。她对我们要求很严格，上学时我很怕她，在她的课堂上并不活跃。虽然在大一那年，在4个班的100多个人当中，我拿了她所教科目的最高分。毕业后每年的教师节和春节，我都通过微信给她送上祝福。有一次她说，我是她“2019级教过的学生中最深情的一个”。她没有忘记我，正如我没有忘记她一样。而我由衷地相信，她对我有印象，来源于我的用心。我每年给她发的祝福语，都是独一无二的——为了表达对她的感激，我曾写过小诗送给她。还有大一时，我精心打磨了她每周交代的日记，她也不止一次将我的作文作为范文展示给其他同学，用有声和无声的方式表达对我的肯定。

我曾以为老师眼中的好学生成绩要绝对优异，可是在我遇到的老师的眼中，做事有始有终，愿意花时间和精力去做好每件事的我，同样给他们留下了深刻的印象。从没有老师用“出色”来评价我，即便在我成绩名列前茅的小学时代。我的老师夸我，无外乎我的字写得好，学习态度端正，做事踏实等，他们评判学生的依据是那么多样而具体。

冷冰冰的成绩无法完整诠释“出色”二字，这一点，我在大学才有所领悟，毕业后当了老师更是深有体会。我固然记得那些成绩好的学生，但我更记得那些成绩一般却一直在努力的学生，就像故事开头那个给我发信息的女生，她曾在短短一个月里，把语文成绩从60多分冲到90多分。我当然为她骄傲。但在得知她在关键时刻马失前蹄时，除了惋惜，我并未觉得她辜负了谁的期盼，也没有因此认为她不好。因为我知道，这个结果不是她后期怠惰造成的。相反，她已经尽力了。

思及此，我回复了她的信息，首先谢过她的祝福，然后告诉她：“在成绩方面，没有谁是最出色的，但在坚持与努力方面，你比任何人做得都好，你是我见过的最有潜力的学生。”

我的意思是，不必因你不出挑的成绩而觉得愧对老师，比起用成绩单方面定义的出色，老师更希望你在青春这场航行里，踏实掌舵，扬帆远行，那样的你，更值得被称赞。

（本刊原创稿件，大冰哑图）

名画细节背后的故事

●钱宁

伦伯朗《夜巡》

让“甲方”生气的《夜巡》

《夜巡》是荷兰画家伦勃朗的代表作，但这幅画的名字不是伦勃朗取的。伦勃朗取名叫《弗兰斯·班宁克·科克上尉和威廉·凡·鲁伊滕伯奇中尉的连队正在准备出发》，这个纯描述状态的又臭又长的名字，写出来都费劲，就更别提口口相传了。

直到19世纪，一位法国评论家将这幅画称为“夜间巡逻”。在那之后，人们越看这幅画越觉得这个简单好记的名字合适。叫着叫着，这幅画就成了《夜巡》。然而，这名字是个误会。

《夜巡》成画于17世纪，但名字是19世纪才确定的。这期间200多年的洗礼，让画中的颜料氧化暗淡，并且堆积了很多污垢，这让人们几乎无法辨认其中的人物，导致画看上去很黑，就这样一直被人们认为是黑夜。直到1947年《夜巡》被修复时，人们才发现，画中人的动作以及那些明显的阳光光线，看上去不可能是夜晚，这才解开了这幅画的一个大误会，原来“夜巡”是“日巡”。

画人像也开“美颜”

如果你认为“美颜”是现代科技的产物，那就错了。“美颜”也是画家们的一手绝技，甚至有些人靠这门绝技为自己的画作提价。提到《蒙娜丽莎》，人们往往只注意到她的微笑，而忽略了她脸上缺了一样东西——眉毛。

被人们提到最多的推测有两种：第一种是达·芬奇生活的佛罗伦萨在文艺复兴时期流行一种拔掉眉毛的妆容，这是一种时尚。第二种说法是蒙娜丽莎是有眉毛的，但她的眉毛在这种绘画中往往都是最后用炭笔填上去的，这就让这一部分绘画不那么稳定。经过时间的洗礼，眉毛可能就先“掉了”。另一幅名画《戴珍珠耳环的少女》中的少女也没有眉毛。为什么这些画的眉毛这么容易掉？

有一个颇有意思的猜想——眉毛在当时看来很关键，它会影响

达·芬奇《蒙娜丽莎》

这幅画的整体状态，如果把眉毛放在最后，就可以和甲方商量着来，一直调整到甲方满意为止。所以这么看来，画眉、修眉也算是一种“美颜”。

威廉·鲍威尔·弗里斯《爱德华王子与亚历山德拉公主的婚礼》

“婚礼”上的小心思

1863年，爱德华王子和亚历山德拉公主在温莎城堡的圣乔治教堂举办了婚礼。那个年代欧洲已经普及了摄影，也就是说这场盛大的婚礼可以被记录下来。但是，爱德华王子的妈妈、当时的英国女王维多利亚，还是将记录这一宏大场面的任务交给了画家威廉·鲍威尔·弗里斯。

在当时已经普及了摄影的欧洲，依旧坚持用绘画记录，那么目的只有一个：雇主维多利亚对于有谁没有谁，谁在干什么有着自己的想法。毕竟画师要按照雇主的意见修改作品，雇主不是新郎也不是新娘，而是新郎的妈妈，当时最有权势的女人。画中的新娘是维多利亚女王给儿子选的，里里外外透露着维多利亚的权势，心领神会的画师也意识到，画作要表现的不再是男女之间爱情的浪漫瞬间，而是皇室家族的繁荣与伟大。

维米尔《戴珍珠耳环的少女》

维多利亚女王排斥摄影，显然是摄影所谓的记录真实不能满足她的需求。当天没有到场的重要人物，可以在画中到场，当日不满意的衣服，可以在画中换掉，当日不满意的表情，可以在画中修改。

当我们看到画中那位与新郎新娘一样突出的女人时，我们就明白了，画中的别人呈现出的样子或许并非他们真实的样子，但是维多利亚女王那严肃的表情、沉稳的服饰，以及高高在上凌驾婚礼的状态，一定是她希望展示出的样子。想象一下，如果画中这么多人，要先排个主次顺序再合影拍照，这得是个多么费劲的协调过程。而绘画只需雇主告诉画师自己的想法，以及大致的主次顺序，就什么都不用管了。这对传统的贵族来说，要比记录真实的摄影可靠得多。

（小水摘自《北京晚报》2023年12月22日，本刊节选）

名字的秘密

●王萌

在成长的过程中，我一度很不喜欢自己的名字，因为它经常跟周围的人发生神奇的“化学反应”。

读初中的时候，有一个女孩和我同名同姓且同年级，她的学习成绩一直很好，从未掉出过年级前三名。因此，除了总被她以压倒性的优势甩在后面，我还时常会得到一番莫名其妙的赞美，当然，大部分时候，是因名字产生的乌龙——对方把我误当成了她。于是，在自我意识正在觉醒的时候，这个并非独一无二的名字，让我感到羞耻。

进入高中后，我原以为自己终于得以摆脱与别人同名同姓的烦恼，谁知班里又有一个和我名字相同、姓氏不同的女孩。巧的是，这个女孩的学习成绩也很好。我们自然又免不了时常被进行比较。“名字羞耻症”就这样伴随了我的整个青春期。

我曾向很多人抱怨自己的名字太普通，转而羡慕他们可以有那么独特、好听的名字，同时在心里默默地想，世界上有那么多汉字，爸爸当年怎么偏偏就给我选了这么一个其貌不扬的名字？沮丧的时候，我会把原因归结于自己的名字太普通，所有的“锅”就全让爸爸背上了，虽然他曾不止一次解释过给我起这个名字的原因。

我是个出生在冬天的小羊。北方的冬天，万物皆枯，他担心小羊没有草吃，所以给我的名字里加了草字头，这样就不会饿肚子。而在所有拥有草字头的汉字里，他觉得，“萌”这个字充满了新生的力量。

我承认，每次听到这个故事的时候，我都感受到了来自爸妈的美好祝愿。但很快，这样的感动就被“平行时空”里的“我”打破了。

他们有时出现在报纸上，有时出现在电视台的新闻报道中，有时甚至摇身一变成为某权威“专家”，出现在路边发放的整形美容小广告里。就连知名作家，我的名字也“碰了个瓷儿”，虽然我们的名字同音不同字。

后来，我的名字又与一句意外走红的电影台词扯上了关系。很长一段时间，身边的朋友见到我的第一句话都是：“萌萌，站起来。”女演员违和的娃娃音加上互联网的发酵，让这句台词颇具戏谑的意味。而对格外介意名字的我来说，这样的调侃杀伤力满满，几乎将我对自己名字的厌恶值推到了顶点。

接着，我的名字再次“出圈”，因为“萌萌哒”“呆萌”“卖萌”成了网络热词。就连当年给我起名字的爸爸也没想到，这个字不仅衍生出了新的解释，还被《现代汉语词典》收录。

虽然我因此沾上了可爱的光，名字上笼罩的阴云散去了一些，但性格里的不自信由来已久，想彻底与自己的名字和解，真的很难。

直到几个月前，有一天和同事们聊起各自的名字，在我表达了自己对名字的不满之后，他们说我是他们认识的人里第一个名字里带“萌”的，听起来就“可可爱爱”。

这个讨论恰巧发生在可以利用大数据查姓名重合度的那段时间。我分别查询了不同省份自己姓名的重合度，结果竟与同事说的不谋而合。原来起名字这件事，也有地域差。

再想想那个关于名字的秘密，其实我也不知道，自己是从什么时候起就不过分在意了，因为我早已拥有了属于自己的、独一无二的人生。

（本刊原创稿件，视觉中国供图）

人的内心应当是一个闭合的圆

●李银河

人的内心世界应当是闭合的，也就是自身完满的。外界的事物和人可供观赏，可供喜爱，但是自己的内心仍应当是自我完满的闭合之圆。

人生在世，必须拥有使自身圆满的愿望。我的存在不依赖别人，也不是因为别人。我是一个独立支撑的个体。被他人喜爱和喜爱他人发生在这个圆之外，是额外的馈赠，因为有而快乐，因为无而悲伤，但是自己的内心必须在这个闭合的圆之内，自身完满。

人生在世，必须有令自身圆满的勇气和决心。人总是太容易在自己的内心之圆上敞开一个口子，让别人的感觉流进来，让自身的感觉流出去。如此这般，人就会受到侵害，当遭遇别人的敌意甚至只是冷漠时，人也会丧失许多，被削弱自身独立支撑的力量。

人生在世，只有自身圆满才会更加快乐。如果做不到自身圆满，就会陷入期待和依赖，自己的喜怒哀乐受他人影响甚至支配，由他人恩赐。他人让我快乐，我才能快乐；他人令我痛苦，我只能痛苦。而一个人的内心世界如果是自身圆满的，那就能把自己的喜怒哀乐掌控在自己手中。只要愿意，我就可以快乐。

愿自己的内心世界是一个闭合的完满的圆。

（六月的雨摘自微信公众号“李银河”，视觉中国供图）

星期四少年，愿你一生骄傲

● 桑机

Monday's child is fair of face,
星期一出生的孩子长得漂亮，
Tuesday's child is full of grace,
星期二出生的孩子姿态优雅，
Wednesday's child is full of woe,
星期三出生的孩子沉静忧郁，
Thursday's child has far to go,
星期四出生的孩子注定远行，
Friday's child is loving and giving,
星期五出生的孩子善良博爱，
Saturday's child works hard for a living,
星期六出生的孩子会努力生活，
And the child that is born on Sunday,
而星期天出生的孩子，
Is healthy and bright, and happy all day!
一生明亮快乐、健康无忧！
——英格兰民谣《星期一出生的孩子长得漂亮》（*Monday's Child Is Fair of Face*）

我和他做过整整两年的同桌。他曾因成绩优异跳级，提前参加了小升初考试，顺利升入初一。天才总是受欢迎的，何况他温柔又爱笑。

开学初，老师们很爱提问他。每当这时，大家都会用同情的目光盯着我，但他次次都对答如流，一次都没殃及我。他不爱出风头，日常收敛锋芒，每到考试就一鸣惊人。那些同情我的眼神很快变为羡慕。

我们的座位3个月一换，只要诉求合理，班主任很尊重大家的意愿。他最抢手，毕竟学生时代谁不想和年级第一做同桌呢？怕他被换走，每次换座我都很紧张。

班里要排话剧，获胜组可以直接参演校元旦晚会和市艺术大赛，大家热情高涨，才艺、颜值出众者纷纷抱团，落选的人自动成组。我们周围一圈5个人凑不出一项才艺，全员落选，自成一组。但令我感到格外庆幸的是，他因为被物理老师叫去准备比赛，没被挑走。

分组一事尘埃落定，“矮子里拔将军”，大家一致推举我做我们组的话剧统筹。我没过多纠结，拿起桌上的《鲁滨孙漂流记》说：“演这个。”经过讨论，我们对故事情节做了不小的改动，把主角改为“星期五”，并决定采用默剧的形式表演。

这样一改，看点十足，但困难也不少，比如没人肯演主角“野人”，却都抢着当道具。我提议抓阄，结果抓到“星期五”的竟是我。大家生怕我反悔，七嘴八舌地哄骗：“谁让你在星期五出生呢，真乃天选之子！”我想着“星期五”由小个子女生演反差效果极佳，于是稀里糊涂地答应了。到正式演出那天，众目睽睽之下，我紧张得从头到脚都控制不住地发抖，只好就坡下驴，把本就夸张的动作表演得更浮夸，结果喜剧效果呈现得很到位。

最终获胜的是英文版的《白雪公主》。其余如《甄嬛传》、光膀子版本的《负荆请罪》以及我主演的“星期五”，均获得了老师们长篇大论的鼓励，我把他们的言外之意归结成一句话：难登大雅之堂。

回到座位，他问我：“很累吧？”那一刻，我的鼻子有点酸。累，全身都累，大脑像被抽空了。“逗人开心并不是件容易的事，逗很多人开心更难。”他这么说着，塞给我一瓶饮料。疲累过后巨大的虚无让我无力回应他。我不确定是否所有演员都像我这样靠燃烧生命来进行表演，但喜剧演员一定是。

喜剧效应很持久。后来，大家都管我叫“星期五”。物理老师尤其喜爱这个称呼，他轻快地拍着我的肩膀说，要是他当时在场，一定会投我一票。但这并不妨碍我画不出电路图时他的恼怒，他气势汹汹地喊我“星期五”，大家都在憋笑，只有我脸色难看。课后我郁闷地想，他该不会忘记我原本的名字了吧？我讨厌这个外号，尤其是在不光彩的时刻被别人叫时。

15岁的我，还不觉得哭是件丢人的事。我一边旁若无人地趴在桌子上大哭，一边任性地想，我哭的事最好能传到物理老师的耳朵里，这样以后就没人再叫我“星期五”了。

元旦那天，窗外大雪纷飞，教室里，明信片像雪花一样愉快地辗转飞舞，直至落进某人柔软的掌心。同桌收到明信片后从不回赠，也可能是要回赠的太多，干脆放弃了。所以收到他的明信片，我大吃一惊。他的赠言是一首英格兰民谣，中间两句蓝色笔迹的很显眼，落款也是蓝色的——星期四。

纸面有限，剩下的话是他亲口对我说的。他说：“‘星期五出生的孩子善良博爱’，这是世上最美好的形容，你要珍视自己的美好。”如今，那首民谣我已忘了大半，唯独蓝色笔迹的那两句从未忘记：“星期四出生的孩子注定远行，星期五出生的孩子善良博爱。”这是与我们有关的两句。

后来，所有人都看出了我们很要好，换座位时默契地不拆散我们。

学生时代的流行像风一样，永不停歇，一阵阵刮起又迅速消失。最初风靡的活动是找寻四叶草，一下课花坛里就挤满了小脑袋。我蹲得够久，收获也不小，好不容易揪来的四叶草被悉数送出。后来流行织围巾，用那种很粗的毛线，织法简单，听说某女生在宿舍一晚上织了3条。我兴冲冲地加入，特意买了粉色毛线，织好后却送不出去，朋友们嫌弃颜色太幼稚，我不敢拿回家，转头问他：“你有妹妹吗？”他无措地盯着一大团的粉色，支支吾吾道：“好吧，有。”

初二一结束，他就转学了，去了对小镇孩子而言遥不可及的大都市。他没提前告诉我。整个暑假我和他都在QQ上东拉西扯，快开学时他才说，他不回来了。可是暑假分别那天，他明明说的是去旅行。得知被骗，我并没有生气，平静地吃过晚饭，翻出他送我的那张明信片，难过了很久。

起初我和他通过QQ保持联络，他也经常出现在别人的空间评论里，后来他的头像就很少亮起了，再之后他的昵称改为“当时只道是寻常”，头像是一片四叶草，我之前送给他的那种。我不明白，为什么到了繁华都市，他反倒变得多愁善感。

高二时我在学校生了场病后，终于有了自己的手机，我第一时间把电话号码发给了他。那天下晚自习，我正趴在宿舍上铺津津有味地看《红楼梦》，突然接到陌生来电，不由得紧张起来。他正在变声期，嗓音粗哑难听，意外的变化冲淡了哀伤，我打趣他的声音，他找补称自己又蹿高了不少，我们的身高差越拉越大。我们讲了许多过去的事，却只字不提近况，他不主动讲，我便默契地不

我们是这样玩耍的

●Martian豆的教室

带娃在小区玩，我发现草丛中有一只蝴蝶，就在我的脚边，静静地舒展着翅膀，毫无警觉，一副束手就擒的样子。我很兴奋地和娃说："哇，有只蝴蝶，我抓给你哦！"

没想到我的提议遭到了她的激烈反对。"不要，绝——对——不——要！"

她说："我们可以追它呀！"说着，她那夸张的动作和极大的声响就让那只蝴蝶如梦初醒般飞走了。

蝴蝶在前面飞，她在后面追。当蝴蝶飞得很高，不知去向的时候，她停了下来，说："它回家了哦！"

我们一起抬头注视着天空，她似乎有点怅然若失。

可是，她应该知道，不捉住蝴蝶却还想和它玩耍的结局就是如此。

可即便如此，她也没有响应我拘禁一只蝴蝶以供她拨弄的主张。她可能真的喜欢自由的生命，宁愿与它共度很短的时间，也不愿抓住它，让它失去自我而彻底属于她。

在很多时刻，我深深觉得孩子一定是带着宿世的智慧降生的，她不是白纸一张。也许有许多事情，人就是生而知之呢。

（本刊原创稿件，插图由视觉中国AI生成）

问。

那两年我从初中同学那儿听了不少关于他的流言，说他转学后成绩不好、处处不适应、中考失利等。我不敢冒昧地向他求证，又按捺不住想知道真相，于是找来数理化最难的题发过去。他解得还是那样快，末了还叮嘱我不要重复刷套路一样的题，免得浪费时间。我买来他推荐的教辅，没过多久它们就被老师拿去研究。

高考前，我对他说我的志愿填的是南方某校，话里的留白任他勾画。9月，我飞向了南方，却等来他去往北方的消息。我反复告诉自己，不必难过，"星期四出生的孩子注定远行"，可眼泪还是落个不停。

尽管迟了很多年，但我终于体味到他当时的心境：外面的世界太精彩，每天都被快意或失意的事填满，旧时光里的人，无暇分心联络。

大学毕业后，我们互相加了微信好友，他的IP地址是中亚某国。他终于能坦然说出这些年的经历：中考、高考连续失利，背负的期望太重，悉数变成枷锁，为了逃避父母的数落，大学一毕业他就申请到中亚某国援建。那里的条件很艰苦，但他很快乐，也更能专注于自身，规划以后。

冬天来临时，他发来一张雪人照，我一眼认出，雪人围的围巾是我织的那条。时隔这么多年再看，那条围巾不仅幼稚，还很丑。不知什么时候放下了青春蔓延出的执念，多年后，我也渐渐明白了他转学后的回避心理。我为他守护的骄傲，他的不甘，最后都随风释然。但若能推开时间的门，我真想对那个星期四出生的少年说："你的未来无限，愿你一生骄傲。"

（杨子江摘自《哲思2.0》2023年第12期，林佳晨图）

致十八岁的你

●谢昊男

亲爱的米一：

我已经在时空中穿梭了很久。这场旅行的漫长远超我的预料，遇到的困难也常常让我迷茫无助，但我已经穿过了最猛烈的暴风雨。就在这样一个风平浪静的时刻，我想起了你，亲爱的米一。你在时光的那端远远地望着我，眼神里闪烁着希望的火苗，眼底却尽是阴影。亲爱的米一，不要害怕，你的青春才刚刚开始。

亲爱的米一，我理解你心里那团难以名状的怒火。多少年来，你一直在努力，做着别人眼中的好学生。你在意别人对你的评价，当他们夸赞你听话懂事时，你感受到了自己的价值，这让你开心，还有些小小的得意。但这些都只是暂时的。当你逐渐长大，你会发现以往获得的夸赞变成了被迫追逐的模板，父母不停地说你叛逆，学习压力与日俱增。有的时候，即使是白天，你也会魂不守舍地流泪，你一边责备母亲因更年期而脾气暴躁，一边害怕自己的心理出了问题。亲爱的米一，这些我都知道。

可是你知道吗，是你把自己困在了别人的笼子里。你就像一株菟丝子，紧紧缠绕在别人身上。你就像一面镜子，时刻反映着别人的情绪和诉求，却永远无法看到自己。你的“自我”没有建立起来，即使你一直在努力生长，结果也还是让你愈加迷茫，所以你愤怒、不甘，可又因为自己的失常而胆怯。

亲爱的米一，不要害怕自己的失常，失常是一件值得庆贺的事，这正说明你要独立了，你自身的生命节奏催促着你前进，让你变得更加强大，好摆脱他人评价的束缚。对我们每个人来说，走出他人的评价体系都是艰难的，你可能要经历一些风雨，等来一个时机，才会找到自我。这期间，书籍将会陪伴你成长，让你从一株菟丝子变成一棵独立生长的树。

亲爱的米一，也许你会感慨爱情的无常，但我想告诉你，爱情不是生命的全部。爱情是建立在两个完整生命之上的情感，如果其中一个不完整，爱情的天平就会倾斜，最后两个人都会感到痛苦。也许爱情让你跌了一跤，但那是爱情对你的善意——让你先找到自我，再寻找爱情。

亲爱的米一，我知道你看到过疾病对生命的蹂躏，你想知道生命的意义。生命确实不堪一击，但生命也因为脆弱而坚韧。我们的肉体和精神都很脆弱，所以我们才要关注健康、善待生命。在精神上，我们要包容自己，也要推己及人，同样包容别人。

亲爱的米一，我希望你不要学扑火的飞蛾，也不要学蛰居在黑暗之境的蝙蝠，而是要学会与阴影共处。生命的大部分阶段都没有你所想的那样明朗或黑暗，而是充斥着灰色，在这里你会保有智慧与理智，也会回忆起幸福的片刻与痛苦的瞬间。这时，你会更加勇敢地面对这个世界，也会以更加厚重的灵魂去承担沉重的责任，但你会感受到前所未有的自由。

最后，送上一个时间旅行者最大的祝福。

好了，现在你可以享受莫扎特的《魔笛》了。

时间旅行者

“虫洞纪”488年

（嘉林秀摘自《青年文摘·彩版》2024年第1期，视觉中国供图）

苍生大医

●陶勇

1

我好像注定是要从医的。

童年的时候，小伙伴们一起追着看武侠剧，他们对武功盖世、正气凛然的大侠们仰慕不已，而我却对里面的医师们念念不忘。记得《神雕侠侣》中，杨过和小龙女身中情花之毒，小龙女不惜自己跳崖以救杨过，那时我多么希望有一个人能解情花之毒，不至于让他们生离死别。我想，如果《雪山飞狐》里的药王能出现就好了，他一定能解情花之毒。我便学着他的样子，把家里面能找到的药都倒出来，什么香砂养胃丸、感冒冲剂、三黄片等，幻想着用它们配出一种可解百毒的药。我把它们捣碎，又加入了一些我们当地的甘草和竹根七，加上水混合，然后放在火上烤，冷却后把盖子封上，在泥里埋了一个月，最后得到一瓶黑乎乎的黏稠液体。我着实没胆量把它喝下去，犹豫了很久，想喂给鸡，鸡也不喝。我就把它倒在我家门口的一盆文竹里，想仔细观察文竹会有什么变化。结果一周后，文竹死了。

但我调配解药的热情并没有消退。我开始对一些民间的小偏方感兴趣。我们班有一名同学患有癫痫，我按照偏方的指引，挖出几条蚯蚓，混合玉米粒将其捣碎，再加入白矾，然后用开水冲开让他喝。一开始他死活不喝，在我的反复游说下才小小地喝了一口。当晚，他家的大人跑来我家理论，父母将我教训了一顿。

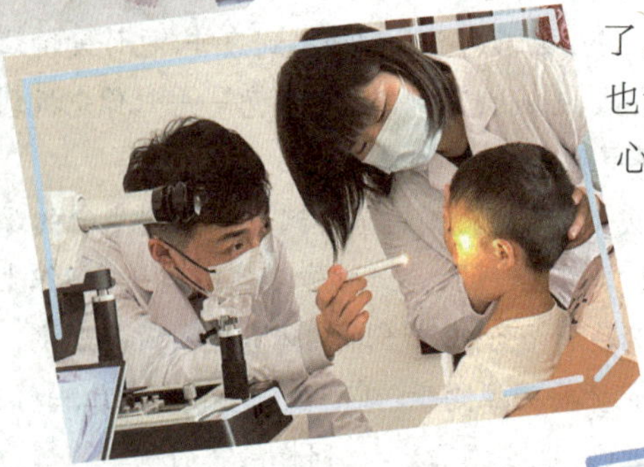

虽然这些事过去很久了，但我仍然记忆深刻。也许就是从那时起，我的心里埋下了医学的种子。

小时候，我经常生病，时不时就要去医院。每次去医院闻到那股清新的消毒水味，看到“白十字红心”，以及那些行色匆匆、穿着白大褂的医护人员，我都会肃然起敬。

我曾患有支气管炎，很痛苦，一犯病母亲就会带我到医院打针。有一次我打青霉素过敏，头晕目眩，感觉就像武侠片里中毒的人一样。医生紧急为我注射了肾上腺素和地塞米松。我忍不住惊叹医药真是太神奇了，它会让人康复，也会让人“中毒”，这其中的玄妙要多么厉害的人才能掌握。

所以在高考报志愿的时候，我几乎是毫不犹豫地报考了北京医科大学。

当时父母并不支持。

我向来是一个乖巧听话的孩子，唯独在这件事上，我特别固执，填完志愿才告诉他们。父亲叹了口气，过了半晌才语重心长地说了一句：“学医也不是不好，但你要做好心理准备，学医要比学其他专业辛苦得多，本科就要读5年，学出来也不一定能成为一个好医生，还要考研、读博。”我年轻气盛，对父亲说：“您放

心，我一定读个博士回来。”

2

真正开学后我才知道，相比高考，学医之路更加漫长艰难。在江西时我的成绩名列前茅，来了北京，大家一个比一个优秀，相比起来，我普通得像海滩上的一粒沙。

自卑激发了我的自尊心，我暗暗给自己打气，绝对不能沦为沙粒。

那时我的普通话说得不标准，我就早上起来读报纸、听广播，认真练；英语口语不好，我就加入一些英语小组，厚着脸皮开口说；北京的同学见多识广，和他们聊天总会显得自己才疏学浅，于是我尽可能多地和他们讨论、向他们学习。

闲暇时我基本泡在图书馆里，在读书时我感觉很轻松。心情好时我会读一些专业方面的书，心情不好时就看一些哲学书籍。

大学的74门功课远比我想的难。第一学期考试，我的成绩并不理想，在高中时排名靠前惯了，突然落在后面，一下子非常不适应。大学也不再单单以成绩来衡量人，这让我更加失落。很多同学的大学生活过得非常丰富，参加的活动多得数不清。而我却十分迷茫，我不知道自己的理想是否能实现，如果我就此撒手，毕业后也能混个普通的工作……想到此，我便后背发凉，对父亲说出的豪言壮语还记忆犹新——我果然是个庸才。

我试着重新认识那些生涩难懂的医学知识，它们不只是停留在书面上的文字，还活生生地存在于我们的身体里，如果我们连自己的身体都不了解，还谈什么改变世界。

此后，我不太关注别人的言论了，完全把医学当成一个爱好去探索。有了这样的心态，我发现知识开始变得有趣，每一个知识点都不是完全孤立的，而是存在关联、相互影响。我以结果为导向，深入挖掘人为什么会患病，身体里的细胞、器官是如何运转的，是什么让我们活蹦乱跳，又是什么让我们萎靡不振……包括此刻自己的所感所想，也是由大脑皮层的高速运行而产生的反应，这太神奇了！

从那以后，我找到了学医的热情，成绩也越来越好。

3

学医5年，前两年半在学校，后两年半跟着老师在医院实习，真正接触了病人之后，我对医生这个职业又有了不一样的认识。

在医院实习的两年半，我见证了太多患有复杂病症的人在医生的手里起死回生、康复如初。

“凡大医治病，必当安神定志，无欲无求，先发大慈恻隐之心，誓愿普救含灵之苦。若有疾厄来求救者，不得问其贵贱贫富，长幼妍媸，怨亲善友，华夷愚智，普同一等，皆如至亲之想……”我国唐代著名医师孙思邈写在《大医精诚》里的这段话，让我恍然醒悟，医学不仅仅是一种谋生的手段，它还关乎使命。

2009年，我参加的公益医疗队前往江西省乐安县，为当地患者免费做白内障手术。一个寒冷的清晨，一队衣着臃肿的老人蹒跚而来。王阿婆走在队伍的最后面，她驼背很严重，身体重心前移，每走一步都感觉刹不住，要向前栽倒似的。

看诊后我发现她的眼部情况也很糟糕。她长着典型的南方老人的眼睛，深眼窝，小睑裂，白内障的程度特别重。这样的情况，即使放在北京的大医院里也算复杂病例。出发的时候老师曾一再告诫我们，不要惹祸，复杂的手术不要去碰，因为很有可能失败。衡量再三，我只能无奈地和当地的联络员说了3个字：“做不了。”

让我意外的是，联络员开始为王阿婆求情。原来王阿婆的丈夫已经过世十年了，五年前，她唯一的儿子也在事故中遇难。阿婆平日里最爱做的事就是拿出丈夫和儿子的黑白合照轻轻抚摩。只是她并不知道，那张照片因为被她反复摩挲，早已经变得模糊。最近，王阿婆的肚子里长了个瘤子，她的时间不多了。这次是她唯一有可能重获光明的机会。

看着驼背严重的阿婆，我还是有些犹豫。这个时候，王阿婆说了一句话：“阿（我）想制一件寿衣嘞。”我是江西人，听懂了她说的方言，她想给自己做一件寿衣。在江西的部分村落有这样一个风俗：人死后入殓时所穿的寿衣，一定要是自己亲手做的，如果不是，到了另一个世界会见不到自己的家人。

对这样一个老人来说，如果无法亲手缝制寿衣，她该有多么绝望、多么痛苦。

我无法再开口拒绝。为了让驼背的阿婆上半身躺平，手术的时候我们帮她找了个半米高的垫子垫着腿，还破天荒地同时给她的双眼进行了手术。这在眼科手术原则里一般是不允许的，但这一切都是为了确保她在手术后能看得见。半小时后，手术成功，阿婆的视力恢复到了0.6。

三个月很快就过去了，后来联络员找到我说，王阿婆在手术做完一个星期之后就过世了。那七天里，她给自己做了一件寿衣，衣服上专门缝了个口袋，而口袋里，装着的就是那张丈夫和儿子的黑白合照。口袋的开口被缝住了，这样照片就再也掉不出来了。阿婆请联络员告诉我，这些年，她一个人，什么也看不见，在黑暗中很孤独，她要谢谢我帮她找到回家的路。

这例出现在我医生生涯开端的手术，让我从中感受到了专业之外的东西。医生所能给予病人的，不只是解除病痛，还有在生死之间的希望。在有生之年能成为一名“苍生大医”是我的人生目标。

（何秀芳摘自百花洲文艺出版社《目光》一书）

黑暗洞穴中的火焰

●〔爱尔兰〕科林·沃尔什
○陈荣生 译

事情发生的时候，只是又一个平常的日子。我不知道为什么，但老师突然中断了他正在说的话，对着我们思考了片刻。这个片刻犹如一部照相机的快门在他的眼睛后面开合。他的目光变了。他靠在桌子上，双臂交叉，然后即兴侃侃而谈。

他说我们很快就要离开学校，走向社会。他说我们还不够了解社会，但我们的视野将会以我们无法相信的方式扩展开来。我知道这听起来很俗气——可能确实很俗气——但对十几岁的我来说，听到一个成年人这样对我们讲话，是一种启示，他不是把我们当作需要传授学识的孩子，而是把我们当作他想与之分享人生智慧的人。

让我印象深刻的是他使用的意象：他说我们的意识就像黑暗洞穴中的火焰。火烧得越旺，我们能看到的洞穴范围就会越大。随着火光映照到的范围越来越大，我们就会越来越意识到洞穴的浩茫，我们实际上看到的是那么少，还有很多的空间和机会留给我们去燃烧照耀。

在他看来，只要我们活得对路，那么随着时间的推移，我们就会变得越来越聪明，越来越好奇，总是能够看到更多。但我们要心怀谦卑，明白洞察力不会枯竭，无论如何，生活不是一成不变的，所以要敞开心扉，接受自己可能是错的，更要知道永远都有更多的东西需要学习。

（画中花·未来香摘自微信公众号“陈荣生文字小屋”，老老老鱼图）

“催更”语录

●林琳

据说，作家古龙曾在林清玄办的一份报纸上连载小说，稿件一拖再拖，写了近3年仍然没有收尾。林清玄打电话催稿，却得到了这样的回答：“可能永远也写不完，因为里面有100多个主角，他们都有自己的个性，不知道要怎么安排他们死才好。”林清玄催稿不成，一气之下帮古龙结了尾：100多个主角一起来少林寺举办武林大会，结果少林寺地下埋着地雷，所有人都被炸死了。武林重归于平静，故事结束。

如今，网络文学盛行，创作者与读者可以在网络平台上直接进行交流，加入催稿行列的人便越来越多了。当我们浏览评论区时，恐怕要感叹，这届网友的“催更”水平和编辑比起来可谓有过之而无不及。

点开网页，除满屏醒目的“快更新”三个字以外，委婉的读者选择“拎起作者抖一抖，看看还有没有存货”。激动的读者表示：“我劝作者不要不知好歹，快把工作辞了，老老实实地把这本书写完！”还有一类“戏精”读者深情留言：“为什么要我等，为什么？！你好狠心啊，你知道等你更新内容会让我整夜整夜地失眠吗？一想到还要等这么久，我在午夜梦回时手脚冰凉，想要挣扎却没有力气，我的心像被凿了一个大洞，你在乎吗？”在一众“催更”的评论中，不乏“理性”且“体贴”的读者，站出来力挺作者，而后图穷匕见：“大家不要再催了，我们要的是质量而不是速度，作者也需要休息，作者只有休息好了，拥有强健的体魄，才能给我们好好更新——但是这跟我有什么关系？只要写不死就给我往死里写！”

在众多“催更”语录中，坚持不懈地追问是最常见、最扎心的手法。“已经过去4分钟了，作者已经在构思结局了吧？”“第5集的稿子写好了吧？第4集的音频录制完了吧？第3集的视频已经在审核了吧？”

剧情反转也是“催更”的常见手法。“赶紧给我继续写完这本书，别逼我跪下来求你”，从气势汹汹地命令突然变成卑微“催更”。“‘UP主’（视频上传者）辛苦了，身体最重要，但最新内容都是一个小时前发布的了，差不多也该休息够了，你说是吧？”让作者沉浸在细致关心中却猝不及防地被“催更”。这些都是老套路了。

当然，在众多网友的千呼万唤下，许多作者已经学乖了，不等读者们前来下达“催更令”，就在评论区率先发言：“大家别急着催，我每天都在以复兴号的速度写。”然而，依然免不了被网友调侃：“不是吧，不是吧，这么长时间复兴号都已经绕中国2圈了，你怎么连下一章都没写完？”

“催更”所展现出来的生动的语言表达形式，已经超越了“催更”的本来目的，变成读者等待更新时的乐趣。然而，创作精品还是要有充足的时间，催得太急，像开头的段子一样，一急之下所有的角色全都被炸死就太不好玩了。

（灯灯摘自《咬文嚼字》2024年第1期，邱炯图）

我不怀念三秋桂子、十里荷花，但我想念你

●雨欣

我在14岁时曾给外婆写过一封信，但没有寄出去，而是发表在了一家晚报上。800字的文章，被编辑点评为“感情真挚”。我从未向外婆提起过此事，只是悄无声息地把文章剪下来藏进了日记本里。面对这件本可以大张旗鼓地嚷嚷以满足我的虚荣心的事，我表现得小心翼翼。

外婆是苏州人，我从小被父母寄养在她身边，隔辈亲在她身上体现得淋漓尽致。与其他逼着小孩做作业的大人不同，她对我唯一的要求就是多吃饭——多吃饭才能长身体，多吃饭才能变漂亮，多吃饭才能有力气走很远的路去看世界。你看，没有一项是要我出人头地。她带我读书看报，也带我到闹市里闲逛。哪怕期末考试后，我拿回家的是考了62分的数学试卷，她也会温和地泡上一壶茶，让跑得气喘吁吁的我先坐下来喝一杯。

外婆退休之前是小学老师，也曾在教坛叱咤风云几十年，所以妈妈怎么也不敢相信，跟在外婆身边的我的成绩竟然会亮起红灯。她把这一切归因于外婆对我的宠溺，于是买来很多参考书，要外婆监督我学完。

对外婆来说，做个严厉的长辈是一件太难的事。只要妈妈一走，她就带我去逛庙会，带我去听戏，周末兴致来了还会带我去乡下她的老朋友家里住两天，放任我与一群熊孩子疯玩。他们教我爬树，带我到泥塘里挖莲藕，还领我去稻田里看水牛。污泥、草渍、瓜果的汁液印在我的脸上、衣服上，外婆一点也不恼怒，问我开心吗，我点点头，她就笑起来，承诺会经常带我来。她一直认为，比起监督孩子埋头苦学，更重要的是培养孩子对大自然的热爱。

得益于此，从小我的作文就会被老师夸赞写得生动。毕竟我经历过的趣事都还新鲜，吃过的瓜果都很香甜，看过的天空都是清澈高远的，每次一提笔，脑海里那些跳动的词句就争先恐后地蹦出来了。

我那时候最喜欢唱“二十四节气歌”，每一个节气外婆都能用一首古诗词来表达。她看我很感兴趣，就开始给我买唐诗宋词选本，早晨或傍晚时带我去河边读。我跟在她身后，小猫跟在我身后。我捧着书本摇头晃脑地读，裙子刚被风微微掀起一角，小猫就“噌”地扑上来，用小爪子抚平。如此反复，乐此不疲，它在跟风做游戏，我在跟外婆学诗词。外婆呢，穿着一件绣了花的藏蓝色旗袍，绾了发髻，戴着老花镜走在运河边，看起来与电视里的江南老太太一样。她热爱戏曲与诗词，厨艺精湛，你

能想到的所有关于南方女子的温婉形容都能在她身上找到印证。

我到底没有成为像外婆那样娴静的人，爱发脾气。但有一点我们是相似的，就是做热爱的事情会很投入。我在热爱的事物上，是很愿意努力的，学得也快。比如，外婆教我背唐诗宋词，一本书的内容我三天就能背诵下来。她很欣慰，觉得我是得她真传。她坚信女孩子就该有足够的文化修养。

整个小学阶段我都没能考出令人骄傲的成绩，妈妈为此一再失望。其实那时我们都还未察觉，外婆带给我的认识与感受，岂是区区一张满分的试卷所能比的。我积累下的文学知识，我对世界的向往，我勇敢的模样，我洒脱自由的天性，这些在往后时光里令我大放光彩的东西，都是外婆在我人生之初便赠予我的最珍贵的礼物。

我在外婆身边待到了小学毕业。她并不曾要求我变成一个气质温婉的南方女孩，所以当我回归北方的故乡时，身边的新同学都诧异我在南方生活了那么多年，身上却丝毫不见江南鱼米滋养出来的优雅。后来，我不再主动说起自己在苏州生活的经历，但我常常想念外婆。

她偶尔会来看我，若是赶上夏季，必定会带来清甜的莲子。在秋季，她会早早开始做桂花酱，并在电话里一再对我讲，到了吃桂花糯米藕的时节了，让我无论如何也要抽空去一趟苏州。

青团子、鲫鱼汤、太湖的大闸蟹、五月的杨梅……这些都成了外婆希望我能抽空回去的原因。每一次都有恰当的理由，我知道所有的理由不外乎“想念”二字，所以即使功课再忙，到了假期我也要坐上一天火车一路向南回苏州。

在我离开的漫长的时日里，她一定孤单极了，但她从未埋怨过。她看养生频道，热衷于研究食谱。她积极参加社区里的老年活动，走起路来脚下生风。她在院子里种满了蔬菜与花草。她把身体调养得很健康，用坚定的语气告诉我们不必为她担心。

在我心里，始终觉得她并没有老去。“行动迟缓”“记忆衰退”“萎靡不振”这些问题都不曾在她身上出现。但时光总反复提醒我，她已经是一个古稀老人了。

我与她躺在一起，会更加频繁地想到生死问题，眼睛不可抑制地发酸，抓紧她的手，想尽可能多地感受一些属于她的体温。她不曾察觉我的心思，静静地躺在那里，睡得安稳。

外婆真的老了。她取下腕上的手镯，戴在我的手腕上，告诉我，那是她提前送给我的嫁妆，语气里带着憧憬。我发誓永不摘下，她笑了：“那可不行，我们家囡囡金银珠宝都要戴一遍。”我强忍着眼泪点点头，趴在她耳边对她说：“长大我就嫁到苏州来，外婆你要等等我。”

我轻而易举地说出这些话，却忘了时光不会等她。她突发脑卒中晕倒的那个下午距离她76岁生日还有一天，我们提前为她定做的蛋糕上还写着“寿比南山”。

她躺在病床上，我抓着她干枯的手，很久都感觉不到她的脉搏。我日夜盯着心电监护仪上的波形，祈祷它不要转为直线。我每日帮她梳头发，就像过去每一个平常的清晨，不同的是，我喊外婆，她不再回答。

她曾教我背诵骆绮兰的诗“莫怪世人容易老，青山也有白头时”，也曾告诉我生老病死是人生平常事，可我依然无法抑制地感到悲伤。

外婆没有留下一句话，医生说她是在昏迷中离开的，没有痛苦。我一直在想，假如她能有片刻的清醒，她会对我说些什么呢？可是无论她说什么，我都不愿与她就此分别。

亲爱的外婆，很多年过去了，我不怀念在苏州淋过的雨，不怀念杨梅的味道、鲫鱼汤的鲜美，不怀念三秋桂子、十里荷花，但我想念你。

（秋水长天摘自《传奇故事》，林佳晨图）

我在南京大学读天文

●方和斐

入学的时候，我对天文学所知不多。高中教学楼废置的圆顶实验室，磨毛了边的《天文学新概论》《通俗天文学》，撑起了此前我对星空的全部想象。

就这样懵懂着，我被南京大学录取了，读了在全国排名数一数二的天文学专业。

在方肇周体育馆举行的开学典礼上，清癯儒雅的方成院士一出场，便引起看台上的一阵骚动。那时我对“中国天文学会理事长”“世界知名太阳物理学家”等头衔还没多少概念，但方院士的一头银发，莫名地让我对这个行业的塔尖产生了一些不一样的期待。

院里给大一新生开的课不多，但单单是一科微积分，就让乍入“高等”大门的我惊出一身冷汗。几百人的大教室里座无虚席，稍晚到一会儿，连过道里都坐满了人，根本挤不进去。数学系的黄老师编过教材，功底深厚，上课拈一支粉笔，从头写到尾。他一开始奋笔疾书，讲台下几十支笔杆子就随之“唰唰”地摇动；无数数学符号像教学楼上密密麻麻的藤蔓，瞬间爬满整个教室。

教大学物理的肖教授非常严厉。第一节课刚开始，他就下命令似的说道：“你们现在是大学生了，大学课程不能用脑子里过电影那样的学法去学。”

大学课程应该怎么学？我一时半会儿领悟不到。肖老师讲课天马行空，前一句刚讲到滑块小车，后一句就掉进暗物质的深渊。课堂上，他纵马驰骋，在经典物理、理论数学、现代前沿科技里杀个七进七出。我跟在后面，一路跑一路追，气喘吁吁。

我曾以为高考是神灯，擦亮它后就能拥有魔力，实现一切梦想。越过这一步后，很多人还盼望着能在别的洞窟里抓到新的精灵，寻之不得，便日日被惶恐煎熬着。

变美、疯玩、谈恋爱——往昔对大学的期待犹在脑海；出国、拿奖、高绩点——各种“校园神话”流传于社交平台。

于是，我们一边怀着脱靶的恐惧，一边闭着眼睛猛冲。

并不是所有人都对这种生活有所准备。那年冬天，我和同学们到江苏省盱眙县去看双子座流星雨，在寒冷夜空下聊起了填志愿时的趣事，一位同学说，他当时以为天文学是文科；另一位同学说，他以为学天文学专业能当宇航员。

学院在拓展学生认知上煞费苦心，有一门课专门请来全国最有名的天文学家轮番举办讲座，学期末还组织了我们去上海天文台进行访问。

最令我们感到震撼的时刻当属目睹射电望远镜。65米口径的天马射电望远镜屹立在旷野上，顶天立地。机房里的机箱隆隆作响，指示灯像科幻电影里演的一样闪个不停。这就是我们将要经历的科研生活吗？回程的大巴车上，每个人都激动不已。

在南京大学，对学生文学素养的培养，不只局限于文学相关专业。有一个学期我选修了董晓教授的俄罗斯文学课。他上课从不带讲义，每次三节课连堂，从作家生卒年到作品原文侃侃而谈，细节亦倒背如流。他讲到普希金诗歌的音乐美时，言不尽意，干脆用俄语高声吟诵数首。

在他口中，托尔斯泰一改悲天悯人的面容，契诃夫摘掉了小丑逗乐的面具，屠格涅夫牵起了鲁迅和郁达夫的手。

文学自有其真实的脉络，而旁听学者口述的身临其境感，是看多少有关文学的节目都无法比拟的。

比起闷头苦读，学术理念的传承更为珍贵。教近代史的刘握宇教授温文尔雅、风度翩翩。他说："我要讲的是普通人的历史，是母亲的历史，是农民、演员、作家等不同身份或角色的人的历史。"他上课从不用课本，考试只设问答题，没有标准答案。我至今都记得他考试时出的第一道题目："历史有无规律可循？"

老师们努力帮我们建立一种与历史、与人类、与社会的深层联系。

这些是天文教育的一部分吗？不算是，但专业教育与通识教育相辅相成，密不可分。

大三暑假，我来到北京天文台兴隆观测站。河北群山之间，郭守敬望远镜剑指苍穹。

与更广泛的天文界的这种接触，对我们职业意识的形成至关重要。南京大学天文系属于国家"珠峰计划"的培养基地，入选计划的学生有专门的差旅津贴。大四那年秋天，我受资助去青海德令哈参加中国天文学年会，那里有中国唯一的毫米波望远镜。全国的天文学家济济一堂，我第一次见识到如此多样的研究方向。

南京大学天文系建系70周年时，中国国家天文台报请国际天文联合会，将一颗小行星命名为"南大天文学子星"。

在我的记忆中，毕业前留下的最后一个画面是我和室友们登上天文台拍合影。九乡河亮晶晶的，蜿蜒流向远方，那是青春的粼粼波光，比任何星星的名字都珍贵。

（林冬冬摘自《视野》2023年第23期）

文学作品中对色彩的描写有多浪漫

○豆瓣读书 整理

色彩是光作用于人的眼睛所产生的视觉反应。作家用文字把色彩定格，激发出不同的色彩想象，丰富读者的阅读体验。文学作品中有哪些让你印象深刻的对色彩的描写？

@冷面美人晏明修

"花起初是浅白的，就像罩在河上的雾，浅白色像晨光的脚，银白色像黎明的翅膀。"（王尔德《夜莺与蔷薇》）

@时间之箭

"红海早过了，船在印度洋面上开驶着，但是太阳依然不饶人地迟落早起，侵占去大部分的夜。夜仿佛纸浸了油，变成半透明体；它给太阳拥抱住了，分不出身来，也许是给太阳陶醉了，所以夕照晚霞隐褪后的夜色也带着酡红。"（钱锺书《围城》）

@qiyapeng

竹久梦二的小诗《火炉前》："外面一片雪白，山也白了，路也白了，草也白了，树也白了。而家里却通红通红，火炉和妈妈的脸，是红红的，苹果和糕点，也是红红的。"

@四月

"在海的远处，水是那么蓝，像最美丽的矢车菊花瓣，同时又是那么清，像最明亮的玻璃。然而它是很深很深的，深得任何锚链都伸不到底。"（安徒生《海的女儿》）

@柳猫猫

"粉红的天空中，曲曲折折的漂着许多条石绿色的浮云，星便在那后面忽明忽灭的䀹眼。天边的血红的云彩里有一个光芒四射的太阳，如流动的金球包在荒古的熔岩中；那一边，却是一个生铁一般的冷而且白的月亮……桃红和青白色的斗大的杂花，在眼前还分明，到远处可就成为斑斓的烟霭了。"（鲁迅《补天》）

（小黄摘自微信公众号"豆瓣读书"，视觉中国供图）

啾啾啾唧啾唧啾

●故园风雨前

姨父大病初愈，上个月才出院回家。昨天上午我们去探望他，进屋他敷衍了我们几句就跑去阳台了，只留姨母招呼大家。半天不见他进来，我有些好奇，去阳台看。但见他单手叉腰站着，面朝远方，全神贯注。可远方既没什么可看的，除了层层叠叠的树冠；也没什么可听的，除了雀鸟喧嚣。不知他在发什么愣。他并不转头看我，只歪了歪嘴说道：“你看看腊肉就晓得了。”

我先没看见腊肉，只看见有个蚊帐撑得高高的，凑近才发现蚊帐里面挂着十几块腊肉。我们这里过年前几乎家家户户都会把腊肉挂在室外风干，都那么裸吊着，姨父家竟用蚊帐罩着，也不知道是防谁，这季节哪有蚊虫。我刚要问，他就做出个“嘘”的手势。

他仍不看我，只凝视着树林，仿佛在盯梢。我往外看了看，只有不大的林子；又听了听，没什么稀奇的鸟叫罢了。

我这姨父是搞哲学的，言谈举止常年地有些另类，我们做亲戚的早就习惯了。其实他恰因另类，在我们子侄辈中极受爱戴，我们把他看作长辈中的“叛徒”——他假装属于他们，其实是我们的人。他有很多很棒的主意，非常科学。我记得小时候逮蝴蝶总逮不着，他指导说：“蝴蝶长着复眼对不对？它能先后看到无数个你对不对？那么你应该利用这一点，我建议你不停地甩膀子，两个膀子一起，像风车一样，一边甩一边靠近它，你想嘛，它肯定头昏眼花了，还咋个飞？”我当然佩服极了，虽然从没逮到过一只蝴蝶，但我知道那一定是因为我的膀子甩得不够好。

姨父憋气不说话，可脸上的表情频繁变换，一会儿皱下眉，一会儿又点下头。少顷，他终于转身向着我说：“喊你看腊肉哇，揭开蚊帐看噻。”

蚊帐一揭我才发现，大大小小每一块腊肉都是伤痕累累的——腊肉上的酱料本是棕红色的，伤痕处已经翻出肉里的白色，坑坑洼洼像被狼牙棒揍过。我从没见过哪家的腊肉有这样悲惨的命运。

“你不晓得是哪个弄成这样的吧？腊肉我本来是敞开吊起的，前天早上才挂出去，结果晚上收的时候就变成这样了，把我气安逸了，是鸟！鸟！我不晓得这儿的鸟这么凶，比城里头的鸟凶多了！每一块啊！啄我的肉啊！”

然后第二天他就支了蚊帐罩在腊肉上，又躲在窗帘后面监视了好久，发现麻雀、白头翁、喜鹊、画眉，等等，都来过，在蚊帐外或停留或盘旋。

“你信不信鸟也是有表情的？”他说，“它们好像都很吃惊，完全不敢相信还有这种事情！居然吃不到了！我想的是，肯定还有很多鸟是昨天听到消息以后从很远的地方赶过来的，今天天不亮就出发了，结果到这儿一看，吃不到了，肯定气惨了噻！”

姨父指着他刚才一直在盯着看而我却觉得什么也没有的那个地方，笃定地说道：“它们现在都集中在那两棵树的树冠里面，你听嘛，是不是那两棵树里面吵得最凶？它们在吵啥子？很显然，它们在骂我。”

我仔细听了，果然有非常激烈的吵闹声。它们栖身的树冠离阳台不过20米，中间并无阻碍，它们看我们应该看得清清楚楚，叫声从音量判断的确是为这个距离播送的；而且听声辨位，从方向看，似乎每一张鸟脸也都是冲着我们的。

“绝对是在骂我，而且肯定是乱骂。”姨父

月下吃蟹

●丰子恺

自七八月起直到冬天，父亲平日的晚酌规定吃一只蟹，一碗隔壁豆腐店里买来的开锅热豆腐干。他的晚酌，时间总在黄昏。八仙桌上一盏洋油灯，一把紫砂酒壶，一只盛热豆腐干的碎瓷盖碗，一把水烟筒，一本书，桌子角上一只端坐的老猫，我脑中这印象非常深刻，到现在还可以清楚地浮现出来。我在旁边看，有时他给我一只蟹脚或半块豆腐干。然我喜欢蟹脚。蟹的味道真好，我们五个姊妹兄弟，都喜欢吃，也是为了父亲喜欢吃的缘故。只有母亲与我们相反，不喜欢又不会吃蟹，吃的时候常常被蟹螯上的刺刺开手指，出血；而且抉剔得很不干净。父亲常常说她是外行。父亲说：“吃蟹是风雅的事，吃法也要内行才懂得。先折蟹脚，后开蟹斗……脚上的拳头（即关节）里的肉怎样可以吃干净，脐里的肉怎样可以剔出……脚爪可以当作剔肉的针……蟹螯上的骨头可以拼成一只很好看的蝴蝶……”父亲吃蟹真是内行，吃得非常干净。

蟹的储藏所，就在开井角落里的缸里，平常总养着十来只。到了七夕、七月半、中秋、重阳等节候上，缸里的蟹就满了，那时我们都有得吃，而且每人得吃一大只，或一只半。尤其是中秋一天，兴致更浓。在深黄昏，移桌子到隔壁的白场上的月光下面去吃。更深人静，明月底下只有我们一家的人，恰好围成一桌，此外只有一个供差使的红英坐在旁边。大家谈笑，看月亮，他们——父亲和诸姐——直到月落明光，我则半途睡去，与父亲和诸姐不分而散。

这原是为了父亲嗜蟹，以吃蟹为中心而举行的。故这种夜宴，不仅限于中秋，有蟹的季节里的月夜，无端也要举行数次。不过不是良辰佳节，我们少吃一点。有时两人分吃一只。我们都学父亲，剥得很精细，剥出来的肉不是立刻吃的，都积受在蟹斗里，剥完之后，放一点姜醋，拌一拌，就作为下饭的菜，此外没有别的菜了。因为父亲吃菜是很省的，而且他说蟹是至味，吃蟹时混吃别的菜肴，是乏味的。我们也学他，半蟹斗的蟹肉，过两碗饭还有余，就可得父亲的称赞，又可以白口吃下余多的蟹肉，所以大家都勉力节省。现在回想那时候，半条蟹腿肉要过两大口饭，这滋味真好！

（鸭头绿摘自北京联合出版公司《丰子恺：缘缘堂随笔》一书，视觉中国供图）

说。

“腊肉起码要扔一半。”我说。

“这个不重要。重要的是——这次这个事其实是一个机会，我们可以趁机——”

“啊，聪明！可以逮一批！就用腊肉做饵！”我答道。

“哦，不，不，太庸俗了，你怎么还是那么庸俗。”姨父说，“我觉得这是一个学习鸟语的机会。你想，我们知道它们很愤怒，又知道它们为什么愤怒，那么我们已经掌握了它们的语言指向。你知道人类有个现象，越是激烈的情绪之下所用的语言往往越有限。我们可以大胆地假设鸟类也有这个规律。这样一来，我们可以大概想到一些词语，比如它们肯定会骂我卑鄙、无耻、自私、坏，或者死老头，等等。你注意听，它们有几种叫声的重复率是相当高的，我猜那些词语就分布在这几种叫声里面，比如‘啾啾……啾唧……啾唧啾’……”

可惜这时又来了几位访客，打断了姨父，他一时显得颇为懊恼。不过他是不会就此放下的，我离开时经过他家阳台底下，听见他大声叫道：“刘老师，你来得正好！有个关于语言密码的问题要问你！你晓得鸟类……”

（于清摘自四川文艺出版社《幸得诸君慰平生》一书，橙子酱图）

马面裙：令人惊艳的东方美学

●ZHEN

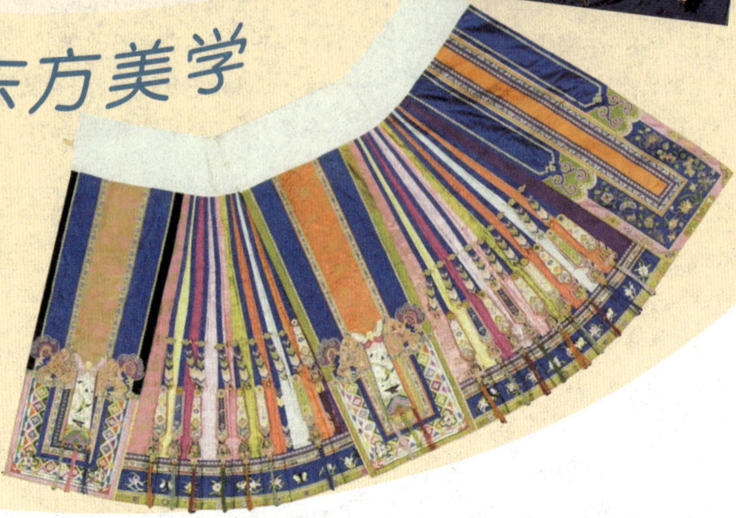

《陌上桑》有云：“缃绮为下裙，紫绮为上襦。”上衣下裳是中国古代服饰形制之一，下裳即裙。古人下身多穿裙，历史上的裙装种类繁多，不胜枚举。

马面裙，由马面和褶裥组成，是中国古代女子的主要裙装款式。其形制最早可追溯至宋代的旋裙，即由两片单独裙片组成并在腰部缝合的一种裙装。

据宋代江休复的《江邻几杂志》记载，旋裙的形制是为了方便女子骑马，后因其独特的样式及穿着时行动便捷的实用性，很快在上层阶级流行开来，从而风靡一时。

“马面裙”一词最早以文字形式出现则是在《明宫史》之中，因其前后裙门四四方方的形态与城墙上凸出的塔楼式建筑马面十分相似而得名。

明代的马面裙色彩较为清新淡雅，通常会采用丝绸等昂贵的面料，经过剪裁、拼接等多道工序制作而成。马面裙的膝盖及下摆部位一般装饰有精美的刺绣纹饰，被称为膝襕和底襕。但随着上衣逐渐加长，膝襕逐渐被上衣遮盖，底襕花纹则慢慢加宽。

马面裙的纹饰多有吉祥寓意：“龙凤呈祥”象征美满喜庆；“花开富贵”象征富贵吉祥；蝙蝠云纹象征洪福齐天。受早期宗教文化的影响，莲花纹饰也被应用于马面裙，象征冰清玉洁、连年如意等。当马面裙转动起来，流光溢彩，宛若月华，故也被称作“月华裙”。

清代的马面裙与明代的相比，最大的变化是裙腰选用白色棉布，取“白头偕老”之意。色彩也逐渐趋向华丽富贵，装饰意味日益浓重。侧裙或为细密褶裥堆叠而成的百褶裙，或为镶饰襕干缎边的襕干裙。裙面刺绣花样丰富，缎边装饰考究，无不凸显了中国传统女红技艺的精湛。

作为中国传统服饰体系中一种非常有特色的裙装，马面裙的演变承载着历史、文化、审美、工艺等精神内涵。这份端庄典雅，经过改良、创新，逐步成为新时代的时髦单品。

（张居正摘自微信公众号“爱新觉罗AisinGioro”）

言论

兴衰往复，皆不足为惧，于沉寂中孤守，于浮华中炼心。

——纪录片《本草中国》

汪洋一般的夜里，少年们快乐得像一座森林。洪荒万里中的哪一刻，我们才是真正的自己？嗯，舍得忘了自己的瞬间。

——综艺中的“神级”文案

在老家，下午睡醒了问奶奶时间，奶奶说三点了。我问她没有看表怎么会知道时间，奶奶说，太阳的影子移到墙边第五块砖旁的砖缝里时就是三点左右。我一看手机：两点五十七。

——网友评：每一条砖缝都是奶奶生活里密密麻麻的重复又重复

能温柔地托住我们的情绪，传递出关怀的力量，代表我们关爱自己和他人的愿望。

——近日，某权威色彩机构公布了2024年年度流行色：柔和桃。据介绍，柔和桃是一种如天鹅绒般柔和、蒲公英般轻盈的桃色，介于粉色和橘色之间，温暖贴心又不失甜美

不管是看剧的节奏，还是看剧的习惯，都要和当下沟通。

——越剧《新龙门客栈》的编剧表示，传统戏剧“出圈”靠的是当下性

学术史源自无数个体的生命史，它不纯粹是理性的，而是流动的个人感受汇成的时空江河。

——来自微博

不要因为你是女生，就觉得我可以差一点，要求可以低一点。女性跟男性是完全一样的。作为女性，我觉得一定要鼓励自己去做自己愿意做，而且希望做得很好的事情。

——中国科学院院士王志珍在央视节目《开讲啦》中讲道

我们对“旷野”的想象非但不辽阔，反而比“轨道”更贫瘠。

——人生是旷野，不是轨道。但旷野不是只有裸辞和旅游

全班同学的作业都交了，就差你了。

——学生时代最孤独的一瞬

中国人2000年前就“撸串”了；油条跟奸臣秦桧有关……

——南京大学张良仁教授发现，考古一直是冷门专业，如果年轻人不喜欢，就很难传承下去。于是他开通了抖音账号，一边“探店”一边科普美食中的历史知识。吃到糖藕粥，他讲起了马王堆汉墓出土的藕片汤；吃到酸菜鱼，他介绍酸菜的做法源自《诗经》

“你看，这个孩子好懂事啊。”

“你怎么知道她那不是害怕、沉默、妥协呢？”

——电影《狗十三》

红尘出落各分驰，回首童年束发时。

——长沙市岳麓区，一个普通村子里的村民们，19年来写出累计超过2万首诗词。他们的文字，都是在田间地头劳动时创作的，写的都是田园风光和日常生活

女装尺码越做越小不是流行，是畸形。

——美应该是多元的。每个人先天的身材比例和体重基数各不相同，没必要都塞进同一个尺码

想要拒绝别人的时候，一定要大大方方地说出来。因为不敢或者不好意思直接说出来，所以找了很多借口掩饰，反而会让别人觉得你这个人扭扭捏捏很奇怪。

——如何拒绝别人

（阿茜、小豆等摘）

昆虫学者和他的“石探记”

●浦东

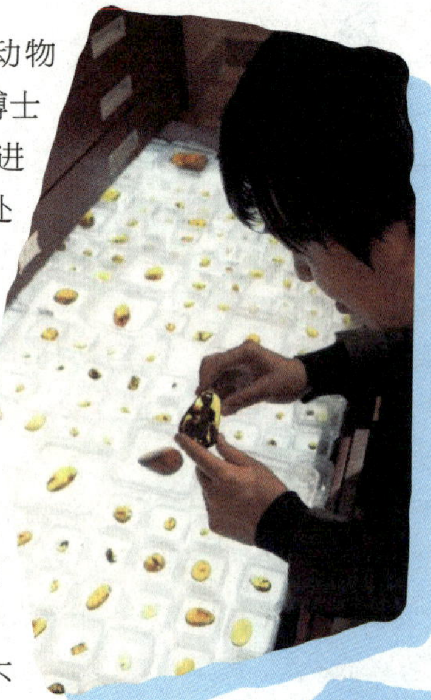

中国科学院动物研究所的生物学博士陈睿，是第一批走进亚马孙丛林最深处的中国科学家之一，是中国“石探记”科学家团队的负责人和世界上第一枚“琥珀虾”的发现者之一。现在，他在网上科普冷知识：小猪佩奇的原型不是猪？超过99%的昆虫都无毒？屎壳郎可以靠银河判断方向……他的粉丝很多，但很多人不知道的是，他曾一度被视为“问题儿童”。因为感觉统合失调，陈睿4岁时才学会说话，身体发育迟缓，学习困难。

“问题儿童”成长记

今年36岁的陈睿出生于福建省三明市的山区，4岁前都不会说话，父母带他到医院检查，医生诊断结果是感统失调。

上幼儿园时学习齐步走，陈睿总是同手同脚，老师很生气，就罚他站到厕所旁边去。于是，陈睿一个人蹲坐在地上，观察地上的蚂蚁和蚯蚓，对它们充满好奇。他发现，蚂蚁不仅可以扛起比自身大很多的物体快速移动，还能迅速组成一支“训练有素”的队伍，一起朝前走。那天，同学们练习齐步走练得很开心，陈睿也玩得很快乐。之后，他爱上了大自然，喜欢上了抓虫子。

上了小学，陈睿仍然是一个“差生”。正是在这些孤独的日子里，大自然成了他最好的伙伴。那时他最快乐的事就是去奶奶家过周末，他冲进奶奶的菜地里，捉上一堆蝼蛄和蜗牛，乐滋滋地带回家，观察它们如何在土里挖通道。

那段时间，陈睿几乎把自己的卧室打造成了一个昆虫实验室，里面摆满了瓶瓶罐罐。陈睿的妈妈很害怕虫子，自从陈睿把房间变成了昆虫实验室，妈妈就不进他的房间了。

有一次，妈妈帮陈睿洗衣服，结果一掏口袋，里面全是毛毛虫，吓得她把衣服都扔了。但即便这样，妈妈还是很支持陈睿，从不干涉他对虫子的喜爱，还给他买了《十万个为什么》，充分满足了他的好奇心。

因为对昆虫的热爱，陈睿在妈妈的鼓励下开始写观察日志。这种持续地观察和记录激发了陈睿更强烈的好奇心。他感统失调的问题逐渐得到改善，在语文学习中也取得了突破性的进步。小学五年级时，他写的那些有关昆虫的文章获得了很多全国性比赛的大奖。陈睿受到了老师同学前所未有的关注，变得自信了很多。

“笨小孩”的“逆袭”

小学六年级时，陈睿参加了一场科幻作文比赛，他写的是自己成为科考队员，去往世界各地进行科学考察，最终有了新发现。妈妈对陈睿说：“每个人都有自己的梦想、兴趣和热爱，无论别人怎么看，我们都应该坚持追寻自己的梦想。”她还支持陈睿在家里的阳台上自建实验室，做一些简单的解剖、反应实验……

从那时起，陈睿就立志要考上北京大学，成为生物学家。初中时，他学习非常刻苦，成绩突飞猛进。到初三时，他就已经把高中三年的生物和化学学完了。老师说这是“逆袭”，但陈睿觉得这是因为大自然给了他无限的灵感，他学习的内驱力正是探索世界的好奇心。

然而，陈睿高考时出了岔子，最终被南京农业大学的动物科学专业录取。

他原以为这也是可以研究昆虫的专业，结果开学后发现学的主要是畜牧，和自己最爱的昆虫差了十万八千里。

遇到挫折的时候，陈睿就会想到屎壳郎，想象它是如何在新疆大漠里一次次举着硕大的粪球，靠着漫天银河的导航，从深深浅浅的沙坑里爬出来，再历经千辛万苦将粪球带回家。

尽管结果与预期有很大差距，但陈睿没有自暴自弃。大一上学期，他就在学校成立了昆虫爱好者协会，他任会长，给大家做昆虫科普。短短一年，这个协会就成为校内最具影响力的学生组织之一，吸引了几百人加入。

大二一开始，陈睿就全身心地投入了研究工作。不久后，他发表了一篇SCI论文，并获得了保送到中国科学院继续深造的机会，然后真正开始了对昆虫的研究。

23岁时，陈睿跟着导师去了西藏，那是他第一次参加科考活动。他们要深入到没有人烟的地方，半夜里打着灯，利用昆虫的趋光性找虫子，收集各种生物样本，调查西藏地区的生物多样性。每采到一个标本，都要做好标签，记录采集地点，拍摄周围环境，还要收集DNA样品，然后带回实验室做进一步研究。在艰苦的科考条件下，他们发现了许多新物种昆虫个体。

每年大约有三分之一的时间，陈睿都在进行科考的路上。他到过青藏高原海拔6000多米的雪山上，走过雅鲁藏布江大峡谷，去过神农架的原始森林……南至西沙、北至漠河，都留下过他的足迹。他还是国内第一批走进亚马孙丛林最深处的科学家之一。他身上大大小小的伤痕，记录着科考的艰辛。陈睿曾感慨道：“如果没有小时候经历的困难和挫折，也许我不会走上研究生物的道路；如果没有父母的支持，也许我不会与大自然如此亲近；如果没有少年时对梦想的坚持，也许我不会成为今天的自己。”

大自然是最好的游乐场

毕业后，陈睿选择留在中国科学院动物研究所继续从事研究工作。他和同事组建了一个以科学研究和科普教育为主业的团队——“石探记”科学家团队。他们和来自中国科学院、北京大学、南开大学、中国农业大学、北京林业大学等多所高校和科研院所的几十位科研人员一起，为孩子们搭建起通向大自然的桥梁。

团队成立以来，研发的科学课程已惠及上万名孩子，从幼儿园大班的孩子到高中学生都有。这些科学课程涉及动物科学、生物地理学、生态学、统计学、化学、物理和英语等多个学科。团队甚至会带孩子们走进亚马孙丛林、马达加斯加雨林、马来西亚热带雨林，真正感受探索自然的魅力，养成科学思维。

在陈睿看来，孩子需要和自然接触，就像需要睡眠和食物一样。他曾带着孩子们去亚马孙丛林观察切叶蚁。切叶蚁学会耕种的时间比人类还要早——它们拥有非常发达的物流系统，能用收集来的叶片种植蘑菇。

一群孩子趴在地上，哪怕被切叶蚁咬到流血，也不肯离开。在观察的过程中，他们可能产生

林中自然笔记 蜗牛

●〔美〕戴维·乔治·哈斯凯尔
○熊姣 译

我肚皮贴地趴下，悄悄接近一只坐守于坛城边缘的大个头蜗牛。我把放大镜举到眼前，又往前爬了一点。

透过放大镜，蜗牛的脑袋充满了我的视野——如一尊庞大的黑玻璃雕塑。这只动物闪亮的皮肤上点缀着银色的斑点，背部爬满纵横的小沟槽。我的移动引起了蜗牛的警觉，它收回触角，缩回壳中。随后我屏住呼吸，蜗牛重新放松下来。它的两根“胡须”从下巴上戳出来，在空气中摇摇摆摆，然后伸到岩石下面，碰了碰石头。这些胶状的感觉器官就像手指一般，轻轻摸索着，像在浏览并解读镌刻于砂石中的文字。几分钟后，又一对触角从蜗牛头顶伸了出来。它的触角朝上伸出来，每根触角末梢都顶着一个乳白色的眼睛，朝向上面的树冠不停摇摆。我这会儿也正瞪着眼睛从放大镜里看蜗牛，可是我此刻的存在似乎丝毫没有引起蜗牛的关注，它的眼睛下面的支柱又伸长了一些。这些肉质的支柱现在已经伸得比蜗牛壳的直径还长了，

而且急速地朝两边摆动着。

蜗牛的脑袋在放大镜下膨胀，这一变化结束了我的沉思。蜗牛转过来正对着我。它的触角呈X形，从中间软绵绵、吐着气泡的凸起物上面伸了出来。两片玻璃一样光滑的唇伸了出来，呈现出一条纵长的裂口，与此同时，蜗牛整个身体拱起向下，将唇部压在地面上。我两眼看得发直，而蜗牛则开始在石头上滑动，横渡一片地衣的海洋。不断拍打的纤毛和它体内极微小的肌肉阵阵的颤动，推动着这只乌木色的食草动物向前行进。

我俯卧在那里，看着蜗牛停在地衣的小薄片与橡树叶表面生出的黑色真菌中间。我朝放大镜外面瞥了一眼，霎时间，一切都消失了。随着尺度的变化，整个世界陡然扭转。真菌看不见了，蜗牛变得无足轻重，世界由更宏大的事物主宰。我回到放大镜下的世界，重新发现那些鲜活的触角，还有蜗牛黑色中点缀着银色的美丽皮肤。放大镜拓宽了我的视野，帮助我收获了这个微观世界的美丽。多层面的欢乐美景，隐藏在人类视觉的界限之外。

（西拴摘自商务印书馆《看不见的森林》一书，视觉中国供图）

无数个奇思妙想，这些想法一旦和某个学科理论相结合，很容易就会激发他们的智慧和灵感，进一步拓展他们的思维。比如他们在观察蜗牛的壳是顺时针还是逆时针生长时，就了解了统计学的概念；在研究屎壳郎为什么总推着圆球时，就理解了什么是物理学的摩擦力；在观察行军蚁徒步时，就能明白什么是精神结构学说中的“超我”意识。

曾经有一名小学二年级的学生，因为患有抑郁症，被家长送来参加科考。当时的他基本不跟家人交流，上课不愿意听讲，注意力很难集中。陈睿和他一起去了马来西亚热带雨林，带他寻找各种各样的生物，玩了一整天。这个孩子特别开心，对自然界产生了极大的兴趣。

陈睿说：“大自然是孩子最好的游乐场，昆虫则是孩子最好的玩具。”他相信，受过大自然科普启蒙的孩子未来可能会成为科学家或者其他相关行业的创新者。

（苏东坡摘自《莫愁·时代人物》2023年第12期）

人体趣味冷知识

●〔英〕弗朗西斯·古德
○霍文智　译

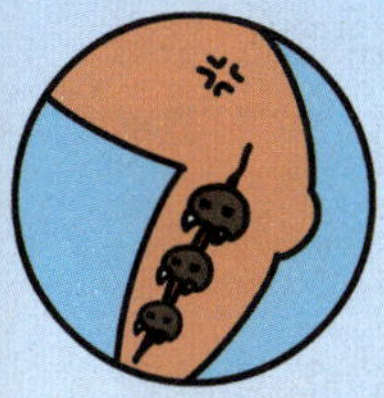

如何用蚂蚁加快伤口愈合

即便在今天，南美洲的某些部落居民仍会使用兵蚁的下颚来加快伤口愈合。他们会将伤口处的皮肤挤到一起，再把蚂蚁的下颚放在上面。蚂蚁的钳子就会插入伤口两侧的肉里，像外科缝合线一样地牵拉闭合伤口。

然后，他们会把蚂蚁的身体扭下来，只剩下头部。如果伤口很大，就会多用一些蚂蚁。伤口被处理好之后，排列在上面的蚂蚁头看上去就像一排针脚似的。

在非洲一些国家和印度，人们也曾使用这种方法处理伤口。

我们能用皮肤呼吸吗

在电影《007之金手指》中，秘书吉尔·马斯特森因全身被涂满金漆而死。詹姆斯·邦德说她死于皮肤窒息。

事实上，我们并不用皮肤呼吸，而是通过肺部呼吸获得氧气，然后由血液将氧气输送到全身。所以我们不太可能死于皮肤窒息。然而，如果皮肤被油漆或者其他任何会阻碍人体数百万个汗腺正常工作的东西覆盖，那么我们的身体就会过热，导致包括心脏和肺脏在内的身体系统难以正常运转，最终导致死亡。

淋雨会感冒吗

与传言相反，坐在风口并不会直接使人感冒。寒冷的天气、湿漉漉的头发也几乎不会让人感冒。不过，寒冷刺激可能影响人的免疫功能。

感冒大多数由病毒引起。能够引起感冒的病毒有几百种。北极和南极是相对干净的环境，所以因纽特人很少感冒。

常见的感冒病毒通常是通过人来传播的，比如飞沫传播，但更常见的是间接传播。例如，一个感冒的人揉了揉鼻子后摸了门把手，另一个人紧随其后摸了同一个门把手，又揉了揉自己的鼻子。瞧！病毒已经传播开，感冒就要来了。

手纸出现之前，人们用什么擦屁股

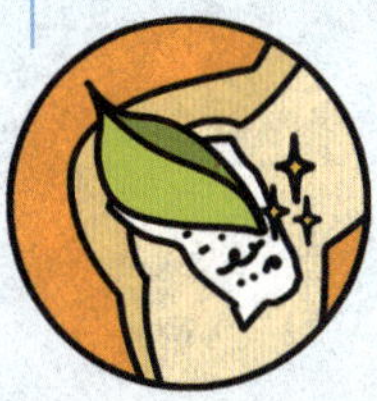

手纸是由中国人于14世纪末发明的。现代人所用的手纸是由一个名叫约瑟夫·盖耶蒂的美国人于19世纪中期发明的。当时那种手纸含有芦荟提取液，因此被称为“治疗纸”。大约20年后，一个名叫沃尔特·阿尔科克的英国人发明了中空的卷筒手纸。

在手纸被发明出来之前，人们尝试了很多方法擦屁股：有钱的罗马人用绑在棍子一头的海绵蘸盐水擦屁股；日本人用木条或者木棍擦屁股；早期的美国人用玉米芯擦屁股，或者用贻贝壳刮干净；维京人用多余的羊毛；有些地区的水手们用磨损的锚绳；夏威夷人用椰子壳刮屁股；大多数英国人用树叶、草或干草球擦屁股，皇室则使用羊毛或蕾丝擦屁股；法国人用坐浴盆洗屁股。

为什么吃冰激凌会“冻脑”

炎热的天气里，你如果猛地吃一口冰激凌或是喝一口冷饮，就会感到额头一阵刺痛，这种反应就是所谓的“冻脑”。之所以会出现这种情况，是因为我们的上颚分布着很多非常敏感的神经，其作用是保护大脑。当感觉到寒冷时，这些神经会做出强烈的反应，以此向大脑发送警报，提醒大脑“该热身了”。收到警报后，我们头上的血管就会扩张，增大血流量，以便给头部带来更多的热量。由于这些血管中含有脆弱的神经纤维，一旦迅速扩张就会引起疼痛。此时，只要用舌头抵住门牙后方，让上颚温暖起来，就能快速止痛了。

（孙悟空摘自微信读书出品《无用且恶心的人体趣味冷知识》一书，Raven图）

保持对话，抵达更多可能性

●豆金楠

“阳光美德少年”

学校要求评选“阳光美德少年”，启动海选模式估计时间来不及，所以就决定由班委和我共同提名。他们推选了X，理由是“X既阳光又有美德，还是少年”。我笑着说：“那你们不是吗？”有人笑答：“我们也有美德，但是没有X那么美！”

课上公布提名结果，征求大家的意见，没想到第一个反对的竟然是X自己。他站起来很严肃地说：“我的人格中还存在缺陷，你们了解到的只是部分的我。我很惭愧。”有同学笑着说：“你说自己五音不全，却被选入校合唱团，去参加比赛还得了一等奖。所以你说的不可信。”X很认真地否定了自己，说：“我想提名S和G。”他又很有说服力地列举了诸多事件，以证明那两个同学如何符合这个荣誉称号。

我确认了X的确不想参选“阳光美德少年”，就没有为难他。我说：“你可以放弃这项荣誉，但是我想让你知道，你是多少人心中的‘阳光美德少年’。”全班举手表决的时候他有多达42票。我擦掉了写在黑板上的X的名字。我说：“认识自己是一件很难的事，所以刻在德尔斐神庙石柱上的箴言是‘认识你自己’。你对待荣誉的谦虚，对真实自我的审视，都让我佩服。即使没有这个称号，你本身也已经是当之无愧的‘阳光美德少年’了。”同学们都给X鼓掌。

我问孩子们：“被同学们认可，是不是值得高兴？”

我感觉仓促形成的评选方案也有问题，难道美德是可以被比较的吗？所以我又问：“那要不要追求同学们的认可？”

他们陷入思索。

我说：“X做的事值得赞扬，但我们拥有美德并不是为了获得他人的赞扬和认可，拥有美德本身就令人愉悦。”

商人妇、琵琶女

我讲《琵琶行》，“感我此言良久立，却坐促弦弦转急”，问他们，“是谁‘感我此言良久立’？”

“那女的。”一个学生答完就笑。

“尊重一点嘛。她可是入了白居易诗歌的人物，‘那女的’这种指称不仅让她变成了无名之辈，还暗含一种对女性的轻视，难道她就只配因性别被记住吗？”

“长安倡女——”那个学生改正道。

“‘倡女’是她过去的职业，文中漂泊江湖的她是以过去的职业动人的吗？”

“商人妇！”又有学生答。大家又笑。

“琵琶女！”

“这个好。为什么‘琵琶女’这个称呼最恰当呢？

她弹奏琵琶的技艺精湛——弹到‘满座重闻皆掩泣’；她天赋异禀——‘十三学得琵琶成’。才艺是构成她的价值感和自我认同感的重要来源。‘商人妇’的从属身份和‘长安倡女’的职业身份，对此刻的她来说，都不是可引以为豪的特征所在。虽然她没有留下名字，但至少也应该被以更恰当的称呼指称。更何况，白居易作为曾经的京官、名满天下的文人，都将她引为同调——‘同是天涯沦落人，相逢何必曾相识’。”

占有还是感受

上课的时候，我们沉浸式感受了杜甫的《登高》中的“猿啸”和李白的《早发白帝城》中的“猿啼”的区别，由两个同学分别示范。他们的表演形象生动，引得教室里笑声、掌声不断。

同学们很容易就总结出：“两岸猿声啼不住”中的“啼”声清脆响亮，表现的心情是自由欢脱的；“风急天高猿啸哀”中的“啸”声低沉呜咽，体现出的心情是悲凉哀愁的。

从惟妙惟肖的表演到冷静细致的分析，大家都很积极地参与其中。但我发现靠窗的地方有个学生全程游离于课堂之外，走近一看，他手下压着英语、语文两科的资料，埋头学习呢。他非常警觉且毫不示弱地把语文书推过来示意，说道：“老师，我的笔记一点都没落下。您瞧！”确实，他的笔记字迹工整，内容全面，无可挑剔。

我开玩笑说：“本堂课的信息密度太低，我应该和英语老师联合授课，匹配你的知识吸收能力。”

全班都笑了。

我继续说：“学习的目的不是要得出某个结论，也不仅仅是为了占有知识。如果单论占有的知识量和记忆的精确度，人类永远比不了人工智能。在我们习得知识的过程中，被唤醒的感受力、被刷新的想象力，以及不断升级的理解力也都是很重要的。这些东西是只有全情参与其中，才能得到的。否则，得到的只是一个记在书上的教条化的结论而已。”

被什么打动

有天上课，讲到雪莱的《致云雀》，我问：“你们喜欢这首诗吗？”统计了一下，全班只有4个人喜欢。我笑着问：“浪漫主义诗歌里殿堂级的作品都打动不了‘00后’的心灵吗？那什么能打动你们呀？”

学生忽然很来劲地回复：“金钱。”然后嬉笑着看我的反应。见我没有发起道德判断，教室里便继续冒出了其他答案：帅哥、美女、《王者荣耀》……

他们依旧眼含笑意，与其说是在等我发落，不如说是想看我如何反击。

我说：“我不会谴责你们所说的可以击中心灵的事物。物质上的宽裕、长相的俊美，都会给人带来愉悦的体验。只是我有一个不成熟的期许——当我们日复一日、年复一年地精读了书里的作品，有那么一天，这个问题被再度问起的时候，我们曾经斩钉截铁地说出的金钱、美女、帅哥的爱好，不再是不容置疑的铁板一块，而是有了一些缝隙。或许那缝隙里还有一些不一样的微光——文学以缓慢、隐匿的方式潜入了心灵——虽然依然不能与我们那些世俗的爱好匹敌，但是这束光的存在，让我们知道人生还有其他高度可以仰望，有其他深度值得探索，有些潮流不必追逐，有些期望不必迎合。如果文学能够成为除金钱、美女、帅哥、游戏之外让我们心中一动的事物，那我们就可以更容易地从世俗的眼光、流行的意见里解救自己，自如于某些时代风气之外，成为自己。”

下课后，课代表说：“老师，您应该凶一点，他们就不会胡说八道了。”

我说：“那我就不能与同学们的真实自我进行对话了，他们会戴上人格面具，说出正确却虚伪的话。”

真实地对话，才会有真实的成长出现。

（本刊原创稿件，大冰哑图）

荒原上的屠格涅夫

●肖复兴

有一阵子，我迷上了屠格涅夫的《猎人笔记》。我大段大段地抄书里面的段落，恨不得把每一个字都吞下。

舒展着的白云上面的细边，发出像小蛇一般的闪光，这光彩好像炼过的银子……到了正午的时候，往往出现许多有柔软的白边的、金灰色的、圆而高的云块。这些云块好像许多岛屿，散布在无边泛滥的河流中，周围环绕着纯青色的、极其清澈的支流，它们停留在原地，差不多一动也不动；在远处靠近天际的地方，这些云块互相移近，紧挨在一起，它们中间的青天已经看不见了；但是它们本身也像天空一样是蔚蓝色的，因为它们都浸透了光和热。

他是这样写云的。这让我想起白天看到过的北大荒的云彩。我总觉得我似乎并没有看到过他说的那种像小蛇一般闪光的云彩、像炼过的银子一般的云彩、像许多岛屿一般的云彩、像天空本身一样浸透了光和热的云彩。白天，我会在喂猪或放猪的时候仔细观察天上的云彩，猪在猪栏里或在草地上悠闲地吃食，荒原上悬挂着的天空显得很低沉。有时，云彩像雕像一样一动不动，有时，浮云流动，像演电影一样，一会儿变成了马，一会儿变成了羊，一会儿变成了神话中的老爷爷，一会儿白得像是小孩光着的屁股……许多新的发现伴随着快乐，扑满心头，让我有了一种自得似的收获。以至于那些圈里的猪撞翻了猪食桶，我都没注意；那些在草地上的猪跑远了，跑没了影子，等我醒过味儿来，还得到处找它们。

傍晚，这些云块消失了……鲜红色的光辉短暂地照临渐渐昏黑的大地。太白星像人小心地擎着走的蜡烛一般悄悄地闪烁着出现在这上面。

他是这样写太白星的。我不知道什么是太白星，但我会在夜晚刚刚降临的时候，寻找第一颗蹦出来的星星，然后把它命名为太白星，看它是不是像人小心地擎着走的蜡烛一般悄悄地闪烁着出现在夜空中。我发现，天空出现第一颗星星之后，会出现一段长时间的空白，就像剧场里的静默一样，得耐心地等待下一个节目的出场。等待只会让你觉得，下一个节目肯定更加精彩。一直等到星星开始像比赛似的，叫着号，一颗紧接着一颗蹦上天空。北大荒的星星远比在北京看到的多，挤满眼前，纷纷向你眨着眼睛。我认出了哪里闪烁的是天狼星，哪里闪烁的是织女星，当然，认得最清楚的是北斗七星，因为在夜晚的荒原上迷路的时候，那像勺子一样的七颗星，永远是我最好的伙伴。

有的时候，当火焰较弱而光圈缩小的时候，在迫近过来的黑暗中突然现出一个有弯曲的白鼻梁的枣红色马头，或是一个纯白的马头，迅速地嚼着长长的草，注意地、迟钝地向我们看看，接着又低下头去，立刻不见了。只听见它继续咀嚼和打响鼻的声音。

你不得不佩服屠格涅夫，他写的草原上燃烧的篝火，和我们北大荒的何其相似。在冬天，我们在地里拉豆子的时候，或在场院上脱谷粒的时候，常常会燃起一堆篝火取暖。屠格涅夫所说的那些白鼻梁的枣红色马头、纯白的马头般的火焰，那些篝火熄灭后它们还在继续咀嚼和打响鼻的声音，带给我多么大的新奇感。北大荒的荒凉和寒冷，仿佛也变得温暖了许多。

突然，远处传来一声冗长的、嘹亮的、像呻吟一般的声音。这是一种不可名状的夜声，这种声音往往发生在万籁俱寂的时候，升起来，停留在空中，慢慢地散布开去，终于仿佛静息了。倾听起来，好像一点声音也没有，然而还是响着。似乎有人在天边延续不断地叫喊，而另一个人仿佛在树林里用尖细刺耳的笑声来回答他，接着，一阵微弱的咝咝声在河面上掠过。

说实在的，在读这段文字之前，我不知道这个世界上还有这么一种叫作“夜声”的存在。屠格涅夫教会我去分辨和聆听夜声。我才发现荒原上的夜声，是那样美，而且独一无二。

那种从荒原深处传来的夜声，是荒草的草叶以及树叶和树叶之间，在风的吹拂下的传出的飒飒细语，是野兔、野鹿、野狐狸、獾和老鼠，在林间的落叶上和荒原上的泥土中留下的轻捷细碎的脚步声，是河边飘来的水鸥、野鸭、野雁、野天鹅和芦苇的喘息声，以及河面被风拂动而荡漾出的密纹唱片一样细密而湿润的涟漪声……那种夜声，像无伴奏无歌词的吟唱，低回悠长，一唱三叹。屠格涅夫说的那种嘹亮，我没有听出来，但他说的那种冗长，像呻吟，是准确的。它们呻吟着，弥漫开来，又消失远去。那是在繁华的城市里，再也听不到的天籁。我常想，读书是要看时节的，青春的清纯和心无旁骛的安静，是这种时节的两个条件。

（张秋伟摘自浙江文艺出版社《无花果》一书，视觉中国供图）

青春的方程式无解

●王亚杰

中考结束的那个暑假本应是最惬意幸福的时光，因为我凭借超常发挥考上了市一中。这可是以我的平时表现，连想一想都觉得会玷污它的重点中学，只要考进这里就意味着半只脚踏入了大学。万万没有想到，那个如此幸运的夏天后来留给我的却是潮湿、浓密的哀愁。

新学校离家有段距离，为了上学方便，也为了奖励我，父亲送了我那辆我心仪很久的自行车。车身颜色很可爱，粉嫩粉嫩的，像极了水蜜桃。带着这份快乐，我蹬车去了楚然家。对了，楚然是我初中时最好的朋友，我们俩一起在艺术学校读了三年。只不过她选择以特长生的身份升学，留在了本校，而我放弃了多年的爱好，准备在一中全力攻克文化课。

那天，楚然有些反常，她没有像平时一样直接把我拽进她的房间里。往常我们俩都会窝在她的小屋里，天南海北地说个不停。“去楼下走一走吧。”她轻柔的声音里带着一点沉郁，我当时以为她不舒服。走近自行车时，我没有忍住，很兴奋地说着这个礼物有多么炫酷。可她突然打断了我，冷冷地说了一句：“上了高中课业负担就重了，我们以后尽量少联系吧。”我不记得自己是如何回到家的，整个人都是呆呆的。

我曾仔细地回想我们最后交往时的每一个细节，没有发现任何友情破裂的蛛丝马迹。找不到答案让我有些生气，我不知道到底是什么埋葬了我们整整三年的亲密无间。倔强的我也不想低声下气地询问理由。少联系就少联系吧。嘴上这么说着，我整个人却像要溺死在悲伤的海里了。不过也只能接受，毕竟这个世界上没有一个人的友谊。

后来的日子里，我找到了排遣情绪的方式——去离我家和楚然家都比较远的植物园骑行。我不想在熟悉的环境里触景伤情，更怕碰面的尴尬。记得那是开学前最后一次骑行，在植物园小亭子的转角处突然钻出一个小孩儿，为了避开他，我一个急刹车摔在了地上。所幸那孩子没被碰着，我也只是擦伤。可自行车的链子掉了，这么远，必须得修好了才能骑回去。我找来一个小木棍，学着修车人的样子，一手挑着车链子，一手转着脚踏板。结果忙活半天，那链子就像跟我赌气似的不听使唤。

正在我满头大汗时，一只修长的手伸了过来。“我来吧。”抬头看去，一个相貌俊朗的男生蹲在了我旁边。我还没反应过来，他就已经开始捣鼓了。先挑，再挪，对准方向后一放，车子就恢复如常了。可再一看，男生的手上已经沾上了车油。黑乎乎的一团，在他苍白的手上格外显眼。

为了表达谢意，我执意要请他喝杯奶茶。他有些勉强，可最终拗不过我的热情。在买奶茶的路上，我发现他竟然也考入了市一中。于是他从好心人变成了我的校友阿城。他的话不多，一路上都是我一个人在说。直到我们俩不约而同地点了茉莉味的奶茶时，丝丝微笑才爬上他的脸庞。笑起来的他，像早上的第一缕光一样温柔美好。

开学已两个多月了，当初我以为超常发挥是上天赐予我的礼物，撕开包装纸却发现，里面是悲

走呀，独角兽现身的春天

●童子

从一个需要踮起脚尖
轻轻轻轻走动的山谷里
走来的春天

从散落着很多很多故事的
魔铃花生长的小岛上
走来的春天

从睡神温暖的怀抱里小心地
抽出自己单薄的衣角
走来的春天

走着，冰河下猛犸歌唱
走着，星空里鲸鱼歌唱
走呀，独角兽现身的春天

（刘佳摘自《少年文艺》2024年第1、2期，视觉中国供图）

惨的自己。是的，就是我的惨象，一个在高手如林的比武场上被刀枪棍棒加身的我。我终于懂得了那句“祸兮，福之所倚；福兮，祸之所伏”。当一个人的能力无法匹配所得，灾难就已经开始了。我从来没有想过有一天，自己会如此厌恶学习。

再次看到阿城居然是在学校的表彰大会上，他是作为优秀学生代表上台发言的。没想到他还是一个学霸，相比之下我更自惭形秽了。散会后，同学们议论纷纷。路上我听见两个人说：“那个阿城呀，学习好有什么了不起的？每天冰着一张脸，谁也不理。”我吃了一惊，想赶上去为阿城打抱不平，他可是一个善良的男生。但想到他沉默不语的样子，我停下了脚步。

那个周末，我特意又去了植物园骑行。可能还是潜意识里想再遇到阿城，想告诉他同学们背地里说的话。我转了好几圈，那个熟悉的身影终于出现了。见到我，他吃了一惊，然后就热情地打起招呼来。相较于之前，他的话变多了，人也蹦蹦跳跳，很快活的样子。我犹豫了很久，什么也没有说。我们俩聊起了学校的事：食堂里哪个窗口的饭菜最好吃，值日时如何“光明正大”地玩耍，哪个老师最凶……

就这样，我们俩变成了无话不谈的好朋友。一开始我们只在植物园骑行，后来他知道我的困境后就发挥专长，在植物园给我补课。别说，学霸的方法还真管用，面对那些面目可憎的题目，慢慢地我也找到了技巧。而这个好人，在学校里也“收割”了一群“迷妹”。提及当初的流言，我比当事人还愤怒：“真是瞎了眼了！”听我这么骂，阿城“扑哧”一下笑出声来。“你这嘴挺不饶人呀！”他居然还打趣我。“好心当成了驴肝肺，难道当时你不难过吗？”我噘起了嘴。

“你知道那些难解的数学方程式吧，”阿城缓缓地说，“答案是唯一的，解法却多种多样。”我不知道他为什么说起了这个，疑惑地望着他。“很多人都觉得数学难，其实是对它有误解。因为再难的方程式都有解，我们这个阶段遭遇的困惑和哀伤却大都无解。”可能怕我不懂，他继续补充道：“就像别人的误解，在时间还未澄清前，你只能承担苦楚。”

这些话一直在我的脑海里回荡，我似懂非懂。直到后来收到楚然的一封信，她坦陈自己当年的失落和忌妒，主动断送友谊让她很是懊悔。刹那间，我明白了。是的，青春是一本书，虽然包装精美，却太过稚嫩。它注定包含着尚需成长的懵懂、无知、焦灼等，这些都是青春的命题。

对于青春的方程式，我们没有必要刨根究底。因为这就是青春的形态，我们要享受它，体验它，酣畅淋漓地拥抱它。

（本刊原创稿件，豆瓣图）

古代“夜猫子”熬夜都在干什么

●竹映月江

不知从何时开始，有关熬夜的话题频频登上热搜，越来越多的人一边熬夜工作或娱乐，一边担心脱发、伤肝、猝死……伴随着这种纠结的心态，夜生活时间被不断拉长已经见怪不怪，早睡早起反而成为很多人需要“打卡”才能养成的好习惯。一说到夜晚，很多人会立即在脑海中勾勒出一幅车水马龙、人声鼎沸的城市夜景，但在宋朝以前，古人其实并不太容易感受到这种繁华的夜色，因为在很长一段时间里，古代的宵禁制度都执行得非常严格。

古代的大中型重要城市基本上都集中在北方，而北方的地形地貌，又促使古人将城市设计成里坊制格局。就拿唐朝的都城长安来说，盛唐时期的长安，共有一百零八个坊和两个市，其中每个坊有两米半到三米厚的坊墙，坊门在日出与日落时定点开关，从而将长安城划分成一个个独立的“小区”。

实行宵禁后，各个坊的坊门一关闭，整座城市的主干道上就只剩下巡夜人员，再无闲杂人等出没。如此一来，既能够防止敌国的密探混进城来，保障城中居民安全，又能防止灾荒时期流民涌入城里，影响城市治安。

那既然无法出门，人们在晚上都干些什么呢?

刘向的《说苑》里记载了这样一个故事。春秋时期晋国国君晋平公同著名音乐家（晋国主乐太师）师旷闲谈，晋平公说：“吾年七十，欲学。恐已暮矣。”师旷说：“何不炳烛乎？”可以说，挑灯夜读是很多读书人的选择。唐代名臣、大书法家颜真卿也曾在《劝学》一诗中写道：“三更灯火五更鸡，正是男儿读书时。”

除了读书，古人也会加班，《诗经·豳风·七月》中的男子“昼尔于茅，宵尔索綯，亟其乘屋，其始播百谷”。贫苦百姓在夜里，依然要为衣食住行奔波劳作，白天割下的茅草要在夜里赶着搓成绳索，抓紧时间修好屋子，因为开春还得忙着种百谷。女子在夜晚也不闲着，有忙着为公家养蚕缫丝的，也有忙于家务的。

当然，不是所有人的夜晚都如此辛苦，随着社会的发展，丰富的娱乐休闲活动也开始从上层社会蔓延到平民阶层。汉朝时期，随着社会安定，休养生息，粮食产量提升，酿酒业得到发展，饮酒不再是贵族专属的享乐活动。不过汉文帝时期推行的禁酒令规定，只有在腊日、伏日、社日，以及结婚日、大脯日等重要时节才能饮酒。虽然宴饮成为老百姓的限定欢乐，但偶或可以畅饮美酒的喜庆的夜晚自然是美滋滋的。而在魏晋之后，饮酒的禁令不复存在，对忙了一天的人来说，小酌几杯或是开怀畅饮就成了一种很有效的解压方式。

尽管宵禁制度严格，但是在汉朝，一些地方已经延长了营业时间，有了夜市的雏形。而且，在某些特殊的日子，百姓也会被允许在夜里上街。

比如上元节这天，朝廷会取消宵禁，全城百姓都能获得一次难得的狂欢夜福利。一时间大街小巷人头攒动，到处都是出门赏灯的游客。集中爆发的周边游，也能让当时的人们感受一把人山人海的火热，但不认路的小迷糊们此时可能就要面临与朋友走散而找不到回家的路的烦恼了。但是，他们倒也洒脱，在没有导航、没有电话的上元夜，人们并不会急着问路，而是会悠然闲适地接着逛，有时还真能在蓦然回首时，于灯火阑珊处遇到自己的意中人。

到了唐朝，在宵禁令的管控下，虽然城市的主干道上冷冷清清，城中各个里坊却形成了一个个小社区。特别是唐朝中期以来，商业渐渐渗入坊间，更是让人们的夜生活愈发丰富多彩。长安城各个坊中都有纵横全坊的十字街和小巷，每到夜间，这些看似不起眼的小街巷，就成了一片欢乐的海洋。比如务本坊西门便自发形成了夜市，百姓们喝酒、“撸串”、闲逛，有时一玩就是一晚上。

务本坊夜市狂欢的热浪很快传遍了整个长安城，其他里坊一见，纷纷发展起夜间经济。这其中，夜市办得最热闹的当属安南崇仁坊。据《长安志》记载，崇仁坊“尽夜喧呼，灯火不绝”。看起来这夜市的规模简直能撑起一座大唐不夜城了。

夜市的蓬勃发展大大削弱了朝廷宵禁令的效力，唐文宗气得七窍生烟，忍不住化身“咆哮哥”，高呼道：“京夜市，宜令禁断。”喂喂喂，你们不许搞夜市！快点把这些摊位都取缔了！

唐文宗的禁令之下，百姓们一边应付着“是是是，干完今天不干了”，一边用实际行动默默地表示“都是骗你的”。

过了一段时间，朝廷派人来查看情况，结果惊讶地发现夜市不但没消失，反而壮大了不少。长安城里的夜市摊从零星的几家变成了几乎全民参与，不同坊内竟然还像现代的美食论坛一样，评比出了各自的拿手菜和“网红店”，吸引了不少人前来“打卡”。

不仅如此，长安城外的夜生活还迅速蔓延发展至全国。唐朝中期，诗人王建有一次去扬州旅游，发现扬州城里“夜市千灯照碧云，高楼红袖客纷纷。如今不似时平日，犹自笙歌彻晓闻”。而这样的狂欢场面在晚唐诗人薛逢的诗词中，就变成了“洛阳风俗不禁街，骑马夜归香满怀”。到了北宋初年，由于无力扭转人们的夜间娱乐习惯，朝廷将宵禁时间从一更改到三更。

饶是如此，随着城市人口大幅度增长，夜市经济长足发展，三更宵禁后，依然有人娱乐到天明。宋仁宗时期，朝廷顺势而为，自1063年起，开封取消宵禁。当时的东京（今河南开封）“店铺夜市不可细数”，稳稳坐上了超级不夜城的宝座。

除了去感受夜市这种包罗万象的娱乐氛围，古人在家中自娱自乐的花样也越来越多。铺张一点的，花钱请来弹奏的、唱戏的、说书的、跳舞的，在家里近距离观看表演，顺便再办个诗会、酒会；经济实惠的，约上三五友人来家里，喝茶、侃大山、下棋……而我们今天玩的很多游戏的“初代版”都是古人打发夜晚时光的利器，比如古代版“大富翁”彩选格，古代版“飞行棋”樗蒲等。

不过玩归玩，乐归乐，总是在夜间响起的织机声才是大多数古代“熬夜党”最真实的生活写照。

（团子摘自四川人民出版社《古人原来这么潮》一书，邱炯图）

幽默&漫画

挠挠

“我嗓子有点痒，控制不住想咳嗽。”

“是不是发炎了，要不要给你拿点药？”

“不用。你帮我买点鸡爪，让它进去挠挠就好了。”

问好

“成绩出来了，要一起看吗？”

“等等，我妈在旁边，你先帮我看一下。”

“好的。”

“如果我有一科不及格，你就发‘你好吗’；如果有两科不及格，就发‘你和你妈好吗’。”

“好的……你和你妈以及你全家，加上你们家的小动物，都好吗？”

不必了

课堂上，老师讲得卖力，同学们听得认真。每次提问，几乎全班都会举手抢着回答。小明尤其积极，见老师没叫到自己，他干脆一直举着手……

终于轮到提问他了，老师却发现，小明已将手放下了。老师觉得奇怪，便问他：“小明，这个问题你不会吗？”

小明低声说道：“我会……只是……已经尿完了。”

碰到机关

“我记得你有个盗墓的朋友，还在干这个吗？”

“早不干了。他有一次碰到机关了。”

“啊，什么机关啊？飞天箭雨还是流沙银池？”

“想啥呢，公安机关。”

努力

小红：“说真的，我努力起来连我自己都害怕。”

妈妈：“那你努力啊。”

小红：“可我怕啊！”

上班

爷爷包了一个大红包给小明。小明接过红包顺手递给爸爸，说：“这是我的工资，收好了。”

爸爸说：“你又没有上班，哪来的工资？”

小明说：“我怎么没有上班，我每个周末都起早贪黑，还不是为了上课外兴趣那种班。”

不认识

父亲：“如果你这次考试再考不好，那就不要做我家的孩子了。”几天过后，父亲又问道：“考试考得怎么样？”

儿子：“你谁啊？”

我是螃蟹

有一天螃蟹出门，不小心撞倒了泥鳅，泥鳅很生气地说：“你是不是瞎（虾）啊！”

螃蟹说：“不是啊，我是螃蟹。”

盗梦空间

上课迟到，老师把我堵在门口，问我原因，我说：“睡过头了。”

老师：“‘睡过头了’是正当理由吗？”

我灵机一动：“我梦见您在讲课，一直不下课，我不敢醒。”

劝架

到花鸟市场买仓鼠，想试试老板的人品，就装作不懂地问：“我只有一个笼子，请问两只仓鼠可以养在同一个笼子里吗？”

老板诚恳地说：“不行啊，两只养在一个笼子里是会打架的。”

我刚在心里认可了他，谁知他又补充了一句：“要不你买三只吧，这样那两只打架的时候还能有一只在旁边劝架。”

（小猴、张仔仔等摘）

HUMOR & CARTOON

小而真实的快乐

●〔哥伦比亚〕安德烈斯·科尔梅纳雷斯
○花大钱　译

解开耳机

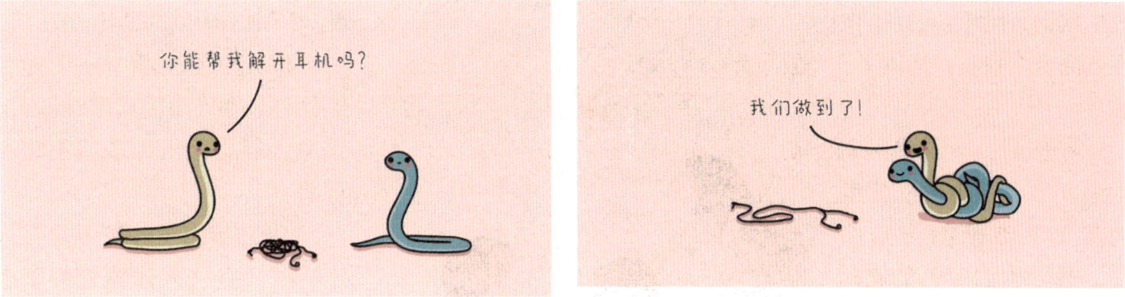

庆祝生日

轮到我了

仰望天空

（小肥羊摘自接力出版社《看得见的拥抱》一书）

种星星的人

●王耳朵先生

编者按：在电影《人生大事》中，从事殡葬行业的人，被称为“种星星的人”；而离世的亲人，则会变成一颗颗星星，在天上陪着地上的人。电影的片尾曲中这样写道：“天上的每一颗星，都是爱过我们的人，只要你真的相信，你就是最幸福的人。”

1

“00后”女孩诗洁在清明节那天，成为一名实习入殓师。记者问她为什么选择这个职业，她讲了一个故事。

高三时，诗洁最敬爱的初中语文老师因患癌症去世。她参加了老师的告别仪式，看到生前爱美的老师脸上有一块淤青，化妆时没有被遮住。

诗洁很难受。“如果是我来做这件事，一定会化得更好一点儿。”

于是，毕业后，诗洁义无反顾地选择了殡葬行业。

上海女孩Jade与诗洁的经历相似。

26岁的她已经经历了3次至亲离世。每一次，老套的“殡葬一条龙”服务都会把亲人的追悼会搞得乌烟瘴气。那些满脸麻木的人会像倒垃圾一样把锡箔纸钱倒在逝者的棺木里，有的甚至被撒到逝者脸上。他们冷冰冰地走着流程，完全不在乎家属的感受，更不会顾及躺在那里的也曾是个活生生的人。

经历了这些，Jade萌生了和诗洁一样的想法：如果我能进入这个行业，可以做些什么?

大学刚毕业，Jade就给一家殡葬公司投递了简历，成为一名实习入殓师。

两年前的夏天，Jade亲手为外婆布置了一场体面、有尊严的葬礼。

2

多数人都有点避讳和死亡打交道的人，觉得他们天天和死人待在一起，太不吉利了。所以，从事这个行业的人有几条约定俗成的行为准则：不主动说起自己的职业、不跟别人握手、不和别人说再见、不参加婚礼、不抱刚出生的婴儿……

但死亡是生活中不可避免的话题。他们只能沉默地吞下偏见，尽力让告别多些温暖和尊严。

1998年出生的茶泉灵在大三的时候签了人体器官捐赠志愿登记书。

她说：“如果有一天我死了，请用最简单的方式火化，把骨灰撒在风里、土里或海里。如果某一天，有人在大街上看到一双熟悉的眼睛，那也许是我存在于这个世界的另一种方式。”

毕业至今，她在殡仪馆里工作了6年，送走了上万人。

碰到夭折的小朋友是最难受的。她在给小朋友洗澡、穿衣服的时候会忍不住和他们说说话。

遇到年老的逝者，她会尽力不让老人留下一丝遗憾。

有位80岁的爷爷送走了他的老伴儿。茶泉灵为老人整理好了遗容。老爷爷看到老伴儿化妆后的样子，红着眼睛握紧了茶泉灵的手，说：“化得很好看，她还是跟年轻的时候一样漂亮。”

这位爷爷的话，让我想起了我爷爷。

爷爷年轻时很帅，后来年

宇宙的果壳

●盘晓昱

妈妈说
我很小的时候
住在宇宙中
最小的果壳里

现在，我的梦想
发芽了
将会顶破宇宙的大果壳
然而，奶奶告诉我
她就要
回到宇宙中
最小最小的果壳里
睡觉了

（路林梅摘自《儿童文学》2024年第1期，视觉中国供图）

老也风采依旧。但临终前，他被病痛折磨得十分瘦削，身体干瘪，脸颊凹陷，形容枯槁。

他讲不出话，也听不见我们喊他。以前身体硬朗的小老头儿，如今像搁浅的鲸鱼一样，软塌塌地躺在床上，大张着嘴巴，缓慢又迫切地想多吸些氧气。想到爷爷最终会以这副模样离开世界，我很难受。

但遗体告别的时候，躺在鲜花中间的他没有一点儿病态，皮肤有了血色，脸颊上有了肉感，安详得像睡着了。

那时，我真的很感谢有入殓师这样的职业存在，有人能让老人家以生前最自然的样子离开。

3

世界上平均每秒有1.8人死亡。也就是说，当你读完这段话的时候，已经有四五个人离开了这个世界。

入殓师的职责，就是站在生命的终点，守在人间的门口，护送人们走完最后一程。

曾经有段时间，网传殡仪馆工作人员“上一次夜班挣1600块钱”。2004年出生的小赵，16岁就入行当了入殓师，他看到这种说法时，只能苦涩地笑笑。

县城里的殡葬行业从业者普遍拿着四五千块钱的月薪，24小时轮班待命，每天要遭受巨大的情绪冲击——除了寿终正寝的逝者，他们还要面对因各种意外伤害非自然死亡的人的遗体。

这类遗体需要做特殊处理，他们要让每一位逝者的最后一程走得有尊严。

遗体整容师贺迅讲过这样一个故事。

那是2016年的下半年，一个青年从工地七八米高的搅拌站上摔下来，面目全非。

殡仪馆内，他的母亲哭得撕心裂肺。

这一幕，让贺迅深受触动。

为修复这位逝者的遗容，贺迅整整忙活了4个小时。当母亲看到被推出来的儿子后，“扑通”一声跪在贺迅面前。她拉着贺迅的裤管，满眼都是泪：“谢谢你，谢谢你把我的儿子还回来。”

入殓既是生者的最后道别，也是死者的洒脱谢幕。这群种星星的人，尽力让逝者以最美好的样子离开。

4

纪录片《人生海海》里，一位入殓师说：“我们这一行就是很普通的职业，它既不晦气，也不伟大，只是世人的眼光让它变得不平凡。”

入殓师充当着生与死之间的摆渡人，维护逝者的尊严，抚慰生者的哀痛。

人生一场，短暂而匆忙。终点处有这么一群人，能让我们体面地和世界说再见，何尝不是一种幸运。

（舒云枝摘自《课外阅读》2024年第1期，老老老鱼图）

动物教给我的事

●〔英〕海伦·麦克唐纳

○周玮 译

1

很多年以前，我9岁还是10岁时，在学校写了一篇作文，主题是“长大以后想做什么”。我宣称要养一只宠物水獭，然后加了一句，“只要那只水獭快活”。老师写的评语是：“可是你怎么知道一只水獭是否快活？”我看了怒不可遏，心想我当然知道，如果水獭可以玩耍，在河里游来游去，抓鱼，有一个柔软的地方睡觉，有一个朋友（那就是我），那它就应该感到快活。我从未想过也并不了解一只水獭想要什么，我以为动物都跟我一样。

我是一个奇怪而孤僻的孩子，很早就痴迷于寻找野生动物，无比投入。我翻开石头看有没有蜈蚣和蚂蚁，在花丛间追逐蝴蝶。我会跪在地上，单手从封闭的笼子里取出一只蚱蜢，神情凝重。我皱着眉头察看它网状的翅膀，印刻着纹章似的胸部，像宝石一样精致发光的腹部。在家里，我用玻璃水族箱和生态缸饲养昆虫和两栖动物——摆在我卧室书架和窗台上的玩意儿越来越多。后来又加入其中的有一只乌鸦孤雏、一只受伤的寒鸦、一只獾的幼崽，还有一窝因邻居修整花园而无家可归的红腹灰雀雏鸟。

我父母对我的这些怪癖全盘接受，风度极佳地容忍着厨房台面上四处散落的种子和客厅里的鸟粪。可是在学校里就没那么容易了，社会认知不是我的强项。有一天早晨，为了辨识附近鸟儿的鸣叫，我在一场篮球赛的中途溜出了赛场，还对队员的怒火感到迷惑。这类事情不时发生。我无法适应集体活动和团队中的规则，以及同龄人中的任何一种圈内笑话或复杂的效忠。不出所料，我成了他们欺侮的对象。我开始利用动物隐没自己。我发现如果专心致志地观察动物，就能让自己暂时脱离残酷的现实。这种在困境中寻找庇护的做法是我童年时期的持久特点。几十年过后，在我父亲去世以后，它势不可当地卷土重来。

2

那时我已经30多岁了，驯鹰也有了很多年的经验。驯鹰之术是一种令人惊奇的情商教育，它教会我清晰地思考行为的后果，理解正强化和想要赢得信任时显露温柔一面的重要性。最重要的是，它让我明白了，在一段关系中对方看待某事的角度或许与我不同，任何意见不合，都有其合理原因。但是父亲去世后，这些经验全都被我遗忘了。我想变得像苍鹰那样凶猛、缺失人性，于是我和一只苍鹰同住。我看着它在我家附近的小山坡上翱翔捕猎，我如此认同在它身上发现的特质，以至于忘记了自己的悲伤。但是我也忘记了如何做一个人，就此陷入抑郁的深沼。对于做一个人，过人的生活，一只鹰注定是糟糕的榜样。小时候我以为动物跟我一样，后来的我假装自己是一只动物，借此逃避现实生活，二者都有同样错误的前提。因为动物给我最深刻的教益，就是我们太容易不自觉地把其他生命看作自己的映象。

谁也无法将动物看清楚，它们身上满载着我们赋予的故事。和动物相遇，遇见的是你从先前所有的所见所闻中了解到的一切，来自书本、影像和谈话。

只是了解到家养火鸡雏儿在形似老鹰的东西飞过头顶时会吓呆的事实，就足以让火鸡在我眼里成为一种不同的动物；想到家园对一只铰口鲨或一只迁徙的家燕的意义，这扩展了我对家园概念的理解；了解到橡树啄木鸟的育雏习性是几只雄鸟和雌鸟共同养育一窝幼雏，之后我对家庭的观念也有所改变。不是说人类要仿效动物生活，我身边没人会以为人类应该像随水漂流的鱼儿那样产卵。但是对动物的了解越多，我就越发觉得，表达关心、体会忠诚、热爱一个地方，穿行在这个世界上的正确方式也许不止一种。

3

几个星期以来，我一直在为家人和朋友的健康状况感到忧虑。今天我花费了数小时盯着电脑屏幕，眼睛酸痛，心脏也疼。我需要透透气，便坐在后门的台阶上。我看见一只秃鼻乌鸦——欧洲乌鸦中一个喜爱社交的种类，它正穿过光线渐暗的天空，低低地向我的房子飞来。

我立刻用上了儿时学会的把戏，当我想象着它的翅膀如何感受到凉爽空气的阻力，所有难过的感觉都缓解了。但是我最深切的安慰不是来自想象自己能够感其所感、知其所知，而是由于心知做不到而缓缓生发的欣喜。近来给我情感慰藉的便是这种认识——动物跟我们不一样，它们的生活并非围绕着我们展开。它飞过的房子对我们双方都有意义，对我来说是家，对秃鼻乌鸦呢？一段旅程的落脚点，一个瓦片和斜坡的集合，可供栖息；或是一个可以在秋天摔碎核桃的地方，它还可以立在这里啄出壳里的核桃仁。

不止如此。当它飞过我的头顶时，它歪了歪头，看了我一眼又继续飞。这一瞥让我觉得针扎似的痛，一直蔓延到脊梁骨，我的方位感发生了变化，世界仿佛被放大了。乌鸦和我没有共同的目的，我们只是注意到了彼此。当我看着它，它也看着我，我便成为它的世界中的某种特征，反之亦然。我和它互不相干的生活在此重合，在这稍纵即逝的瞬间，所有此前让我耿耿于怀的焦虑都消失了。天空中，一只飞往别处的鸟投来一个眼神，越过分歧，把我缝合在这个万物生灵拥有同等权利的世界上。

（林冬冬摘自上海人民出版社《在黄昏起飞》一书，视觉中国供图）

人怎么可能是万物的尺度呢

●史铁生

人怎么可能是万物的尺度呢？人——这一有限之存在，不过是沧海一粟，不过是神之无限标尺中一个粗浅的刻度。孙悟空尚且跳不出如来佛祖的手心，人的测量又岂能“创造整个世界”？

科学的伟大，也许恰在于科学的无能。人曾想象天上人间，人曾向往月宫中的玉树琼楼，可待到“阿波罗”终于登月，人才明白，沧海一粟依然是沧海一粟，我们知道的比过去更多了，疑难却并不比过去更少，幸福也不比以往更近。这便是科学的功绩。科学曾令人张狂到自信胜天，唯踏上荒凉的月球表面，人的真正智慧才被激发：世界是无限的，而人的力量永远是有限的；有限与无限之比意味着什么，则刚好证明了人的地位。

（杨子江摘自人民文学出版社《扶轮问路》一书，视觉中国供图）

因为一颗痣，我自卑了许多年

●玉梓茗

我在高中时期十分自卑，自卑的来源是一颗长在我嘴巴上方的痣。因为这颗痣，同学们总爱跟我搞恶作剧。比如在我的QQ空间留言：“你好，媒婆！”或者调侃我的这颗痣非常像鼻屎，嘲笑我不爱干净。

我的青春因此有了太多的烦恼。每次疾步穿过学校的走廊，于我都是煎熬。身后隐隐约约的笑声和同学们喊我“女版大佐”的起哄声，都是我心头无法言说的痛。我一直不敢自信地抬头与别人交流，总是害怕别人看到我的痣后会失望。

当我无数次鼓起勇气向妈妈提议想要切掉这颗痣的时候，妈妈总会若有所思地告诉我：“长痣有福，可不能乱切。”

同学们拿我当作笑话，妈妈也不能理解我，我真的特别难过。因为这颗痣，自卑的我不知道在多少个深夜默默痛哭过。

我的同桌是一个高个子的白净男孩。有一天，他懒洋洋地趴在课桌上，静静地看了我一会儿，缓缓开口说道：“你其实长得不丑，只是这颗痣太难看了。”

我强扯出一个笑容，没有回应他。多么轻描淡写的一句话，却击溃了我内心的防御塔，成了我青葱岁月里的阴霾。

课间休息，我跑出了压抑的教室，来到操场后面偷偷抹眼泪。正当我沉浸在自己的情绪里的时候，面前出现了一张纸巾。

我缓缓抬头看向那个人，原来是坐在我后座的陆雨瑶。她平时话不多，是大家公认的好学生。我刚想开口掩饰什么，脸庞上挂着的泪痕却已然出卖了自己。

“给你。”陆雨瑶抿着嘴，并没有多说什么，把纸巾递给我后就走了。

我看着她离开的身影，又生出了担忧。我害怕她会把我哭的这件糗事告诉班里的其他同学，到时候我又会沦为大家的笑柄。可是一连过了几天，都没有什么动静，我才渐渐安心。

有一天放学，我在书包里看到一封信，信封上画着小熊和爱心，还写着“小茗同学收”。本来以为又是哪个男同学的恶作剧，仔细辨认了字迹，才想到是她，陆雨瑶。

打开信件，里面是一张我的手绘肖像，还有几行字：

“小茗同学，每个人都是独一无二的。也许这颗痣给你带来过无数烦恼，可是在我看来，这颗痣是你独一无二的标记，你要学着接受它，然后成

爱你的日常

●〔美〕詹姆斯·克利尔
○迩东晨 译

许多人把自己的日常事务视为障碍，或是需要克服的困难。早上煮咖啡、送孩子去上学、准备下一顿饭——我们常常把这些按部就班的事务看作必须忍受的辛劳。

但这些并不是可以忽视甚至放弃的时刻，它们就是生活。如果你用心去做，而不是匆忙完成，那么煮咖啡可以是一种平静的仪式，甚至是一种充实的仪式。

关键在于，你对这些简单时刻的关注程度，以及你是选择欣赏它们，还是选择匆匆忙忙地完成它们，再去完成下一项任务。

在日常小事中发现美和快乐，你就会在整个生活中发现美和快乐。爱你的日常，就是爱你的生活。

（晓晓竹摘自北京联合出版公司《掌控习惯》一书，视觉中国供图）

为更好的人。”

看着陆雨瑶写的一字一句，我的心头涌上一股暖流，眼眶瞬间湿润了。这是我青春里唯一一次因为感动而流泪。原来，并不是所有的同学都讨厌我。

学期末的班会上，老师让大家说说“最让自己感到温暖的事情是什么”。我鼓足勇气走上讲台，面对那么多人异样的眼光，我抬起头，跟大家慢慢讲述了一颗痣带来的烦恼和陆雨瑶带给我的温暖。

那一次，迎接我的不再是嘲笑，而是掌声。眼角闪着泪光的老师，站在我的身边，拍了拍我的肩膀。

自那以后，同学们的嘲笑变得越来越少，而我也收获了最好的朋友——陆雨瑶。

高考前夕，我们站在一起拍毕业照，那是我第一次拍下那么多的正面照，在仓皇的青春里留下了印记。

“我们都会拥有美好的未来！”陆雨瑶笑着对我说。

“我相信。”

我们站在学校的大樟树下许愿，憧憬着各自的光明前程。

上大学后，我们分隔在南北两地，少有联系。虽然关于这颗痣的烦恼偶尔还会出现，也会有一些细碎的声音依旧喊着“不好看”，但我已经学会该如何与烦恼共处。大二那年，我靠勤工俭学攒够了钱，终于下定决心，切掉了这颗困扰了我整个青春的痣。

走出医院那天，天气特别晴朗。原来切掉一颗痣只需要20分钟，而我青春的自卑却艰难地走过了20年。我开始相信，我的福气从来不是来源于一颗小小的痣，而是我自己。

（本刊原创稿件，橙子酱图）

“90后”小伙手绘插图讲解历史

●姜天圣

趣味讲解历史，从三国讲到了唐太宗

2023年哔哩哔哩平台百大“UP主”安州牧，本名李言，花费七年时间，手工绘制了千余名历史人物，用以讲解历史故事。他按照历史年份制作整理视频，还原不同时期的重要人物，串联起整个中华史。最近，他还开启了“随机访古”系列视频的拍摄，带领观众走近历史事件发生的现场。历史与现实，在他的视频中相映成趣。

在讲解唐太宗统治时期的故事时，李言给视频取名为《为什么唐太宗一生没能封禅》。视频以唐太宗六次封禅失败为线索，串联起他称帝后的文治武功。在视频中，李言会贴上《旧唐书》《新唐书》等史料的原文，但在讲解中他则选用了更为生动幽默的网络时代用语。例如，在说到第二次有人上表请求封禅时，李言讲解道：“唐太宗还是选择了拒绝，但在诏书中他花了更多的笔墨点赞了自己这几年取得的成就。皇帝的心思群臣自然秒懂，于是又有人上表劝封禅，唐太宗再次拒绝，且给出了有理有据的回复。然而群臣却没有停止的意思，毕竟皇帝这个岗位自古以来就有一套‘三辞三让’的流程。双方几番拉扯后，唐太宗终于松了口，但这时大家才发现，只有一个人不是演的，魏徵，他是真反对……”

讲解唐太宗六次封禅失败的这两段视频，播放量超过百万。为了方便理解，李言还在视频中绘制了唐太宗、魏徵、房玄龄等历史人物的形象。在第二期视频中，他还特地来到西安市长安区黄峪寺村一片长满野草的荒地中，告诉大家这里是唐代翠微宫遗址——一千多年前，唐太宗就是在这里留下遗诏后与世长辞的。看到这里网友们纷纷评论：“瞬间感觉穿越到千年前”“宫阙万间都做了土”。

除了讲主线历史，近期李言还开启了“随机访古”系列栏目。“我们挂了一幅精确到县的地图，然后随机往地图上射箭，箭落到哪儿，我们就去哪儿探索历史，再把整个过程拍出来分享给大家。”李言并不担心扑空，他认为中华上下五千年，到处都有故事。不过，目前这个系列在网上播放量并不高，对此李言坦言：“这个系列四年前我就开始筹划了，虽然已经播出的几期播放量不太好，但仍能看到有观众留言说因为这个系列才关注我，所以我还是会坚持做下去的。”

将历史研究成果趣味化，希望视频能给大家带来快乐

“坚持”这两个字贯穿于李言的“UP主”生涯。李言在大学时学的是历史专业，在校期间他拍了不少微电影，认真学习了拍摄、录音、剪辑等环节。毕业时，李言拍摄了自己的毕业视频作品，这部名为《梦想家》的微电影，取材自李言及他身边人如何坚持梦想并为之努力的故事。

大学毕业后，李言萌生了制作历史科普视频的念头。2016年他发布了“西安老地名”系列，2017年又发布了“正话三国”系列，但是当时的

播放量都不太高。李言选择了坚持。2019年，已经上线三年的“正话三国”系列视频播放量骤增，李言的坚持终于迎来了回报。

“最初我并没有想过去做通史，只是觉得三国时期大家都比较熟悉，我也感兴趣，就从这里开始了。‘正话三国’系列完结后，我本想去做世界历史，但很多网友留言说没有听过三国之后的故事，我就按时间顺序继续讲两晋时期的故事，然后就一路讲到现在的唐朝了。”“两晋十六国”系列视频成了李言的爆款。在这个系列中，他愈发注重幽默和浅显，例如在讲解“八王之乱”中司马氏内斗时，他用一句话就总结出了过程和结果，“司马杀司马联合司马又杀司马的乱局，持续了十六年，掏空了晋朝国力”。

很多网友爱看李言的视频，还有人称他为“历史大神”。对此李言说，自己并不是做历史研究的，只是把现成的研究成果用通俗的语言讲出来了，做成了科普视频。“我会首先照顾到趣味性，让粉丝们觉得历史很有意思，其中一部分粉丝可能会因此报考历史专业，或者买几本专业的历史书继续研究。”在李言看来，自己的视频偏重娱乐。“大部分人都是在忙碌一天后才有时间看看视频，我想很多人都不是来二次学习的，他们是来寻找快乐的。我希望大家能在轻松的氛围中了解到一点点过去发生的事情。即使学不到什么，也希望自己的视频能给他们带来快乐。”

“历史这门学科的门槛很低，哪怕只是读了几个历史小故事的人都可以去讨论历史；同时它的专业门槛又很高，高到一些专家学者要穷其一生去研究一个历史人物或者一个历史事件。”李言的视频评论区经常会出现网友间的争论，李言坦言这些争论大部分是因为当事人史书读得不够多，导致以偏概全。“在我们读历史的时候，不能站在现代人的角度去理解，现代人很难理解古人为什么会因为君王的一句话就自杀。时代不一样，决定了每个人的处事动机不一样，我们理解了古人的思想，才能读懂他们的故事。”

做视频七年初衷未变，赞扬中华文明时更有底气

“对我而言，最开始喜欢历史是喜欢里面的故事，看不同的人经历了不同的故事，我会和这些历史人物产生共鸣，他们让我体会到不同的人生。当我在大学里学了历史专业以后，才发现自己之前对古代的了解只是冰山一角，这激发了我更强的探索欲，我想了解过去几千年这片土地上的人们是如何生活的。

“我做历史科普视频的原因很简单，我们西安人会因为自己生在十三朝古都而自豪，但是我发现身边没几个朋友能说出这十三朝究竟是哪十三个朝代，这给我一种非常强的错位感，让我产生了科普历史的想法。

“我上学那会儿，身边人都认为历史非常枯燥，我就想着通过努力，去做连接大众和专业知识的桥梁。我做的第一个视频系列叫“西安老地名”，就是想让大家了解自己生活的地方的名字是怎么来的。”李言曾说，自己做历史科普视频的初衷多年来一直未变：希望更多人了解我们的历史，这样我们说出“中华文明源远流长”时才更有底气。

新的一年里，李言的首要目标是讲好唐朝历史，然后尽量保证新推出的“随机访古”系列视频能做到每月更新一次。“今年是讲不完唐朝的，能讲到晚唐就很好了。”

（郑烁摘自《扬子晚报》2024年1月15日）

飞行之力：古人的科学狂想

●柯柯

“野生”飞行爱好者：脑洞开起来

如何才能飞上天？在古代，各路“野生”飞行爱好者都有自己的见解。归纳起来，大致可以分为“外力派”“自强派”“技术流”3种。

外力派最为省时省力，主要通过骑乘神奇动物飞行。屈原写“为余驾飞龙兮”，李白写“虎鼓瑟兮鸾回车”。龙、凤、鹤等都是备受推崇的“飞天豪车”。除了常规款，也有乍一看好像很离谱的限量版，比如鱼。传说，鲤鱼跃龙门便可化为龙，若能搭上这趟便车，自然再好不过。《仙苑编珠》里的舒乡人子英，便捕获了一条鲤鱼中的“潜力股”。只在池子里养了一年，鱼便争气地“生角，有翅翼”。子英十分上道，“遂拜之”；大鱼也很讲义气，承诺“我来迎汝”。于是立刻风雨大作，子英乘上鱼背，轻松升腾而去。

自强派则坚信求人不如求己，坐骑能飞，不如自己能飞。《山海经》里有羽民国，羽民国人长生不死，身生长羽，善于飞行。而每一个自强派飞行爱好者的终极梦想，就是成为这种长翅膀的“东方天使”。

技术流坚信技术改变世界。被认为具有超自然力量的符和印，是他们手头的神兵利器。其中，“龙信印”能助人降龙，驾龙升空；“云信灵印”则可以助人驭云飞行。

科学狂人勇敢冲：真的能飞

“野生”飞行爱好者的设想很美好，实行起来却很不理想，总是一顿操作猛如虎，定睛一看原地杵。对此，善于总结的古人早已看破，并得出了和现代人一样的结论：人和动物的主要区别，还是在于能否制造和使用工具。

最广为人知的古代飞行第一人，当推明代万户。他在椅子下面绑满火箭，椅子上面拴上风筝，希望依靠火箭的推力和风筝的牵引力翱翔天际。火箭点燃，一声巨响，万户的身影却消失在了火焰与烟雾之中。

还有一位叫元黄头的成功滑翔飞行——不过是被动的。那时，北齐皇帝高洋大肆屠杀北魏旧人，他将元黄头与其他死囚放在一起，命令他们每个人身上绑上大风筝，从高台上飞下。众人纷纷跌落，元黄头侥幸存活，但高洋毫无怜悯之心，又活活饿死了他。

除了风筝，还有人尝试了别的飞行器——古老的玩具竹蜻蜓。它的原理与直升机的飞行原理颇为相似，通过两翅旋转向下推动空气获得向上的反作用力。17世纪的苏州工匠徐正明发明了“载人竹蜻蜓”：有类似竹蜻蜓的螺旋桨，椅子充当驾驶座位，还有一个连接螺旋桨的踏板，人坐上去踩踏板便能为飞行器提供动力。据说，这辆“飞车”在试飞中“离地尺余”，也算是取得了初步成功。

其实，早在达·芬奇绘制飞行器草图之前，徐正明的设计灵感来源竹蜻蜓便已经传入欧洲。或许，在某种程度上，竹蜻蜓也可以算是今日人类飞行器的老祖宗呢。

（陈丽鸽摘自《课堂内外·少年大学》2024年第1期，小黑孩图）

宇宙正在流动

〇本刊编辑部　整理

编者按：昨日世界已无法回返，但所幸今日世界还有博物馆。在博物馆面对着纵横数千年的恢宏历史，现实的个体差异似乎就消失了，我们都退回了最本真的面目——人类文明进程中的小小一环。我们何其有幸，能够以一己之视角，回望、凝视如此悠长而辽阔的文明。在博物馆里，历史不再只是时间的累加，还是人物、事件，是吃穿住行的日常，更是有波澜又有温度的人间过往。而这些出现在博物馆里的，由历史中萃取而来的文字，总是直击人心。

@重庆自然博物馆

世界因多姿多彩的物种而精彩，

每一个物种的消失，

都是人类走向孤独的脚步。

@国家海洋博物馆

广袤与未知，

是海洋与星空共同的特征。

海洋曾尝试用它的辽阔和汹涌，

击退人类的探索。

静寂的夜空中的群星，

帮助漂浮于大洋上孤立无援的航海家，

确定航船的方位。

@中国大运河博物馆

运河上的舟楫，

摇曳着从远方驶来，

穿过春秋战国的烟火，

载来诸子百家的争鸣。

桨声帆影，汇通南北；

河长水悠，化成人文。

@成都自然博物馆

人类无法孤独地行走于天地之间。

世界去向何方，

取决于我们如何与生命相处。

@良渚博物院

生，

不过尽己所能依靠大地。

@中国电影博物馆

多数时候，这里大概是空旷和安静的，就像老人们晚年的样子，没有喧嚣和热烈；这里的空气也是缓慢的，就像回忆里的日子，因为阳光的照耀可以看到斑斓的尘埃。慢慢地看吧。或久别重逢，或一见如故。

@自贡恐龙博物馆

人类从先祖传续至今的特质，诸如勇敢、好奇、执着等，一直引领着我们不断去叩击未知的大门。

@上海自然博物馆

假如宇宙是答案，那么什么是问题？

@柳州博物馆

悠远的人类历史只是生命进化过程中的一瞬，人类也绝不是进化的终点。当我们今天以人类视角审视自己祖先走过的漫长历史时，也许能找到一些自己未来之路的答案。

@四川博物院

相比于其他动物，人类既脆弱，又反应迟缓，但人类发明的交通工具却可以比所有动物跑得都快。

结论：所有动物中，人类的胆子最大。

（本刊编辑部整理，视觉中国供图）

没有爱的能力的人，终究摆脱不了孤独

●李蕾

马尔克斯得知自己获得了诺贝尔文学奖，先转头看了一下妻子，过了很长时间，他说：“我完了。”之所以这样说，是因为马尔克斯很迷信，这个荣誉太大了，他怕乐极生悲。他的母亲同样很迷信，在听到这个好消息后，甚至对他说：“你拿了奖以后，不久一定会死去的。”

破解的方法是马尔克斯拿着一朵黄玫瑰去领奖，因为黄玫瑰可以阻挡厄运。马尔克斯的生活里不能没有黄颜色的花，如果没有，他甚至写不出东西。

或许正是这种可爱的迷信带给他磅礴的魔幻灵感。在《百年孤独》中，故事发生地马孔多在下雨，而这雨竟然可以持续四年十一个月零两天之久；整个村庄的人都患上了一种失眠症，失眠症不仅会传染，还会导致失忆。

情节天马行空，让人感到非常神秘和奇特，这就是《百年孤独》的创作风格，叫作魔幻现实主义。但在马尔克斯看来，神奇和魔幻在拉美这片大地上真实存在，他的作品只是对生活的一种再现，他坚定地认为自己写下的一切都是事实。

这部小说记录了一个家族一百年间七代人的故事。小说中出场人物极多且关系复杂，爷爷、孙子、重孙子的名字重复使用——读到第五章，这个人已经死了，可是到了第十章，这个人似乎又复活了。导致大家经常一头雾水：到底谁是谁的谁？

这是马尔克斯的风格，他就是想让大家掉进故事的陷阱，就是想让读者晕头转向。马尔克斯是在提醒大家，人和人之间看似过着不同的生活，其实并没有太大的区别。所谓的姓名只是一个称谓，不管是谁，最终都将走向宿命，迎接孤独的结局。

在布恩迪亚家族中，男性的命运只有两种：一种是死于非命，一种是陷入不能自拔的孤独。相信你读完这部小说，一定会目瞪口呆，难以忘记书里那个奇迹般消失的小镇马孔多，那个长着猪尾巴的孩子的家族。你一定会思考，为什么会这样？宿命是无法摆脱的吗？作者究竟想要表达什么呢？马尔克斯本人说：“布恩迪亚整个家族都不懂爱情，不通人道，这就是他们孤独和受挫的秘密。”

比如，第一代男主人感觉到世界正在发生着奇妙的变化，于是迷上了做研究。但他的超前思想和小镇马孔多格格不入，这让他陷入了孤独。可是他宁愿和鬼魂对话，也不想跟亲人好好沟通，所以这聪明又勇敢的第一代，创造了整个小镇，却始终沉溺在自己的世界里，对家庭和孩子漠不关心，最后因为孤独而发疯。

家族中的第二代男主人，因美丽的妻子被人害死，从此失去了爱的能力。即便他成为上校，成为英雄，拥有至高无上的权力，却依然没有办法排解内心的孤独，最后郁郁而终，所获得的勋章都变得没有意义和价值。

最后，第六代生出了一个长着猪尾巴的孩子。这个古老的家族孤独了一百年，也用了一百年来抗争孤独，但是孤独注定和他们如影随形。他们用了一个世纪的时间证明：没有被爱过的人，不可能懂得怎么去爱别人，而没有爱的能力的人，终究摆脱不了孤独。

（黛青摘自《女友·家园版》2024年2月）

值得收藏的经典电影台词

○本刊编辑部　整理

People can't do something by themselves, they wanna tell you, you can't do it.

——*The Pursuit of Happyness*

那些一事无成的人总是会告诉你，你也和他们一样。

——《当幸福来敲门》

Happiness is not about being immortal nor having food or rights in one's hand. It's about having each tiny wish come true.

——*Up*

幸福不是长生不老，不是享有饕餮盛宴或者成为权豪势要，幸福是每一个微小的生活愿望的达成。

——《飞屋环游记》

Good morning. In case I don't see you, good afternoon, good evening, and good night.

——*The Truman Show*

早上好。假如再也碰不到你，也祝你下午好、晚上好，以及——晚安。

——《楚门的世界》

You make millions of decisions that mean nothing and then one day your order takes out and it changes your life.

——*Sleepless in Seattle*

你每天都会做很多毫无意义的决定，但突然有一天，你的某个决定就能改变你的一生。

——《西雅图夜未眠》

The people you love will change you, the things you have learned will guide you.

——*Moana*

你所爱的人将会改变你，你所学的东西将会指引你。

——《海洋奇缘》

What beautiful blossoms we have this year. But look! This one's late. But I'll bet that when it blooms, it will be the most beautiful of all.

——*Mulan*

今年的花开得真好，可是你看，这朵落后了，还没开。不过等到它开花的时候，一定比其他花都美。

——《花木兰》

Whoever saves one life, saves the world entire.

——*Schindler's List*

当你挽救了一条生命，你就挽救了全世界。

——《辛德勒的名单》

You know, sometimes all you need is 20 seconds of insane courage. Just literally 20 seconds of just embarrassing bravery. And I promise you, something great will come of it.

——*We Bought a Zoo*

你知道吗，有时候你只需要一瞬间的疯狂和勇气，忍受那一瞬间迸发出的羞耻感。我向你保证，这会带给你你想要的。

——《我家买了动物园》

Truth is in the eye of the beholder.

——*The Lion King*

真相只在旁观者的眼睛里。

——《狮子王》

Is life always this hard, or just when you're a kid?

Always like this.

——*The Professional*

生活总是如此艰辛吗，还是只有童年如此？

总是如此。

——《这个杀手不太冷》

（本刊编辑部整理，视觉中国供图）

与机器伴生，血肉之躯的未来

●人工码字机

一台器械植入手术、一个体外电极开关，就能让一名深陷抑郁的成年人从中脱身……不久之前，罹患抑郁症多年的吴某在上海某医院获得新生。通过参与该医院“脑机接口治疗难治性抑郁症”的临床研究项目，他不仅恢复了与陌生人进行正常社交的基本能力，还能在沟通中与人开玩笑。说到高兴处，吴某甚至还会哼两句歌来表达自己的轻松快活，几乎让人忘记他是一名抑郁症患者。

这一临床研究成果让许多抑郁症患者看到了治愈的希望。类似脑机接口这种，使得人体与机器伴生的前沿科技，会是人类血肉之躯的未来吗？

脑机接口：从治疗抑郁症到“数字永生”

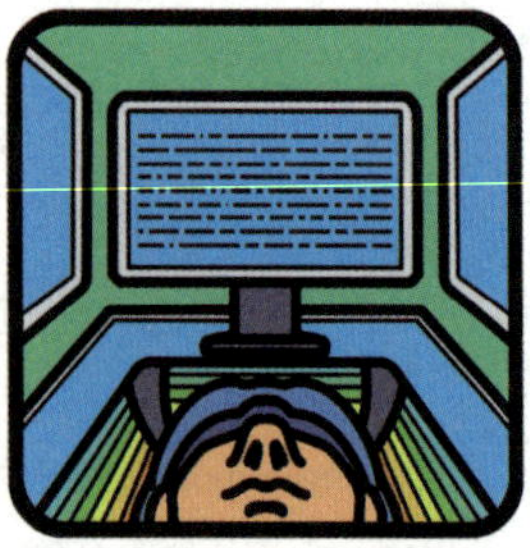

所谓脑机接口，顾名思义，它的一端连着人类大脑，另一端连着计算机或其他机械设备，两边通过电流传递的信息完成交互——这项技术摆脱了大脑中枢对人体外周神经和肌肉系统的依赖，直接与外部设备建立起信息交流。

吴某所使用的治疗设备，是通过两条柔性电极，穿过大脑前侧的神经核团，连接至神经调控装置——脑起搏器。当设备运转时，脑起搏器的电流会通过大脑神经并给出足够的刺激，就像为大脑直接注入正能量，让患者得以抵抗抑郁症带来的负能量。

在临床应用中帮助患者恢复正常身体功能，将是脑机接口未来的主要应用场景。埃隆·马斯克旗下的公司“神经连接”（Neuralink）早已致力于相关领域研究。他们已在尝试招募渐冻症患者参与脑机接口的芯片移植手术——取下患者的一块头骨，在其大脑内植入芯片，并将神经意识注入，以恢复其正常活动能力。

不过对埃隆·马斯克而言，脑机接口能发挥的作用远不止于此，他对其未来充满憧憬——将人类的意识经过信息化处理之后，再上传至数据库，以实现另一种意义上的永生。这就类似于电影《流浪地球2》中的图丫丫那样，成为不会衰老的数字生命。

机械义肢：让躯体的遗憾重归圆满

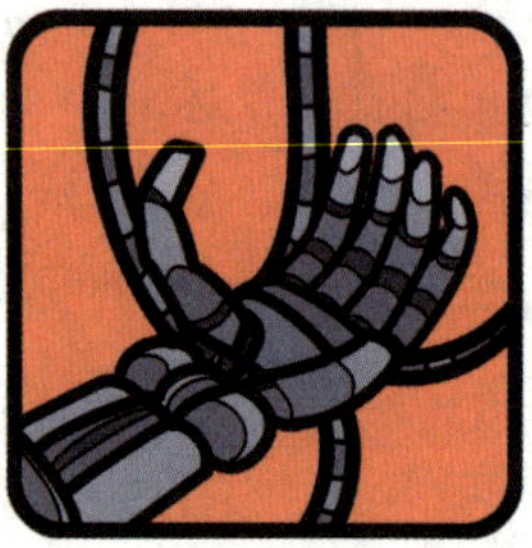

无论是在患者大脑里装芯片，还是把人类意识上传到数据库，听起来都有着浓烈的科幻感。但在最前沿的科研领域，高精尖的医疗器械与人类身体伴生，早就不是什么新鲜事了。

以机械义肢为例，早在“二战”时期，它就被广泛应用于解决截肢士兵的肢体功能修复问题——其中最常见的上肢截断和下肢缺损等情况，都能通过机械义肢的辅助，恢复肢体的基本功能。

随着科技的不断发展，现代的机械义肢在材料、工艺、造型和功能上，都取得了长足的进

为什么冰箱长得像柜子，冰柜长得像箱子

●佚名

为了消暑，古代的中国人制成了自己的土冰箱。它是箱形的，上开盖，最早叫冰鉴。“冰鉴”这个名字一直用到清朝早期。到乾隆年间，御制掐丝珐琅冰箱出现后，冰鉴才被更名为冰箱。现代意义上的电冰箱大概是在20世纪40年代传入我国的，当时的人们觉得它的功能和中国的土冰箱一样，所以即使它本身是柜子的形状，人们依旧叫它电冰箱。冰柜的发明是在冰箱之后。冰柜的耗能比冰箱大得多，最初是给商场使用的。当箱子形状的冰柜传入我国时，人们才意识到，这才是名副其实的电冰箱。但是“冰箱”这个名字已经被用于像柜子一样的电冰箱了，也不便改名，考虑到一般这种形状的容器会被称为“柜”或者“箱”，无奈只能称其为冰柜了。

（扎啤摘自《百科知识》2024年1月B，视觉中国供图）

步，几乎能做到每根手指和每个关节的精细化控制，甚至能够弹钢琴。这也让配备义肢的残疾人得以回归正常的生活。在第4届亚残运会开幕式点火仪式上，担任火炬手的中国代表团游泳运动员徐佳玲，就是用一只强脑科技公司出品的智能仿生手高举火炬，点燃了亚残运会的主火炬。

机械义体：可以延续生命的人造奇迹

机械义肢从仿生学原理上来说，是人类四肢的延伸。那么位于人身体内部的五脏六腑，是不是也能和机器伴生呢？

答案显然是肯定的。

王某曾因患病导致严重的心力衰竭，生命危在旦夕。在医生的建议下，他选择更换由中国自主研发的磁悬浮人工心脏——这颗由机器制造的心脏，出色地承担起推动他体内血液循环的使命。

在生活中，王某无论怎样转动身体，人工心脏都能保持在同一个角度旋转，向各器官稳定泵血。手术之后，别人全然看不出他曾经是一个心力衰竭的病人。目前，他仍旧保持着良好的生活习惯，每隔几天骑行15公里。人工心脏给他提供了源源不断的生命动力，成为他最忠实的运动伙伴。

数字生命：与机械伴生，再飞升

大脑神经元是生物指令的原点，CPU是电脑的中枢——目前，几乎所有生物医疗领域的仿生机械，都预留了脑机接口。在很多科学家的预期中，未来的人类将通过脑机接口操控身体内外的机械元件。血肉之躯中的那些孱弱甚至衰竭的原生器官，都将可以被机械义体替代。与机械伴生的人类，能获得更健硕的身体、更灵敏的大脑和更长久的生命。

然而，还有一种观点认为，与机械伴生的人类只会加大对自然资源的消耗，恒久的生命也无法固守在物质层面。所以，意识上传和数字生命等理念得到推崇，即让精神飞升，从而实现永生。元宇宙便可算作此理念具象化的方式之一。

不过目前，一切还言之过早。或许，在未来社会中，将会存在彼此互补的两种生活场景。

（知否摘自《课堂内外·科学少年》2024年第1期，Raven图）

越努力，越幸运

●刘一帆

1

2013年8月，我以全县中考第150名的成绩被县一中录取。进入高中后，我发现这里的学习氛围与初中时的大不相同。我在镇上读初中时，有些坐在后排的同学吊儿郎当不读书，老师也不管。而到高中，哪怕高一才开始，每一位同学都已经在很努力地学习。很多同学甚至早上4点多就起床了，看得我胆战心惊。

我无法在4点多起床，天天咬碎了牙也只能做到6点起。为了节省时间，我只好逃掉早操，带着早饭去教室吃，一边吃一边看前一天做错的题。

那时候的我并没有什么宏大的高考目标，除了有点怕，有点自卑。我能做的就是把自己没懂的题目想明白，跟着MP3背英语课文，努力体会语文课本上的文言文和诗词的含义。

第一次期中考试，成绩公布的时候我简直不敢相信——全班第3名，年级第78名。晚上我给父母打了电话，故作冷静地说："我考了班里第3名。"其实我的内心有一种巨大的欢喜炸裂开来。

有的时候，你不需要做出战斗力爆表的样子给任何人看，只要按部就班地学习、思考、提高自己，这就是扎扎实实的积累了。

不久之后文理分科，我选择了理科。我很想成为一名国防科技领域的工程师。

期末的时候，我考了班里第10名。班级排名看起来有些退步，但我并不觉得难过，因为这让我更加确定，上一次的成功并不全是运气。我的付出，的确是有回报的。

说来奇怪，努力也会令人上瘾，就是那种"思考——学习——掌握技能——做题更快、正确率更高——成就感爆棚——继续学习"的美妙循环。寒假时我根本不想玩，依然沉浸在这种正强化的快乐里无法自拔。

高一下学期，我的年级排名从七八十名稳步上升，到高二开学时已经排在第20名左右了。但这时，我还没有想过要考清华大学，因为我们县平均三四年才会出现一个考上清华或北大的学生。

高二时，我遇到了高中阶段最大的学习难点：物理电学部分。为什么电子放在一个所谓的场里面就要受力，怎么判断电流的方向，电场线、磁感线到底怎么分布……

那段时间我睡觉的时候脑子里都是电磁场。上课听不懂的我就记下来，连走路、吃饭、洗衣服时，都在想。死活想不通的，我就去问老师。我并

不是那种天资聪颖的人，有的人用我一半的努力程度就可以考第一，我不能。我只是比较刻苦而已。我的努力回报率没有别人的那么高，但也让我收获颇丰。

大概过了一个月，有一天的晚饭时间，我在教室里一边啃饼干一边翻看错题的时候，忽然有了一种异样的感觉——好像有层窗户纸突然被捅破了，之前模糊不懂的地方一个接一个地明亮起来。不知过了多久，等我把一摞物理错题集翻完，抬头一看，第一节晚自习已经开始半小时了，而我咬了一半的饼干还在手里。

2

高二暑假，我申请了在学校自习。我每天还是按照平日里的作息时间，去教室做题、背书，累了就看会儿小说、散文，揣摩大作家的笔法。

暑假过了一半，年级主任找到我，说有一个清华大学夏令营的名额，问我愿不愿意去。当时我很惊讶，老师居然会考虑我。毕竟当时我的排名在年级第10名左右，还不算最拔尖的学生。

后来我才知道，成绩比我靠前的同学，不是跟爸妈出去旅游了，就是在家歇着，所以他们找到了我——因为我每天都在学校进出。

怎么形容在清华园的7天呢？沉醉，震撼。我从来没有见过这么大、这么美的校园，花草掩映，树木葱茏。神采飞扬的学生在路上讨论问题，白发苍苍的老教授骑着自行车在校园里穿梭，建于民国时期的老图书馆好像《哈利·波特》里面的建筑——拱形的玻璃窗、翠绿的爬山虎，以及安静学习的年轻人。

有一天深夜，我不想睡觉，一个人在校园里转到电子系的教学区，走近一看，整座楼灯火通明。那一刻，一种难以名状的情绪抓住了我，不知不觉间，我泪流满面。我想在这里继续努力，跟这些深夜依然在学习的家伙一起。

整个高三上学期，我没有回过家，一直住在学校，可是中间仍有几次考试成绩特别差。到现在我都记得，高三上学期期中考试，我才考了619分——和清华大学往年的录取分数线还有70分的差距。

理想之所以是理想，不是因为我们踮起脚尖就能够到，而是哪怕最后无法实现，我们也会为了它奋力奔跑。

我制订了适合自己的一轮复习计划，有的地方跟老师的计划重合，有的地方完全针对自身的情况。比如我的数学排列组合较弱，需要大幅度提高；化学成绩很好，但还可以进一步尝试难度更高的题目。其他科目，我也逐一分析，弥补短板，强化优势。

后来高考结束，跟很多同学聊天时，我发现，他们对自己的学习情况根本没有总体的把握，只知道跟着老师的计划一轮一轮地复习，关注跟同学比自己是什么名次。其实更重要的是你应该清楚自己有没有掌握某类知识。

高三寒假，我报了清华大学的自主招生考试。我不知道自己的实力如何，但我一定要抓住每一个机会。

3

6月8日下午，高考结束。我走出考场，还没来得及放松，就找出学校发的自主招生考试资料，坐车前往郑州。6月10日上午我参加了笔试，题目并没有想象中的难。

6月13日上午，我接到了年级主任的电话，通知我通过了自主招生笔试，校长将带我前往北京参加面试。在去北京的火车上，校长告诉我，我的卷子答得最好的是物理，接近满分。

6月24日，我知道了自己的高考成绩，比清华的录取分数线低了13分。第二天我知道了自主招生的面试成绩，通过了清华最低的一档，可以降10分录取。如果我以国防生的身份进入清华，根据政策还可以再降5分。我等于一路踩在悬崖边上，走进了清华大学。

（张秋伟摘自微信公众号“中学教育研究”，胡晓江图）

一本书的『奇幻漂流』

●豆子

《徐霞客游记》是明末旅行家、地理学家徐霞客所著的散文游记，现存的版本有60多万字，是系统考察中国地质地貌的开山之作。很多人不知道，它的流传过程也和徐霞客的人生一样，充满了曲折。

崇祯十三年（1640年），历经30多年跋涉的徐霞客双脚已废。在漫长的旅行生涯中，几乎只有一根手杖和一床被子一直跟随着他。他基本上不带粮食，常常要忍受连日的饥饿，“凌绝壁，冒丛箐”。那时候他的身体还很好，攀缘绝壁宛若猿猴，负箧行走稳如黄牛。他和异兽猢狲为伴，睡在洞穴，饮用溪水，俨然野外生存达人。

然而，人终究不是神仙。攀登绝境，石缝不能容脚的情况很多，许多次他都差点掉下去摔死；草鞋磨破了他的双脚；暴雨后的山道上不知有什么割破他的小腿；云贵高原的冷雨浇在他的身上，使他全身麻木，险些失温而死。

最后，云南的地方官派人把他送回了江阴。人们问他：“你这是何苦呢？”

他回答：“张骞凿空，未睹昆仑；唐玄奘、元耶律楚材衔人主之命，乃得西游。吾以老布衣，孤筇双屦，穷河沙，上昆仑，历西域，题名绝国，与三人而为四，死不恨矣。”

回家后不久，徐霞客病逝，他的作品由好友进行整理。

第一位整理者是他的好友王忠纫。在受托接手书稿后，王忠纫将徐霞客的作品带回无锡进行排序。然而，由于时间跨度长达几十年，游记文稿中有大量残损、散佚的部分，这个排序的任务非常艰巨。后来王忠纫被朝廷派往福州任职，他便将手稿还给了徐霞客的儿子徐屺。

徐屺自知能力有限，又将稿件交给徐霞客的好友季会明。季会明对稿件进行了细致的整理抄录。然而这次整理出来的稿件，却在清军南下，攻到江阴之后被焚毁。包括徐屺在内的徐家20多口人均被杀死。

但幸运的是，季会明还活着。局面稳定后，季会明返回江阴，继续搜集、整理徐霞客的作品。由于原稿文笔卓绝，景物描写令人惊叹，刚写成时就有不少人传抄。季会明把这些传抄的篇章汇编起来，竟组成了厚厚的书稿，使《徐霞客游记》重又得以面世。季会明不禁感慨：“危矣哉！幸矣哉！”

季会明的两次整理，对《徐霞客游记》的流传起到了至关重要的作用。不过，相较于上次整理出的版本，这一版的稿子毕竟又有散佚，实在遗憾。而如今通行的“诸本之祖”，实际上爱国情绪饱和在陆游的整个生命里，洋溢在他的全部作品里；他看到一幅画马，碰见几朵鲜花，听了一声雁唳，喝几杯酒，写几行草书，都会惹起报国仇、雪国耻的心事，血液沸腾起来，而且这股热潮冲出了他的白天清醒生活的边界，还泛滥到他的梦境里去。

——钱锺书《宋诗选注》

成群的木棉树还没有长出绿叶，古灰色的枝头上却已经绽开了一朵朵火红的花，倒映在一江春水之中。这是怒江最妖娆的时光，它一路化开冬日的萧瑟，带来两岸五彩的春意。随着布谷鸟的呼唤，傣家人进入了繁忙的春种时节，晒田、放水、育秧、插秧……一年的耕作，开始了。

——梁永安《梁永安：阅读、游历和爱情》

山的美在于它的重复，在于它是一种几何级数，在于它是一种循环小数，在于它的百匝千遭，在于它永不干休的环抱。

——张晓风《华语散文温柔的一支笔：张晓风作品集》

秒，他说。开始数吧。你的寿命用秒计算。

想想地球的年龄，那些地质时代，沧海桑田。想想银河系的年龄，宇宙的年龄。全都是以十亿年计。而我们，你和我，我们的生命转瞬即逝。

——唐·德里罗《零K》

如果死神终结了一切，我们也拿它没办法。如果事情不是这样，那就以大丈夫气概坦然走进下一幕，无论它是什么样子，不要做巧舌之辩，也不要掩饰自己的真面目。

——詹姆斯·斯蒂芬《自由·平等·博爱》

摘抄本

是又过了20年，由学者李寄整理完成的。

当李寄着手整理时，已是康熙二十三年（1684年）。那时，他已是步履蹒跚的老人，他拄着拐杖，找到了宜兴史夏隆家。因为他听说史夏隆收藏的《徐霞客游记》是18年前秀才曹骏甫用徐霞客的原稿抄录的。

李寄寻来后，史夏隆颤巍巍地将这一版本的游记交给了他，告诉他一定要将徐霞客的文章发扬光大。可这个抄本被太多人删改过，字迹辨认起来很困难。李寄举起稿子对着太阳，以便看清被压在下面的原文印痕，增补了《游太华山记》等数篇文稿，进一步弥补了前版《徐霞客游记》的缺憾。

李寄其人，博学多才，著述颇丰，除整理《徐霞客游记》外，还编纂了《历代兵鉴》120卷、《历代兵鉴随笔》16卷、《舆图集要》40卷。然而这其中的绝大部分，都在后来的动荡中散佚。古代浩如烟海的典籍绝大部分都是这样的遭遇。

经由历代学者锲而不舍的努力，才留下了现存的珍贵典籍。《徐霞客游记》就是其中幸运的一部。

（梅染摘自江苏凤凰文艺出版社《古人的想法真奇怪》一书，与鱼图）

请问宇宙飞船的安全带怎么扣呀

●Iris 别笑

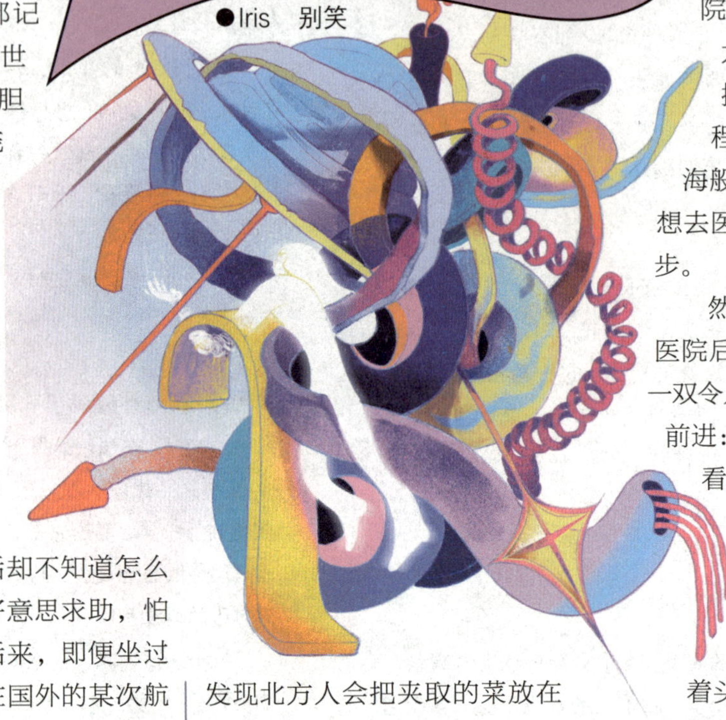

置身于这个瑰丽辽阔、瞬息万变的世界，我们总是要面对无数个“第一次”。我永远都记得那个没见过世面、怕闹笑话又胆小的自己：脸庞发红，耳朵发烫，手心出汗，声音颤抖，恨不得能有一件隐身斗篷，穿上立马原地消失。

我记得第一次坐飞机时，扣上安全带之后却不知道怎么解开，我也不好意思求助，怕别人笑话我。后来，即便坐过很多次飞机，在国外的某次航班上第一次看到在飞机上使用手机的乘客时，我还是非常慌张，尤其是在飞机颠簸的时候。我怀疑是手机信号干扰了飞机的飞行，吓得做好了面对空难的准备。

我记得自己第一次去星巴克点小杯咖啡时，店员问“你点的是中杯吗”，一下子把我问蒙了。去国外的星巴克，看着菜单上的“Grande”（大杯）和“Venti”（超大杯），我陷入深深的怀疑：为什么学了这么多年英语，我连这些单词都不认得？那惴惴不安的感觉，让我顾不上享受咖啡。

从南方来到北方后，我发现北方人会把夹取的菜放在自己的骨碟上，而在南方，骨碟是用来放用餐过程中的垃圾的。多年后，当我习惯了北方的使用方式，再和南方朋友聚餐时，他们看到我将食物放在骨碟上，脱口而出：“你怎么这么吃呀？”让我有一瞬间的局促。

第一次去吃西餐时，我就更忐忑了。我事先在网上搜了刀叉怎么拿，到了餐厅先观察周围的人怎么吃，餐巾是挂在胸前、铺在腿上还是压在碗碟下边。但无论怎么准备，最开始的时候总会露怯。

如此种种，我们都是从最初的慌张中成长起来的。面对未知或者尚未经历过的事情，我们总会不由自主地产生恐慌情绪。对我来说，去医院看病时，这种感觉尤其明显。一想到从挂号到看病的整个流程，恐慌就会排山倒海般地向我袭来。我不想去医院，不想迈出那一步。

然而，当我真的来到医院后，又感觉无形中有一双令人安心的大手推着我前进：挂号，等待叫号，看病，检查，拿药。我突然发现事情没我想的那么糟、那么难。有不明白的地方，我可以硬着头皮去找护士台的护士或志愿者，也可以直接问身边的人，会有很多人帮助我。

我们都太擅长胡思乱想，总是给自己预设很多困难。但等我们经历得越多就越会明白，提前预设的东西只会白白消耗自己的情绪和精力。谁都不是生来就什么都会的，就算只能很笨拙地完成，这些“第一次”的经验也会为我们以后的尝试提供自信和底气。

当然，随着年岁的增长，阅历的增加，那种慌张的时刻也会减少，但一定还存在。就像现在，每次出远门我还是会紧张胆怯，希望待在自己的舒适区里。收拾行李时，我总

智趣

破译密电

公安机关截获了某犯罪团伙的一封密电。电文如下:“吾合分昌盍奋奎聚鑫。”你能破译这封密电吗?这个团伙准备做什么?(答案见下期)

上期答案: 最少移动2次,就可以使小球黑白交替。如下图,把2和7、4和9互换位置。

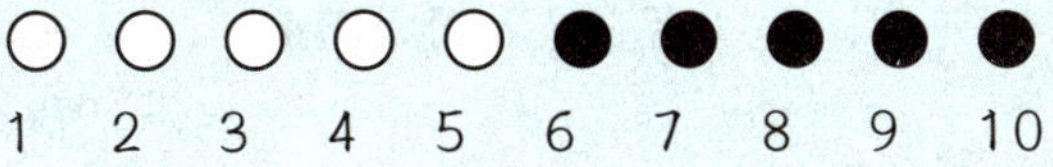

担心漏带重要的东西,事实证明确实如此——比如当我到达目的地时,发现自己漏带了眉笔,就会马上陷入悲观情绪:我从一开始就犯了错误,这趟旅程很可能被我搞砸。直到我的朋友宽慰我:“没事呀,去商店里再买一支眉笔就好了。”

其实只要憯憯懂懂地迈出第一步,之后再缝缝补补,哪里缺一块就补一块,事情就会慢慢地在缝缝补补中完成。如果我们总想着要做好万全的准备,那么我们可能永远都开始不了。在哈利·波特系列故事里,霍格沃茨的创建人之一戈德里克·格兰芬多代表着勇敢,这也是书中最核心、最珍贵的一个品质。我们也许时常幻想自己能被分到哪个学院,但事实上我们都是不会魔法的“麻瓜”。勇敢,是驱使我们向前走的最重要的东西。迈出第一步需要勇气,你的智慧、能力、耐心能让你走多快、多远,去到多么广阔的天地,那都是后话。虽然你害怕、犹豫、纠结,但你首先要出发。

法国有一个纪录片节目叫《相约未知地带》,在每期节目中,主持人会邀请一位嘉宾去一个陌生的地方与陌生人相处。来中国拍摄时,节目组选择了贵州的一个偏僻苗寨。那位嘉宾只背了一个包,就踏上了这片语言不通的土地。但当他与当地淳朴的村民相处时,他们没有一点隔闳,安安稳稳地共同生活了两周。法国嘉宾和村民一起割稻、养鸡、捕鱼,向他们了解当地育儿、婚嫁等文化习俗。节目最后,那位嘉宾提及自己刚来贵州时的一无所知,说有一种失重的感觉。

人们面对未知,会有这种失重、紧张、不知所措的感觉,是不分古今中外的。去医院、一所新学校、一个陌生的城市,都是一次解锁新地图并打怪升级的经历。我们可能需要花很长时间做心理建设,但等到真正去做了,卸下了沉重的心理负担,就会发现世界的轻盈,以及人类的韧性和强大的适应能力。

永远都会有下一次的紧张。进了餐厅很迷茫怎么办,那就问老板“你们家最好吃的菜是什么”“吃这个搭什么小菜呢”;遇到下雨天怎么办,那就打伞出门,享受雨中的景致;赶不上火车怎么办,那就等下一班火车或者改变行程;收拾行李怕忘带东西怎么办,那就告诉自己,忘就忘了呗,出去玩就是要放松……不是所有事情都能以一种最完美的方式被解决,但一切总会有出路。

对了,下次坐宇宙飞船时记得提前问一下:去火星之前我有什么要准备的吗?宇宙飞船的安全带怎么扣?要戴头盔吗?就让未知的紧张和期待的喜悦一起袭来吧!

(冉冉摘自《中学生天地》2024年1月A,刁K图)

遇见一朵柔软的云

●卷阿

我是在小镇上读的初中。那所中学靠近火车站，每天晨间的早读，我总会被不远处缓缓响起的汽笛声和远去的绿皮火车吸引。我喜欢火车汽笛声带来的喧嚣，大概是为了掩饰自己内心的羡慕与忌妒。

我妈常年外出打工，我爸为了方便，总是在我头发长长后带我去理发店剪成利落的短发。于是从小我便被身旁的男生冠以“假小子”的外号。随着升入初中，爱美之心萌生，我开始试图摆脱这一切。

我学着其他女生的样子留起长发，却因为不会打理，头发总是乱蓬蓬的。而我的同桌与我截然相反，她有一头柔顺秀丽的长发，每天都会精心地给自己梳各种复杂好看的发型。她喜欢穿白色的泡泡袖短裙，娴静漂亮。我每天坐在她旁边，总能听到各种赞美……内心的渴望与羡慕疯长，我努力将目光投向远处驶过的火车，希望火车的汽笛声将那些赞美她的声音淹没。

存着这样的心思，我将自己的桌子拉开，与她分隔出了一条“三八线”，并暗自发誓要攒钱买一条一样的白色短裙。为了快点攒够买裙子的钱，我甚至暗自挪用了父亲给我的买作业本的钱。

不过我很快就为此付出了代价。物理老师那天破天荒地点了我起来回答问题，我惊慌地在书里翻找答案。忽然旁边伸来一张写有答案的纸，我一愣，才发现那是我同桌递来的。她解救了我。

然而物理老师并没打算放过我，她问：“你昨天为什么没交作业？”这个问题让我满脸羞愧，因为我压根没买作业本。

“老师，我同桌忘拿作业本了。”最后还是同桌替我打了圆场，老师才暂时放过我。

从那之后，我们的关系有了明显的缓和。她很热心，会在我答不上问题时引导我，会细心地演算解题步骤给我看。我们之间的那条“三八线”越来越模糊，在跟她的接触中我逐渐放下了戒备。

意识到我们的关系慢慢变好了，她才小心翼翼地问：“你一开始是不喜欢我吗？为什么要把桌子拉得那么远？”

在她那双明亮眼眸的注视下，我的那些小心思根本无处遁形，然而知道实情的她却不以为意，甚至还邀请我去了她家。那天，她耐心地替我梳各种复杂的发型，一遍遍帮我试戴发卡，寻找最适合我的那一款。她还让我一条条试穿她那些漂亮的裙子。

我看着镜子里美丽独特的自己，听着她由衷的夸赞，丢失的自信仿佛一点点被寻回。我感激地拥抱了她。我无比感谢她，是她妥帖地安放了我敏感爱美的少女心，让我看到自己美好的一面。

从那之后，她时常教我编头发，带我研究各种发型，我的手开始变得跟她的一样灵巧，头发也不再乱蓬蓬的。她还经常夸奖我，给予我鼓励。我因此逐渐蜕变，开始建立自信，发现自己身上的闪光点，包容和纠正自己的小缺点。

我终于摆脱了“假小子”

创意

意大利艺术家弗朗西斯科·卡米洛·吉尔吉诺，也就是大家熟知的Millo，喜欢在建筑外墙壁上作画，俏皮的场景由此进入平凡单调的城市。简单的线条、克制的色彩点缀、令人叫绝的情景设置，为人们开启了想象世界的大门。

的外号，变成了自己渴望成为的那类自信漂亮的女生。

我们还成了闺密，互相加了QQ，聊各种小女生的话题，互道晚安。自习课上她还会偷偷拿出手机，分一只耳机给我，分享她喜欢的单曲。我听着耳边温暖治愈的旋律，目光无意间瞥过那张专辑封面：那是两个女孩，一个剪着利落的短发，阳光帅气，一个留着齐肩短发，可爱甜美。

我没想到这样两个风格迥异的女孩居然能一起唱出这么动人的歌曲，那一刻我觉得她们像极了我与她，我一下子记住了那首歌——《云烟成雨》。

离别总是猝不及防，初二下学期开学时，她给我发消息说她要转学了，转去邻省师资更好的一所中学，她想约我见最后一面。

我怀着离别的忧伤来到了她家的楼下。天色渐暗，昏黄的灯光将我们的身影不断拉长。我们坐在路边的长椅上，周身笼罩的暖光将气氛衬托得异常伤感，仿佛时光褪色一般。她不断安慰我，而我也故作轻松地祝福她前程似锦。

末了，她忽然开口：“你不会忘记我对吗？我也不会忘记你，只要心里记挂着对方，我们就不算真正的离别。而且你还能给我发信息，我们还和以前一样。”

我一愣，重重地点了点头。

她习惯性地将另一只耳机递给我，里面播放着那首她最喜欢的《云烟成雨》，歌词写得很温柔，娓娓道来：“路灯下昏黄的剪影，越走越漫长的林径……我们提着过去走入人群，寻找着一个位置安放自己。”现实的离别为歌曲赋予了特殊的含义，我们约定听完这一曲就奔向各自的未来。

（本刊原创稿件，视觉中国供图）

同样是很久没有看到大海了，当你和你的好友在海边漫步，你面对大海心潮澎湃、浮想联翩的时候，你的好朋友却在一旁嘲笑你，说你变得神经了。你感到非常困惑：为什么面对相同的事物，人们的感觉会有那么大的差异呢？

心理学研究发现，造成人们的感觉差异的因素有很多，如文化程度、生活经历、健康状况、性格类型等。除此之外，还有一个容易被人们忽视的重要因素，那就是情绪。

孤独者更冷，恋爱者更甜

你或许没有察觉到，当你觉得孤独或感觉被孤立的时候，你所感受到的环境温度比正常人感受到的要低。这种说法并不是诗意的夸张，而是在陈述客观事实。科学家通过要求受试者回忆他们被人排斥和热情接待的经历，从而诱发受试者的孤独感和受欢迎感的记忆。随后，科学家要求受试者估计室内的温度。结果显示，与那些刚刚有过受欢迎感的人相比，那些自觉孤独的人所估计的室内温度比前者估计的平均低了近10℃。在接下来的研究里，科学家发现在游戏里被快速淘汰的人更倾向于选择温暖的食物，例如汤。这表明这些人需要温暖自身以补偿孤独带来的寒冷感。

有趣的是，即便是同饮一杯蒸馏水，一般人不会喝出任何味道，但那些坠入爱河的人却真的能喝出甜味来！这是科学家通过实验测试得出的结论。这个发现表明，热恋中的情侣互喊对方“honey”（亲爱的，原意为蜂蜜），并不是故意夸张或者是秀恩爱，而是在表达植根于身体里的真实感觉。

紧张者和懈怠者看到的不同

你或许想不到，完全相同的两本书，对不同的人而言，重量却不尽相同。美国科学家曾经做过一项心理测试：心理学家告诉受试者，一本书里包含了许多非常重要的信息，而另外一本书里全是毫无价值的内容——其实这两本书是完全相同的。当受试者被要求估计这两本书的重量时，他们大都认为包含重要信息的那本书更重。但没有接受任何暗示的受试者，大都认为两本书的重量是一样的。心理学家认为，受试者之所以会对同样的书产生其重量不同的感觉，是因为心理学家的提示让受试者产生了紧张或放松的情绪，不同的情绪让他们的感觉产生了偏差。

当心理学家要求受试者写下一段脆弱的经历或者假想一个无力的姿势时，这客观上会诱发他们的无力感，如果此时让他们估计一本书的重量，和一般人猜测出的均值相比，他们大都感觉这本书更重。这表明懈怠情绪会让人产生畏惧压力的心理，并由此导致感觉发生变化。

幸福的最优体验

●〔美〕米哈里·契克森米哈赖
○张定绮 译

一般人认为，生命中最美好的时光莫过于心无牵挂、完全放松的时刻，其实不然。虽然在这些时候我们有可能体会到快乐，但最愉悦的时刻通常出现在一个人为了某项艰巨的任务而辛苦付出，把体能与智力都发挥到极致的时候。

最优体验乃是由我们自己所缔造的。对一个孩子而言，也许就是用发抖的小手，将最后一块积木安放到他此前从未堆出过的，高高的塔尖上；对一位游泳健将而言，也许就是刷新自己创下的纪录；对一位小提琴家而言，也许就是把一段复杂的乐曲演奏得出神入化。每个人毕生都面临着不计其数的挑战，而每次挑战都是一个获得幸福的良机。

说得更贴切些，最优体验来自一种能自行决定生命内涵的参与感——这就是我们所能想象的最接近所谓幸福的状态。

（张秋伟摘自中信出版社《当下的幸福：我们并非不快乐》一书，视觉中国供图）

焦虑者对轻微的刺激都敏感

在生活中你会发现，有些运动员、参赛歌手和考生，临场会出现尿急或者腹痛、腹泻现象，甚至于出现了中途退场、到处找厕所的尴尬局面。为什么会这样呢？

有科学家指出，真实原因并不是这些人的排泄系统本身有什么疾病，而是因为多重压力让他们产生了焦虑情绪。而焦虑情绪会导致人身体里的甲状腺素激增，使肠蠕动兴奋性增强，肠胃里的任何一点食物存留都会对其产生刺激，然后造成腹泻。尿急反应的原理与此类似。

研究人员通过实验还发现，当人处在焦虑状态的时候，对愤怒的面孔比一般人要敏感得多。在一堆有各种表情的人的照片中，焦虑者比一般人能更迅速地找出愤怒的面孔。这表明焦虑情绪会让人变得更加敏感。

情绪为何能让我们的感觉失真

情绪能让我们的感觉失真，这一现象看起来很玄妙，但其背后隐藏的道理并不复杂。科学家指出，人的心理活动总是和生理紧密相连，因为心理活动直接影响神经系统，特别是脑神经系统，而脑神经系统的活动又会直接调节人的生理活动。简单地说，人的心理因素能够对生理产生较大的影响。

这个结论是科学家经过大量的实验得到的。例如实验证实，人在发怒或突然受惊的时候，会出现呼吸短促、心跳加快、血压升高、血糖增高、血液中的含氧量增加等症状；突然的惊恐刺激甚至会让人出现暂时性的呼吸中断，心电图会出现明显的波形改变。

一位美国医生为了证实人的心理活动会对生理产生明显的影响，还专门研究了巫术治病的问题，并写了《巫术的见证人》一书。他发现，巫师都称得上是精明的心理学家，同时还是政治家和演员……他指出，巫师的主要威力，不在于使用特殊的药物，而在于使用心理分析和心理疗法。巫师广泛使用的两种基本心理疗法是暗示和自白，借此消除病人的恐慌，激发病人自身的潜能，使病人处于生理和心理的双重亢奋状态……

（朵朵摘自微信公众号“大科技”，阿砂砂图）

驮住了无数次日落

●北京市第二十中学　沛沛

我上初中时是一个文静、内向、不爱运动的女生，最讨厌的课就是体育课。光是每节体育课上的热身慢跑就够我愁一整天的。3圈下来，跑得人上气不接下气，双腿酸疼。可是没有办法，谁让中考有体能测试项目呢？

初二上学期，中考体育新加进一项球类测试：考生必须在篮球、足球、排球3种球类之中任选其一，完成基本功考核。这可让我犯了难，我不仅跑得慢，身体协调能力还差，不擅长运球。体育课上，姚老师看了看我1.68米的大高个儿，又让我做了几个俯卧撑，捏了捏我略显粗壮的手臂，最后拍拍我的肩膀说：“嗯，是个练排球的好苗子！中考可以重点考虑排球！”姚老师这一连串的动作让我不明所以，我歪着头，怎么想也想不明白。听别人说，排球仅作为体育课上的拓展训练，是不可能成为大部分同学的主修项目的。我这种体育菜鸟又怎么可能轻易驾驭？就这样，我带着对自己的重重怀疑，被稀里糊涂地分进了中考体育排球班。

与人满为患的篮球班和足球班不同，我们班只有10个人。慢跑3圈后，垫球训练开始了。只见姚老师两腿分开站立，膝盖稍弯，上体前倾，用小臂轻轻一顶，排球便听话地被击出，沿着抛物线轨迹飞行。即将下山的夕阳为万物镶了一层薄薄的金边，就连姚老师手中的排球都像个小太阳。我也迫不及待地拿起排球，学着姚老师的样子，把手臂摆平，使劲向上发力，但排球却像一个不听话的孩子，落地后径直向足球场地滚去。等我气喘吁吁地把球追回来，姚老师已经开始讲解动作要领了。晚饭前的最后一堂课格外难熬，我不禁开起了小差。老师刚布置的10个垫球我只完成了6个，思绪便飘到九霄云外，已经想好晚上要吃什么了。

下课后，姚老师好像看了我一眼，她张了张嘴，仿佛有话要对我说。可我刚一走近，姚老师却又向我摆摆手，示意我离开。

那天的晚饭我吃得没有什么滋味，满脑子都是自己在体育课上偷懒的样子和下课时姚老师离我远去的背影。至于为什么偷懒，我想我仅仅是饿了，又或许这已成了我的一种习惯。一节平平无奇的体育课而已，体育成绩占比小，学好文化课才是最重要的。

回到教室，写了几页数学作业后，这件小事仍在我的潜意识中发酵。它就如同故事书中吃了酵母的猫，越长越大，张牙舞爪地向我袭来。我闭上双眼，任思绪在我脑中反复飘荡。

这时，楼道里突然传来脚步声——是姚老师！我赶紧把数学作业收起来，脖子快要缩进校服里。出乎意料的是，姚老师递给我几颗独立包装的柠檬糖。

“沛沛，现在好点了吗？”姚老师关切地问道，“我看你上课时脸色发白，垫

与一只蚂蚁约会

○铁柔

与一只蚂蚁约会，就要承认
约会地点在枯叶王国

关于它们为争夺一粒粮食而搏杀
关于它们为更换一个旧灯泡
而搭成的蚂蚁梯子
关于它们巡山，钻洞，或随一阵风飘走
事先，都不要做想象
要不断缩小，缩小到蚂蚁的高度和温度

它也会把约会的时间
一再推迟，挖深
也许到了某个冬天
一口已经结冰的井里
在薄薄的冰面上，你就可以
和它共餐，跳舞，但不能
想冰下的事情

约会结束，它的同伴
会把你从井里
吊上去，你贴在井口
深情地看着
下面那个陪你度过寒冷时光的小生命

约会就是一件寒冷的事情
与一只蚂蚁在针尖上驱逐寒冷的事情

（张秋伟摘自《十月·少年文学》，视觉中国供图）

球练习也只做了6次，是有点低血糖了吗？”

我好想顺着姚老师的话撒一个小小的谎。我的心“怦怦”地跳着，想了想，使劲儿摇了摇头：“谢谢姚老师！我没事，只是……偷了点懒。”

“没事就好。下课时我本来想问问你，但一想，吃了饭没准儿就会好些，食堂离操场这么近……”姚老师微笑着说，“下次训练要专心。你的双臂力量非常足，好好训练一定没问题！虽然现在成绩还不尽如人意，但我敢保证，3种球类运动中排球一定是最适合你的。”

说完，姚老师便离开了。窗外粉红色的晚霞映入室内，那几颗晶莹剔透的柠檬糖散发着淡淡的光彩，像下沉的落日，也像那让我惭愧的排球。

从此以后，我对傍晚时分的排球课再不敢有丝毫懈怠。姚老师手把手地教我们如何把球垫得更高，接得更准。我则按照老师的要求，连续击中球的后侧下部。累了困了，我便稍作休息，含一颗圆圆的柠檬糖，任沁人心脾的酸甜侵入口腔的每个角落。课程结束后，成绩不佳的我，往往还要接受姚老师的加练。“看见悬挂着的排球了吗？按我教的，用小臂向上顶，先来10次！”当然，这次我没有偷懒，我用尽全力垫了12次球。“真棒！现在把线摘下来试试！记住，移动时用小碎步，这样不容易出界。”我把两条手臂用力夹紧，提肩、顶肘、压腕、抬臂。会发光的“小太阳”便跟着我的节奏一上一下地跃动。一分钟，我竟前所未有地完成了35次垫球。结束的哨声响起，姚老师和我抱着笑作一团。“看吧，老师没骗你！你离满分只差5次了。”我一愣，随后心中生出无限欢喜。此时，夜幕已然降临。望着一轮玉盘般的明月，我恨不得高高跃起，将它也垫上一次。

中考结束，我因良好的体育成绩考上了理想的高中。我在笔记本上写下了曾读到过的一句诗：“一个能够升起月亮的身体，必然驮住了无数次日落。”

（本刊原创稿件，陆世清图）

愿你内心丰盈，与时光落落为安

●阿喵的卷耳猫

坐着摇摇晃晃的公交车，穿梭在陌生的城市里，听着我喜欢的歌手低声浅唱：“谁说人生是公平的，它才不管我们想要怎样，很感激你那么倔强，我才能变成今天这样……”她唱给15岁的自己，而我要感谢16岁的“你”。

那一年我高一，从一所普通中学考入重点高中，喜悦的余温还未在暑假消散殆尽，现实冰冷的凉水就浇了下来。第一次化学考试，我只考了56分。那种想哭不能哭，却又很无望的感觉深深地笼罩着我。

然后有一天，有个人很自然地对我说：“减减肥吧，你都快比我胖了。”那不是我第一次被说胖，却是第一次被喜欢的人说。直到今天我都清晰地记得，当他说我胖时，我脸颊发烫的感觉。

于是，每个月我都会按时拉着好友去报刊亭买与健身有关的杂志，里面五花八门的减肥方法，无数成功的案例，让我觉得胜利就在眼前——只要努力，我就会变成苗条时尚的大美人。可现实并没有那么简单，我依然是个胖女生。

我觉得自己的人生真灰暗。

那时，我很喜欢看小说，那些略显缥缈的故事让我痴迷万分。我开始为枯燥无味的生活写下一篇篇文章。其实哪有什么独特的素材，每天的生活无非就是上课、看书、吃饭、睡觉，偶有大胆的同学会多一项恋爱，可我竟然生生写出了一本“文学著作”。

窗前的新楼房盖了起来，挡住了不少阳光，我会写文哀叹光阴流逝；春日里气温骤变，我会难过于世事无常；偶尔学习到深夜，看着摆动的分针，竟可以盯着它许久，悼念昨日往昔……

你看，那时的情绪被放大得如此可爱。我们把自己当成世界，写着自己的岁月吟唱。

那一年，我喜欢的歌手发行了新专辑，粉红色的封面异常好看。她在MV中戴了一副硕大的白色耳机，坐在草丛中深情地歌唱。我跑到数码商城，找到了类似的白色耳机。可是它很贵，我攥着口袋里可怜的几张钞票，恋恋不舍地离开了。

我沮丧了很久，好像那副耳机有魔法，只要拥有它我就会拥有别样的人生。

后来我终究还是买下了它，为此挨了很长时间饿。虽然我买的不是同款，可那副耳机还是为我乏味的高中生活带来了一丝慰藉。

它很显眼，我只敢在放学的路上戴，耳机里流淌出的音乐分外好听。那时，全世界只剩我自己，一副耳机就可以隔绝所有的外界纷扰。

16岁的我，面对着人生中无数个“第

我不是好学生

●梁耿

凌子、阿潇，对不起。我真诚地向你们道歉。

因为我的胆小和虚荣，想要维持所谓的好学生形象，害你们为我背了黑锅。

那天早上，我们三个和往常一样，在老师来之前，对前一天家庭作业的答案。其中，有一道填空题，你们两个的答案都是“-1”，而我的答案是“2”。早上时间比较紧张，没等我们讨论出哪一个答案才是正确的，小组长就过来收作业了。

可能是在2:1的情况下对自己的计算结果产生了怀疑，也可能是想要次次作业都是全对的虚荣心在作怪，我叫住了转身准备离去的小组长，从她手中的那一沓练习册中抽出自己的，急急忙忙翻到最新写完的一页，用修正液把“2”涂掉，然后在空白处写上了“-1”。

后来，数学老师把你们俩叫出去问话。我们三个人写的都是“-1”，整个班上也只有我们三个写的是“-1”，但她偏偏没把我叫出去。

坐在窗户旁边，与你们只有一墙之隔的我清晰地听见，平时温温柔柔的数学老师严厉地质问：“为什么要抄梁耿的作业？一个人算错了还有可能，怎么可能个个都算成‘-1’？这不是什么典型错误，别拿算错来糊弄我。你们是不是觉得人家梁耿成绩好，所以只要抄人家的就不会出错……”

凌子、阿潇，你们俩一直低着头没说话，默认了抄作业的行为。可明明就是我抄的，你们为什么不告诉数学老师，她眼中的好学生梁耿，才是抄作业的那个人呢？

躲在窗户后面的我没有勇气在那时走出去，告诉数学老师我才是抄作业的那个人，她骂错人了。毕竟好学生怎么可能抄作业。我害怕一直以来自己在老师和家长眼中树立的好学生人设崩塌；我也害怕你们被骂后对我心生埋怨，不再理我……

躲在窗户后面的我焦急地等着你们回来，这种不知道后面会发生什么的感觉太煎熬了。总之是我自作自受，你们怎么对我，我都能接受。

我没想到的是，你们回来后看见我欲言又止的样子，不仅没有怪我，反而对我笑了笑。“这有什么，反正我们俩是‘差生’，都被骂习惯了。”

凌子、阿潇，谢谢你们对我的包容。谢谢你们在知晓那个好学生人设下的梁耿是多么胆小、敏感且自私后，还愿意继续和他做朋友。

说出我不是好学生这个秘密后，我的心里也终于松快了。

（本刊原创稿件，莉莉夏图）

一次”：第一次做出属于自己的选择，第一次心动，第一次减肥，第一次写文章……那个女孩倔强地坐在灯下，肉肉的脸庞，眼神却是坚毅的。她书写着文字，书写着习题，她相信终有一天自己会拥有别样的未来。

“有一天我将会老去，希望你觉得满意，我没有对不起那个15岁的自己……”今天，听到这首歌我也可以笑着说，我没有对不起那个16岁的自己。那副耳机早已被我丢在一边了，我虽然不再需要它的庇护，却依然感谢那些年它给予我心灵的慰藉。

（大津摘自《时代青年·哲言》2023年第12期，视觉中国供图）

吴镇《渔父图卷》（局部）

吴镇的“隐”

●王秉良

大船小船

吴镇的一生，总在隐藏。

他总爱画渔父划着小小的渔船，在水中漂流。那一叶小舟，让人想起核舟，小得像是桃核雕成的。那一叶小舟，让人想起芥舟，在茫茫的山川之间，渺小得如一株小草，实在太不显眼。

《历代画家姓氏便览》说他“村居教学以自娱，参易卜卦以玩世”——“自娱”“玩世”两个词用得好，游历的日子，他乐在江湖，但“无限风烟谁得似？欲将此处付行藏”。

吴镇真把自己藏起来了。不过他又找了位形象代言人，在画里一再现身。在他传世的作品中，约有三分之一有渔父的身影。

他画中的渔父，可不是出没风波里，靠打鱼养家的汉子，而是思想家渔父、得道者渔父。这位渔父，曾和屈原对话，在泽畔高唱过“沧浪之水清兮，可以濯吾缨；沧浪之水浊兮，可以濯吾足”。这位渔父，曾被张志和一再吟咏，“青箬笠，绿蓑衣，斜风细雨不须归”。也被人称“船子和尚”的德诚禅师拉来，用39首《拨棹歌》参悟禅理，有道是：“千尺丝纶直下垂，一波才动万波随。夜静水寒鱼不食，满船空载月明归。”连宋高宗赵构都为渔父写了15首词作呢。

吴镇的渔父，有时“从浪摆，任风飘，束手怀中放却桡”，有时“兰棹稳，草衣轻，只钓鲈鱼不钓名”，有时“轻拨棹，且归与，挂起渔竿不钓鱼”，无所羁绊，逍遥自在。

几人几船

吴镇的渔父图，有多幅单人孤舟处于山水间的画面，但也有两幅长卷，在山水间错落分布着许多核舟一样的小船，几乎每只小船上都有一位渔父。他们好像都沉浸在自己的天地中，各顾各的，谁也不搭理谁。那么多小船和小人，越看越好玩。这些小人，就像一些画家常画的那样，只是山水的点缀吗？非也，非也。

这些渔父和小船，“或得鱼收纶，或虚篷听雨，或浩歌明月，或醉卧斜阳，态千状万，无不自适”。

江水就是一个流动的空间，有藏在背后的阴晴圆缺，有看不见的波涛起伏。每一条船上的渔父，都是不同时空中的吴镇，是他在不同时刻的情态，或者说是每一个刹那的禅悟。几乎每一条船旁，都配有一首吴镇写的《渔父词》。有趣的是，有一处，山石树木间写了诗句，诗末注“无船”，渔父和船应该是藏到山后去了。

天地藏身

虎豹藏在山林，匿身于草木之中，是为了伺机捕食猎物。麋鹿也会藏身，皮毛长成保护色，是为了避免成为猎物。

行走于世间，是隐藏行迹还是彰显自我，这是个问题。

孔子说：“用之则行，舍之则藏。”东坡说：“用舍由时，行藏在我。”鬼谷子则说：“圣人之道，在隐与匿。”

茫茫天地，何处藏身？

船子和尚《拨棹歌》云：“苍苔滑净坐忘机，截眼寒云叶叶飞。戴箬笠，挂蓑衣，别无归处是吾归。”“乾坤为舸月为蓬，一屏云山一罨风。身放荡，性灵空，何妨南北与西东。”

心性空明，“此心安处是吾乡”，则到处都是归处，到处可以藏身。

吴镇的思想依归在何处呢？他生在诗礼之家，自幼饱读诗书，受儒家启蒙，曾写过“若有时人问谁笔，橡林一个老书生”；他好剑术，浪迹江湖，颇有些游侠气质；他自号梅花道人，精研易理，卖卜为生，和道士方方壶、黄公望、葛乾孙、周元真等人交游，隐迹林泉，诗词里充满了道家意味；晚年，他又号梅沙弥、梅花和尚，常去家乡魏塘镇大胜寺，以及景德寺、慈云寺诸寺拜访，与松岩、竹叟、古泉讲师等僧侣私交甚厚，又向佛家靠拢了。

吴镇以梅、竹为精神寄托，除了画渔父，还画了一辈子竹子、梅花。他的魏塘居所“绕屋种梅数百株”，起名为“梅花庵”。在自知大限将至的时候，他为自己写了墓碑碑文“梅花和尚之塔”，不写墓主人姓名，不写立碑者。

至正十四年（1354年）九月十五日，吴镇去世，就葬在梅花庵旁。传说，吴镇去世后，元末兵乱，盗贼到处掘墓挖金，江南许多名人的墓都被盗挖，吴镇的墓因被误以为是和尚坟冢，而得以保全。

（空空摘自《北京晚报》2023年12月11日）

人生这场游戏

●张妍

曾经有一个很火的小游戏，操作很简单，预设几个条件值，点击开始，页面就会自动生成一版人生故事。那一阵，我和身边的朋友都喜欢玩，我们不断刷新重开一局，相互对照结果，想知道这种随机生成的极限在哪里。后来玩厌了丢在一边，却在某一刻，心底产生了灵光一闪的映照——真实世界里的人生，不也是这样草就生成的吗？

对于生命这件事，人力所能及的范畴，就是点击开始。许多重要属性，都是随机但既定的预设值，基因、禀赋、环境等。当你意识到了“我”，游戏就开始了。活着，就是推进游戏。

你出生在某地、选择到某地工作、去一些城市游玩，可以看作解锁地图。你对这个世界的了解，掌握的法则，能够胜任的难度系数，决定了可选角色的范围。另一些更细节的，比如情感的细腻丰富程度，处理与他人关系的能力，物质基准，精神底色等，则决定了你玩游戏的体验感。

在一定程度上，你是自由的，可以做许多事，对许多人感兴趣。但你的时间精力有限，所以最终得做出取舍——基于这个前提，人生游戏里极重要的一项便是“剧本”抉择：确定要做什么。有的人很幸运，很早就找到了自己的路，有的人行到半途才意识到想要什么，也有的人，从来都不知道。

关于“剧本”抉择，生命机制里，是埋有“彩蛋”的。一个是，你接触过的每个真实的人，都演绎了一种可能的路径；另一个则是，所有的艺术形式里，都记录着密密麻麻的“人生体验”“游戏攻略”。

前人太多了，从古至今全都加起来的话。所以不管你选了多么另类的一条路，这条路也已有人走过了。每一条路上都刻着前人留下的路标和消息。历史所指的正是那些，不同路上的前人信息。

你会发现，同样是开了一盘人生游戏，有的人特别生猛——“风一样的男子”霍去病，18岁率军出征，大胜，20岁收复河西四郡，21岁“封狼居胥”。“逆袭王者”朱元璋，出身贫苦又遇上蝗灾和瘟疫，仓皇逃命，做过和尚，要过饭，后来统一江南，建立大明，体验感拉满。

有的人自由。徐霞客，22岁决定出去看看，攀缘绝壁，负笈行走，一生与异兽猢狲为伴。有的人可可爱爱。吴镇，宅在家里不理人，画各地的山山水水，再添个小人儿进去，让“他”替自己过门外的生活。

有的人立志跻身“技术流”。班固、陈寿开启著书模式，孙思邈、李时珍喜提医药模式，关汉卿埋头做编剧，李龟年沉迷音乐。同一模式也能玩出不同的风格，比如同样走创作路线：屈原孤绝冷艳、挥手自兹去；李白恣意欢脱，高歌“我乐意”；杜甫一路走一路关照苍生；辛弃疾、陆游沿途“打打杀杀”。

这些都是他们践行过的模式。世界就像是一个纷杂的游艺场，里面可选的角色太多了。在漫长的劳苦乏味之余，生命最大的魅力就是这种自我抉择的快意：纷杂中的确信和认定。

人生成就与所行道路偏离的人也有许多，比如“亡国词人”李煜，一生都在钻研怎么做个好木匠的朱由校，以及艺术造诣一骑绝尘却搞砸家业，还被抓去做了俘虏的赵佶。但即便是禀赋最为得天独厚的他们，因为种种原因没能走上适合自己的路，也会凭空多出许多苦闷来。

这种苦闷，从个人视角看，有时会让成就失色，但更让其失色的则是一种处境：面对时空的浩渺和人类群体的庞大，一个人的生命何其短暂渺小。那些古往今来最为杰出的人，最终留下的也不过寥寥数字；你翻过一页纸，就能翻过许多人的一辈子。

所以这期杂志试图呈现的其实是：在人生这场游戏里，你可以做徐霞客、吴镇，可以用海伦·麦克唐纳、屠格涅夫的眼睛去观察，可以研究鸟兽，可以回望，可以爱人，可以关注最先进的科技，也可以埋头约会蚂蚁、细听鸟语、月下吃蟹。

什么都比不上用自己喜欢的方式过一生。

（本刊原创稿件）

读者®

校园版

我们都是这样长大的

总第354、358期

成长合订本（第三辑）（下）

读者杂志社　编

读者出版社

目录 | Contents

读写 DUXIE

互动 HUDONG

世相 SHIXIANG

为什么骆驼的眼神总是那么疲惫

●〔瑞士〕于尔克·舒比格
○林雅莉　译

从前，骆驼是很好奇的动物，它总是睁着大眼睛。那时它住的地方到处是草地和苹果树。有一天，它离开了住的地方到外地去流浪，最后它到了沙漠的边缘。骆驼非常惊讶，这里竟然除了沙子没有别的，于是它走向第一座沙丘，并经过那座沙丘。

那座沙丘后面除了另一座沙丘，什么也没有。骆驼继续往前走。后面一定有别的东西！它想。于是它又走向第二座沙丘。那后面又是另一座沙丘，此外什么也没有。就这样，骆驼经过了十座、一百座、一千座沙丘，它深入沙漠，越走越远。后面一定有别的东西！它一直这样想。一定有别的东西，一定有别的东西。一定有……

骆驼一直往前走。它越来越渴，越来越累，眼皮也越来越重，眼睛越睁越小。当它看见最后一座沙丘时，已经丧失了最后的勇气。那后面一定什么东西也没有！它想。但是，在最后一座沙丘后面有树木，树荫下有泉水。骆驼走向泉水，开始狂饮。什么也没有！它想。骆驼喝着水，它的眼睛差不多快闭起来了。它想，那后面一定什么也没有，什么也没有。

从这一天起，骆驼就有了疲惫的眼神。

（邱白摘自贵州人民出版社《当世界年纪还小的时候》一书，视觉中国供图）

痘痘不是痘，都是智慧

●叶梓

仅仅过了一个暑假，我重返校园时就惊讶地发现，身边的同学都发生了巨大的变化。

原本个头没有我高的男生们，像吃了大力水手的菠菜，已然需要我仰视着他们单手执球，然后轻松地三步上篮；清亮高昂的嗓音也变成公鸭嗓，喊起话来似沉闷的呱呱声。亲密要好的女生们会在四下无人时讲起谁穿上了小背心，挺胸示意，再趴在对方耳旁说些令人害羞的私密话题。

这是青春期的变化，我在生理课上早已熟知，脸上虽然表现出一副见怪不怪的样子，内心却满是紧张与憧憬。我对镜而视，寻找青春到来的蛛丝马迹。我依然顶着一张稚嫩的娃娃脸，焦黄稀疏的头发也没有像其他女生的那样变得乌黑浓密。再一细看，我不禁“哎呀”喊出了声，不知何时，一颗小小的、红色的透明痘痘“盛开”在眉头。

它是如此突兀，又带着一点傲气，乍一看像点错地方的红点。我迅速地用刘海盖住它，谁知没过几天，痘痘变得更加肆意妄为。一颗之后又起一颗，再冒一颗，很快连成一片，厚厚的刘海盖不住了，还有几颗霸道又顽皮地跑到了鼻子两侧。就这样，我期盼的青春来得这么急切又热烈，明晃晃地在我脸上宣告它的到来。

姐姐毫无同情之意，笑着调侃道“恭喜恭喜，你长大啦”；妈妈视若平常，只是千叮万嘱，不要挤，会留疤的。

渐渐地，我有了外号：红小豆试验田、痘痘公主。我又气又恼。还有人打趣问我：“青春痘长在哪里不碍事呢？答——长在别人脸上。”对方得意扬扬，我紧握双拳却无力反驳。我一向不喜欢以貌取人，却不得不面对这个事实，没有谁每天顶着一张长满青春痘的脸还能表现得若无其事。真是想不到，青春期刚至就给了我一个下马威。

语文课上背诵《桃花源记》：“忽逢桃花林，夹岸数百步，中无杂树，芳草鲜美，落英缤纷。”我越背越心烦，同桌的声音却越来越大。我狠狠踩了他两脚，严重怀疑他是借此嘲笑我的脸上“桃花朵朵开”。

妈妈带我去看中医，开了许多调理的中药让我吃；我还偷偷把姐姐最贵的护肤品涂得满脸都是。一切都无济于事，青春痘没有丝毫偃旗息鼓的迹象。我变得敏感多疑，认为窃窃私语的人都是在议论我的痘痘。成绩日渐下降，我遭到了老师和爸妈的夹击。我与爸妈大声争吵，狠狠地把门关上，听到爸爸对妈妈说：“想不到丫头在青春期改变最大的是脾气。”我委屈极了，是我的脾气作怪吗？是脸上的痘痘，它们一颗颗都在挑战我的耐心。我天天在与它们作战，哪还能有好脾气。

我的铅笔盒里多了一面菱花镜。一堂课下来，我听讲十分钟，对镜半小时。我不断变换着发型——偏分、齐刘海，不断计算着刘海投下的阴影面积，以挡住痘痘。

我对着小镜子发呆，无意间发现可以斜照到后排的男生。他是年级优等生，长得帅气，弹得一手好钢琴。女生们喜欢私下里喊他“小王子”。当然，我也暗恋他好久了。镜中的小王子同样没有专心学习，他正用双手挤着脸上的痘痘，痛得龇牙咧嘴。我不由得内心窃喜：他也长了痘痘。我竟第一次为长了青春痘而感到喜悦。

看着小王子笨拙的样子，我不禁转头对他说：“不要乱挤，会留疤的。”他顿时停下说：“你说得对，长青春痘说到底是因为身体激素失衡，你越在意它越猖狂，最好的办法就是无视它。”我愣住了，学霸总是这么厉害吗？就连青春痘都了解得这么清楚，还能说出这么有哲理的话。

许是同病相怜，我和他之间可聊的话题越来越多，有时学累了，我们还会互递零食。怪味豆和辣条曾是我的最爱，现在我则会断然拒绝，好似递过来的是砒霜。他不在意地通通丢到嘴里：“怕什么，让痘痘来得更猛烈些吧！”真是佩服他无视青春痘的心态，一准是因为他是男生，一准是因为他一直优秀，才能如此坦荡。

又到每周例会，隔壁班的男生因为打架被点了名。真是想不通，那么瘦弱的一个男生敢和一群高壮的同学扭打在一起。事后问清缘由，原来是长着满脸青春痘的他被同学嘲讽，还被画了头像贴在宣传栏。教导主任对打架双方各打五十大板地训话：“把心思多用在学习上，不要天天盯着那张脸，当成天大的事。因为一件小事就打架，不利于团结。当然，更不应该就同学的外表进行讥讽……”

我双手托腮，脸上滚烫，那是一颗颗痘痘在愤怒地燃烧，委屈的眼泪也在眼眶里打转。身后的小王子打抱不平：“那个男生分明是为青春而战，何错之有？既然战了，那就干一场大的！”

又到校园广播时间，小王子的声音在喇叭中响起——《“痘痘联盟”倡议书》，一字一句，慷慨激昂。

“青春飞扬，痘痘做伴，青春痘是青春的标志，激素的馈赠。长在脸上的是痘，留在岁月里的是成长。不必在意他人的嘲讽，那是无理与无知的行为。终有一天，我们会与青春痘告别，同时告别的还有青春带来的冲击、迷茫、犹豫、憧憬。我有痘痘我骄傲，大声喊出我们的口号——痘痘不是痘，都是智慧！”

此时，整个校园变成翻腾的海洋，海浪卷起，拍打着每个人的心。我靠着栏杆，抬头望着湛蓝辽阔的天空。灿烂的阳光打在脸上，我感觉脸上的每颗痘痘都在闪烁，跳跃的心随着划过的飞机，甩着长尾，穿过云层，渐渐飞向远方。

好像一夜之间，大家都接受了青春痘的存在，认可它是青春必有的印痕，不再执着于让它消失，更没有人再以此嘲笑他人。晚自习时，偶有同学欣然喊着：“哇，我长了颗青春痘呀！”大家一起鼓掌，振臂欢呼：“我痘故我在！”然后继续埋头做题。

“二模”考试成绩下来的时候，我的排名重新回到前十。换座位时，我发现那面菱花镜子在抽屉的角落蒙上了灰尘。我已很久没有在课堂上照镜子了，脸上的痘痘依然倔强地挺立着，但早已失去对我的“杀伤力”。

终于到了告别的季节，校园里的凤凰花开得如火如荼。拍毕业照时，我大大方方地梳起马尾辫，露出额头，那些青春痘依然清晰可见，但是管它呢。多年以后，我也要看清自己青春时的面容。我望向小王子，他冲我伸手比画了一个“V”。一二三，一起大声喊出“再见”！每个人的脸上都绽放出最美的笑容，青春就此定格，瞬间便是永恒，难忘而珍贵。

曾经，青春痘是成长路上的拦路虎，让青春变成一扇笨重迟缓的大门，我奋力地想要推开它，却被撞得遍体鳞伤。一如我们跌跌撞撞摸索着打怪升级，以为怪兽只是课本和试卷，后来才发现课本之外的成长才是真正的考验。请相信，青春是最好的容颜，它会随着岁月，脱去青涩、稚嫩，变得从容、坦荡。当你与青春告别时，一定会怀念它曾经的模样。

（本刊原创稿件，Cyan Lin图）

等风起，等火车来

●金松鼠

我和齐冲都住在一座高架桥底下。

我们的童年里总是回荡着“轰隆隆”的火车声。高架桥上的火车从遥远的地方开来，伴随着桥墩上颤动的爬山虎，河岸边晃晃悠悠的芦苇丛，还有倏忽泛起的水波，慢慢消失在远方。

我们年纪小，对一切事物都充满好奇。我们两个人总会坐在家门前，一起兴致勃勃地等待火车。我们会预测火车的颜色、火车上标记的班次，甚至火车经过的时间。等待总归是充满趣味的。

“火车开来了，快出来啊！”

“来了，来了。”

齐冲是我最要好的朋友。从小学开始，我们一直是同班同学，每天一起回家。他是个能从一切事物中获得乐趣的人，喜欢把卡纸折成飞机，扔到河对岸，然后踩着独木桥飞快地跑过去捡。

十岁那年的暑假，我们俩偷偷开走我爷爷的电动三轮车，结果没骑几米，车子就一头栽进旁边的水沟。本来还发愁该如何交差，但是看到对方沾满泥巴的脸时，我们顿时笑得直不起腰来。

我们关系好的原因，很大一方面是我们的爸妈都不在身边。我的爸妈在北京打工，而齐冲的爸妈很早就离婚了，他归爸爸，弟弟归妈妈。有时望着头顶驶过的火车，他的眼里充满悲伤，似乎在说：要是妈妈和弟弟都在里面就好了。他的难过，我最能感同身受。

当亲情缺失，友情便显得弥足珍贵。

我们牢牢记着对方的生日。每次快到时间，我就用积攒的钱买小蛋糕，他买蜡烛和零食。我们挑选午后阳光最好的时候，点燃蜡烛，边吃蛋糕边聊天。

“你将来想做什么？”我问。

他想了想，摇摇头说：“不知道，你呢？”

“我想当作家，大作家，把有趣的事写进书里。”

“难怪你老写日记，原来是为了当作家。”他恍然大悟，“记得把我也写进书里，写得越多越好，我会看的哟。”

我笑着答应了，许下人生中的第一个承诺。

日子虽然平凡，但我们每天都有新的约定。我们相约长大后，报考同一所大学、同一个专业，到时候一起搭火车去见识外面的世界。我们乐此不疲地幻想着以后，从没想过会面临分别，但意外总会不期而至，这就是人生。

初三是伤感的一年。班里来了个转校生，个子特别高。他不仅乱翻别人的抽屉，还经常偷东西，可以说是劣迹斑斑。班里人都害怕他，没人和他玩。我和他没有什么交集，直到有一天，我从同桌口中听说，他趁中午放学拿走了我书包里的五十块钱。

我找到他，他并不承认。他一边轻蔑地笑，一边掏兜，表示里边的五十块钱是他爸妈给的，还叫我拿出他偷窃的证据。

难以说清这是多么

雪

陈年喜

雪来的时候
风开始隐藏起来
雪因而获得了寂静
满世界的雪啊
把旧河山再次翻新

有雪的地方
就有了童年
童年是雪落得最厚的一部分
穿红戴绿的童年 风中奔跑的童年
它没有旧 也不懂得怀旧
更不懂得
修剪过于蓬松的欢乐

栅栏被雪关上
又被雪推开
苦楝树显得更加高大
一夜间 雪为它长出了新的叶子
围炉的人 夜奔的人
一言不发
喧嚣的日月
在山脚的大河上亡命流淌

（海城楼摘自江苏凤凰文艺出版社《陈年喜的诗》一书，视觉中国供图）

尴尬的一幕，我傻傻地站在原地，尴尬和气愤让我满脸通红。我知道就算找来老师，他也会拒不承认，结局是显而易见的。这时，身后的齐冲缓缓走了上来，二话不说一把揪住他的衣领，两个人瞬间扭打在一起。齐冲个子很矮，但此刻却像一头凶猛的斗牛。我愣了几秒，也冲了上去。

战斗很快结束了，有人找来老师，于是我们仨鼻青脸肿地站在教室门口挨训。齐冲流鼻血了，拿纸巾使劲擦着，不经意和我对视一眼，我们俩“扑哧”笑出了声。我毫不担心将来那个坏蛋会如何报复我，我不再害怕他了。

学校里流传着齐冲的“光荣事迹”，只有我知道，这是他离开前，给我的最后礼物——他的爸妈复婚了，他很快要去另一座城市生活。

“我要去坐火车了。”他兴奋地说，“我一定能在桥上看见你，到时候你要抬头。”他的眼睛里闪着光芒。我知道真正让他开心的不是有机会坐火车，而是终于能和想念的家人团聚。我却是难过的，我将失去最好的朋友，与我共同仰望天空的朋友。

在分别前，我已经郁闷了很长时间，但我还是在日记里写下摘抄来的话：“离别是为了下一次重逢。”

齐冲离开的那天，我带上礼物去送别。当察觉到视线模糊的时候，身为男孩的自尊让我跑回家里。之后的五个小时，我都坐在家门口，仰头看着上方的高架桥。

这是我们的约定，朋友间最后的告别。

可惜的是，我没能在火车上看见他。火车开得实在太快了，像风一样，每一扇窗户都在反光。不过我想，他应该看见我了，在某一节车厢里用力挥舞着双手，大声呼喊着我的名字。

那以后，我们再也没见过面。相约寄出的信件，出于种种原因，终究没能寄出去，一切回忆停留在了十六岁的夏天。

时光荏苒，有时候写着稿子，我会突然想起齐冲和我说过，他以后想当火车司机。我问他：“开火车难道不是很无趣吗？三百六十五天都是一样的。”他赶忙解释：“开火车才不无聊哩，你能看见多少风景，遇上多少有意思的事，甚至能决定什么时候鸣笛，这是世界上最有趣的工作。”

火车啊，童年啊，一去不复返了。可回忆一直伫立在那儿，像高架桥一样。

如今每每走到熟悉的那片阴影下，听到火车鸣笛的声音，我还是会习惯性地仰头。

等风起，等火车来。

（本刊原创稿件，勺犇图）

“向未来求援”，我要救回我的狗

●蒋济泽

在电子游戏《我的世界》里，玩家可以驯服狼，使它变成狗。不管你走多远，这只狗都不会因“区块刷新”而消失。也就是说，除非“死”了，否则这只狗能够在你的游戏中永远存在。但在时刻充满各种危险的游戏中，玩家们并不能保证自己宠物的安全。

我的朋友大壮，有个朋友叫小帅。小帅每天都会在他的电脑里遛狗。由于他在现实生活中没有养任何宠物，所以《我的世界》里的狗，就成了他唯一的宠物。

一天，他正在游戏中带着这只狗爬山，他的“饥饿值”快掉光了，于是他吃了一块“羊排”。正吃着，他一回头，发现狗正站在悬崖边上。他赶紧上前，想把狗召唤回来。但狗一看主人也在往自己的方向走，便想都没想就继续往前，结果失足掉了下去。还好小帅眼疾手快，按了ESC键，让游戏停在了那一瞬间。

小帅玩了3年的这个游戏就这么被“封印”了，谁也不知道什么时候能够解封这个存档。唯一能确定的是，小帅永远不会放弃他的小狗。

他把存档复制了5份，放在5个不同的空U盘里，这些U盘也被放在5个不同的地方——

“向未来求援”计划开始了。

他开始在网上描述这个计划并求助，凭着自己在按ESC键前最后一刻的记忆，模拟了无数次当时的场景，精细到自己盔甲的耐久度、武器的耐久度，以及自己当时带了什么物品……但在将近5年的时间里，他在网上得到的回应和种种迹象都表明，通过现有的游戏设置和技巧，不可能救下他的狗。

小帅绝望地把游戏内的存档移了出来，存到了D盘。他发誓在找到解决办法之前，自己决不碰它。

2023年，《我的世界》又更新了。小帅和他的朋友发现，在新的游戏版本里，玩家只要在一秒钟内完成7次方块的置换，游戏中的“巨型丛林”就会长出“藤蔓”，掉下悬崖的小狗就会落在“藤蔓”上，免除摔落伤害，也就不会“死”。

“建造”巨型丛林需要4棵“树苗”，还需要用“骨粉”催熟，“树苗”才能快速长成。但最大的技术问题是，要在一秒钟内置换方块7次，而且在最坏的情况下，可能还要多置换一次。小帅和他的朋友通过不断研究，终于发现利用新版本中的游戏漏洞，理论上刚好可以完成这个极难的任务。然而，理论上的问题解决了，接下来的实际操作却极其困难。因为根据他们的计算，小帅需要在一秒钟内按11次鼠标，并且是左右键交替地按，这几乎是不可能完成的。

但是，小帅为了他的小狗，选择了超越极限。“只要理论上可行，实际操作就一定可以成功”，因为我们是游戏的操作者，所以我们有无限的时间去追寻理论，去实验，去模拟。

可喜可贺的是，小帅几乎没有花多少时间就熟练掌握了这项技术。

终于等到在真正的游戏存档里救狗的时刻了。小帅知道，他在这之前可以模拟、失败无数次，但这一次他绝对不能失误。如果失误了，不仅之前的努力全都白费，他的狗也就永远回不来了。

小帅郑重地点了“回到游戏”，接着行云流水地完成了操作……他成功了！他救回了他的狗。在14岁的时候，他完成了历时5年的“向未来求援”计划。

◎蒋济泽妈妈：

儿子讲这个故事时，我在开车，他坐在副驾驶后座。之前我们聊了什么，我不记得，总之与此无关。他突然提起这件事，滔滔不绝地讲着。晚上9点多，声音自车后排传来，我看不到他的脸。其中的游戏术语，我都不懂。讲完，我们俩在黑暗中沉默了10分钟。

作为一个从不玩游戏的家长，我提出很多问题，儿子耐心地解答并补充了一些细节：

男主小帅6岁起开始玩《我的世界》，在里面把一只狼驯化成宠物狗，每天遛它。3年后，也就是小帅9岁的一天，发生了一个意外，小狗跳落悬崖，小帅赶紧暂停游戏，存档，备份，开启“向未来求援”计划。其间，他做过各种努力，试图解救小狗。

1.根据记忆还原当时场景的每个细节，并不断练习。但以当时的游戏版本属性，小狗没有存活的可能。

2.学会上贴吧求助，收到一些回复。网友也是告诉他，现在没办法救小狗。

3.持续跟踪《我的世界》的每次更新，钻研有没有新属性正好可以救狗。

4.在2023年更新的一个版本中，小帅发现其中有个漏洞——能够利用“骨粉”催熟悬崖下面的“藤蔓”向上生长，接住下落的狗。

5.小帅经过周密计算，发现只有在一秒钟内点击11次鼠标，才可能让“藤蔓”的生长速度超过小狗的下落速度，在它落地前接住它。于是小帅疯狂练习，直到熟练度达标。

6.小帅把之前“封印”的存档移入新版本游戏，进行升级，点击“开始游戏”，成功实施救援。

这个过程只有几秒钟，而完成这一切，小帅花费了5年。他14岁了，他又可以每天在游戏里遛狗了。

现实中，狗的寿命有十几年，如果是真的，小帅的小狗该有8岁了，可以陪他从童年走到少年，也会从一只小狗长成老狗，他们之间会拥有很多温馨的记忆吧。在“向未来求援”的5年中，小帅没有这些陪伴，却从来没有想过放弃。

儿子说：“我们都知道那只小狗只是一串数据，永远不会知道小主人为它做过什么，但是我们还会对它付出真感情。”

曾经，家长拿自己看过的书和电影、经历的人情世故，试图去感动和影响孩子。如今，猝不及防，他们已经跑回来，反哺和滋养家长的精神与情感世界了。

曾经，我以为，爱必须设定具体对象才可以培养，爱父母，爱兄弟姐妹，爱大自然……其实，爱可能仅仅是一个意愿——为了几乎不可能实现的目标，义无反顾、所向披靡地去努力。

（阿建摘自《北京青年报》2024年2月14日，胡晓江图）

命名的焦虑

●周毓之

有段时间，我发现自己陷入了一种命名的焦虑。在路上遇见一种美丽的花，就会急于知道它的名字，否则心里就有一种莫名的不安。好在现在有很方便的手机小程序，可以拍照上传，辨识后会告知其名。它有时也会出错，但大致还是可靠的。

细细想来，这可能还是一种占有的心理在作祟。命名，归类，存入记忆库，似乎就以某种形式占有了这种美丽的花，比如蜀葵、夹竹桃、铃兰、木棉……下次遇见，就能从记忆库里打开一个文件夹：花卉；再打开一个文档：蜀葵，属锦葵科，原产于中国，因最早发现于四川，故名“蜀葵”。细细地观察与品味植物本身，倒在其次，甚至干脆被我忽略了。比如初次遇见的那朵蜀葵，它的颜色、轮廓、气味，与我眼前这朵的有什么细微的差别？眼前的这朵，正在盛放；而旁边的那朵，还在含苞状态；地上则已落英缤纷。细看每一朵，都各有不同。

诗人于坚曾写过一首短诗：“一匹马跑过草原/被诗人捉住/关进形容词的马厩里/骏马/死掉的马。”我们可以如此仿写：一朵花开在路边/被我捉住/关进名词的记忆库里/蜀葵/死掉的花。如此咬文嚼字，当然并非要否定植物分类和命名，在学术研究和日常生活中的必要性。孔子也早就指出，读《诗经》可以“多识于鸟兽草木之名”“名不正，则言不顺；言不顺，则事不成”，可见其对“名”之重视。但对人和物之“名”的重视一旦超过其本体时，我们就会成为英国作家卡内蒂笔下的“瞎子”，对本体之美视而不见。

这位1981年诺贝尔文学奖得主有本非常特别的小书——《耳证人》，描述了50种极端性格的人。其中有一则《瞎子》，描述了这样一种人：“瞎子天生并不瞎，但他花一丁点儿力气就变瞎了。他有个照相机，他到哪儿，哪儿就有它，他的享受是长闭眼睛。他走路如同睡觉，什么都还没看见就给什么拍照，因为以后全都一景连着一景地摆在那儿，一般小，一般大，一律方形，裁边整齐，加上命名，编上号码，已被证明，可加出示，那时毕竟看得更清楚。”

我们看见一朵花，心里默默地念出它的名字，似乎就完成了观赏，以为自己已拥有了这朵花的美，其实也等同于将一个又一个独特的生命个体编码分类，储存进自己这个“移动硬盘”。打开的感官、柔软的心灵，都变成“硬盘”，钝化、固化、格式化，秩序井然，整齐划一，却失去了原有的丰富与灵性。这大概也是我们在这个大数据时代不自觉的异化。

“玫瑰即使换了一个名字，也依然芬芳。”《罗密欧与朱丽叶》中的经典台词，提醒我们放下命名的焦虑，沉醉于眼前这朵玫瑰的芬芳。如同我们遇见了深爱的人，心瞬间就张开翅膀，缓缓飞翔，直到那月亮之上，进入一方皎洁宁静的圣境。而他的名字，已经完全不重要了。

（肖霄摘自《今晚报》2024年1月31日，视觉中国供图）

用心吐字，用爱归音

●孙颖 李津婵

2023年毕业季，董丽娜的毕业演讲短视频刷屏了，网友纷纷夸赞："用心吐字，用爱归音。"一个视障人士，原本似乎只能走一条按摩师的路，却跳出命运既定的安排，成为全国首位视障播音硕士，并以真挚的表达征服了所有人。她的人生不仅是一个励志的故事，更是人生有无限可能的最好例证。虽然命运剥夺了她的光明，却未能减损她对生活的热爱。她像一朵努力向上攀爬的牵牛花，不断生长着。以下是她的自述。

刚入学时，同学们问我："你需要我们怎样对待你？"我跟他们说，我希望能被平等地对待，不需要优待，更不想因为视力问题被降低要求。从入学到毕业，从每一次考试到最后的论文，学校对我的要求和对别的同学的一样，但同时也会给我很多个性化的支持，比如盲文试卷、电子版文献等，这正是我想要的一种融合教育。

研究生阶段对阅读量的要求非常大，播音主持专业却连一本盲文专业书甚至一页盲文教材都没有。该怎么办呢？我试着用读屏软件，把文字转换成声音。每一本书从头到尾听下来，反复听，我在这个过程中要比别人下更多的笨功夫。

也有许多温暖的小事，比如，导师一直劝我放松一点，因为我是一个完美主义者，时间长了整个人的神经就绷得很紧。一次上课，他就说："你不要那么努力，在我面前慢慢来，不要着急，像面对家人一样。"然后他马上转头，对其他同学说："你们给我好好努力。"大家都笑了。

其实，我人生中有过一段特别难熬的时光。那段时间我在做推拿的工作，那也是当时绝大多数视障人士选择的一条路。每天早晨8点起来等候患者，一直忙到凌晨才休息。比起身体上的辛苦，更让人感到煎熬的是，我不是特别喜欢这份工作。推拿很好，为他人解除病痛是一件很棒的事，但它不适合我，我总觉得自己还可以做点别的。那三年，我心里一直有股劲儿，想找到新方向。后来，有一个为视障人士免费提供的英语函授学习机会，我毫不犹豫就抓住了。当时，除了推拿，剩下的时间我都用来学英语。大家都觉得：这个人疯了吗？为什么要做让自己更累的事情？

那时，我也不清楚学英语会怎么样，但它至少是一种让我保持学习能力的方法，而我喜欢学习，尤其是学习那些自己没有见识过的东西。我总觉得人在低谷时，故步自封并不是办法，应该多尝试，直至找到自己真正热爱的事。

多年前，当我说要做播音员时，身边所有人都嘲笑我。他们说："你做梦呢？""你凭什么呀？"还好我坚持了下来，把路走通了，机会也就水到渠成地到来了。尽管这个过程有人质疑，但更多时候我都遇到了热心帮助我的人。

我们不能因为动听的声音，就把属于自己的责任托付出去；也不能因为非议，就停止向前跋涉的脚步。归根到底，人生太短，要去做一些自己认为值得的事，去做一些该做的事情。

（白醒摘自《报刊精萃》，视觉中国供图）

不值得科普的科普

●江郑星

“万一有人需要呢”

2023年春节期间，小张（本名：张梦真）在家刷短视频，偶然看到一个女孩在网上更新日常生活。女孩说，自己一直忙于上学和考试，还从没走出过自己的小圈子，甚至不知道怎么坐飞机。

女孩原本只是抒发情绪，评论区的留言却格外温暖，网友们纷纷留下了鼓励和安慰的话语。不少网友表示，自己同样没有乘坐飞机和高铁出行的经验。小张随即回复：“下次有机会，我会更新一条视频，手把手地教你。”

小张没有食言。春节后乘坐高铁返程时，她事无巨细地拍摄了搭乘高铁的整个流程和注意事项。经过剪辑，短视频作品《如何坐高铁》被推送到网友面前。“我也不知道有没有人看，但是万一有人需要呢？”小张在视频里宽慰自己。

结果出乎意料，这条寻常中带点絮叨的分享视频拨动了小张命运的齿轮——《如何坐高铁》收获了57.4万次点赞、4.3万条留言、15.5万个收藏和9.6万次转发。小张口中的“万一”真的存在，热搜和赞美像潮水一样涌来。面对突然的走红，小张受宠若惊：“你们不要再夸我了，我只是做了该做的事情。”

在与网友互动的过程中，小张发现《如何坐高铁》的视频受众中有不少年轻人：有的是向往大都市的小镇青年，对城市生活心存疑虑和胆怯；有的是刚离开学校，即将独自面对社会的毕业生，其生存技能还不够完备；还有的是天真懵懂的中学生，正试探着观察外面的世界。对他们来说，生活中再稀松平常的小事，都是一场史无前例的挑战，需要他们摸着石头过河。

小张惊讶于有那么多的需求被忽略，于是决心做一组视频，也就是引发全网关注的“如何如何”系列。她打算手把手地教学，向大家普及生活中看似不需要普及的小常识：如何办银行卡，如何看电影，如何在餐厅点单……如今，小张已经更新了几十集相关视频，这些视频或多或少地温暖着网线另一端独自咀嚼、消化着自卑和孤独的人们。

被传递的温柔和善意

“这些内容不是常识吗？”网上关于“如何如何”系列视频的讨论中，关键词往往离不开“常识”二字。有人赞美小张的热心和细心，也有人站出来质疑创作这些作品是否有必要。小张对这些质疑并不在意，她相信自己在做一件有意义的事情。

“不是每个人都出生和成长在有高铁和飞机的大城市，我希望给那些刚接触城市生活的人分享一些经验。”小张说，“我的视频可能没有涵盖所有细节，但我想传达的思想是，不要害怕面对那些你从未接触过的东西。”

城市快速扩张，网络让世界看起来更近也更小。不知不觉中，好多人都习惯了用精英视角看待事物，言语间透露出“何不食肉糜”的傲慢。可事实上，并非所有人都在大城市生活过。一部分人以为的“常识”，在另一部分人的世界里甚至从未出现过。

小张分享了评论区一位粉丝的故事。这位粉丝在看到“如何如何”系列视频后，迅速转发给她的妈妈。她的妈妈一直生活在小县城，没有合适的机会、足够的勇气出门去看看。可现在，因为小张的视频，她有了走出去的勇气。“虽然每座城市的高铁站长得不一样，但我多看几遍视频，一遍遍琢磨就学会了。”一边看视频学习，一边投身实践，这位粉丝的妈妈第一次来到女儿工作的城市，见到了完全不同于家乡的世界。不难想象，迈出这一步后，她会继续尝试更多的“第一次”。

这样的故事并不罕见，温暖和善意正通过互联网传递开来。在小张的视频评论区，网友们互相帮助、补充细节，为大家分享更细致的生活经验。大家渐渐意识到，提出这些“常识”问题，并不是一件令人羞耻的事。“没出过县城的高中生真的很需要这种科普视频。”“你在做一件很伟大的事，我很钦佩你。”“为什么会有人没坐过飞机啊？”“比如出生在小县城的我。”

没有人天生就什么都会，知识盲区的存在并不可怕，傲慢与偏见才是不可取的。小张的视频让网友们从“第一次”的视角出发，真诚平和地看待这个世界，也呼吁给每个人的“第一次”一些耐心、一份尊重、一点帮助。“如何如何”系列视频能够“出圈”，不在于它解答了多么深奥的问题，而在于它让人感受到了温柔和善意。

不值得科普的科普

如今在互联网上，像小张这样的热心博主还有很多，他们努力传播着一些看似不值得科普的科普知识。比如73岁的退休教师杨维云奶奶，她总是笑盈盈地在直播间里教成年人识字。你可别以为人人都识字，杨维云奶奶的视频背后有着庞大的受众：据第七次全国人口普查结果，全国15岁及以上不识字的人有3775万。

我们会为认识一个生僻字而惊喜，也应该体谅那些出于种种原因而目不识丁的人；我们可以为了解到“黑暗森林法则”而欢呼，也可以为认识到“怎么在酒店办理入住手续”而雀跃。正如法学教授罗翔说的，“不要因为别人的不理解而带有知识上的优越感，也不应该因为你懂就瞧不起那些不懂的人，你其实应该帮助他们”。

短发、圆脸的小张，谈吐亲切又可爱。她凭着细心和耐心，收获了越来越多网友的认可和喜爱。小张火了以后，有些粉丝会在其他博主创作的类似主题的作品下面提到小张，捍卫小张的“原创”地位。

小张反倒不太介意，她很高兴看到越来越多的人关注生活经验科普领域。有更多的热心博主为大家科普知识，就会有更多的人从中受益。“我最开始做视频，就是想要帮助没那么多社会经验的朋友们，让大家获得一些生活技能。这个题材人人都可以拍，不是我的专利。而且有许多角度是我拍不到的，需要大家一起努力。”她说。

不值得科普的科普很有必要，它就像一本被学校教育遗漏了的教科书，许许多多像“打工仔小张”这样的互联网创作者，正在用各式各样的内容，为很多人补上生活的必修课，免去“第一次”的无助和迷茫。“小张们”的走红，绝不仅仅是一个偶然现象。他们听到了那些被忽略的声音，通过互联网的力量，这些声音被放大、被传播，也让更多的人对生活有了新的理解。

（成风摘自《中学生天地》2024年第1期，邱炯图）

典故里的“带货达人”

●项伟

“带货”特指明星、网红、社会知名人士等通过网络媒体对某一商品进行助销，继而引发大范围流行、抢购的现象和行为。不过，“带货”可不是现代人的发明，其实古人早就在玩了，随便翻翻那些藏在史书里的典故，就能发现不少有温度的“带货达人”。他们不仅有着高超的“带货”技能，其目的也远比现代人的单纯得多。

“洛阳纸贵”既是一个成语，也是一则典故，最早出自《晋书·左思传》。晋代的左思写成《三都赋》之后，因被人竞相传诵、抄写，导致洛阳当地的纸张脱销，价格暴涨。表面上看，这是一则富有文化气息的历史典故，实则背后藏着一个“带货”的小故事。

出生于儒学世家的左思，从小就勤奋好学，曾耗时十年完成了《三都赋》。可是这一被后人奉为经典的名篇，在刚写成时并无人问津。原因很简单，左思同学在当时既无名气，也无人脉，加上口齿笨拙、不善于推销自己，自然没人关注他。

一个偶然的机会，他认识了皇甫谧，一位在文艺界威望极高的学者，从此左思命运的齿轮开始转动。皇甫谧读了《三都赋》之后，大为赞赏，亲自为它作序，还向朋友和同人大力推荐。在他的力推之下，更多的人知道了《三都赋》，当时著名的文学家张载、刘逵等人都先后为它作序或注释。就这样，在名人的“带货效应”及优秀的“宣传文案”（序）的帮助下，《三都赋》的名气越来越大，引得豪贵人家、文人骚客等竞相传写，以至于一度让洛阳的纸张都供不应求，价格居高不下。只是让皇甫谧等大咖没想到的是，他们带的“货”原本是《三都赋》，结果却连带着让洛阳的纸张也大火了一把，让卖纸的市井百姓也一并得了不少的实惠，这倒真是无心插柳之举了。

《东坡诗话》里记录了一则“卖扇还债”的典故，充分体现了大宋“顶流”苏东坡的“带货”能力。话说东坡先生在杭州做官的时候，断过一桩官司。一个卖绢扇的商人，因无力偿还拖欠绢商的二万文钱，被告到了衙门，这事正好让苏东坡碰到了。东坡问：“为何不还债？”扇商哭丧着脸说：“不是不还，由于家中老父亲去世，办丧事花光了积蓄，此时还钱实在是有心无力。”东坡又问：“还有扇子吗？”扇商回答还有二十把。东坡笑道：“你只管把扇子拿来，明天过来取钱就是了。”扇商将信将疑地取了扇子交给东坡。当晚，东坡就着烛光，将这二十把扇子全部题上了自己作的诗词，还画上了枯木竹石。第二天一早，他将扇商与债主叫了过来，对商人说：“我为你还债的事，忙了大半夜，你现在就可以拿着这些扇子到街上叫

耳朵是风的故乡

●左右

有时候总觉得风从我耳朵里吹来，耳朵才是最初产生风的地方。

天上的云，只不过是风路过这个世界时最后的驿站。

风吹过，我才想起我还有两只形同虚设的耳朵。就像有时候，风吹来，那些灰尘是多余的，脸上刮过的刀子也是形同虚设的。风就是我的耳朵，它吹到哪儿，我就抵达哪儿。即使再远的远方，我也会很疲惫地抵达，欢乐地沉睡，只是有些地方的呼吸，我累得无法触摸，于是周围的声音是喑哑的，没有人能够将它听见。

花朵是风吹红的，矮草和树叶是风吹绿的。总觉得当风吹着的时候，我的耳朵是温柔的变色龙，一会儿和花朵一样红，一会儿和草木一样绿，一会儿和皮肤一样黄，一会儿和石头一样黑，一会儿和云朵一样白。当然，它最重要的颜色，还是像风一样的无色。我有一双隐形的耳朵，它们无色无味，或许它们应该有一个漂亮的名字，叫作“天耳”。我脑袋上的那两只形同虚设的耳朵，是假的，我随时都可以将它们关掉。风之子无处不在。有时候它可以是一滴水，一首歌，一地烟灰。灰尘落地，或者百兽的怒吼、鸟群的欢叫、人类的哭泣，都是风最钟情的儿女。它赋予这些孩子，可以肆意发声也可以沉默的权利。

在耳朵寂静的夜晚，风也寂静了。它躲在耳蜗深处，像个婴儿一样手脚朝天。

当耳朵丢了的时候，我才会想起风。或者当风不再乱吹的时候，我才会下意识地摸一摸耳朵。它们形影不离，彼此默守孤单。

当驿站只剩下告别，耳朵就会担当起它呼之欲出的角色：风的故乡。

（丁丁摘自宁夏人民出版社《我的耳朵是一座巨大的寺庙》一书，视觉中国供图）

卖。记住，一千文一把，不能多也不能少，卖扇所得的钱，应该正好够你还债。”

两个人嘴上道谢，心里却在犯嘀咕——这事能成？谁知道刚走出府门，闻讯赶来的市民就将这些题有苏轼诗画作品的扇子抢购一空，那些晚来一步的人只能捶胸顿足，叹息不已——此事在当时的杭城被传为美谈。这件小事虽说是苏东坡一时兴起便随手为之，却也从侧面证明了东坡先生的“带货”能力和号召力，比起现今那些拥有百万粉丝的“网红”，绝对是有过之而无不及。

巧合的是，一代“书圣”王羲之在离杭州不远的山阴县（今绍兴市）任职的时候，也曾即兴“带货”，以题字的方式，帮一个在桥上卖竹扇的老婆婆推销本来滞销的扇子。当地人为了纪念王羲之，就将那座桥命名为“题扇桥”。

细看这些藏在典故里的“带货达人”，会发现他们有一个共同点：不管是为了提携后进，还是帮人纾困解难，其本质上都是在助人为乐。虽然这些“带货”的小事，对他们来说可能只是举手之劳，并不想标榜什么，但人们会深深记得。

（夏清摘自《滕州日报》2023年11月10日，小黑孩图）

希望人人都有一颗『动物园脑袋』

●沈杰群　余冰玥

2023年7月23日，青海省海北藏族自治州海晏县，荒漠猫“黄太急”佩戴卫星定位项圈后被放归野外

广州长隆野生动物世界突破繁育难题，促成科莫多龙交配

南京市红山森林动物园专门成立了一所猫头鹰学校，经过几个月的救治和训练，被救助的猫头鹰也陆续“毕业”

上海野生动物园“00后”保育员张淑雯正在照顾4岁的红猩猩“小葡萄”

如今很多年轻人说，自己长了“动物园脑袋”，逛动物园成了生活中一件很流行甚至非做不可的事。一些动物还因此成了人气极高的大明星，拥有自己的粉丝群甚至周边产品。

那些和动物朝夕相处的“人类家长”，怎么看待“动物园热”？当热潮袭来，动物园方又该如何做好管理、保护、科普和科研工作？

动物园治愈年轻人的“自然缺失症”

位于青藏高原的西宁野生动物园（以下简称“西野”），是青海省唯一一家大型野生动物园，承担着全省的野生动物救护工作。

许多年轻人不远千里赶来，排着队观看明星“狲大娘”一家，争着和雪豹“傲雪公主”拍照。大家不仅在微信上用着兔狲的表情包，还在新浪微博“超话”中关注着被放归的荒漠猫“黄太急”。

为什么年轻人会爱上西野的动物？副园长齐新章说，比如兔狲，其实动物园一直都在养，但没有几个人来看。后来，齐新章有意识地做宣传和策划，为动物取了有趣的名字。

齐新章认为，动物的“反差萌”容易受到年轻人喜欢，比如兔狲体形很小，战斗力较弱，但是看起来气势非常强大，总露出一副“我藐视这个世界”的表情。

在南京市红山森林动物园（以下简称“红山动物园”）园长沈志军看来，城市里的现代动物园，是为野生动物在都市里打造的一个栖居场所。

“现在的年轻人工作和学习的压力都比较大，所以希望能有一个放空的场所，那么逛动物园自然就成了治愈年轻人‘自然缺失症’的一味良药。”沈志军觉得，追逐自然、向往自由是每个人的天性。

红山动物园既是动物园，也是一个野生动物收容救助中心，经常有市民把初学飞行掉到地上的雏鸟、受伤或迷途的小动物送到红山动物园来，这都是人们天性善良的表现。“关注自然，热爱生命，是人类文明不断发展的标志。”沈志军说。

动物福利没有“天花板”

上海野生动物园的“00后”保育员张淑雯告诉记者，在动物园工作，就是自己小时候最大的梦想。

张淑雯小时候几乎每个月都要去一次动物园，动物让她获得了“治愈感”。高考填报志愿时，张淑雯的爸妈希望女儿学金融、教育等专业，而张淑雯坚持填报了动物医学专业，并如愿被录取。

毕业后进入动物园，张淑雯一开始被分配在袋鼠和羊驼区域工作，后被调去灵长类区域。她主要负责照顾的动物是一只名叫“小葡萄”的红猩猩幼崽——上海野生动物园内出生的第一只红猩猩。因为“小葡萄”的妈妈要带刚出生5个月的弟弟，所以照顾“小葡萄”的重任就落到了张淑雯的身上。

“猩猩幼崽跟小孩差不多，很贪玩，所以我们会给它一些毛绒玩具或者木头。到一定年龄后，它的活动量需要增加，我们就会添加爬梯等玩具。”在上海野生动物园的红猩猩广场上，就有专门为猩猩制作的云梯和蹦床。

张淑雯介绍道，她和其他工作人员会在红猩猩成长的每个阶段对其饮食结构进行调整，以确保幼崽补充所需营养。“我们每天会通过观察它们的食物摄入量、粪便、精神活动等检查它们是否存在问题；猩猩幼崽对环境的温度也非常敏感，我们会不时为它们调节温度，每天都会做好相应记录。照顾幼崽，我们需要更多的耐心和更强的责任心。”张淑雯说。

沈志军说，虽然红山动物园的饲养员每天都在绞尽脑汁地给动物换着花样做玩具、做丰容，但动物偶尔还是会出现刻板行为（动物的一种行为，一般会发生在被关了很久之后，比如围着笼子一直走）。“每每在后台看到网友的相关留言，我们都会感觉到内疚和羞愧。只有去花更多精力，努力提升动物福利，减少它们的刻板行为，我们才能对得起公众，对得起这些动物。”

“动物福利没有最好，只有更好，没有‘天花板’。”沈志军说。

做好动物保护、救助、科研和科普

对西野而言，野生动物救护工作是常态。该动物园还有另一个名字——青海野生动物救护繁育中心。近年来，西野前后救护了约1800只野生动物，许多被救助的野生动物经过评估后符合放归条件的，都回到了大自然。

“动物被观赏”，并不是动物园的唯一功能。做好动物保护、救助、科研和科普工作，是大众往往看不到却至关重要的部分。

广州长隆野生动物世界（以下简称“长隆”）是亲子游的热门选择之地。实际上，长隆长期致力于做好科研工作。长隆成立了长隆动植物研创院，以推进全球珍稀物种保育研究工作。学院下设长隆鸟类研究中心、长隆灵长类研究中心等15个分支研究中心，同时构建了认知科普、研学科普、保育科普体系，开发了100多门课程，宣传野生动物保护知识，并推动科普进校园。

2019年，长隆突破繁育难题，促成科莫多龙交配。2020年，经过两个月的妊娠期和长达8个月的孵化期，9条科莫多龙被成功孵化。目前，长隆已繁育了25只科莫多龙，是全国最大的科莫多龙繁育基地。有人说：“龙年可以去长隆一睹真‘龙’了。”

做好动物保护，至少有两点，一是救护，二是繁育。“这是动物园的本分。”齐新章说，“我们要保护野生动物，遇到受伤的、病弱的个体，就去把它们救活，努力帮助具备条件的个体重回野外。有一些个体没办法回归野外，我们就在动物园里养好它们，甚至通过人工繁育来扩大种群数量，这也是一种保护。还有一些极端个体既没办法放归野外，也没办法人工繁育。在这种情况下，通过饲养展示，让更多人开始知道、了解这个物种，关注、关心这个物种，对于它们也是一种帮助。”

理想的动物园模式

在齐新章看来，动物园要完美践行自己的宗

蝴蝶做证

●贾志红

在撒哈拉沙漠的南部边缘，我惯常见到的植物是泡泡刺。这干旱之地特有的植物，叶子微小得令人怜惜，短小如刺，看起来根本不能被称作叶子。它们躲在枝条上抵抗烈日和干旱，让人常常看不出它们是活着还是已经枯死。那一年大概是撒哈拉地区的极旱之年吧，远远望去，泡泡刺都像干枯死去了一样。植物学者把这种现象叫作“假死”。遇到一点点水，它们便会复活。当地人告诉我，区分泡泡刺是真死还是假死的方法，是看它们的枝条间是否有蝴蝶飞舞。

这鉴别方式让我疑窦丛生。我一路留心，一丛丛的泡泡刺大概是真的死了，枝条间干枯寂寞，没有蝴蝶。

在一个叫布朗的沙漠小镇，我看到了一棵大泡泡刺。它不是惯常所见的灌木的样子，而是高大得像一棵真正的树，但也是枯死的模样。我望过去，在枝条间找寻蝴蝶。定睛细看，发现了一只。再看，眼睛顿时亮了，枝条间有一群飞舞的蝴蝶。不是一只或几只，是一片、一群。我拿起相机，想拍下蝴蝶翩然的舞姿，但是相机的参数或我的技术都没法让我的照片中显现蝴蝶。可蝴蝶真的就在我的眼前，在那些如针一样干硬的叶子间迎着阳光翩然起舞。

在此之前，我一直以为蝴蝶是一种贪恋花朵的昆虫，它们决不会在一株没有芳香也不美艳的植物上消耗自己的精力。但是我错了，这群围绕着一棵毫无姿色的泡泡刺舞蹈的蝴蝶，不仅在常识上纠正了我的浅陋之见，更让我的心里开出了看不见的花朵，那是一棵植物活着的见证。我不想去深究这个现象背后的所谓科学道理，或许压根儿就没有道理，只有生命的舞蹈。

我在泡泡刺旁站了很久，很痴迷地看着蝴蝶翩然起舞，想象着在一场降水过后，泡泡刺就能活过来。哪怕是一点点降水，它肯定能活过来，蝴蝶做证。

（清舟摘自《中国校园文学》2024年第5期，视觉中国供图）

旨，做好保护和教育。

“理想的动物园，会在野生动物救护方面做得非常好，有非常完善的医疗救护条件，能够救护大量野生动物。在繁育上，它能攻克一个又一个濒危物种的人工繁育难题，甚至在人工繁育的种群扩大到足够规模之后，能去野外进行放归，重建野外种群。除此之外，它要能够开展很好的保护教育，引导公众正确看待自然、对待自然，共同参与到野生动物的保护工作中。”

齐新章说，还有更多细节值得重视。比如，生活在动物园的每一只动物的福利都能得到保障，它们生活得既健康又开心；每一名工作人员都有非常高的专业素质和水平，能够照顾好这些野生动物，开展科普教育；游客来到动物园也有非常高的觉悟，能够自觉地学习野生动物保护的知识和理念。

在西野入园处，第一块科普牌上写着珍妮·古道尔的名言：“唯有了解，才会关心；唯有关心，才会行动；唯有行动，才有希望。”齐新章始终坚信，只有关注的人足够多、影响力足够大，物种才能获得更多的保护资源，对于保护野外种群才会更有帮助。

（和花摘自《中国青年报》2024年2月2日，本刊节选）

言论

我每天计算着我的时间，计算着我的收入，但在下班回家的路上，我也会去仰望一下星空。

——海漄在第81届世界科幻大会上动情地说，自己并不算是一个有天赋的人，能获得“雨果奖”，离不开长期的积累和努力

不用期待命运在某个瞬间被突然扭转，那些改变我们人生的能量，就在普普通通的每一天。

——李筱懿

第一次喝AI“养”出来的鸡熬成的汤，鲜甜、热乎，还是同学养出来的，想着就得劲。

——2023年，10余名来自深圳大学“腾班”的学生在老师和工程师的指导下，采用AI技术和云平台，历时8个月开发出了全球首个乌骨鸡智慧养殖系统，提升了30%的乌骨鸡出栏率

真是把人“笑拥了”。

——“笑拥了”是“笑晕了”的谐音，是短视频平台上某博主因为说话带有口音而诞生的一个谐音梗

当我们用拇指而不是声音说话时，无聊、烦恼、受伤和喜悦便从谈话中流失。

——帕梅拉·保罗《消失于互联网时代的100件事》

越是被眼前繁重的现实所困，对旷野的渴望就越是强烈。

——“旷野文学”的盛行让我们意识到，人生其实有无限可能。不论旷野还是轨道，重建生活勇气的指南针都应牢牢握在自己手中

从“小孩哥”“小孩姐”身上，我获得了生活的动力。

——一些小孩上得讲台、下得厨房，成熟的气质和高超的技能让许多成年人自愧不如，笑称他们“岁数虽小，但辈分到位”

每天晚上睡觉前，我都是一边听着于谦老师的相声，一边在想：机器怎么可能超过这样有趣的灵魂？我不信。

——中国AI领军人物汤晓鸥曾在世界人工智能大会上这样说

不是只有成为社会大舞台上的主角才叫成长，也不是必须经历过惊世骇俗的反叛才成长。

——成长最基本的定义是成为自己生活的主角

当一个人能够如此单纯，如此觉醒，如此专注于当下，毫无疑虑地走过这个世界，生命真是一件赏心乐事。

——赫尔曼·黑塞

生活不倒翁。

——这类人在生活中遭遇困难时，可能一度感到无助，但仍能努力坚持，积极面对生活，不会轻易被打倒

周一到周四：有什么事改天再说；周五：有什么事下周再说。

——“拖延症”发作时，我总能找到理由

有香味的花，不止玫瑰；能飞翔的鸟，不止雄鹰。

——教育没有标准答案

我永远不厌倦的是“看”一切。宇宙万汇在动作中，在静止中，在我印象里，我都能抓定它的最美丽与最调和的风度。

——沈从文

生活给科学提出了目标，科学照亮了生活的道路。

——米哈伊洛夫斯基

要开头有开头，要中间有中间，要结尾有结尾，不可否认的是，今天就是绝无仅有的一天啊。

——埃默·托尔斯《林肯公路》

（饼干糖、团仔等摘）

最最好的外公

●十七落渝

我一直幻想着，能有个老文学家一样的外公，语文课本中对文人的所有描绘都是他的代名词。他最好遒劲挺拔如同松柏，面色冷峻，如在大海苍茫、群山四起中背手而立。他善书善画，出口成章，最好再配一副金边眼镜和一袭一丝不苟的青衣长衫。可我的外公实在与我想象中的相去甚远，他不挺拔，也没文化，是个浑身沾满油腥的乐呵呵的老厨子。我自知无法改造他，便时常觉得失望。

我拥有这样的念头，与小学课本上那篇《梅花魂》脱不了干系。文章中华侨老人的形象独具魅力，他那样慈祥，会抱着外孙女一遍又一遍地读唐诗宋词，教导她怀乡念国，也传授给她要像梅花一样富有气节的人生道理。

我感叹着多希望拥有这样一个外公时，同桌那个调皮捣蛋的小男孩探过头来说：“这有什么好羡慕的？我外公就是搞文学的，每天按着我练毛笔字，我快累死了。”

他这一句话却激起了我更大的不平衡感，怎么偏我没有这样的外公？回家后我扔下书包，去厨房找外公：“外公，您会不会写毛笔字？如果会的话，能不能教我写？”

可外公正在灶台上颠锅掌勺，他手腕活，翻了个花样，灶火一下子喷得老高，接着抹了把汗，笑眯眯地从盘子里捏了块肉递给我：“什么鼻子？张嘴，尝尝外公腌的肉，啊——”

我不太甘心，愤愤不平地张嘴接过那块美味的腊肉，一溜烟地跑了。

可我仍然从未放弃这样的幻想，我渴求一个“外公辈”的老人能陪我一起诵诗文、读经史，可是拉着外公让他坐下陪我看书，没过半个小时他就呼噜打得震天响。我不高兴地将外公晃醒，气冲冲地将自己关进屋子生闷气去了。

我抱着书蜷在床上，心里不平又委屈，为什么只有我的外公大字不识，不能陪我一起读唐诗宋词，教我书法？我一个字都看不进去，烦躁地翻身又翻身，这时，卧室门被敲响，我转过身去，看见外公探了个头往里看，瞧见我就笑呵呵地背着手进来，递过来一碗炸得金澄澄的地瓜丸：“当当——”

小老头还是乐呵呵的，他或许对我方才的生气摸不着头脑，但仍然想着法子让我开心。我哭笑不得，又觉得有些不好意思，伸手接过那碗我爱吃的地瓜丸，别别扭扭地说：“外公，为什么您不是文学家啊？”

外公挠了挠头，他哪知道我心里对他的要求是什么样的，但为了逗我高兴，他十分俏皮地扮了个鬼脸：“外公是美食家。”

我在心里又叹了口气，仍

中国科幻引路人，原来是鲁迅

●沈昭

200多年前，英国女作家玛丽·雪莱写出了世界上第一部真正意义上的科幻小说——《弗兰肯斯坦》。相较于世界科幻文学的发展进程，中国科幻文学的发展不过百年，而中国科幻引路人，其实是我们再熟悉不过的鲁迅先生。

鲁迅的文学生涯是从翻译开始的。1902年，21岁的鲁迅赴日留学，在东京读到了法国科幻大师儒勒·凡尔纳的《十五少年漂流记》和《海底两万里》。狂热读者鲁迅难以满足，于是开始动手翻译小说。他选择了凡尔纳的两部小说，将它们命名为《月界旅行》和《地底旅行》，在1903年出版了中译本。这两本书现在的正式译名是《从地球到月球》和《地心旅行记》，是两部大名鼎鼎的科幻小说。接下来的两年中，鲁迅又翻译了《北极探险记》和《造人术》，其中《造人术》的作者即科幻作家路易斯·托仑。

作为"理工男"，鲁迅在学生时代先学了采矿，又去学了医，还教授过生物、化学和地理，"侏罗纪""地质"等学术词语就是鲁迅最早发明使用的。从他翻译的作品来看，鲁迅很喜欢硬核科幻文学。

在《月界旅行》中，鲁迅自己写了一篇《辨言》，算是译作的前言，阐述了自己对于"科学小说"的认识。这篇文章在中国科幻文学史上有着重要的地位，是当时相对完整的一篇对科幻理论进行讨论的文章。鲁迅提出，科学固然为征服自然之利器，但自然并不是可以轻易降服的，他之所以提倡科幻文学，意在普及科学。在文中，他还畅想了未来："殖民星球，旅行月界，虽贩夫稚子，必然夷然视之，习不以为诧。"

若是鲁迅能看到今天我们的航天技术和对地外宇宙探索的成就，能看到《流浪地球》《三体》等优秀的科幻作品，或许他也会点个"想看"。

（余娟摘自《扬子晚报》2023年11月9日）

然觉得有些愧疚。我抬起头看看外公的笑脸，他一点都不冷峻，一点也不像个文人。他确实没上过几天学，不认识几个字，但从小到大，我爱吃什么他都会做。

他没有青衣长衫，只有一条沾满油腥的围裙；没有毛笔方砚，伴随他的是高温炙烤下有些灼手的炒勺铁锅。年迈的文学家大笔一挥留下为后人称道的诗文书画，他颠起食材，落入盘中的是我们都爱吃的美味佳肴。

我为自己方才发了脾气而感到羞愧，于是放下书，摇了摇他满是茧子、洗不净油腻的手。

若外公真如我所愿是个一丝不苟的老文学家，此刻他或许会用戒尺打我的手心，或者罚我写一下午的毛笔字。可我外公不会，明明是我无理取闹在先，他却仍笑眯眯地做了我爱吃的东西拿来哄我，和颜悦色地扮鬼脸逗我笑。

我这才知道，他不是我幻想中的外公，却是最最好的外公。

（本刊原创稿件，与鱼图）

与AI共创一部小说

●韩扬眉

2019年年初，在《收获》杂志和《思南文学选刊》联合举办的一次评选中，科幻作家陈楸帆与AI合著的短篇科幻小说《出神状态》排名第一，以0.00001分的优势战胜“榜二”——诺贝尔文学奖得主莫言发表在《十月》杂志上的小说《等待摩西》。

陈楸帆笑称，这篇小说让他成为“打败”莫言的人。有意思的是，不但这次的参赛作品《出神状态》是陈楸帆和AI合著的，就连这次比赛的评委也是AI。

自2022年年底以ChatGPT为代表的大语言模型横空出世后，用AI辅助文学创作已非新鲜事，但陈楸帆的尝试更早，始于7年前。

AI将更深入地卷入人类创作

2017年，陈楸帆受邀写一本名为《人生算法》的短篇小说集，探讨人与AI的故事。他突然灵光一闪：为什么不让AI参与创作呢？于是，曾在谷歌任职的陈楸帆找到他的工程师朋友王咏刚，开始了一场写作试验。

这年谷歌刚发布了自注意力机制的深度学习模型（Transformer）——类似今天ChatGPT的基础架构。在此基础上，两个人在各大技术论坛上寻找开源代码，开发模型，然后用陈楸帆创作过的小说和网络上的素材进行训练，该模型被称为“陈楸帆2.0”。

“当时开发的模型非常初级。”陈楸帆回忆道，模型创作出的文字连简单的人称都会搞错，谁是谁、彼此有什么联系也弄不清楚，“我创造一个情景，去配合AI完成一个故事，实际上我和AI的主次关系是颠倒的”。

这次尝试虽然不那么成功，但从那时起，陈楸帆就开始关注AI大模型在写作上的应用。

陈楸帆让机器学习了他的上百万字作品后，AI程序“陈楸帆2.0”可以通过输入关键词和主语，每次自动生成几十到一百字的段落。于是，陈楸帆与它共同创作了作品《出神状态》。

《出神状态》的灵感来源是智利作家罗贝托·波拉尼奥的短篇小说集《地球上最后的夜晚》，主题是大瘟疫。故事记录了主人公去图书馆还书途中的见闻、思考，探究了通信中断与紧急状态下人与社会的关系。他对自己创作的段落与AI创作的段落分别做了标注。

“没想到《出神状态》战胜了《等待摩西》，这真是比科幻还要科幻的惊喜。这也让我醒悟到，AI将更深入地卷入人类创作，未来的内容版图也会变得更加复杂、暧昧而有趣。”陈楸帆说。

2020年，陈楸帆再次尝试，借助一个新开发的科幻小说大语言模型，用包括刘慈欣、韩松等作家不同风格的科幻小说训练，还邀请了其他作家参与，尝试用模型创作小说。

在陈楸帆看来，2020年的大语言模型比2017年的有了质的飞跃，“有的作家认为AI写出来的东西达到了人类的平均水平，有时还会有奇思妙想的语句”，比如AI说“北京像一个黑洞，因为你在路上，你的时间都不知道花到哪儿去了”。陈楸帆说这种让人类深有同感的话语，从AI的“嘴”里说出来非常具有讽刺性。

AI帮助我们“跳出惯性”

ChatGPT诞生后，陈楸帆花费了大量时间和精力探索如何与ChatGPT更好地合作，每天不断地和它对话。

“我并不想让它非常了解我，我期待看到我所没有想到的。”陈楸帆说，跟ChatGPT合作肯定不是我们原来想象的那样简单的复制粘贴过程，而是一个复杂的、人跟机器共生的、共同写作的过程。

陈楸帆用“头脑风暴”形容他与AI的合作方式。

他的经验是，不要预设太多，甚至越模糊越好，让AI提供多个方向，而且每个方向相差越远越好，再从中筛选最有感觉的方向，并进一步细化。

“人总是容易被思维惯性束缚，AI有可能帮助我们跳出惯性。”在创作的过程中，当直觉告诉陈楸帆哪里需要AI的参与，他便“即兴”地由AI创作，“我不会修改AI创作的内容，而会让其保持原有的状态”。

最近他正在写一部儿童科幻作品，内容是一个非常懂AI的城市女孩去一个原始村落，遇到一个少数民族女孩的故事。他用ChatGPT描绘了未来智慧城市的样子、女孩一天的生活场景，写出来的内容非常像作家叶永烈的科幻小说《小灵通漫游未来》。

于是，陈楸帆把文本再回输进去，要求ChatGPT增加文学性、哲学思考、生动的比喻，ChatGPT就根据这些要求修改。陈楸帆甚至要求ChatGPT用美国小说家科马克·麦卡锡的笔触写一个海啸的场景，虽然AI生成的文字不一定都能用，但多少给了他一些“感觉”。

在陈楸帆看来，和ChatGPT一起写作就像一个开放的写作试验，在与它对话的过程中逐渐明确场景，再加上设计的人物，借由ChatGPT，人物和场景之间发生的故事就此展开。

陈楸帆说，让AI参与创作，其实更多的是寻找可能性，而非强化我们已有的东西，“扔进去几个关键词，让ChatGPT自己生成内容，反而会激发更多的灵感。创意就是发现未知，而未知是最迷人的”。

每个人都应挖掘独特性

面对AI这样的新事物，陈楸帆的第一反应是拥抱和探索，他很享受学习的过程，乐于思考这个时代中自己的优势和局限性在哪儿，努力思考如何让自己的优势变得更强大，进而不可被替代。

陈楸帆认为，人与AI写作没有特别大的差别，都是信息处理转化的过程。区别在于，人有五官、五感，有许多非常微妙的感觉，人类有很多自己都不知道的思想意识。但AI目前都没有，AI本质上是一个计算性的模型，“AI甚至有些轴，非常笨拙”。

陈楸帆还通过人与AI创作的不同，对自己的写作进行了反思，他看到人类的边界在哪里、惯性有哪些，思考原创性的边界在哪里、人类的主观能动性怎样体现，包括知识产权如何界定、怎么尊重被采集数据的作者等。

“AI的出现，鼓励了人挖掘自我的独特性。这个时代，每个人都应该向内挖掘自己的独特性、不可替代性，对青少年来说更是如此。所以教育不在于规划，而在于找到每一个人的独特性。”陈楸帆说。

（紫陌红尘摘自《中国科学报》2024年2月2日，老老老鱼图）

家里闯进一只猫

●江苏省如皋市实验初中
九年级（14）班　凌睿欣

家有爱猫一只，美名曰“十一”。

十一的花斑很独特。他的下巴和四只爪是雪的白，白色在下巴积多了就似水一样地漫下来，溢过他的胸脯，把那儿染成了白色，又汇成小溪，从胸脯流过肚腩，被白色溪水浸过的地方就留下了一条白色印记。所以他的胸脯那儿也有一片白，下身又夹着一条白，没被浸过的地方，就是夜的黑。

其实“十一”这个名字取得有些潦草。那天妈妈下楼遛狗，回来时竟还抱着一只猫，她说这猫是自己跟上来的。我们见他不怕生，毛也顺滑光亮，有点胖，就以为是别人家不小心弄丢的。那天是十一月的一天，于是我们就先叫他“十一”了。我在小区群里发了十一的帅照，看有没有人认领，姑且养着他。然而那张帅照一直无人问津，于是，我和十一的故事从此开始。

十一宝贝“喵呜”一声叫，我就蹲下来拍拍手，张开双臂，等他朝我扑来——这是最治愈我的时刻。十一从房间里跳出来，甩着他肉嘟嘟、白花花的小爪径直向我跑来。他的整个身子随着跑动而上下弹动，像会动的果冻，叫声也随着跑动而发颤，目光却坚定不移，仿佛闪烁的星火，身上的毛被阳光照得闪闪发亮。走近我，他会慢下来，竖起尾巴，毛茸茸的尾尖摇啊摇的，绿宝石一般的眼睛睁得大大的。在我举手要揉他的小脑袋时，他会抢先顶起小脑袋来够我的手，并闭上眼睛，期待我的抚摸……

十一是只奇特的猫咪，他总能发出不一般的声音。

如果听见十一突然发出“喵呜喵呜”的嚎叫，不要慌张，那是他准备喝水时发出的信号。他高唱两声提醒我们：“朕要喝水了，你们都注意点。”接着，静下心来听他喝水，听舌头与水面相碰的声音，清脆怡人。

当我和妹妹伏案学习时，刚吃完饭的十一又来了，他潇洒地一跃，跃上桌子，在空中画出一条优美的抛物线，然后嗅了嗅桌子，找准位置便静坐了下来。他总是坐得笔直，如果坐累了，他会趴下或是眯着眼把自己往上提——坐着伸懒腰。我们不理会他，他便会故作镇定地动嘴，像在弹上颚，搅舌头，以发出奇怪的声音来吸引我们的注意。我抬头，看见他清澈又纯真的眼睛，好像在说“求关注，求陪玩”。

不知道别的猫咪是怎样的，但十一睡熟了会打呼。睡前，他翻出他的白肚皮，别过头努力用舌头清理自己，待他清理好，过不了多久我们就会看见他的白肚皮随着呼吸而起伏，呼噜声也随之而来——小

“四大名著”梦幻联动

●蓬山

“四大名著”如并蒂之花，常被列在一起评说。它们之间也不乏有趣的梦幻联动。前三部（按成书时间顺序）均取材自诸多民间传说、故事、史料，汲取了大量民间的艺术养分。

《水浒传》第九十回，燕青与李逵到东京看灯，在勾栏听评书：“正说《三国志》，说到关云长刮骨疗毒。”当然，此处《三国志》既非《三国演义》（成书比《水浒传》晚），也非正史，而是民间话本，可视作《三国演义》的底本。

再如，朱仝“面如重枣”，号“美髯公”；关胜更是关公嫡派子孙；吕方使用方天画戟，号称“小温侯”；晁盖夸吴用“果然赛过诸葛亮”。考虑到罗贯中参与了两部书的写作，当中未免有些文人的小小狡黠。亦说明艺术源自民间，经历了集体智慧的不断互相滋养。

《红楼梦》是文人独立创作的。书中不少情节，显示了水浒故事、西游故事的普及情况。宝钗生日，贾母叫宝钗点戏，她先点了一折《西游记》，后又点了一出《鲁智深醉闹五台山》。这些热热闹闹的戏，深讨贾母欢喜。

第三十回，宝玉奚落宝钗，黛玉在旁得意，宝钗心中有怒气。当黛玉问她刚才看的什么戏，宝钗便答话：“我看的是李逵骂了宋江，后来又赔不是。”宝玉便笑道：“这叫《负荆请罪》。”宝钗笑道：“原来这叫作《负荆请罪》。你们通今博古，才知道‘负荆请罪’，我不知道什么是‘负荆请罪’！”宝、黛顿时羞红了脸。

《红楼梦》中西游元素更多。贾珍请宝玉看戏，就有《孙行者大闹天宫》。李纨与凤姐的丫头平儿开玩笑：“我成日家和人说笑，有个唐僧取经，就有个白马来驮他……有个凤丫头，就有个你。”

情节最繁复的，是贾母在元宵家宴上讲孙行者的笑话。取笑伶俐嘴乖的媳妇是吃了猴儿尿，既打趣了王熙凤，也安抚了其他不善言辞的媳妇。

（海城楼摘自《大公报》2024年2月16日，小黑孩图）

汽车发动了。这时候我和妹妹会相视一笑，把手指放在嘴前，做出“嘘”的动作。十一发出的声波，总能拨动我的心弦。

“马之千里者，一食或尽粟一石”，学《马说》时，我的脑子里全是十一。他食量很大，时不时就用很嗲的“喵呜”声叫我，然后小跑到饭碗边。我当然也不愿当那自以为是的“食马者”，所以我也会时不时地叫：“十一，来！”然后，十一就又竖着尾巴小跑着出现了。

是的，在我心里，十一就是千年难遇的千里猫。我总相信他吃得多是因为他的才能出众，只是“食不饱，力不足，才美不外见”罢了。当年，无奈的韩愈一身才华却无人赏识，我可不想十一这样。

夜深了，人静了，十一又在思考“猫生”了。他静静地坐在窗前，看窗外车水马龙的人间。我多想钻进他的脑袋看看他在想什么啊！许是对自由的向往吧，毕竟小猫咪也有自己的诗和远方呢……

有些时候，我想不明白，我觉得这世界定是有魔法吧，不然十一为什么会突然出现在我的生活里呢？到底是我收留了他，还是他选择了我，恩准我走进了他的世界呢？

不知不觉中，与十一相处已有三年了。这三年时光转瞬即逝。好在逝去的只是光阴，留下的是忘却不了的美好回忆。我相信，春去秋来，我们还会是我们。对吧，我的小十一？

（本刊原创稿件，橙子酱图）

制造金句：刻进心底的那一句

●潘云贵

当我们回想起背古诗的经历，或许会发现一首诗当中总有那么几句，多年后自己仍然记忆犹新，随时都能吟诵出来。

譬如北宋词人晏殊的《浣溪沙·一曲新词酒一杯》，其中的“无可奈何花落去，似曾相识燕归来”为天然奇偶句，对仗工整，声韵和谐。结合词人在残春中把酒思旧、感时伤怀的心境，我们很容易将其牢牢记住，久久不忘。我们不妨把这些句子理解为金句。

古代名篇佳作众多，是中国文学史上的缤纷星云，我们或许还能想起李白的“桃花潭水深千尺，不及汪伦送我情”，想起陆游的“山重水复疑无路，柳暗花明又一村”，想起刘禹锡的“东边日出西边雨，道是无晴却有晴”……这些诗句我们之所以能脱口而出，是因为它们早已刻进我们心底。

王维有五言诗《山居秋暝》，前四句家喻户晓：“空山新雨后，天气晚来秋。明月松间照，清泉石上流。”一切围绕着“空”展开，有雨过之后的新鲜感。山林被雨水冲刷得纯净，眼前的世界极为静谧，人置身其中，容易将自己忽略，而与自然融为一体。王维用深入浅出的语言，描绘了他山居生活的新鲜感受。

林庚先生曾在《唐诗综论》里讲到唐诗的历久弥新：“这新鲜的并不是那个道理，道理是早就知道的。新鲜的是对于它的一种说不出来的感受，仿佛每次通过这首诗，自己就又一次感到在重新认识世界。这其实就是艺术语言不同于概念的地方。”所以，创作金句不仅要用简单明了、朗朗上口的语言，还要言之有物，不能空洞处理成一些概念、口号。

现代新诗也有类似的金句写作规律，我们读到卞之琳的《断章》：“你站在桥上看风景/看风景人在楼上看你/明月装饰了你的窗子/你装饰了别人的梦。”或是顾城的《远和近》：“你/一会儿看我/一会儿看云/我觉得/你看我时很远/你看云时很近。”都能看到这样的特点。

这些句子有相同的地方：有一定的节奏感，而且使用短句，一点不拖沓，重复使用某些句式，使词语产生变化。这样写出的句子，听起来会让人感到愉悦并容易接受。作家常用排比、对仗等修辞手法、诗歌格律，带来回环往复的感觉，从而造出金句。也有作家在相似的句式上，进行正反两面书写，使句子更有张力，让人陷入深思，记得更深。

《安娜·卡列尼娜》是俄国作家列夫·托尔斯泰的写实主义小说经典代表。作家以安娜和列文两个人为轴，描写出不同的婚姻和家庭生活，百科全书式地展现出当时俄国政治、宗教与农事景象，是新旧交替时期令人紧张惶恐的俄国社会的写照。小说开篇便有托尔斯泰的一句名言：“幸福的家庭都是相似的，不幸的家庭各有各的不幸。”时至今日，这句话仍如真理一般精准概括着我们的婚姻家庭生活。这句话就是用相似的句式、相反的意思写成的。

“那是最美好的时代，那是最糟糕的时代；那是个睿智的年月，那是个蒙昧的年月……”英国作家查尔斯·狄更斯以法国大革命为背景所写成的长篇小说《双城记》开头，也是如此。这些句子之所以是金句，就是用两种极端的情况做对比，将一个时代的社会环境变成一根橡皮筋，用力往两侧拉，让我们感受到贫富差距所形成的现实张力和人类社会的残酷性，令人哀叹。

老子在《道德经》中有名句：“道生一，一生二，二生三，三生万物。”其中的“道”是洞悉一切奥妙变化的门径，强调事物在“道”当中无中生有，成就生生不息，这也可看作老子的宇宙生成论。许多人认为这句话比较费解，但这并不影响它的传播——老子用简单的语言以及顶针的修辞，使得这句话朗朗上口，至今仍然广泛流传。

有些作家写金句，不像托尔斯泰或狄更斯那样先声夺人、开篇即来，而是依靠情感、气氛的层层加码做铺垫，直至最后将精华的部分呈现。或许铺垫部分句子平淡，很多人会将其忽略，但跳过它们，我们再来品味，眼前的金句似乎也谈不上精彩了，甚至会显得突兀。

朱自清的经典散文作品《荷塘月色》便是如此：“树色一例是阴阴的，乍看像一团烟雾；但杨柳的丰姿，便在烟雾里也辨得出……这时候最热闹的，要数树上的蝉声与水里的蛙声；但热闹是它们的，我什么也没有。”最后一句很能让身处喧嚣时代里的人们心生共鸣，因为每个人都有类似的孤楚之感。而朱自清写出这个漂亮句子之前都在进行环境的铺垫，行文极具画面感，一种近似哲理的表达在这样的层层烘托和铺设下引出，便也变得不抽象了。

张爱玲曾被称为“金句女王”，常常通过男女之间的感情关系将自己的见解、感言发表出来，且能与作品自然相容而不让读者觉得她是在故作高深或是刻意为之，如她在《爱》这个短故事的末尾所写：

“于千万人之中遇见你所遇见的人，于千万年之中，时间的无涯的荒野里，没有早一步，也没有晚一步，刚巧赶上了，那也没有别的话可说，唯有轻轻地问一声：‘噢，你也在这里吗？’”

这样自然流露的金句往往是“不请自来”的，你可以说这是缪斯女神赐予张爱玲的天赋，但它还跟一个人前期在阅读或生活上的积累与对情感关系的感受力密切相关。

通过文中所讲的作品金句范例，你会看到绝大部分金句是主题的浓缩，包含着写作者对这世界的认识、领悟。但它们有着新鲜的启示，从中可以瞥见作者在语言使用上的敏锐度与想象力。有了这样的句子，文章不仅有了灵魂，也有了精神。

有价值、有内涵的金句常如溪水往前流淌，勾连着读者的思绪，流出深山低谷，越过广袤平原，进入大江大河，获得奔向海洋的气势和力量，使得每个读者跟写作者也不禁随之浮想联翩，灵感勃发。

（本刊原创稿件，阿砂砂图）

砂糖橘的新吃法

●朱咏妍

砂糖橘，作为生活中常见的水果，相信大家并不感到陌生。近年来，网友们突然不满足于简单“吃”点砂糖橘，而是“解锁”了一种新吃法：“炫”。

“炫砂糖橘”是怎么个“炫”法？这个“梗”怎么突然就火了呢？事情要从一位网友说起，他用视频记录下自己在家吃砂糖橘的经历：妈妈叮嘱他这筐橘子是留着过年吃的，千万别吃光，结果第二天就只剩下空空的筐了。视频一出，立刻引发了广大网友的共情，直言“炫”砂糖橘“根本停不下来”，“又小又甜又好吃，一个接着一个能吃好几斤”。后来，大家渐渐不满足于只“炫”砂糖橘，于是衍生出“炫我嘴里”“炫顿饭”“浅炫一下”等一系列表达，“炫”的东西也变得五花八门。“炫”的含义也变成了“因喜爱而连续食用某一食物”。

实际上，“炫”并非网友的独创，而是借用了东北方言的表达。“炫”的本字也并非“炫”，而是“楦”。据《东北话词典》（中华书局版），“楦”是东北话中“吃”的意思，如：“这孩子可能楦啦！一顿能吃三碗饭。”可是，东北话里也有“吃”的表达，直接说“吃”不就行了吗？为何还要特地用“楦”来代替“吃”呢？让我们回到“楦”的本义来解释这个问题。据《现代汉语词典》（第7版），“楦”本是一种工具，称为“楦子”“楦头”，指制鞋制帽时，填紧或撑大中空部分所用的模型，多用木头做成。由此引申出“楦”的动词含义：用东西填紧物体的中空部分。如：“装完瓷器，把箱子楦好。”仔细分析，我们会发现，“楦”从产生之时，便带有一种塞满、填紧的目的性，因此在用于表达“吃”的含义时，就比“吃”多了一层“猛塞”“强撑”的意味，情感更为强烈。

由此我们猜测，“炫砂糖橘”这一说法很可能是由东北网友们带火的。他们在网络上表达自己对砂糖橘的喜爱时，不知不觉将本地的方言习惯带入网络。可方言很多时候是一种口头语言，大多数人并不知晓“楦”的本字，也不明白它的具体含义，便不求甚解地将“楦”写成“炫”，误打误撞地丰富了“炫”字的含义。

有趣的是，网友们选择将“炫”作为“楦”的替代字时，也隐含着他们自身的情感态度。“炫”指一种“晃眼睛”的状态，快速而耀眼，更有“夸耀”之意，“炫”的东西也必然是自己的心爱之物；而原东北话“楦”，多用于一些中性甚至是消极的语境。在这种情况下，用“炫”代替“楦”来表达自己对食物的狂热喜爱，也不无道理。

（谷粒摘自《咬文嚼字》2024年第2期，本刊节选，视觉中国供图）

打破自己的“鱼缸”

●欧阳晨煜

最近，我听到一个有关鱼的故事。美国一家公司总部的前台放着一个漂亮的鱼缸，里面养着十几条色彩缤纷的热带鱼。每条鱼约10厘米长，背脊上晕染着夕阳一样的颜色。每个进来办事的人都会被吸引，忍不住夸赞这群鱼的美丽。

一晃几年过去了，每天来往公司的人渐渐发现了一个问题：经过几年的生长，这些鱼的长度好像和当初一样，并没有什么变化。这究竟是为什么呢？

有一天，老板淘气的儿子伸手去捞这些鱼的时候，不小心砸破了鱼缸。手疾眼快的员工立刻捞起跳出来的鱼。可是公司并没有其他鱼缸，这可怎么办呢？

这时，有人提议，可以把鱼暂时养在公司楼下那个巨大的开放式喷泉池里，等新鱼缸买来后，再把鱼放缸里。于是，这群热带鱼换了一个环境，生活在了喷泉池里。

3个月后，公司定制的与原来尺寸一样的新鱼缸运来了，大家纷纷跑去喷泉池边捞鱼。可是令人惊讶的事情出现了，这些鱼儿足足长到了约33厘米！这时大家开始思考：为什么几年来这些鱼的大小都没有变化，而换了新环境后仅仅几个月，它们就有了这么大的变化？

这个故事就这样结束了，我带着好奇马上请教了身边几个常年养鱼的朋友。没想到，他们给出的答案竟然惊人的一致——小池子养不出大鱼，原来是鱼缸导致鱼长不大的。

的确，鱼缸和喷泉池最明显的差别莫过于空间大小。但我还是不解，不就是游动的空间小了些，就足以造成如此大的生长差距吗？朋友摇摇头说：“没那么简单。活动空间的差别只是一个前提，接下来造成的连锁反应才是关键。”

朋友继续说道：“空间越大，鱼儿所能接触到的阳光、氧气、微生物就会越丰富，这些都会帮助它们充分生长和发育。此外水体容量越大，含氧量就越高，水流就会越稳定，这些条件都会决定鱼的健壮程度和体形大小。作为一个封闭的小生态系统，鱼缸里难以提供足够的能量供大鱼生长，这就是为什么在水族箱里很少看到大型鱼类繁殖。所以，只有给予鱼儿更广阔的空间，它们才能更好地生长。”

我终于明白了，鱼缸如此小，鱼儿再怎么努力生长，也不可能突破鱼缸的桎梏，即使本身品种很大的鱼也是如此；如果让它们进入更广阔的天地，接触和吸收到的东西变多之后，情况就完全不一样了。

这个故事反映出著名的心理学效应和教育学法则——鱼缸效应，即成长需要空间，如果你想要某个人茁壮成长，就一定要给予他足够的空间，千万不能将他限制在小小的“鱼缸”内，所谓的保护和管束，很可能会压缩他的生存空间，从而导致成长被压制，使他无法充分生长。

所以，我们应该勇敢地打破自己的“鱼缸”，跳入江海。只有这样，你才不会错过最佳的生长期！

（画中花·未来香摘自《知识窗》2023年第11期，本刊节选，视觉中国供图）

埃菲尔铁塔曾见证我的勇敢

●清语

岁末年初，我总是会兴致勃勃地写下新年宏愿。我把去西欧列入了新一年的旅行计划，翻看护照时，法国的入境章勾起了我与巴黎有关的回忆。

从初中开始，我就很羡慕那些独自在国外旅居的女孩子，羡慕她们可以探索更广阔的世界，自由且洒脱。24岁那年，我幸运地成为一名交换生，去爱尔兰的都柏林大学交流学习一个学期。在飞往都柏林的飞机上，我暗自对自己说：我一定要尝试一次一个人旅行！

经过一番搜索和查阅，我决定独自去巴黎。尽管同学提醒我巴黎的治安状况令人担忧，而且当年春天，布鲁塞尔的扎芬特姆国际机场发生了自杀式爆炸，使整个西欧弥漫着焦虑的阴霾。但法兰西文明像亟待我去挖掘的宝藏，我做好旅行攻略后，一个人背起行囊出发了。

飞机降落在戴高乐国际机场时，我兴奋地用手机记录下这段美妙旅行的起点，然后美滋滋地乘坐机场巴士去市区的酒店。到达市区时，夜幕已经降临，街灯下，我的影子看起来像动漫里美少女战士的身影。我按照手机地图的指引走进了一条狭窄的小巷，墙边站着几个戴着帽子、留着络腮胡子的黑人，他们分别用英语、日语、汉语和我搭讪。我突然有些害怕，不敢看他们的脸，也不理会他们，只是加快了自己的步伐。办好入住手续，进入酒店的房间，我立刻把门反锁，然后拿出堵门器塞在门的底部。洗澡后躺在床上，我有点焦虑又有点兴奋，随后沉沉睡去。

第二天早上，我吃过早饭便出发去往卢浮宫博物馆。卢浮宫博物馆是世界四大博物馆之首，奇特的玻璃金字塔入口是华人建筑大师贝聿铭的杰作。整座建筑华美瑰丽。为了看镇馆之宝——著名的《蒙娜丽莎》，我跟随着熙熙攘攘的人群直奔目的地。

大概半小时后，我终于看到了这幅世人口口相传的神秘画作，但并不觉得如传说中那么神奇。我突然生出顽皮之心，对画中优雅端庄的美妇人做了个鬼脸，之后俏皮地冲她笑了笑。卢浮宫内展品众多，很多雕塑栩栩如生。为了在天黑之前抵达埃菲尔铁塔，我没有过多时间驻足欣赏，只能遗憾地匆匆离开。

12月的巴黎虽然寒冷干燥，但冬日的暖阳照在身上让人心神安定，眉目舒展。巴黎的街边有很多咖啡馆，装饰别具一格。我因流连于沿途的风景似乎走错了路。看到前方有一个穿着警服的人，我鼓起勇气用英语向他问路，但他用我听不懂的语言回答。我以为自己没有说清楚，又缓慢地重复了一遍我的问题，却发现他的回复我一个词都听不懂。我瞪大眼睛满心疑惑地看着他，仿佛看着一个文盲，心想：你竟然不会说英语？他似乎看出了我的疑惑，对我无奈地耸了耸肩。

后来我才得知，由于英法的历史矛盾和法国防止文化入侵的政策，英语在法国的普及程度非常低。然而到巴黎之前，我一直以为欧洲人都可以流利地用英语交流。好在地图"诚不欺我"，我还是找到了埃菲尔铁塔。

蓝天下的埃菲尔铁塔矗立在巴洛克风格的建筑之间更显壮观，它像一个威武的钢铁战士守护着这座浪漫的城市。找了个机位和埃菲尔铁塔合影之后，我闭上眼睛感受塞纳河畔的微风。冬日的凉风不似春风那般温柔，但在那一刻，我清醒而喜悦，感觉自己多年的心愿得以实现。

看过凯旋门和巴黎圣母院之后，我对法兰西文明赞叹不已，巴黎的确不负"浪漫之都"的美名。在巴黎的最后一天下午，我接到了同学的电话，她告诉我当天有一个留学生在意大利遇害，故来电确认我的安全。我谢过她的关心，又因为得知这个不幸的消息而变得忧心忡忡。

当晚我做了很多噩梦，梦中的自己一直在躲避要抓走我的妖怪。第二天一早我去退房时太阳还未升起，想到要一个人孤零零地走在黑漆漆的街上，我紧张地用英语问酒店前台的大叔："你觉得我一个人在巴黎旅行安全吗？"大叔慈和地笑着说："Chinese are brave enough!（中国人是很勇敢的！）"我感激地和大叔告别，不断给自己加油打气。

到达机场后，由于警察罢工，离境检查变得异常缓慢，我唯恐误机。安检的时候，机场广播已经在呼喊我的姓名，随后我以百米冲刺的速度在机场狂奔，终于坐上了回都柏林的飞机。

回到公寓，我感觉仿佛千斤重担终于被卸下，而后生出"纸上得来终觉浅，绝知此事要躬行"之感。这次巴黎之行仿佛一场探险，并不如想象中那么美好。巴黎的治安状况一言难尽，非常考验个人处理突发情况的能力。如果不幸遇到凶险之事，我势单力薄，后果将不堪设想，结伴出行才是更为明智的选择。

自我检讨后，我还是在心里为自己点赞。"世之奇伟、瑰怪，非常之观，常在于险远，而人之所罕至焉，故非有志者不能至也。"独自在国外旅行一直是我的梦想，我苦学英语，备考雅思，从中国飞越千山万水抵达异国他乡，我钦佩自己的执着和勇敢。

"时光号"列车飞驰而过，自由的学生时代早已一去不返。毕业步入社会后，在生活中遇到棘手的难题时，我时常会想起为了去巴黎而勇往直前的自己。人生或许本来就是一场盛大的冒险，不是吗？尽管未来有很多不确定性，但我们也积累了足够的勇气和智慧去解决各种问题。感谢那场与巴黎的邂逅，在那短暂而珍贵的时光里，埃菲尔铁塔曾见证了我二十几岁时的勇敢。

（本刊原创稿件，橙子酱图）

幽默&漫画

恩 人

英语课上，老师问“helper”是什么意思，并提示大家说：“想一想，帮助自己的人叫什么？”

我灵光一现，大喊道：“恩人！”

它不累

孩子看着蜡烛一直在闪着亮光，不熄灭，就好奇地问妈妈：“妈妈，蜡烛为什么一直都在发光，它不累吗？”妈妈说：“不会，因为它是精神小火（伙）。”

神回复

小北：“我在树上唱Rap，猜一个字。”

小明：“是‘桑’字，我在树上‘又又又’。”

忘不了

昨晚翻看QQ空间，看到我6年前发的状态：“我永远都忘不了这一天。”

我想了一宿，直到现在都没想起来那天到底发生了什么。

伤 害

玩家：“为什么我的游戏角色没有伤害？”

游戏制作商：“没有买卖就没有伤害。”

相信科学

当左眼皮跳动时，预示着你即将要发大财了，因为左眼跳财。而右眼皮跳动是眼轮匝肌和眼轮神经分支的间断性、震动性抽搐，是正常的生理现象，请相信科学。

扫 雷

去饭店吃饭，有一道菜叫“扫雷”，我们好奇地点了。你猜怎么着？上来一盘土豆丝炒姜丝。

几只羊

问：地铁上有3只羊，第一站上来了一只狼，请问第二站还剩几只羊？

答：还是3只，因为坐地铁不让吃东西。

红 包

儿子过生日，妈妈给他发了3个微信红包，分别标上了“生日快乐”“心想事成”“好好学习”的祝福语。儿子却只收下了前两个红包。

妈妈问：“还有一个红包你为什么不收呢？”

儿子说：“不该要的我不要。”

很有道理

Earth（地球）是给你们“e人”生活的，我们“i人”生活的世界叫作Internet（互联网）。

清醒的认识

我的文化水平如何呢？这么说吧，在别人说出一些精辟又准确的感想时我会及时发“+1”。

游泳姿势

儿子学游泳，教练非常耐心地为他讲解蛙泳、蝶泳、狗刨式等游泳姿势。儿子扯着嗓门在后面喊：“教练，能不能教一些我们人类自己的游泳姿势？”

规 律

在游乐园玩了一天，我发现人类的游乐形式只有3种：原地打转，大起大落，原地打转并大起大落。

求知与求生

平时看书，是出于求知欲；考前看书，是出于求生欲。

（知秋、阿盼等摘）

HUMOR & CARTOON

懒一点，也没关系吧

●〔美〕丹特·法比埃罗
○刘旸教主　译

自拍怪圈

健身怪圈

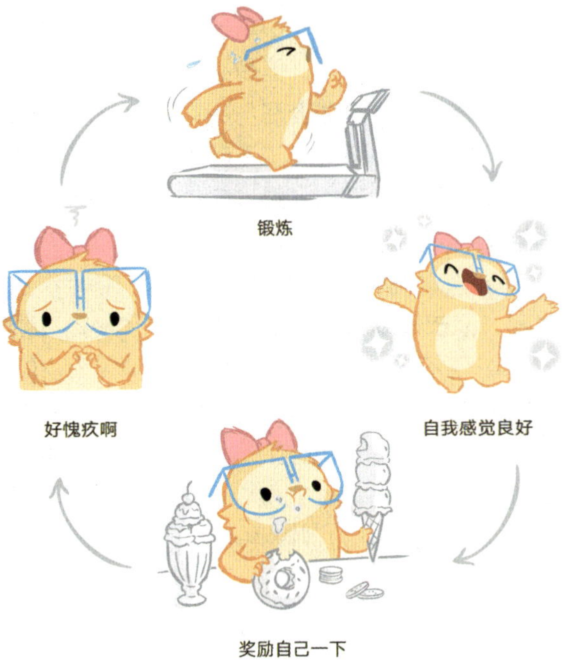

“自律”是谁

（小肥羊摘自金城出版社《懒一点，也没关系吧》一书）

相信魔法，你才能拥有魔法

●杨殳

也许你是头一回听到罗尔德·达尔的名字，但想必你知道奇幻冒险片《查理与巧克力工厂》、动画片《了不起的狐狸爸爸》，又或者看过斯皮尔伯格的真人动画《圆梦巨人》。这几部电影风格大不同，但都改编自罗尔德·达尔的奇幻故事。可以说，罗尔德·达尔的故事是影视剧和舞台作品创作者的灵感宝库。

不会写作文的倒霉孩子

在英文世界，罗尔德·达尔被誉为“世界上最会讲故事的人”，与《哈利·波特》的作者J.K.罗琳齐名。他的作品全球销量超过3亿册。据说除了奇幻作家，达尔还有以下身份：间谍、王牌飞行员、巧克力历史学家，以及魔药发明家。

不过，小时候的达尔丝毫未表现出任何天赋。他更擅长的是搞恶作剧。1916年，达尔出生于英国威尔士，8岁那年就干了一件惊天动地的事：当地有一家被小孩视为圣地的糖果店，达尔和朋友也常去，但他们觉得店主老太太不讲卫生，刻薄又吝啬，遂密谋了一场“老鼠大阴谋”，将死老鼠放进糖罐，成功吓到了老太太。不过，后果是达尔被校长鞭打一顿后，被转到寄宿公学，过了一段孤独的生活。

1929年至1934年，达尔进入德比郡的雷普顿学校念中学。在他的记忆中，这是个对青少年充满敌意且存在霸凌的地方。学生不但遭到师长的压迫，彼此间还有等级之分。谁要是犯错就要跪下，一边聆听说教，一边遭受藤杖的笞打。达尔在回忆录中说：“甚至到今天，每当我在硬板凳或硬椅子上坐久了，就开始感到我的心由于55年前挨打的旧伤痕在怦怦跳。”

除了屁股遭罪，他还备受心理打击。英文老师评价他是班上“最不通文理的人”，顽固、敷衍，写出的句子结构糟糕，毫无思想，根本不知道如何用文字表达，笨得像只骆驼。有一回，老师甚至懒得对他的英文课目表现做出评价，写道：“请看拳击课目报告，所用的评语完全相同。”达尔便去看拳击课评语：“太缓慢、太笨拙，出拳时机没选好，很容易被人识破。”

这些童年往事，有的滑稽可笑，有的令人痛苦。幸好，与痛苦遭遇同样留在记忆中的，还有巧克力。当时有一家巧克力工厂，会把新研制的产品送到学校，供学生免费品尝，让他们打分、提意见。达尔常常做白日梦，想象自己就在巧克力实验室工作，研制出一种新口味的巧克力，卖出上百万块。没错，这正是《查理和巧克力工厂》故事的雏形，一个甜蜜的美梦。不过，那时他还不知道自己经历的一切和写作有什么关系。他从来没想过自己会成为一名作家。直到很多年后，48岁的达尔已经开始写作，他忽然想起了巧克力工厂，于是在一个红皮的旧练习册上记下一句话：“什么是巧克力工厂？它制造异想天开、极其了不起的东西，是由一个疯狂的人经营的。”

这个小红本是达尔的灵感笔记。自从正儿八经开始写

作，他就在这个本子上记录灵感，几乎每张纸的正反面都写满了故事创意。达尔曾说，小说家是发明故事的人。灵感笔记本就是他的发明手册。如今我们看到的所有奇幻故事，都是从本子里蹦出来的。你知道《了不起的狐狸爸爸》最初是什么吗？只是一个小小的奇思妙想：狐狸先生有个地下管道网，能通往乡村里的每一家商店。夜幕降临，他就从地板下钻出来，想拿什么就拿什么。

故事是记忆的平行宇宙

从不会写作文到故事发明家，这一切是怎么发生的？不是接受特殊训练，也并非神灵附体，但确实是一种魔法，一种名为想象力的魔法。

1939年，达尔加入英国皇家空军。次年9月，他奉命执行任务，却被误导飞入无人区，燃料耗尽，迫降时撞上巨石。受了重伤的达尔险些丧命。之后他不再适合飞行战斗，于1942年退役，被调往美国华盛顿，参与宣传与情报工作，所以才有了“间谍”的身份。那一年，有位英国小说家受报社邀请，要撰写达尔的飞行经历。小说家便请达尔提供一些资料，他告诉达尔，可以认真回忆，多提供一些细节，比如鞋带散了，比如一只苍蝇落在杯子上，或有人弄断了门牙。达尔从早晨忙活到半夜，一边回忆，一边写作，人生头一回全神贯注于当下。他惊讶地发现，种种细节历历在目，沙子、头盔、飞机马达……笔好像自己在移动，故事好像在自己讲述。很快这篇文章得以发表。达尔挣到了人生中的第一笔稿费，900美元。小说家在信中问达尔：“你不知道自己是一个作家吗？”

我们自然无从知道达尔当时做何感想。但可以确定的是，一个人是不是作家其实无妨，他只需要尽情回忆，就可以写作。这次经历让达尔发现了想象和回忆的魔法：过去发生的事并未消失，发挥想象力，记忆可以变成故事，真实可以变成奇幻。

1943年，达尔写了一个叫《比利与小精灵》的故事，灵感来源于民间传说和他在空军服役时的经历。在这个故事里，达尔第一回用小孩的视角，讲述比利如何帮助小精灵战胜了巨大的怪物。就此，他那五味杂陈的成长记忆，在故事中渐次展开，幻化成一个又一个奇幻的平行宇宙。他的作品《玛蒂尔达》被英国皇家莎士比亚剧团改编为音乐剧，包揽了英国戏剧最高奖奥利弗奖7项大奖、美国戏剧最高奖托尼奖5项大奖，还拿过上百项国际大奖，因此获得了一项“拿奖最多”的吉尼斯世界纪录。2019年至2023年，这部音乐剧在中国多座城市巡演，孩子喜欢，大人也喜欢。

相信魔法，你就能拥有魔法

写于半个多世纪前的故事，为何依然如此有魅力？因为罗尔德·达尔的故事不像一般的童话，即便是温情喜剧，也不避讳现实的残酷和滑稽，常常具有惊险刺激的黑色幽默。就像儿时爱搞恶作剧，他在故事里常将孩子爱疯爱闹的天性夸大到极致，甚至有些吓人——可孩子看了只会觉得好玩，因为他真正站在了孩子一边，相信开玩笑是孩子的天性，相信孩子会对有点儿恐怖的东西好奇，相信善良和勇气终会战胜贪婪与邪恶。

正如《玛蒂尔达》中的天才女孩玛蒂尔达所说，儿童书就应该滑稽，“孩子不像大人那么严肃，他们爱笑”。这个故事写于1988年，灵感可能源自达尔童年的悲惨经历和他古怪的“偏见”：读书永远胜过看电视。因此玛蒂尔达在5岁就读完了图书馆里所有的经典。故事里的头号反派是个恶校长，原型就是达尔小时候遇到

青春的迷茫

●〔美〕沙耶尔·瓦尔夫
○乔凯凯　编译

卢卡斯突然觉得自己成熟了。是的，他已经度过了16岁的生日，不再是小孩子了。几乎是一夜之间，卢卡斯对游戏和动画失去了兴趣，他觉得那些简直太没意思了，甚至难以理解自己曾经沉迷的行为。为了打游戏和看动画，他耽误了很多事情，还被父母责骂，被老师惩罚……更重要的是，他浪费了许多宝贵的时光。

“我不应该把时间浪费在这些无法产生价值的事情上。”卢卡斯告诉自己。于是，卢卡斯彻底抛弃了游戏和动画。卢卡斯原以为自己会变得更快乐，生活得更有意义。可是，他发现事实并不是这样的，他反而变得更不快乐。

“难道这就是成熟的意义吗？”卢卡斯问托克老师。他双手托腮，眼神里充满了迷茫。

“噢，不，孩子，并不是这样的。”托克老师连连摆手，“我是说，事实上，这并不是成熟。”

卢卡斯不解地问：“为什么这样说？”

托克老师拍了拍卢卡斯的肩膀，问：“你现在喜欢做什么事情？我的意思是，你对游戏和动画失去了兴趣，那么，有没有新的兴趣出现？”

卢卡斯摇摇头，他只是觉得不应该花费时间在娱乐上，如果这样做，他会感到不安和焦虑。但是他还从未想过，自己应该做些什么，或者发现什么其他新的兴趣。

“这就是问题的症结。”托克老师看着卢卡斯，笑着说，“告别一些无聊的东西，然后寻找新的有意义、有价值的东西，并充满热情地去追逐，这才是成熟，也是成熟的意义所在。如果只是不再喜欢旧的事物，而且对任何事情都毫无兴趣，感觉没有乐趣，孩子，那不是成熟，那只是一种青春的迷茫。”

（菊之雅摘自《父母课堂·中小学版》2024年1—2月合刊，视觉中国供图）

的糖果店老太太，小反派则是贪婪、势利的爸爸妈妈。这些大人憎恨孩子，不相信孩子，以虐待孩子为乐，他们就是达尔奇幻故事中的巨型怪物。在这部作品中，女孩玛蒂尔达要替同学出气，于是她聚精会神，集中于想象，竟然用意念移动了水杯，就此掌握了特异功能，不但推翻了恶校长，还为善良的老师伸张了正义。

全球知名的流媒体公司Netflix（网飞），最近也推出了根据达尔作品改编的艺术短片。其中有个故事《天鹅》，讲述了中学生彼得遭到霸凌的故事：坏孩子打死天鹅，割下翅膀绑在彼得的胳膊上，用猎枪逼他从高处跳下。达尔这样写道：“当有些人忍受得太多，超过了他们的忍受能力，他们干脆就垮了下来，放弃了；也有另外一些人，尽管不多，他们会为了某种原因，不屈不挠。你在战争时期与和平时期都能遇到这样的人。他们有一种决不让步的精神，无论是痛苦折磨，还是死亡威胁，都不能使他们放弃。”

故事的最后，坏孩子开枪，彼得从高处跌落，但就在那一瞬间展翅高飞。也许，这正是达尔故事的动人之处，从少儿视角审视现实的不公，他用天马行空的奇幻想象向小读者发出警告：世界不尽是美好，成长中你会遭受质疑和否定，会身陷困境，但你也可以换个角度，选择鼓起勇气，抱有信念。相信魔法，你才能拥有魔法。

（月和叶摘自《世界博览》2024年第2期）

这段话送给最爱的你

●玛丽－克莱尔·库亚
○孙晓莹　译

Do you think you are going No Where in Life?

你觉得人生无路可走了吗？

STOP!

停下来！

Take a deep breath!

深呼吸！

THINK!

想一想！

New York is three hours ahead of California, but that does not make California slow.

纽约比加州早3个小时，但加州的时间并没有变慢。

Cameroon is six hours ahead of New York, but it does not make New York slow.

喀麦隆比纽约早6个小时，纽约的时间也没有变慢。

Someone graduated from college at 22 but waited five years before securing a job.

有的人22岁大学毕业，但等了5年才找到工作。

Someone became a CEO at 25 but died at 50.

有的人25岁当上了总裁，却在50岁就去世了。

Someone became a CEO at 50 but lived to 90 years.

有的人50岁才当上总裁，然后活到了90岁。

Someone is still single,

有的人依旧单身，

While another is married with children.

与此同时有的人已经结婚生子。

Absolutely, everyone in this world works based on their own time zone.

这世上的每个人本就有自己的生长时区。

People around you might seem to be ahead of you.

或许周围有人领先于你。

That's totally fine. Some are behind you.

没关系，也有人落后于你。

Everyone is running their own race in their own time zone.

人人都有自己的赛道和时区。

Don't envy or mock them.

不必嫉妒，不必嘲笑。

They are in their own time zone and you are in yours.

他们在自己的时区里，你也是。

Life is about waiting for the right moment to react.

人生要的是伺机而动。

So relax.

放轻松吧。

You're not late,

你没有落后，

You're not early.

你也没有领先。

You're very much on time, and in your time zone.

你在自己的时区里，刚刚好。

Your dreams and visions are all valid. Just take your time and do the best you can.

你的梦想和愿景都会实现。慢慢来，尽你所能做到最好。

You're ok just the way you are. The little work you are doing today might seem insignificant but I bet someday you will see the big picture.

你已经很棒了。你如今所做的那点工作似乎微不足道，但我敢肯定总有一天你会掌握全局。

You're Not late! You're Not early.

不早不晚，刚刚好！

（本文根据WORLD PULSE网站内容整理而成，视觉中国供图）

每一颗星星都会发光

●童欣

运动会期间，有不少已经毕业的学生回校看望老师，一个高高帅帅的男生戴着墨镜，酷酷地走到我身边，冲着我腼腆一笑，说：“Ms Tong，还记得我吗？”

我在脑海里检索，觉得他应该是我上一届带的学生。我带了他们两年，他们上初三时，我因被外派到别的学校交流，错过了他们变化最大的一年。他似乎意识到了我的迟疑，赶忙摘下墨镜，说：“是我呀，泽仁。”

哦，是泽仁，那我必须记得呀。

泽仁是那种看上去毫不起眼的孩子。初一升初二的时候，正处在猛长期的学生们一个个长得人高马大的，泽仁则保持着中不溜的身材，长相也很普通，隐藏在班级里，悄无声息。

与他的外貌相一致的是泽仁的性格。他一直是班上的低调分子，尽管成绩不错，平时也很踏实努力，但上课很少发言，课间也多是一个人静静地坐在座位上写习题。若非那一手“亮眼”的“烂字”，恐怕他无法在我的脑海里留下印象。我多次在他的练习册上点评：“好好练字，字要写得工整规范。”泽仁虚心接受，却坚决不改，每次考试，作文明明写得不错，却会因为书写问题得一个“折扣分”。

如果就这样波澜不惊地走下去，我跟泽仁之间恐怕也没什么故事。转折发生在他们升初二的那一年，我们的英语课本里有一个单元的主题是solar system（太阳系），需要给孩子们科普一些基础的太空知识。这历来是课程的一个难点，纷繁复杂的太空知识本就无趣，何况是英语的。每一次学习新的词语时，孩子们都能用心跟读，但他们大都对背景知识所知甚少，泽仁却能侃侃而谈，和大家分享恒星与行星的故事。

到了正式开讲有关太阳系的文章时，因为有泽仁的背景铺垫，大家对这篇文章的内容不再陌生，我预设的几个难点问题都没有给孩子们造成困扰，课程进行得格外顺畅。

一节课下来，泽仁大出风头，同学们看他时，眼中充满膜拜之情。下课铃响，不知是谁先带了个头，掌声如潮，泽仁不好意思地低下头，脸红到了脖子。

那个课间，泽仁的身边第一次围满了找他聊天的同学。

在同学们七嘴八舌的“背调”下，我大致了解到，泽仁从小热爱天文学，喜欢听一切关于星空的童话故事。上小学的时候，他经常去乡下老家观测星空，夏夜里的北极星、冬日里的启明星、猎户座、仙女座……泽仁在分享他喜欢的这一切时，眼里闪着熠熠的星光。我饶有兴致地看着他认真自信的模样，脑海里闪过一句话：“只要找对了方向，每一颗星星都会发光。”

那个周末，我邀请泽仁和班上十余名同学一起参观科学馆，完成他们的英语实践作业。有几个孩子明显是第一次来，对这里充满好奇却表现得很拘谨，泽仁则熟门熟路地给大家当起了小导游，介绍着不同楼层的陈展内容，并重点介绍了太空馆。在介绍的时候，泽仁还特地带着同学们复习了一遍我们刚学过的相关词语，我悄悄地把这一切录了下来，做成一个小视频分享在家长群。

泽仁的父亲看到后，打电话联系我，和我聊了很久，其间几次哽咽。我才知道，泽仁的父母在泽仁六年级的时候选择了离婚。关于星空的一切，童话故事、星空观测、太空馆参观……虽然是父子俩共同的美好回忆，但也随着泽仁被判给母亲，被封存在了泽仁和父亲的记忆里。

大抵是之前父母的频繁争吵和母亲长久以来的情绪影响了泽仁，进入初一之后，泽仁不肯再见父亲。泽仁的父亲只能从班级群里偶尔窥探泽仁的动态，这是他第一次看到泽仁自信又积极地重温他们的回忆。泽仁的父亲最后说："老师，谢谢您听我说了这么多，我并不是求您帮忙修复我跟孩子的感情，就是想恳求您，让孩子的脸上多出现一些笑容。"

我不忍辜负一位父亲的拳拳爱子之心，更是想到泽仁在分享星空主题时那认真自信的模样，所以希望能帮泽仁巩固他的优势，并锻炼他的能力和胆量。我想起那句名言："教育的本质意味着，一棵树摇动另一棵树，一朵云推动另一朵云，一个灵魂唤醒另一个灵魂。"

想了又想，我决定给泽仁布置一份专属于他的特色作业，请他把小时候观测星空的故事分享给全班同学，而且得用英语。泽仁听了大惊失色，忙挥着手推托。我把上次在科学馆里录的小视频播放给泽仁看，剪辑的内容里，泽仁全程英语输出，在他眼眸越变越亮的时候，我趁热打铁，给予肯定和鼓励。我说："你看，你的英语底子本就不差，你在做你擅长并感兴趣的事情时，连漫天的星光都盖不住你眼里的光，有什么可怕的呢？你就当是在向你爱的星海做一次浪漫的告白吧。"泽仁支支吾吾的，似乎还想说些什么。我直接拍了拍他的肩膀说："Don't be shy, just try!（别害羞，试试看！）"

泽仁对这份特色作业十分上心，我给了他两周的时间做准备。第三天，泽仁就把大纲写出来交给了我。可是在细节润色上，泽仁却拖了很久，第二周的周末，泽仁的父亲欣喜若狂地给我发消息说，泽仁主动联系他，想再回老家观测一次星空。满屏的"谢谢"是泽仁父亲掩不住的兴奋，我却从中品味到了泽仁做这项特色作业的用心。

那次的故事分享，泽仁在幻灯片中配了很多照片，还用心剪辑了一段视频，里面不但有各个星座的天象实拍，还有流星的实录。丰富的细节足够打动人心，同学们自然也听得很认真。当同学们纷纷发出"哇"的惊叹声时，我看到了泽仁的眼里流露出的得意与骄傲。

自那之后，泽仁变得开朗多了，课上也会主动回答我的问题了，课后也能见到他跟同学们玩成一片的身影，唯一让人头疼的还是他那坚决不改的一手"烂字"，等待着我继续跟他"斗智斗勇"。

回忆渐近尾声。泽仁塞给我一张明信片，又戴着他的墨镜酷酷地走了。我低头，还是那一手"烂字"，却认真地写下一句感谢："Ms Tong，感谢您，曾让漫天的星光陪我一起发亮，今后我也会努力成为更优秀的追星人。"

那一刻，我的眼眶发热，我想这大概就是当老师的幸福吧，也愿这份对天文的热爱，能伴随着泽仁成长，一路生花。

（本刊原创稿件，豆薇图）

回到地球的“火球”

●魅力科学君

现在的我们，早已见惯了各式各样的宇宙飞船在地球和太空之间来来往往，令人感到奇怪的是，当宇宙飞船返回地球时会被高温炙烤，甚至会变成一个耀眼的“火球”，然而在宇宙飞船飞出地球时，却没有出现这样的情况，这是为什么呢？下面我们就来聊一聊这个话题。

当物体在空气中高速运动的时候会产生高温，这种现象被称为“气动加热”。关于这种现象，有一种常见的说法是，物体在空气中高速运动时，其表面会与空气剧烈摩擦，进而产生高温。但这种说法其实并不准确，因为尽管物体表面与空气的摩擦确实会产生一定的热量，但更多的热量，则是来自物体在高速运动的过程中对其前方空气的剧烈压缩。

相信大家都听说过第一、第二和第三宇宙速度，简单来讲，它们分别对应宇宙飞船环绕地球运行、摆脱地球引力束缚以及飞出太阳系的最低速度。

也就是说，当宇宙飞船在执行完太空任务返回地球时，其最低的速度与第一宇宙速度差不多，这种速度其实比想象中的快得多。比如在空间站的高度上，第一宇宙速度大约是7.8千米每秒，按照这样的速度，大概只需要1.4小时就可以绕着地球赤道跑一圈。

所以我们不难想象，以如此高的速度穿过大气层，宇宙飞船当然会因为剧烈的气动加热而被高温炙烤了。那为什么宇宙飞船飞出地球时，却没有出现这样的情况呢？

从理论上来讲，当物体在空气中运动时，气动加热产生的热量与两个条件密切相关，一个是物体的运动速度，另一个则是空气的稠密程度，具体表现为：物体的运动速度越快，空气的稠密程度越高，其产生的热量也就越多。

需要知道的是，地球大气层之中的空气其实分布得极不均匀。其中有大约75%的质量都集中在其底部的对流层，而随着高度的增加，空气的密度也会急剧下降。当高度达到100千米时，空气的密度就大约只有海平面处的空气密度的220万分之一了。

我们都知道，在发射宇宙飞船的时候，宇宙飞船的速度并不是瞬间提升的，而是有一个相对缓慢且持续的加速过程。这就意味着，在地球大气层中空气相对稠密的区域里，宇宙飞船的速度其实并不快，如此一来，即使存在气动加热，其产生的热量也不算多。

而随着宇宙飞船的速度逐渐提升，其飞行高度也在不断增加，空气的密度也会急剧下降。在这样的情况下，当宇宙飞船的速度提上来之后，

小夜河边

●魏鸣放

四面，都是黑色。

小河的对面，都是樟树。一团团树冠，上升为天上的浓云。

一个人，坐在台阶之下。

周围很静，也很空。然而，细听有声，那是全世界汽车的回响。

一个人，正可打开手电，将灯光对准小河对面的树冠。上面，并没有鸟儿飞起。再将灯光压下，对准对岸一边的水面，让河水冉冉上升，将清幽的光亮，波动在对面的树下，草上。

然后，将灯光放下，横过河道的中线。

且慢，且先闭上双眼，静静细听。有一种声音，很细，那叫“唼喋之声”，正是古人形容鱼水互动声响的文言表达。是的，它们，是一些成群的小鱼，很多，不大，仅两三寸长。然后，你睁开眼睛，会发现，水面之上，突然闪出一片片细小的白点，很亮，很尖，很冷。它们就是古人笔下的鲦鱼，也是今人所称“翘嘴巴”的小白条，沪上俗称“窜条鱼”者。

那是，一粒粒，一片片，一弯弯，成千上万点白银；那是，一大锅刚刚煮开了的皎白水饺，一只只扑腾腾起跳；那是，冬天里漫天飘舞的飞雪，一粒粒又大又小，迷乱了视线。

谁知，原来刚才，它们就在水面之下。

好吧，既然打搅了，惊动了，那么不妨将灯光再次熄灭，让一切重归于平静。且让水上与水下，大家休息一会，暂时互不打扰。然后，很久很久，只对小鱼们，说一声抱歉，道一声：“聒噪！”重新打开灯光，再看它们集体起舞，闪亮登场于天地之间。

今晚，没有月亮，只有星星。

（天鸽摘自《新民晚报》2024年2月17日，视觉中国供图）

其所在区域的空气已经非常稀薄了，气动加热的效果也不明显，其产生的热量当然也不多，自然也就不会被高温炙烤了。

看到这里你可能会提出一种想法：既然如此，那么在宇宙飞船返回地球时，我们能不能把它的速度降下来，让它以较低的速度穿过大气层中空气相对稠密的区域，进而避免宇宙飞船被高温炙烤？很遗憾，这样的想法好是好，但以我们目前的技术水平无法做到。

现在我们给宇宙飞船减速的方法只有两种，即依靠减速伞和反推装置。正如前文所言，宇宙飞船返回地球时，其速度是相当高的。在这种情况下，如果我们用减速伞，其实在空气稀薄的区域，减速伞根本起不了作用；在空气稠密的区域，剧烈的气动加热所产生的高温，则会将减速伞在极短的时间内烧蚀殆尽。所以这是不可行的。

然而如果用反推装置，就需要大量的燃料，这些燃料从何而来呢？当然只能靠宇宙飞船在发射时携带，但是这些额外的燃料本身又很重，这就需要更多的燃料来提供发射时的动力……以航天器目前的载荷能力，这同样是不可行的。

所以目前我们所采用的方法只能是：先让宇宙飞船在大气层中穿行一大段距离，利用空气的阻力来为其降速，当速度降低到一定的程度时，再利用减速伞和反推装置为其进一步降速，并最终让宇宙飞船安全降落到地面上。

（林一摘自微信公众号“魅力科学君”，Raven图）

原来动物是个“形容词”

●戚舟

大千世界，芸芸众生。花草树木给了我们“静”的美感，山河江海给了我们“动”的豪情，而各种各样状态下的昆虫鸟兽，则让我们拥有许多有趣的“形容词”，如“牛饮”“狐疑”“雀跃”“蜗居”等，你知道它们是怎么来的吗？

“蜗居”到底有多小

“蜗居”一词古已有之，是指像蜗牛壳一样窄小的房屋。它到底有多小？其实古人也没个准确定义。

魏晋时期最早出现对“蜗居”的形容，是《三国志·魏书·管宁传》中说：“自作一瓜牛（蜗牛）庐，净扫其中。营木为床，布草蓐其上。”是说管宁自己建了一个“蜗牛庐”，里面只放了一张床，所以这时的“蜗居”只有一人容身那么大。此后大兴的唐诗宋词里，文人们好用“蜗舍”来自述贫寒，比如白居易的“庭小同蜗舍”，宋人黄庭坚的“孤材小蜗舍”，都把自己说得十分可怜。

明朝的“蜗居”变大了些，《初刻拍案惊奇》中有如此描写：“窄小蜗居，虽非富贵王侯宅；清闲螺径，也异寻常百姓家。”此处的“蜗居”虽然比不得名门望族的阔庭大院，却也非寻常百姓家的小门小户，那时的小门户最少也有一院二屋，可比今天四五十平方米的公寓大多了。

到了晚清时期，“蜗居”一词在学者徐时栋的研究下，才算有了比较清晰的概念。经过多方溯源，他说：“惟蜗牛，始生时在壳中。及稍长，即脱壳而去，壳不与其身俱长也。以譬人家屋小，不能容多人耳。”大意是说，人成年后有了伴侣孩子，便无法再住以前的

小房子，形容“蜗居”之小，没法再多容纳一个人。

“不能容多人”，放在今天来理解，可以这么说：乡下住五六个人的小院，城市里住三个人的小公寓，应该都算“蜗居”。

两个“热闹”的词儿

“蜂拥”和“鱼贯”两个词，都可以形容人多热闹的场面。但它们其实有不小的区别，从古籍记载中可观一二。

“蜂拥”始见于《史记·项羽本纪》：“陈涉首难，豪杰蜂起。”意思是各路英雄豪杰一窝蜂似的一拥而出。为什么像“一窝蜂”？战乱时期，豪杰们走投无路，见有人为民起义，从四面八方纵马赶来的样子，可不就是乱糟糟的“一窝蜂”？

由此可见“蜂拥”的第一个特点是，虽成群结队，但杂乱无序。

“蜂拥”一般和“而至”“而来”“而上”等表达目的的词组合为成语。这是为什么？因马蜂出巢，是带着“使命必达”的任务的。比如你捅了马蜂窝，马蜂就要飞出来蜇你；又比如林则徐《筹办永昌哨匪起程日期折》中“每聚众时，用牛角一吹，无不蜂拥而至”，也带着目的性。

再看“鱼贯”，最早记载于《三国志·魏志·邓艾传》：“山高谷深，至为艰险……将士皆攀木缘崖，鱼贯而进。”是说将士们走在悬崖边的窄道上，像排队的游鱼一样依次进入。这里表明了“鱼贯”与“蜂拥”的区别：“蜂拥”是一大群聚集，而“鱼贯”是前后连接着有序进行。如此看来，“鱼贯”一词可比“蜂拥”讲文明、守秩序。

“鱼贯”的相关成语也不少，如“鱼贯而出”“鱼贯而进”“鱼贯而行”等，比起“蜂拥而来”多了个“返回”的状态。这也很好理解，马蜂窝顶多西瓜那般大，马蜂们闹哄哄地飞出去容易，乱糟糟地飞回来可就难了；而小鱼们无论出还是进，都是一条接着一条，所以不会闹出“能出不能进”的笑话。

“雀跃”和“虎跃”

“雀跃”和“虎跃”虽都是形容“跳跃”的状态，意思却大有不同。

像麻雀不断跳跃一样高兴，这叫“雀跃”，今天用来形容非常欣喜的样子，或者十分欢乐的场景。古人是怎么想到如此生动的形容词的呢？

这要从战国说起，庄周在《庄子·在宥》中说：“鸿蒙方将拊髀雀跃而游。”试想此景：一排小鸟站在天线杆上，叽叽喳喳地蹦跶着，一边拍腿大笑，一边唠嗑取乐，可不是让人感受到快乐？

古代的“雀跃”还有勇猛的意思，《旧唐书·姚南仲刘迺等传赞》中“宽夫雀跃，廷老鸿轩”是说宽夫这个人勇于任事。但到了后来，“雀跃”一词就只有欣喜之极和场景热闹两种意思了，并且衍生出一些成语，如“凫趋雀跃”出自卢照邻的《穷鱼赋》，是说像野鸭快跑、麻雀跳跃一样兴奋；还有“欣喜雀跃”，出自《水浒传》第一百〇八回，说宋江听说兄弟的病大好了，心情十分高兴。

像老虎一样跳跃，这可比“麻雀跳跃”有气势得多，所以“虎跃”形容威武雄壮的样子，引申为人得时刻奋起。

在成语中，“虎”常和“龙”组合在一起，天上的霸主和山林的百兽之王碰了头，这场面令人热血沸腾。“龙腾虎跃”见于唐代严从的《拟三国名臣赞序》“龙腾虎跃，风流云蒸”，表达奋起行动、有所作为的意思；“虎跃龙骧”出自明朝方孝孺的《尚友五赞·诸葛武侯》“虎跃龙骧，天下震恐”，形容豪气冲天、雄健强壮的样子。

无论是“蜗居”“蜂拥”还是“雀跃”，各种动物大展拳脚，展示着自己的特长，用鲜活有味的动物生活，为我们绘就形容多彩的自然世界。

（Ago摘自《团结报》2024年3月16日，邱炯图）

活出你的信念，你就能转动世界

●张广智

5年前的夏天，我初访瓦尔登湖，在杖朝之年实现了要去看一看梭罗写作《瓦尔登湖》之地的愿望。如今，我有幸重访瓦尔登湖，赏湖怀贤，观景思往。

我从事西方史学史研究，在阅读现代美国史学经典《新史学》的同时，我的书架上也有徐迟所译《瓦尔登湖》的首个中译本。后来，《瓦尔登湖》亦如《新史学》一样，成了我的案头书。于此一端，文史合一，相得益彰。

从梭罗这位文学大师身上，我悟到了做一个真正的史家的精神要素，成了研读梭罗的业余爱好者。此后，我留意收集《瓦尔登湖》的各种英译本。各种导读性文字，我也摘录过几段："如今，'瓦尔登'一词传天下，它不啻成了一首赞扬纯朴简约与自给自足德行的颂歌。""须知，当梭罗从日出到中午坐在小屋里，在没有干扰的寂寞平静中，凝神沉思，那时鸟儿在房子里歌唱或无声地飞过时，他的言行举止正契合现在。"这些文字，可以引导读者进一步走进梭罗的内心世界。

就思想价值而言，《瓦尔登湖》可视为人与大自然和谐共生的范例。梭罗从1845年7月4日到1847年9月6日度过了两年多隐逸瓦尔登湖湖畔的日子。他在树林深处寻找和思考大自然之美，告诉读者，我们要像自然那样审慎地度过每一天。回望梭罗的自然观，源头还要追溯到其导师爱默生。在爱默生看来，自然是一位精神导师，人类生活与自然紧紧相连。

时至今日，瓦尔登湖已化为一种意境，正如梭罗所言："当一切都成为过往，瓦尔登湖依旧在看不见的远方荡漾。"

就文学价值而言，《瓦尔登湖》也经得住时间的考验，现今被视为世界文学史上的非虚构文学写作的范本。《瓦尔登湖》于1854年首次出版时并没有引起很大的反响，进入20世纪，梭罗名望日隆，梭罗学会于1941年成立，梭罗的影响力也不断扩大到世界各地。梭罗用第一人称写作，鲜活的文字饱含着炽热的情感，他歌颂自然之美、生命之美、生活之美。"只有真实才经得住考验"，非虚构文学具有持久耐读的魅力，我们因此对它百读不厌、常读常新。

就梭罗的人生观而言，他是一位隐士袍下的斗士。梭罗曾经满怀壮志地说："活出你的信念，你就能转动世界。"尽管他因肺病早逝，只度过短短45年的人生，但正如徐迟所说："他是有目的地探索人生，批判人生，振奋人生，阐述人生的更高规律。并不是消极的，他是积极的。"梭罗用自己的人生观为大众点亮一盏灯，引导世人奋勇向前，《瓦尔登湖》也因此被评价为塑造读者人生观的25部经典之一。

阳光下，我径自走到瓦尔登湖湖畔小屋旁的梭罗雕像前，握着他的手，向他道别。

下次再访瓦尔登湖，我要带些什么来？我想象着梭罗的回答——"有一句书中的话：'不用给我爱，不用给我钱，不用给我声誉，给我真理吧！'我想了一下，你还是给我带一点真理吧！"车子向前，我眼前的瓦尔登湖渐行渐远。而文学里的《瓦尔登湖》早已化为读者心中一幅不朽的"心灵的图画"，不会被遗忘。

（小鱼摘自《时代邮刊·新中年》2024年第2期）

与虫共眠

●刘亮程

我在草中睡着时，我的身体成了众多小虫子的温暖巢穴。那些形态各异的小动物，从我的袖口、领口和裤腿钻进去，在我身上爬来爬去，不时地咬我两口，把它们的小肚子灌得红红的、鼓鼓的。吃饱玩够了，它们便找一个隐秘处酣然而睡。

我身体上发生的这些事我一点也不知道。那天我用铁锨翻了一下午地，又饿又累。本想在地头躺一会儿再往回走，地离村子还有好几里路，我干活时忘了留点回家的力气。时值夏季，田野上虫声、蛙声、谷物生长的声音交织在一起，像支宏大的催眠曲。我头一挨地便酣然入睡，天啥时黑的我一点不知道，月亮升起又落下，我一点没有觉察。醒来时已是另一个早晨，我的身边爬满各种颜色的虫子，它们已先我而醒，忙它们的事了。这些勤快的小生命，在我身上留下许多又红又痒的小疙瘩，证明它们来过了。我想，它们和我一样美美地睡了一觉。有几个小家伙，竟在我的裤子里待舒服了，不愿出来。若不是瘙痒得难受，我不会脱了裤子捉它们出来。对这些小虫来说，我的身体是一片多么辽阔的田野，就像我此刻趴在大地的这个角落——大地却不会因瘙痒和难受把我捉起来扔掉。大地是沉睡的，它多么宽容。在大地的怀抱中我比虫子大不了多少。我们知道世上有如此多的虫子，给它们一一起名，分科分类。而虫子知道我们吗？这些小虫知道世上有刘亮程这条大虫吗？有些虫朝生暮死，有些仅有几个月或几天的短暂生命，几乎来不及干什么便匆匆离去。没时间盖房子，创造文化和艺术。没时间为自己和别人着想。生命简洁到只剩下快乐。我们这些聪明的大生命却在漫长岁月中寻找痛苦和烦恼。一个听厌了世道喧嚣的人，躺在田野上听听虫鸣该是多么幸福。大地的音乐会永不休止。而有谁知道这些永恒之音中的每个音符是多么仓促和短暂。

我因为在田野上睡了一觉，被这么多虫子认识。它们好像一下子就喜欢上我，对我的血和肉的味道赞赏不已。有几只虫子，显然趁我熟睡时在我脸上走了几圈，想必也大概认下了我的模样。现在，它们在我身上留了几个看家的，其余的正在这片草滩上奔走相告，呼朋引类，把发现我的消息传递给所有遇到的同类。我甚至感到成千上万只虫子正从四面八方朝我呼拥而来。我的血液沸腾，仿佛几十年来梦想出名的愿望就要实现了。这些可怜的小虫子，我认识你们中的谁呢，我将怎样与你们一一握手。你们的脊背窄小得签不下我的名字，声音微弱得近乎虚无。我能对你们说些什么呢？

当千万只小虫呼拥而至时，我已回到人世的一个角落，默默无闻做着一件事，没几个人知道我的名字，我也不认识几个人，不知道谁死了谁还活着。一年一年地听着虫鸣，使我感到了小虫子的永恒。而我，正在世上苦度最后的几十个春秋。面朝黄土，没有叫声。

（大浪淘沙摘自人民文学出版社《刘亮程语文课：鸟飞到了时间上面》一书，视觉中国供图）

“社恐”如我

●刘芊

在认识了“社恐”这个词之后，我便发现我就是个不折不扣的“社恐”。从小我就抵触和他人交流，即便是面对最亲近的家人，我的话也很少，因此父母都认为我“不爱说话”。所以在外面的时候，父母总会为我制造机会，让我和陌生人说话。

到了餐馆，他们会让我去找服务员点餐；到了景区，他们会让我去买票；到了陌生环境，他们会让我去问路……从小到大在父母的督促下，一次又一次的锻炼的确让我不再那么畏惧社交，可一旦离开父母的视线，我就又变回了那个“社恐”的我，避免任何社交。当我独自到了餐馆或景区，我会扫码点餐或购票；到了陌生环境，我会看手机上的地图……总之会自己解决事情，避免打扰他人。

可这样的“社恐”到了校园，有时便会转化为孤独。

初次进入初中校园，我与周围的所有人都不认识，这对我来说是一种莫大的压力，使我在入学前一天晚上紧张得睡不着觉。

经过一天相处，我发现很多同学都相互畅谈起来，聊得热火朝天，但在这热闹之下，同桌的女生也和我一样，自始至终没说一个字，就像一块背景板。我想起若是父母在旁边，他们一定会让我开口说话的。在脑海里酝酿了若干种开口的方式后，我默默地看了同桌一眼，却无法开口。那是一种矛盾的心情，想逼自己主动开口，话却像被扼杀在喉咙里，无法挣脱出来。

直到正式开学后，课桌都变成单列的，我便没有同桌了。我依然没有和任何人社交，每个课间我都是独自在座位上写作业的。看着周围三五成群在聊天的同学们，我内心也是向往的，甚至羡慕他们可以如此迅速地融入集体。然而每当我想要交流时，都不知该如何开口。

日子就这样在聒噪的环境下寂寞地流淌着，我逐渐适应了这样的生活，便也放弃了改变，成了班级中一个几乎没有存在感的人。

然而就在期中考试排名出来后的第一个课间，一个女生匆匆往我的座位跑着，嘴里还喊着：“大学霸！”我不认为她是在叫我，便没有回应她。这时她跑到了我的桌前，很直白地开口道：“大学霸，期中考试第一名是你吧？”忽然被问话，我有些紧张地抬起头，匆忙地点了点头。我在学校的第一场社交就这样在涵涵的带动下开启了。

涵涵与我正相反，她是个不折不扣的“社牛”。此后，每个课间她都会来找我，和我聊天，慢慢地，我与她和她的朋友京京也熟悉起来。我终于从背景板中走了出来，加入了课间的聒噪。在这样的环境下，我的话也变得越来越多，使得涵涵和京京都惊讶于我竟还可以这么健谈。

下半学期，班主任组织了一场小组PK赛，把班里的40名同学分为10个小组，并在每个组里选出一名组长，要求组长督促组员积极订正作业，我

摘抄本

写作着，我是尊贵的，蓬勃的，可以祈祷天赐，真的得以神授，那文思如草在疯长，莺在闲飞。不写作，我就是卑微、胆怯、慌乱的，烦恼多多，无所适从。我曾经学习躲闪，学习回避，学习以茶障世，但终未学会，到头来还是去写作。

——贾平凹《河山传》

我放慢语速，我从不贪快，你想快速抵达，我想最后才到。这不是因为我老了，那不是我追求的生活。我总喜欢慢一点，我妈妈常这么说。我系紧鞋带，可我不想奔跑。我会踏着我的节奏抵达，我不需要发令枪。

——莱昂纳德·科恩《慢》

奇特的是，你虽然存在于这个世界，但对这个世界的模样一无所知。奇特的是第一次看见天空和太阳，第一次感受到空气拂过肌肤，第一次看见一张脸、一棵树、一盏灯、一件睡衣，还有一双鞋子。在我的生命里，这些第一次几乎不会再发生了。但很快就有了，那便是几个月后，与你的第一次见面。

——卡尔·奥韦·克瑙斯高《在冬天》

春天暗中做的事情是让土地复苏，让麦芽长出来，让青草遍布天涯。“草都绿了，冬天想回也回不来了。”这是春天常说的一句话。春天并不是冬天到达夏天的过渡，而是变革。世间最艰难的斗争是自然界的斗争，最酷烈的，莫过于让万物在冬天里复苏。

——鲍尔吉·原野《向四季躬身致谢》

被选为组长。在履行组长的职责时，组员铭铭总是在还没有改完作业时就跑去操场，使我总是要花费更多的精力去督促他。由于受到涵涵的影响，在空闲时间，我主动开始和铭铭聊天，很快我们也成为朋友。

在元旦联欢会前，铭铭邀请我和他搭档说相声，我本来有些犹豫，怕自己面对全班同学时会怯场。但在他的再三劝说下，我下定决心同意和他搭档。在元旦联欢会上，我走上台时不自觉地紧攥着拳头，面对台下的同学和老师，我的手指从小拇指开始发麻，几乎要失去知觉。一个包袱完美抖出，可我的心里仍很紧张，额头已滴下了一滴豆大的汗珠。这时，我听到班主任和涵涵那发自内心的笑声，备受鼓舞。我勇敢地抬起头，直视大家，自信地将这段相声说了下来。关于这段相声，我认为我和铭铭说得相当完美，鞠躬致谢后那雷鸣般的掌声也激励着我。对我来说这次演出是一次莫大的鼓励，因为这是我之前完全不敢想象的。

慢慢地，凑在我周围的同学越来越多，有来问我习题的，也有来找我闲聊的，他们的声音非常热闹，而他们闲聊的内容却不是我感兴趣的。我逐渐有些应付不过来了，对与他们社交感到了疲惫。而且我的课间逐渐被他们“支配”，我几乎没有自己的时间写作业了，这导致我每天晚上都要熬到很晚。我竟有些怀念我还是个“社恐”的时候，每个课间我都可以自由支配，有充足的时间完成作业。

当意识到这点时，我开始有意无意地疏远周围那些找我闲聊的同学。慢慢地，我只留下了原先那三位朋友，我的课间恢复了往日的平静和自由。我们在一起聊天，讨论知识点，或是写作业，没有大吵大闹，只是安然地相处。

这样的课间才是真正适合我的，平静而美好，我再也不会羡慕别人的热闹了。

（本刊原创稿件，Cyan Lin图）

快江湖中的慢刀客

●度公子

人类对“神兽”的热爱是很执着的。在中国，离年轻人最近的，同样“神兽”横行的古籍，当属《山海经》。

两千年前，司马迁曾表示：“《山海经》所有怪物，余不敢言之也。”到了21世纪，年轻人可没有这么多顾忌。来自浙江杭州的“95后”纸艺手工爱好者冯则瑞，便一见《山海经》“误”终身。

冯则瑞在第一次接触《山海经》，看到这些于虚幻与现实之间存在的异兽时，就生出了一探究竟的强烈意愿。此后，山海异兽带给冯则瑞的惊喜，远不止于此。《山海经》让他找到了可以不断创作的题材，以及一个完全属于他自己的世界。

2019年年初，冯则瑞开始在B站（哔哩哔哩网）上发布自己创作的山海异兽纸艺系列作品。

“江水出焉，东北流注于海，其中多良龟，多鼍”中的“鼍”，“汤谷上有扶木，一日方至，一日方出，皆载于乌”中的“太阳鸟”……逐渐鲜活起来。

有网友称赞：“这么好的艺术品应该被更多人看到。”这时候，冯则瑞恍然大悟，原来那些能够带给自己力量的画面，同样也能感染他人。

冯则瑞说，山海异兽给了他陪伴。而他，却赋予了它们跃出古籍的生命力。

一切源于热爱

遇到《山海经》并剪出第一剪是缘起，后来，借由《山海经》，冯则瑞得以通往更大的神话世界里创作。

他还原了不少“大众脸”：比翼鸟、虎蛟、离朱……还有不太为人熟知的神兽，比如鳛鳛鱼、驺吾、狌狌等。

冯则瑞的最新作品，是来自《山海经·海外南经》卷六的离朱。

人们往往只关注那些成功的人当下有多风光，但很少有人在意，他们能走到今天，背后需要付出多少努力。

就像冯则瑞创作出的每个神兽，他说制作过程很简单，但当他把制作过程记录下来并发布在网上，网友们看到后纷纷感叹自己“手残”。

首先是构思，他需要不断查找关于神兽的资料，逐步完善想法，再通过虚拟模型进行雕刻，模拟出它的大致形象。

因为《山海经》只是一本风物志，没有太多故事情节，所以要根据史料创作出神兽的原型，没那么容易。

“不过有时灵感太强烈，我就直接开始做了。”冯则瑞说，因为足够着迷，有时可能从第一笔下去，后面那些神兽的形象细节就自动从脑

海中蹦出来了。

接下来就是纸张的选择——选用生宣纸做主体，然后准备颜料。很多时候，同一个步骤要重复千百次，工作量极大，需要极度的耐心。

最后是上色，制作场景和一些小配件之类的，做完这些，作品就完成了。至于成品，只能用“惊艳”二字来形容，栩栩如生，富有灵气。

一个视频不过几分钟，但在我们看不见的背后，是他长达15天到30天的耐心打磨。而这还只是制作一个作品的基本周期。

“做纸艺是相对枯燥和漫长的，我也不太跟外界交流，所以就把这些情绪诉说给古籍里的山海异兽。”

墙里开花墙外香

对冯则瑞而言，能够成为一名纸艺爱好者，既出自意外，也源于执念。

“心静如水”是他在父母的言传身教下得到的最宝贵的财富。母亲以前是一位裁缝，父亲曾制作过茶叶机器。在这样的家庭环境下，冯则瑞仿佛被打通了任督二脉。他从初中就开始接受美术培训，走上美术特长生这条路。

大一时去浙江省博物馆，冯则瑞一看到馆中文物，便无法自拔。一双惦记着手工的手，又怎能一直被其他娱乐项目占据？所以，在学业之余，这个不太喜欢出门的男孩就“闭门造车”。

冯则瑞大多时间宅在家里，几乎一刻都离不开自己的山海异兽。

熬夜是常态，有周末则是意外，冯则瑞却甘之如饴。幸运的是，第一年创作的《千纸鹤——灼灼其华》，视频播放量就达到127万，网友们纷纷点赞叫绝。

当初离开家乡，远赴杭州，他只想多学习，多锻炼自己，也希望更多的人喜欢他的创作，爱上绘画这件小事。

冯则瑞一直在求变，但始终不得其法，他说自己一开始创作时是很难的。

为了寻找效果最佳的纸张，冯则瑞试过多种纸质材料，比如玻璃纸、珠光纸、褶皱纸还有硫酸纸。在不断的尝试下，他最终选用了生宣纸，并开始自己染色，处理纸张，使其达到自己想要的韧度和质感。

一幅幅作品最终呈现出来，广受好评，他更加受到鼓舞，终于看到墙里开花墙外香。

在冯则瑞的作品中，当下与历史、积淀与迸发、快与慢，都被勾连起来，而屏幕前的人们也在此找到自己的归所。

跨越千年的震撼

《山海经》里的一只只神兽，在他手下变成了精致的艺术品。越来越多的网友被他作品所展现的国风之美打动，开始主动了解中国传统文化，也渐渐得以领悟中国古代神话的魅力。

一件件作品不仅在视觉上“美哭”我们，更唤醒了那份早已扎根于我们骨血里的、割舍不掉的对中国传统文化的热爱。

他的作品像一座桥梁，带给我们跨越千年的震撼。

超越寻找简单结论的阅读

◎曹林

年少时读书，特别热衷于寻找某个简单的结论，觉得一本书的价值就在于能将千头万绪，归结为一句话；找到代表结论的那句话，就觉得已经掌握了这本书的精华，算是读过了。书读多了，自己也写书、教书，渐渐意识到，这是一种要不得的肤浅的读书习惯，带着中学时代“总结中心思想”“找关键结论”的应试惯性。真正的读书，需要戒除那种“找简单结论”的简化诱惑，而是要读到复杂性。深刻的读书过程，应该总能在掩卷之余，在脑海里盘旋这两句话：这事儿没那么简单。那么，问题又来了！

所谓认知肤浅，就是将对世界的了解，冻结于某个简化的结论。所以，苏姗·桑塔格说，一切真正的理解，起源于我们不接受这个世界表面所表现出的东西。读一本书，如果读到的仅是某个简单的结论，说明我们对一个问题的认知仍停留于薄和浅的表层，没有对“已知的已知”形成某种冲撞、侵犯、挑战，它只是既有认知区中某种“熟悉而愉快的确证”“未增加新知的浅阅读”，没有飞跃到“未知的未知”。很多时候，我们貌似读书和思考了，实际上只不过是重新整理了一下既有的偏见、狭隘，强化了一种闭环中的偏执。这个过程并没有真正地“思想”——思想是什么？思想就是一个越过简单结论的过程，抵制某种未经思考、未经论证之结论的思维行动，对任何现成给予的东西说“不”。

好书能让头脑变得复杂起来，不会在人群中被片面的观念所操纵。将问题置于某种冲突的语境中去思考，才能看到问题的复杂性，问题真不是那么简单。复杂是什么？就是跳出粗糙而简单的是非，看到事物内在的多元、矛盾、幽暗、张力、褶皱、弯曲和肌理。原先你可能只知道“要么死、要么活”，却想不到还存在着“我爱生活，却不想活下去”的复杂生存困境；原先你只知道悲伤和流泪，却看不到这世上有很多不能流泪的悲伤。这就是复杂，它有着比你的想象更多的可能性，它在打破你的惯常认知和直觉判断的过程中，提高着你的观念水位，延伸着你的认知半径。

（梁衍军摘自《羊城晚报》2024年1月28日，视觉中国供图）

每当完成一个自己满意的作品，冯则瑞就会把它拍下来发在网上，与粉丝分享。他还把创作的步骤详细地展现出来，从不遮遮掩掩。他希望有更多的人和他一起，去传播优秀的传统文化。

很大程度上，传统文化作品的创作者和传播者正处在最好的时代。

快，是互联网发展的速度，也是这个时代的节奏。在各种倒计时中，人们与周遭一切共同飞快向前，主动或被动地卷入加速的时间。

然而，即便是手起剑落的快江湖，仍然有甘做工匠的慢刀客。快时代中，“慢”似乎从未被丢掉，快与慢，敏与拙，总有人游走其中，那是一种不止歇的行进状态。

我们期待冯则瑞创作出更多绝美的神兽，用心与双手，传递最古老的文化。

（紫陌红尘摘自微信公众号“艺非凡”，本刊节选）

中国画里为什么鲜有太阳

●罗兰

陪国外的朋友看故宫博物院的名画，他们总会问一个启人深思的问题：“为什么你们中国画里，很少有人画太阳？”

确实如此。我们的国画里，可以说几乎没有人画太阳呢。

这和西方画相比，真是大异其趣。

凡·高在疯狂的心理状态下，刻意去追求那炽热的、燃烧的太阳自不必说，其他西方画家笔下的风景也大都是阳光灿烂的。他们即使不直接画出太阳，其作品给人的感觉也是以阳光的存在或不存在，来表达时间或天气的变化的。

范宽《溪山行旅图》

当然，你会说这是因为所使用的颜料不同，油画的颜料本身就是亮的，而国画的颜料比较暗淡。即使如此，在你细看国画时，仍会感到中国画家根本无意强调太阳。

国画里的山，是阴凉的。国画里的树木，是遮天蔽日的。国画里的水，极其平远浩阔，既非波涛汹涌，也不熠熠生辉，而大多是不着一笔，一片空无。河用两岸或小舟，瀑用群峰或石树来衬托而已。

我们似乎很难想象，国画中如果有个太阳，会是什么样子。

故宫博物院那满壁的国画，所给人的印象，只是一片阴凉。它使你觉得心中暑气全消，也使你觉得世界十分静谧，对人间苦乐，都变成欣赏，而不觉得奔劳。

范宽有名的《溪山行旅图》中，山高路远，却因为飞瀑腾云，山径清幽，而使人觉得画中行旅是在游山玩水，而不会给人带来奔波行役之苦。巨然的《万壑松风图》，岩瀑飞洒，苍松蔽日，一片幽深，更是把人世间的烦热消除净尽，让人顿时摆脱了日常生活中的烦虑与挣扎。

看中国画使人感到，似乎中国画家不画太阳，正是因为他们不想强调人类在烈日炎炎之下，奔走衣食的辛劳，而尽量使所画的山水给人带来清凉之感；也是因为他们不想让人们在现实生活的奔劳之外，还去看画幅中的烦热。

日常生活中，每个人都难免为学业、为事业、为衣食、为名利而奔走竞逐。身体上的辛劳，心情上的烦热，使人们经常感到自己像是一壶滚沸的水，血脉奔腾，汗流浃背。在这种情形之下，大家所希望看到的，就不再是更多的辛劳与烦热，而是希望感受一些安谧与清凉，让自己能像从炎天烈日之下，走入了一间饮冰室，冷气迎面扑来，把阳光挡在户外。

艺术对现实人生，似乎应该具有这样一份补救与纾解之功。我想，这同时也解答了西方朋友的另一个问题：“为什么你们中国画家喜欢画马，而较少画牛？”

中国画家中，以画马而自成一家者要多于画牛者。他们如果画牛，也是为了表现一种谦和、质朴与踏实，使人从画意中能感受到一些“降落”的安稳与宁适。而中国画家画马却是为了表现人类灵魂深处挣脱约束、奔向无限、追求自由的一种向往，这种渴望奔驰、不受牵羁的心情，可以说是人类共有的一种心情，借善跑的骏马来表达，自然会使人心胸为之一畅。

中国画家所表现的，不仅是技法，更是哲思。

（皓书摘自海天出版社《生命之歌：罗兰散文》一书）

那些年，我们为学才艺吵过的架

●王芫

我女儿的同学们要做一项公益活动——为阅读障碍患者募捐。上个月，有家长在微信群里号召大家踊跃参加募捐演出，我劝女儿也去，她摇头说：“我又没才艺。”“才艺”这个词又踩到了我的痛脚。她小的时候，可是什么都学过一阵呢。学过一年以上的，就有钢琴、围棋、体操、游泳、垒球和冰球，一年以下的我都数不清了，只能说包括但不限于吉他、画画、网球、扬琴和声乐。

女儿学才艺之所以悉数半途而废，基本上是因为我不得要领。我总是先用不近人情的严格，迅速让她失去兴趣。一旦她表示厌倦，我又信奉起尊重个性的教育原则。就这样东一榔头西一棒槌的，直到有一天我发现，女儿已经没有可学的了。

那些年，我们为学才艺而吵过的架，现在回想起来真是充满了负能量。久而久之，她对自己失去了信心，认定自己缺少才华。我又不想让她自暴自弃，于是经常滥加鼓励，比如我会指着她的涂鸦大呼小叫：“画得多好啊！”这时她眼里就会闪过一丝警觉：“你又想让我上美术班了？”

记得她11岁那年，我们还正式谈过一次。那时候她已经懂事多了，也觉得女孩子会弹钢琴挺好的，但是又担心起步太晚，跟学龄前儿童一起去考初级很尴尬。我立刻表示：“只要你想学，考不考级无所谓。”但我又想：不考级，我怎么知道你学成什么样啊？于是我不由自主地添了一句：“决心一旦下定，你就必须坚持到18岁。”

她赶紧说：“还是算了吧。”我说：“要不，你就跟我学写作吧。”无须添置什么家当，也无须到外面聘请老师，并且门槛低，退出流程也比较简单。

这当然是玩笑。写作是学校里的一门功课，有老师教就够了。只有一次例外。那是我们在加拿大的时候，学校选了几个人参加征文比赛，其中有她。因为不是作业，老师不负责批改，于是我自告奋勇地提出要帮她看看，看完之后还毫无保留地提出了修改意见。她改完一遍，我仍不满意，还要教导她：“好文章是一遍一遍改出来的。”

第二天女儿放学回家，我问她：“交给老师了吗？”她说：“忘带了。”我挺生气。第三天，她又忘带了。第四天我亲眼看着她把作文放进书包，但那天——据她说——老师没来。我知道我又把事情搞砸了。从此以后，对她写作上的事我也不闻不问了。

一晃又是两年过去了。前几天，我们谈起申请大学的事，她

智趣

奇怪的大钟

从我住处的窗口往外看，可以看到镇上的大钟。每天，我都要将自己的闹钟按照大钟上显示的时间校对一遍。通常情况下，两个钟上显示的时间是一样的，但有一天早上，发生了一件奇怪的事情：我的闹钟显示为差5分钟到9点；1分钟后显示为差4分钟到9点；但再过2分钟，仍显示为差4分钟到9点；又过了1分钟，闹钟则显示为差5分钟到9点。

一直到了9点，我才突然醒悟过来，到底是哪里出了错。你知道是什么原因吗？（答案见下期）

上期答案： 抢劫。电文每个字的上半部分连成一句话：“五人八日去九龙取金。”

也意识到缺乏课外活动是她的短板。我说：“第一，现在想学什么都不晚；第二，如果实在不愿意学，只好扬长避短，比如参与年鉴、校刊的工作。”她立刻说：“哦，这个我行。”口气还挺淡定，令我欣慰。

然后我想，这里面一定有我的功劳。证据就是，每次我对她的语言表达能力表示赞赏时，我先生就会眉头紧皱着说：“你怎么又把孩子往那条道上引？”

谁都禁不住夸，但我不曾刻意用夸赞来引导她。我要是有那本事，一定首选把她夸成工程师、教授、医生、律师（排名不分先后）。真实情况是，低情商家长如我，到目前为止没能实现一个主动教育的目标。好在我们的互动中一直有一个亮点，那就是在语言方面我能享受发现的乐趣，而她常能提供这样的乐趣。

记得她9岁的一个晚上，她告诉我她要在睡前做一件事，并且连用了4个英文单词来形容这件事。经解释，我才明白这是“大吃大喝”的不同说法。这件事我跟很多朋友讲过，当然用的是调侃的语气：“我们家那熊孩子呀，连睡觉前下楼吃块饼干，都能给描述成宴饮之乐。”

她一定能听出我对她语言能力的赞赏是真实的、具体的、暂时超越了功利心的，绝对不同于虚伪地、抽象地、别有用心地夸她画得好。

时至今日，我对学习才艺也看得比较开了。如果时间能倒流，我一定会在她刚入门时态度更柔和一些，在她遇到瓶颈时态度更强硬一些，而不是恰恰反过来。因为我现在意识到：学才艺的目的并不仅仅是获得那项技能，更重要的是体验并实现“坚持”这一壮举。如果我们当初能在前述十几个项目中好歹挑一个，坚持到现在，一来能收获一项技能，二来也能培养习惯、塑造性格。而没有良好的工作习惯和完成能力，是我现在对她最大的担心。

前几天，由募捐演出谈到才艺问题，我问她：“假如时间倒流，你觉得你能坚持学习哪一个项目呢？”她说：“当然是体操。当年我要接着练，是你不让。”

我不让？怎么可能？她言之凿凿地说：“你说我将来会长到1.75米，学体操没前途。”

我有那么目光短浅、急功近利吗？但话说回来，这逻辑倒真挺像是我的。除非，她已学会塑造典型人物的典型性格了。

（心香一瓣摘自湖南文艺出版社《成长是孩子自己的旅程》一书，习k图）

烟花的形状是怎么炸出来的

●初一睡到初九

在发射后的短短几秒内，烟花可以变成爱你的形状、新年的愿望、女孩的幻梦……甚至可以让你免费体验一把“世界末日”。

当然，它也有更高级“亿点点”的玩法：这样完美的烟花，是怎么炸出来的？

蹿得高

能在空中炸出菊花形状的，属于烟花中的“礼花弹”。与鞭炮这样的爆竹，“加特林”这样的喷花类烟花不同，礼花弹通常会发射到高空或水域，并能形成各种光色、图案。

想要礼花弹炸得完美，先得让它蹿得高。

一颗常见的礼花弹，由球形的本体和裹在外侧的圆柱形炮筒构成。炮筒能固定住弹体的位置与发射朝向。

弹体下的杯状容器里，则装满了由黑火药制成的发射药。在高装填密度下，黑火药能规律燃烧，产生巨大推力，将礼花弹弹体推向空中。

一个弹径约30厘米的12号礼花弹，其爆炸高度能达到300米。世界上最大的烟花，重约1087千克，可以蹿升到1127米的高空。

炸得艳

想要的高度达到了，接下来得让烟花炸出绚丽的颜色。

这其中的奥秘就藏在礼花弹弹体的内部。剖开礼花弹的外壳，我们可以看到其内部构造是这样的：下方是导火索，中间是炸药，外层则由一圈球形小颗粒围绕，这些颗粒叫作“星体”，烟花的颜色就由它们产生。

我们高中时都学过“焰色反应”——不同金属化合物燃烧时，火焰会变成不同的颜色。从微观角度来看，其实是受热时，原子的电子会从低能级跃迁至高能级，但这种状态不稳定，电子又会从高能级掉回，并释放出光子。

不同元素释放出的光子波长不同，这也就有了我们看到的不同颜色。

烟花的颜色就是利用了这一原理。制作时在星体中加入锶盐，火光就会呈现出红色；加入钡盐，会变成绿色；加入钠盐，则会变成黄色……加入含有不同金属元素的化合物，烟花就能展现出五光十色。

一些烟花颜色的调制则格外复杂，比如烟花界的“蓝色妖姬”，需要加入氧化铜、碱式碳酸铜等化学物质，才能获得比色纯度高的蓝色火焰。紫色的烟花，还要用蓝色和红色火焰所需的化合物复合而成。

这些化学药剂还可以做出闪烁的效果。化学药剂被引燃后产生的固体、液体残渣会覆盖到下一层药剂上，导致下一层药剂瞬间处于熄灭状态，当下一层药剂被引燃后又会重新发出亮光，烟花就这样一亮一暗地闪烁。

你常看到的“银闪”“红

创意

法国创意团队“创造者”（Les Créatonautes），巧妙地从形状、纹理和色彩下手，把看似毫无关联的动物、食物、器官，拼接、组合出对立又幽默、令人惊奇的生物，创意很绝！

闪”，都是这样形成的。

科学定型

调出了五颜六色后，还得给烟花做科学定型。

烟花的形状和星体在礼花弹内的排布有关。比如最常见的菊花型，就是将星体排成一圈，当礼花弹炸开时，星体就会向四周扩散，形成标准的菊花形状。

当燃烧时间和距离更长，火光熄灭前因重力下垂，就会变成柳树型。双层组合，便能看到有内瓣的双层烟花。

如果在礼花弹中插入硬纸片，让星体排列出笑脸，你就能在空中收获一个“多巴胺笑容”。

在礼花弹下方加装固定方向的装置，再排字后，就能看到一个大大的正面朝着你的“喜”字。

星体在礼花弹内排成什么形状，烟花在空中炸开时就会是什么样子。甚至三维立体、变身进化，也都难不倒现在的烟花。

除了排列星体，还可以将单个烟花作为矩阵点，多个烟花同时发射再经组合，2008年北京奥运会开幕式中的大脚印，就是这样组合出的。

当时蔡国强团队使用了膛压发射技术，利用钢制炮筒控制、调整礼花弹的出膛速度，使所有弹体在同一高度的不同方向发射出来，组成脚印。他们还在弹体内装入了芯片，从而能用电脑远程控制，将不同点位点火的时差控制在几毫秒之内。

想要炸出完美烟花，有时候还需要“亿点点”的想象力。例如蔡国强的烟花艺术“天梯”，就真的是由一个巨大的热气球将一条装有火药的绳梯拉到空中的。

每一个升起的烟花，都承载着天空下人们的愿望。升得越高，炸得越艳，开得越饱满，仿佛愿望也能飞得越远。

（孙佳宇摘自微信公众号“答案如下”，Raven图）

我班地理位置的优越性

●河南省永城市第五初级中学八年级（31）班　赵家乐

八年级的地理知识属于中考内容，所以地理老师讲课的速度空前快。有时候，讲着讲着，地理老师会突然发飙，大概是因为看到全班散漫的状态而怒其不争吧。毕竟，大家对中考的认知还停留在“那是九年级的事”上。

然而，在背了无数遍“我国地理位置的优越性”之后，我彻底理解了这么一回事——即使“我国”对我们来说有点大，但“我班”确实是尽收眼底的。每天进进出出，这个位于三号教学楼最高层的小教室已经成了我们生活的一部分。

我们的教室在教学楼的东头，对着操场。中午回家吃饭，返校之后还没上课，大家就在教室里上自习。下午一点半左右，操场上的大喇叭就开始播放音乐，其中以周杰伦的歌居多，像《青花瓷》《半岛铁盒》《晴天》之类都播过，符合大众的口味。播到熟悉的部分，就能听到班里窸窸窣窣的声音——这是同学们在轻轻哼唱。毕竟班主任还坐在讲台上，声音大是很容易被“枪打出头鸟”的，因此大家唱的声音都很小。即使竖起耳朵，也只能依稀分辨出同学们唱出的歌词。不管怎么说，我已经很知足了。七年级时，在学校边写作业边听音乐的待遇是没有的——那时，我的教室在四号教学楼（最偏远的教学楼）的最高层，距离播放音乐的大喇叭远得不能再远。别说《青花瓷》，就是播放《双截棍》《霍元甲》，估计我也听不到一个字。

大概除了对面的30班，我班就是全校距离国旗最近的班级了。只需要稍微扭头，国旗就会映入眼帘。只要用心观察就能发现，动态的国旗是非常好看的。起风的时候就能看到，风卷动着红色的国旗，五颗五角星也随风舞动着。这时候，不仅是眼睛，心也容易被国旗吸引去，使观察者肃然起敬。可惜，我多是在数学课听不进去时才会观望它，即使肃然起敬也没办法敬个标准的礼来表达，只能默默地行注目礼，希望国旗能收到我的情感信号。

离国旗近也许是我们班地理位置优越的最佳体现了，同学们每次向他人提及，都会带着满满的骄傲。除此之外，我们还对那扇朝东的大窗户深以为傲。一天早读，当我们在教室里把朗读声释放出来时，不知是谁喊了一声：“看外面！”几十双眼睛同时望向天空，只见太阳把云彩烧红了，透出一点淡粉色，和碧蓝的天空相交相融。教室里静了不到半个弹指，在这短暂的时间里，朝霞下的学子与云上的仙人对视。随后，读书声又起，过了一小会儿，再扭头看去，彩霞已经消失得无影无踪了。那一刻，不知道大家有没有不约而同地想到，我们的青春也如这彩霞一般，虽是

没有成熟的草莓

●李娜

我走近春天里的草莓，发现它也不甜，像我一样。

初春，我和家人一起去摘草莓。那时，正是所谓“乍暖还寒”的时候，出门时天空阴阴的，时不时地吹来一阵凉风，让人心生寒意。路上没有太多的行人，格外宁静。我走进大棚，一眼望去，绿里点红，蝴蝶乱飞，真是要醉倒在这充满生机的春景中了。在众多的草莓中，一颗绿色的草莓显得失落极了，它生长得比其他草莓慢，显得挺不合群的。淡淡的绿，仿佛冷掉了的阳光。我刚开始的满怀期待也很快消失，心里酸酸的。“快走啊，盯着绿色的草莓干吗？它没有成熟，又不甜。我们去摘又红又大的草莓。”听了这句话，我暗暗地有点失落。

成熟是采摘草莓的标准。在阳光下，人和草莓一样，都需要快快长大。只要慢了，便会被放弃。

对草莓来说，不成熟自然会被遗弃，因为很少有人喜欢酸的。人们不会在乎其生长的艰难，从成长的路程来看，这是一段被遗忘的旅程。没有熟透的草莓，部分为青，部分为红。青的部分与泥土贴近，很难得到阳光的青睐。它努力地生长，想找到存在的感觉，可它在人的眼中也只是没有成熟的草莓，我便是其中一颗。

我曾怀着单纯而迫切的愿望没日没夜地学习，只为了一个目标——考上一所好大学。我与青涩的草莓一样，活得太天真，澄澈的眼里似乎对生活充满期待，忘了身边的风雨。十余年寒窗苦读，我却没有到达理想的彼岸。一个普通二本，一个偏远的地方，一所说出去别人都没听过的学校。站在人生的重要节点上，我与同龄人相比，已经落后。父母的失望，亲戚的嘲讽，朋友的耀眼，让我陷入了痛苦。那段时间，生命中的光渐渐暗淡下来。我的眼神茫然，常常呆呆地望着远方，眼泪挣扎着从眼眶中涌出，像溪流一般，潺潺流淌着。我像没有成熟的草莓一样，还在尘埃里。

当太阳渐渐远去，我竟已在草丛里走了很久，离成熟那般近了，离青涩也更远了。

虽然已到春天，但阳光到不了的地方，被人忽视、暗自生长的寒意依然潜伏着。愿下一个春暖花开时，我能在草丛里含笑。

（本刊原创稿件，视觉中国供图）

难得的美丽，却也稍纵即逝。

朝霞今天走了，明天还会再来。而我们的青春若走了，是不会再回来的。毋庸置疑，这一段岁月是值得珍惜的。双手捧书的少年在心里默默告诉自己：花开堪折直须折，莫待无花空折枝。

有时候，想到自己班级优越的地理位置，又看到那些在只有一面窗的教室里挣扎的班级，我会在心里感叹一句：幸甚至哉。我想，追逐太阳的少年应该奋力奔跑，无论如何，至少不能辜负这个位置优越的教室。

（本刊原创稿件，陆世清图）

为什么你学不好古诗词

● 沈嘉柯

某个秋天，我去散步游玩，回家路上，坐了公交车。车上一对父母在教娃背诗。恰好路边墙壁正在进行美化工程，漆了不少古诗。由始至终，大人和孩子都像机器人一样在机械地重复着。

“唐，孟浩然。春眠不觉晓，处处闻啼鸟。”就这么一遍又一遍地念着。那两个大人时不时地纠正孩子的方言发音。

没有人告诉那孩子，春天的襄阳很美。孟浩然如果在早上睡懒觉，醒来时顿觉舒服惬意，才写得出这样水灵灵的诗歌。

夜里一些花朵被风吹雨打而掉落，白天枝头继续开得热热闹闹。

这首诗里有浓浓的水分，有润泽的春雨、湿漉漉的树木和泥土。

孟浩然写这首诗的时候，住在鹿门山，离城区不过十几公里。

家长甚至没跟孩子说一句，襄阳是湖北的，孟浩然还是我们的老乡呢！这首诗，就是在我们湖北写的呢！全国人民都喜欢，全国的孩子都会背。

我去过襄樊。千百年来叫襄阳，后来合并改名，再后来，又改回去了。这又是个故事。

孟浩然写的，原本是个很美的故事。家长不妨带着孩子去襄阳玩一下，最好在山里住一晚。玩过以后，孩子自然就知道满山的鸟雀鸣叫何其空灵，让人心旷神怡。

水灵灵的唐诗，就这么死记硬背，难免僵死。

明明是中国的孩子，为什么学不好古诗词？问题就出在不求甚解上。

像这样的情况，在我去各地讲学时，屡屡遇到。前年，湖北省图书馆邀请我去讲学，是一个“送阅读下乡”的活动。随行的家庭有武汉的、宜昌的。一个孩子摇头晃脑，童声朗朗地背出《送孟浩然之广陵》。我问道：“你知道广陵是哪里吗？”孩子眼神迷茫。

我又提示：“诗里不是说了吗？烟花三月去哪里呀？广陵就是扬州啊。”

我又叫了一个小朋友到中庭，他依然背得滚瓜烂熟。可一问孩子：“你知道你刚才背的唐诗，是谁写给谁的吗？”孩子满头雾水。

我哭笑不得：“你刚才不是背了标题吗？是李白送孟浩然去扬州呀！知道孟浩然是哪里人吗？”

孩子一脸茫然。

“孟浩然跟我们一样，都是湖北人呢！那李白呢？总该了解吧？”

孩子这才兴奋起来：“知道，李白是唐朝大诗人。”

“李白这么有名的大诗人，跟孟浩然是好朋友。他还写过两句诗：‘吾爱孟夫子，风流天下闻。’你看，我们的湖北老乡孟浩然，是不是很厉害啊！所以，李白才会在送别的时候依依不舍，写了这首诗啊！”

所有的孩子都欢笑起来。有个孩子说：“李白和孟浩然是好朋友，我现在记住了。”

我喜欢听到孩子们的笑声，多可爱啊！我喜欢水灵灵的唐诗，多美妙啊！而学古诗词时不求甚解，令好端端的孩子变成自动复读机，真是不应该。

唐诗宋词最美丽的地方，就在于文字背后那些活生生的感情。

（春生摘自微信公众号“沈嘉柯”，大冰哑图）

在时间之外

●〔美〕简·赫斯菲尔德
○邓宁立　译

诗歌与我们联系的其中一种方式是穿越时间。

如果大声朗诵一首诗，或者全神贯注地默读，我们的身体和思想都会进入诗歌的节奏当中。我们如同作者那样呼吸，运用自己的舌头、牙齿和喉咙，就如同作者最初创作这首诗时的样子。

当读一位作家的诗时，我们会在自己身上感受到作者个人经历的某种回响；倘若这首诗是我们自己的，则是我们自己的过往让我们的身体重新恢复活力。

语言有一种奇异的不朽，它在一个芳草鲜美的地方，在时间之外。

（张秋伟摘自商务印书馆《诗的九重门》一书，视觉中国供图）

豆角花

●尘轩

园子里的植物，我喜欢豆角花
从小就喜欢，喜欢它的小与慢
喜欢它的香是细瘦的，折叠成不大的内容
用硕大的叶子托着，递给你一个清晨
像发小的礼物，发着朴素的光
草虫挨它最近，一如它的亲友
豆角花在晨光里醒来，拉开窗帘
一只蜘蛛垂下来，抓住甲虫噬咬的叶片
春秋之间，打一块葱郁的补丁
没人谈论植被的爱情
也没人谈论一朵豆角花的孤独
它躲在叶子间写日记，连落字都是轻的

（海底飞花摘自《上海文学》2024年第2期，视觉中国供图）

一直游到海水变蓝

●抓鱼

你有想过海的那边是什么吗？海的那边还是海吗？海的那边还是蓝色吗？

是荒凉的岛屿？是孤独的夜？还是人们遥不可及的故乡？

我的大学在海边。

清晨起身匆匆一瞥，大片大片的蓝：蓝的天空，蓝的浮云，蓝得深浅不一的海面和绿的草、绿的树拼接在一起，不像屏幕里调过色彩那样鲜艳，却让人不得不感慨，这就是自然的样子。夕阳西下，不见断肠人。我靠在窗边，百无聊赖地看着远方那瑰丽的流霞，讶异于大自然竟这般的鬼斧神工。

我想，这世间应该没有哪个画师可以抗拒采集晚霞作为颜料吧。若得手，也不知是精打细算着，爱重着，珍藏着，束之高阁，还是毫不吝啬地用于作画，意图创作出世间画作之最。可这来自天地的色彩，又怎么能超越天地？技法传承至今，又有多少人还记得画作诞生之初的意义是留住并传递美好并使之永恒绵延呢？

海洋无疑是最伟大的创作者，因为生命自海洋中孕育并进化、绵延至今。有人问我来生想做什么呢？我说，做一只水母吧。简单到连骨骼和心脏都没有，不会悲伤，也不会欢喜，只有近于无限透明的空，没有伤害也没有拥抱，永远轻盈地顺着海流漂浮，最后溶解在海洋中，就像从未出现过。

我的大学在海边。初来之时忙得团团转，无暇顾及其他。直到某天暮色降临，望着远处的灯火，才恍然，我竟离家这么远。这里靠海，远离熟悉、老旧的家，远离古板、唠叨的父母。而我竟在离家已两个月后才意识到，然后又下意识地忽略了。

我总觉得自己是个矛盾的集合体：一边渴望像海风那样，无拘无束地疾驰于天地，脱离那脏乱的出租屋，脱离父母失望的眼神和无尽的斥责；一边又渴望像船只那样，有停泊羁留的港湾，有渔歌唱晚时驻留的灯火，有月亮平等地倾泻下皎洁的亮光。余华曾说过一句话：“我想一直游到海水变蓝。”望着茫茫的海面，我想，我能否像余华一样，像其他人一样，一直游，一直游到海水变蓝的地方呢？画通常在诞生的那一刻就被赋予意义，而我们一直都在寻找生活的意义，寻找海洋的颜色。为此我们不断向前游去，忽略了水流抚过躯体的柔情，忽略了海风吹在头上的畅快，在时间海浪的吞噬里，徒留孤寂与荒芜。

有人告诉我，最终我会发现，生活的意义就是生活，海的颜色就是蓝色。我只是笑着，却还懵懂。

海水蓝的地方，是远方的故乡，是人内心所期待的所有美好的集合。每个人的心中总有一个永远到不了的故乡，我们终其一生都在寻找归处的路上，寻找远方的记忆和归属感。可是，扪心自问，我所想要脱离的当下，难道就没有一丝一毫的意义吗？而我所追寻的，就如我期盼的那样美好无瑕吗？大脑总是下意识地保留记忆里美好的一面。我们一直都在路上，去往海的那边的路上，生活的路上。“江畔何人初见月？江月何年初照人”，“不知江月待何人，但见长江送流水”。然后，我又想起余华老师的一句话：“不知道故事如何开始不可怕，不知道故事如何结束才可怕。”所以，恍然而长嗟，万一哪一天我游不动了怎么办？是啊，我游不到海水变蓝的地方怎么办？

将目光投向远方，海的那边是海天相接的地方，是茫茫的。画作将美留下。可是我们的身边本就时时都是美。海浪的翻涌是美的，海天的相融是美的；海上残阳如血，浮云霞光是美的，月色倾泻是美的……我看过明媚春光下的万木葱茏，凛冽寒风下的草木凋零，看过父母浊暗或明亮的眼神，看过车间里工人们眼角的褶皱，看过久别相逢时众人喜悦的笑容……我突发一问：我为什么一定要游到海水变蓝？故事怎样开始，自己为何上路，我已经记不清了。但我相信，我当初的抉择一定是我按照那时的情况做出的最合意的那个。既然无法改变终点，那我走得漫不经心一点也无所谓吧。毕竟，其他颜色的海水也很好看啊。

最后，我只剩下一个故事了。有一片湖水，它平静的湖面偶生波澜，但是它总觉得生活没有意义。停驻的候鸟告诉它大海深处有它想要的东西。于是湖水兴冲冲地开始了它的旅程。它不断地游，经过高山大河游到了大海。最后，它在游向深处的过程中抛却了意义，爱上了海浪、沉船、鲸落和海底生命，从而爱上了生活，留下了游动的轨迹。

（本刊原创稿件，插图由视觉中国AI生成）

《诗人萨巴特的肖像》

《抱臂的女人》

《熨烫衣服的女人》

“没有红色的时候，我用蓝色”

●怡心斋

1881年10月25日毕加索诞生，他是20世纪西方最具影响力的艺术家之一。他一生留下了数量惊人的作品，风格丰富多变，充满非凡的创造性。

与许多伟大画家穷了一辈子，离世后画作才变得值钱不同，毕加索生前就靠卖自己的作品挣钱挣到手软。

但是你知道吗？毕加索也有过冬天没钱买火炉取暖，竟然要靠烧画取暖的日子。

当你感到伤心难过的时候，会怎样让自己走出来呢？

对大多数人来说，可能是这样做的：躲起来大哭一场；向家人和朋友寻求帮助；买买买，吃吃吃，喝喝喝……

对于这个问题，画家毕加索却有一个奇葩的答案——画蓝色的画。

毕加索就是不走寻常路啊，他这一悲伤就悲伤了4年，在这期间，他的画无一例外，主色调都是蓝色。

1903年的冬天，毕加索来到巴黎，寒气逼人，他连取暖的钱都没有。为了抵御夜间的寒冷，毕加索不得不烧画取暖。熊熊的火焰吞噬了毕加索的素描和水彩画，也吞噬了毕加索的自信。他怀疑自己作品的价值，怀疑自己所走的道路。

他住在克里希大街的寓所里。陋室太小，生活起居和工作都在这里，而他的灵感没有因此消失。《蓝室》就是在这间屋里诞生的，和其他几幅相同色调的油画一起揭开了毕加索“蓝色时期”的序幕。

当时，蓝色是毕加索的最爱。不仅衣着是蓝色的，甚至连思考的事物与观察的外界都是蓝色的。毕加索此时认为蓝色是“颜色中的颜色”。日后艺术史家统称他这一时期的创作为“蓝色时期”。

这个时期的作品背景是蓝色的，人物是蓝色的，头发、眉毛、眼睛皆是蓝色的，蓝色主宰了他的作品。它们背景简化，避开光感和深度的感觉，把人物结合成一种简单的图

《汤》

《静物（甜点）》

样。其中沉重、强烈而流动的线条，给人以不真实的、虚拟世界的印象。

这种线条具有情感的重量，用于呈现消瘦、孤独、窘迫的形象，是贫穷和世纪末的象征。

毕加索后来的作品大多具有这种富于表现力的线条的特点。这些特点是从观察人的动作和姿势中得到的。这一时期也是毕加索对现实生活关注的时期，他还没有脱离普通群众太远去追求某些哲理性强于艺术性的表现。

至于为什么毕加索会采用蓝色作为主调，尚没有确定的说法。一种说法认为是受法国画家莫奈和卡里埃的影响，认为这种色调加强了画面中的诗意成分。

还有一种说法认为，毕加索之所以偏爱蓝色是因为它代表着忧郁。也就在那片单色的浅蓝、粉蓝、深蓝、湛蓝中，毕加索开始走上他的成功之路。

在当时，对毕加索而言，痛苦和创作几乎是不可分离的，正如他的好友萨巴蒂斯所说：“艺术是哀愁与历史的产物。”

（叙丞摘自微信公众号“怡心斋”）

《母与子》

《忧郁的女人》

《老吉他手》

《招魂——卡萨盖马斯的葬礼》

会逢其适，次第花开

●照花

“恰时相逢，如春在野”，出自我最喜欢的诗人春在野的一首短诗。

与《读者》（校园版）的第一次相遇，也源于我第一次纯真的喜欢，“如春在野”般，我们“恰时相逢”。看完电影《情书》，心跳共振，回忆起被光阴尘封、始终停泊在日记本里的情书。

刚好看到手边的《读者》（校园版）。“谁的心里都会有一个秘密，不想埋藏在心底，却无法对身边的人诉说。”这则征稿启事也刚好让我找到了那些寄托着美好愿望却被尘封已久的文字的归处。

在树洞里给喜欢的人写一封信，但他永远也看不见，所以与其说是写给他，不如说是写给14岁向往美好与16岁变得勇敢的自己。就像电影《一闪一闪亮星星》中的一句台词：“写下的文字可能永远没有人看见，但看见的人会永远记得。”更值得铭记的是，这封满载美好邮寄给佚名远方的信，不止我看到了，我最爱的家人们也看到了。

本以为他们看过后会是一场疾风骤雨，未承想，我却迎来一次跨越时代鸿沟的相拥，裹挟着长久的深情暖意，他们说：“每段光阴都有能让自己回味的人和事，人生才不算虚度。”每个人都必定出发于他的少年时，都曾向往光与美好，庆幸走过少年时，历尽千帆的他们依然能够理解这场十几岁时真挚的喜欢。或许这也正是喜欢与爱的具象化差别，喜欢是对美好的向往，而爱是理解与包容。

将内心世界大方勇敢地表达出来，这是曾经胆怯的我所无法想象的，或许是因为感受到了生命与爱，所以才愿意表达吧。渴望有人倾听，渴望被人读懂，渴望瞬间定格为永恒，渴望惊鸿一瞥有人珍藏，所以写下这些有用或无用的文字，将越来越模糊的美好与感受再次具象化。何其幸运，有个地方可以包容承载这一切。

“总是有一些地方，总是有一段旅程，提醒着别忘了你最初的梦。”《读者》（校园版）就是这样一个地方，记录着年少时的一段旅程。在这里，青春中溢于言表却又青涩的喜欢被珍藏；在这里，遗憾变成了另一种意义上的圆满；在这里，那些匆匆而过的当下得以变成永远。成长在这里，理解在这里，爱在这里。缤纷的花朵盛开在这里，笼罩出现实之外的一方天地。

第一次在《读者》（校园版）写下的题目叫《风起时陌上花开》，我把欢喜与遗憾都种在这里。我也因此明白，爱你的人会不远万里把你拥入怀里。时光的风沙里，因为有爱，所以永远繁花似锦。

谢谢你看到这段文字的结尾，谢谢你愿意做我青春里的读者。比起写下什么，其实我更愿意做一个读者，读自己的故事，也读你的故事。透过文字，窥见心灵深处温柔的海；通过文字，我们未曾谋面，却在这里相遇。

会逢其适，次第花开。“四季会更迭，潮水有起落，人来人往，我在此地等你。”

（本刊原创稿件，视觉中国供图）

气泡是漂在水里的气球

●孙道荣

水快烧开时，锅里都是气泡，奶奶告诉我，那是水里的气球。

那一年我五岁，或者六岁。我只在集镇上看见过一次气球，红的、黄的、绿的、紫的，好看极了。即使后来我到镇上的学校去读书，看到气球的机会也不多。在我们那个山区，集镇上能看到的色彩本来就不多，墙都是灰头土脸的，走在街上的人，无论男女，穿的衣服不是灰色的，就是蓝色的，他们的脸色比菜色还难看。偶尔能看到的气球，是为数不多的亮色，而且是五颜六色的。语文老师教我们这个成语时，举的例子就是气球，全班同学一下子就记住了。

我对气球的好感和热爱，一定是从那时候开始的。它像一颗种子，埋在了我的心里。

气球却难得一见。但自从奶奶告诉我，气泡是漂在水里的气球，我就经常能够见到它了。

气泡和气球，真的很像。气泡也是圆鼓鼓的，胖乎乎的。水刚倒进锅里时，并没有气泡。气泡就像水里的秘密，锅底的柴火烧到一定程度，它就扛不住了，“咕嘟咕嘟”全“招”了。那么多的气球，那么多的秘密，一下子从锅底漂起来，让人目不暇接。

（火箭熊摘自《新民晚报》2024年3月16日，本刊节选，视觉中国供图）

那时姜花香

●高大悦

"去散步吗？"母亲敲了敲门，进屋后猛地拉开窗帘，火辣的阳光便似岩浆一样滚落在床边，烫得我用被子蒙住了头。

"我还要再睡一会儿！都那么久没睡过饱觉了。"刚从学校把书和被褥搬回家，高中的学习在考试结束的铃声响起的那一刻戛然而止。我盼望的暑假如期而至，没有作业，没有复习，也没有考试。但我提不起精神，整日赖在床上，不想与人交流。母亲自然不允许我这样，强硬地拖着我出了门。

早上九点的光景，飞驰而过的汽车、打扮得光鲜亮丽的上班族，与懒散、蓬头垢面的我形成了鲜明的对比。母亲也打扮了一番，换上白衬衫和牛仔裤，精挑细选了一只帆布袋，斜挎在肩上。她总把买菜说成散步，但每次都会满载而归，就像帆布袋是不经意地被装满一样。

其实母亲散步的范围不大，从小区南门走出去，先到对面的菜市场溜达一圈，然后绕道去小区东门拿快递。

"花姐，今天的花好靓啊。"菜市场门口有一个卖花摊，提升了菜市场整体的调性。我并不知道"花姐"的真实名字。说来奇怪，菜市场的摊主每日从四面八方赶来，但只要一踏入菜市场，他们便舍弃了原本的名字，换成了更接地气的"猪肉佬""生菜婆""豆腐西施"还有"花姐"。

花姐见母亲来了，将手里正在整理的百合花插入水桶，匆匆在围裙上擦了一下手，便迎了过来。"今天买点什么花呀？姜花刚到，要不要来一扎？"

"这么早就有姜花了啊。果然是夏天来了。"母亲弯下腰拿起一扎，我这才顺着她的手看清了这花。它和其他花一同被浸在大桶里，没有显眼的颜色，花骨朵儿也不起眼。它的枝干笔直，一指粗，狭长的绿叶一片一片地在枝干上有序攀爬，爬到最顶端的时候，三两朵小花露脸了，黄色的花蕊，白色的花瓣。

比起其他花，姜花的价格要便宜很多，当季的时候，十几块钱就能捧回八九枝，绿叶中花苞拥挤。它的香味淡淡的，很难被鼻子捕捉到，但只要你闻到了，那香味就久久弥漫在鼻腔，挥之不去。我对这香味很是熟悉，每年夏天母亲都会买姜花，或置于客厅，或放在床头。每个夏天，姜花的味道从未断过。

"走啦，跟花姐说拜拜。"母亲的催促让我的思绪回到现实。我朝着花姐挥了挥手。母亲

不是个记性好的人，但她认识菜市场里的每一个人，打招呼时显得熟络极了。

刚刚买的姜花被母亲斜插在帆布袋里，只露出顶端的两片叶子和没完全绽放的花苞。母亲背着装着姜花的帆布袋，与每一个摊主都聊上几句。一直走在母亲身边，姜花的味道早就被菜市场混杂的味道冲淡，我闻不着。但常年待在这个空间里的人，对突如其来的陌生气味很敏感。我们还没走到豆腐西施那儿，她就从玻璃橱窗里探出头来说："好香啊，是什么花？"

"姜花啊，就在花姐那里买的。"母亲加快了脚步，与豆腐西施聊了起来。从她们的聊天中我才知道，豆腐西施生病了，好几天没出摊了。所以母亲一听到她的声音，就连忙过来。

豆腐西施的嗅觉还没有完全恢复，即便如此，姜花的香味还是狡猾地钻进鼻腔。"几天都没闻到什么味道了，这姜花的味道可真是好闻啊。"她是这样说的。

从菜市场出来的时候，太阳爬得更高了，晒得我眯起了眼睛。我总算知道母亲的帆布袋为什么总是满的了。穿梭在菜市场的她，靠着一扎姜花，和每一个摊主聊上几句，不知不觉中，帆布袋就塞满了各种各样的东西。

那天过后，母亲每日都会在差不多的时间敲开我的房门，拉开窗帘，掀开被子，而后拉着我去散步。

每次往回走的时候，无论顺路与否，母亲都会走到花姐那里。姜花唯一的缺点就是花期太短，不消几天，白花就以肉眼可见的速度凋谢。所以每隔几天，母亲就要买上一扎。以前我竟天真地以为客厅里的姜花一直就是那么一束。

但那日，叶子还没飘落，蝉还在叫嚣，母亲却说："夏天这么快就要过完了。"因为那日，我们散步到花姐那儿，低调朴素的姜花不见了。花姐说："姜花过季了，没得卖啦！"

"这么快，夏天过完了啊！"母亲还是笑着和花姐说话，但难掩眼底的失落，"暑假过完了，孩子要去上大学了。"

是啊，那一天回家后，八月的最后一页日历被撕去。我要收拾行李，准备去北京开始大学生活了。"还想着你可以带个姜花香包去北京。"母亲一边帮我收拾衣物，一边念念有词。我忽然明白了，母亲的那一抹失落，不是因为姜花的过季。

其实我已经很久没和母亲相处这么长时间了。小学的时候，我还能每天下午五点放学；到了初中，下了晚自习已是晚上十点；后来，待在家的时间被不断压缩，两周才能回家一趟。我不知道母亲每日在忙碌什么，母亲也只晓得我学业繁重。

终于到了这个夏天，一个轻松的夏天。于母亲，或许是终于有机会可以和我共处，所以她带着我走街串巷，和大家话家常。于我，母亲走出了手机的听筒，更具象了。我参与了她日复一日的生活，认识了她熟络的朋友。一些不起眼的变化悄然发生了——我走出了家门，性格开朗了许多，也愿意与人打交道了。

我来到了北京。入秋的北京，气候与潮湿的家乡大为不同。没有课的下午，我尝试学着母亲去散步。我来到鲜花批发市场，这里有许多"花姐"，她们守着不到十平方米的小摊。小摊被点缀得五颜六色，遍地是花桶，让人无从下脚。我穿梭在拥挤的人群里，艰难地掏出手机，录下视频发给母亲。

离开花市的时候，我手里捧着一扎黄玫瑰、两枝大飞燕。我拿起手机想拍给母亲看，才发现刚刚的视频这会儿才发出去。母亲秒回："好看，下次我们去逛岭南花市。"随后，她又补了一句："那里的姜花可能更多……想你了。"

姜花的花语是"将记忆留在夏天"。我想，在下一个夏天，我要寸步不离地守在菜市场，在花姐将一大束姜花放入花桶的时候，迅速地把它们买下来。

然后我要跑回家，让家里充满姜花的清香。我要告诉母亲："夏天又来了，我们去散步吧！"

（本刊原创稿件，勾犇图）

我们一起撞破青春这道南墙

●徐宁遥

音乐剧《南墙计划》里有一首歌这样唱：“我把南墙撞了，撞得还挺疼的，可我没想过回头，因为那是我的选择。”故事里的小六想去追寻自己的摇滚梦，“撞南墙乐队”在喧嚣的反对声里勇敢地组建起来。漫天的雪花洋洋洒洒，落在十八岁的长夜里。

从剧场走出来的时候，上海三月的春风迎面和我撞了个满怀，对街的红绿灯不停闪烁着，二十一岁的我和十五岁的我擦肩而过。

十五岁的我，是躲在幕布后的隐形人。我找不到生活的方向，每天戴着弯弯绕绕的有线耳机，听不清也不愿听外面的声音，孤僻得像蜷缩在龟壳里的乌龟，心想着：就这样安静无聊地过一生好了。但一场演出，打乱了我的所有计划。

戏剧学院的一场毕业大戏将在我所就读的初中上演，每个学生都如约拿到了入场券，我照例搜寻到一个角落的位置坐下。演出的剧目是曹禺的《雷雨》。在此之前，我从未接触过话剧、音乐剧。演员在还原剧情所处年代的舞台场景中，用生动的台词、丰富的肢体语言演绎剧情，伴随着调动气氛的背景音乐，时光流转到那个雷雨交加的夜晚，滂沱的大雨用力清洗着说不尽的爱与恨。

我被震撼了！演出在雷鸣般的掌声中谢幕，我却很难出戏。我在课后翻阅了《雷雨》的原著，曹禺在序言里写道：“在《雷雨》里，宇宙正像一口残酷的井，落在里面，怎样呼号也难逃脱这黑暗的坑。”文字的力量是永恒的，穿过厚重的历史，凝结成一张张薄薄的纸，抵达少女的心底。人物的命运起起伏伏：渴望自由却落入囚笼的繁漪，沉浸在理想之镜中的周冲，还有无时无刻不在算计的周朴园……雨声淅沥，钟声叮咚；夜幕低垂，野草劲生。

读完《雷雨》后，我找来曹禺的其他作品阅读。《日出》中那个“喜欢太阳，喜欢春天，喜欢年青”的陈白露，心怀理想地踏入都市，却自始至终无法探寻到“理想之家”；《北京人》中三个身处不同时代的“北京人”，代表着三种不同的文化，又汇聚在一方天地里……曹禺通过语言文字、情感思想创造出一部部惊心动魄的戏剧，其间蕴含着生生不息的生命力。他的戏剧就像我青春里的一根根蜡烛，摇曳的烛光照亮了黑夜。

这是我第一次具象地感受到理想的力量。我想学写剧本，想有朝一日写出好的剧本。灯光打在红色的幕布上，演员在舞台上尽情地表演，将故事完整地诠释出来，又融入新的生命力。我买来莎士比亚的戏剧集，摘抄曹禺的作品，在网上搜索话剧片段，一点一点地学习。认为生活单一无聊的女孩终于有了盼头。我读不懂艺术表现手法，也不理解创作原理，我只知道自己心底有一场落日，灿烂又盛大。我热爱字里行间的故事，热爱闪闪发光的舞台。

梦想生长在一块平原上，我不断地充实自己，不断地浇灌它。我常常在想，撒下彩色种子，倒入丰厚的肥料，平原上会不会开出一朵朵长着翅膀的小花呢？

我不知道答案。

但生命苦短，我知道我想去试试。很想很想。

我读了很多戏剧剧本，尝试了很多次剧本创作。它们是琐碎的呓语，是精心铺排的场景；是激烈热情的，是平静无味的。它们被安放在电脑中一个名为“我的南墙”的文件夹里，字里行间，是孤独的少女试图走向世界的桥梁，是无聊的少女探寻生命秘密的入口，像一阵会呼吸的晚风，从炎炎燥夏吹到银装素裹的寒冬，一年又一年。

高二那年，我偶然得知了与编导艺考有关的消息，心里的海水不断涌动着，理想的火焰燃烧着。我将消息认真地誊抄在笔记本的扉页上，一笔一画，恍若誊抄着自己的命运。父母对我的理想保持着“不赞成也不反对”的中立态度。课后，我兜兜转转，换乘三趟公交，挤过人群，咨询了多家艺考培训机构，才知道密集的集训学习会占据大量的主课学习时间。

父母的沉默表明了他们的态度，事实也证明：我确实不是一个能很好地兼顾艺考培训与文化课学习的人。最后，我在不甘和遗憾中放弃了。那道高高竖起的南墙，摆在十八岁的我面前，我却根本没有将梦想高声呼喊出来的勇气。我给那台电脑设置了新的密码，把它锁进了老旧的书柜，连同十五岁那年，那个躲藏在剧场红色座椅后的少女的梦。

我拼命地学习，按部就班地填写高考志愿，跟随生活的指示平淡地度过青春。在平淡的生活里，人最容易产生幻想。我看了许多故事，我读了《精卫填海》《夸父逐日》，我喜欢《堂吉诃德》《喜剧之王》。学校附近有一座桥，远处的汽船缓缓驶过，江面波光粼粼，就像被碾碎的绸缎。站在上面，周遭会变得很安静，没有人会停下来看你，没有人会关注你的理想。一切都静悄悄的，静得只能听见心跳的声音。

你听见了吗？

我重新将那台破旧的电脑拿出来，擦拭干净书上落下的灰尘。我加入学校的话剧社，通过网络平台学习剧本创作的方法。我不停地写，那些只言片语，写得很青涩也很糟糕，但我再也没有想过放弃。我不停地兼职，努力地攒钱看话剧，看音乐剧，坐在舞台下感受戏剧无穷的力量，又在那一场场戏剧的落幕时分，感受身体里的那一簇火，在热烈地燃烧。二十一岁的我，想努力去完成自己十五岁那年就种下的梦想。

我知道我们之间隔着一道厚重的南墙。但我再也不想逃避了。

“我把南墙撞了，撞得还挺疼的，可我没想过回头，因为那是我的选择。”歌声像一场及时雨，滴滴答答，落在我的心上。我会沿着崎岖的山路，踏着坚定的脚步，在黑夜四处摸索着，一直向前走。

青春的南墙是那样厚重，我们怀揣着理想探索青春的大门，却时常因为不那么勇敢、不那么坚定，僵硬地停滞在原地，将如烟火般绚烂的美梦全部熄灭。

属于青春的剧本从来都没有回头这个按键，它短暂，它绚烂，像如水凉夜里的昙花那样易逝。所以，我们都要勇敢一点。

（本刊原创稿件，Cyan Lin 图）

丑角

●瞿宜城

因为擅长出丑而受欢迎，算是成功吗？在学校小剧场外，他忍不住这样问自己。

他还没有脱下五色袍，鼻子上有块白色的油彩。寒风吹过来，像是泼过来的笑声，延续着报告厅里那场欢笑的余韵。

方才是一场酣畅淋漓的表演，作为小丑的他时而促狭地眯起眼睛，吐槽全世界；时而脚步踉跄，眼看就要跌倒，却稳稳收住，转身对舞台下方的观众来个飞吻。他的表演，从观众防备的空隙中单刀直入，主宰了他们的笑神经。那笑声如浪潮，一波推着一波，他踩着这浪潮从舞台上走下来。

但这又怎样呢？小剧场外冷得出奇，冷雨浇了他一身。他带了伞，但看到别人都没打伞，他也不打。他不想让自己显得太特别。寒意中，他感觉到那些笑声或许并非赞扬，又感觉到身为一个丑角的凄凉。

做个丑角，就是这么矛盾，观众对你的喜爱，来自看到你那么巧妙地出了丑。

这不是他的初衷。他看的第一部话剧是《哈姆雷特》，虽然是一个不知名的小剧团演的，但“王子”悲凉而深沉的台词，还是字字击中他的心。当时他只有十二岁，从此却萌生了做一个话剧演员的梦。

高一那年，他报名参加话剧社。一脚踏进报名的会议室，他就意识到自己的冒昧。屋里的男生女生个个相貌出众，而他，虽然长着浓眉大眼，但五官搭配在一起就像违背了什么常识，常常让人莫名笑出声。他正想退出，老师走过来，对他招招手，说：“就是你了，真是得来全不费工夫啊！”

他后来才知道，在老师眼中，他天生适合做丑角。是啊，找个让人一见到就想笑的人，可不太容易。

他心中有些苦涩，但还是接受了。他太喜欢话剧了，即使做一个小丑，他也觉得这是一种享受。他喜欢用欢乐的方式表达忧伤，喜欢在别人的故事里流着自己的泪，也喜欢看到台下的观众笑。虽然，曲终人散之时，他难免感觉到一丝寂寞，就像此刻。

有几个女生从他身边走过，对着他指指点点，有一个甚至笑得直不起腰来。他忽然觉得，自己像只猴子。

他来到老师办公室，说：“我不想再做丑角了。”他的目光那么坚定，老师也有点儿迟疑了，说：“好，下次你来试试其他的角色。”

他心里透进亮光，终于得偿所愿。剧团开始排演新戏了，他是男二号，光明磊落，义薄云天，正是他心仪的那类角色。

第一场演出，观众是初三学生，学校想用一场话剧为即将参加中考的他们鼓鼓劲儿。他走上舞台，演得非常卖力，慷慨激昂，台词吐得铿锵，眼睛却扫见台下观众大多两眼无神，有的低着头背书，有的两眼望向虚空，还有的昏昏欲睡。他心里有一丝裂纹蔓延开来，压抑的氛围好像在向他进攻，他感觉自己即将被那种疲

一只蚂蚁在大地上奔跑

●敕勒川

一只蚂蚁在大地上奔跑
一只蚂蚁在青草的刀刃上奔跑

它要跨过日出与日落
一只蚂蚁像一匹骏马一样奔跑

唯有一只蚂蚁可以像一匹马一样奔跑

唯有一只蚂蚁信心十足地搬运着大地……

不会因为小和轻，命运就减少
它的奔波、劳累和责任

（小果摘自作家出版社《给孩子的心诗：一个人的火车》一书，视觉中国供图）

急与焦虑淹没。

他的动作开始荒腔走板，吐字也不再清晰，扇子从手中脱落，他还跌了一个跟头。他着急地调整自己的表演状态，活像一个醉酒者极力装作没有喝醉的样子，这使他显得更加可笑。是的，就是这些慌乱中出的错，让台下的人兴奋起来，他的每个失误，都会赢得台下的一片叫好声。

谁说只有光鲜璀璨的人生才值得一过？出点小糗，犯个小错，做个鬼脸，让别人没有恶意地笑一下，同样是很有意思的人生啊！丑角存在的意义，也许就是让人们紧绷的神经放松下来。他用自己的破绽百出，安慰了大家的不完美。

他突然就不想思考那些笑声里有没有其他成分了。他现在只想让台下的人笑。本来一本正经的角色，在他的临场发挥下变成了一个丑角。他娴熟地出着丑，知道什么样的动作与腔调能让人发笑。他和这个自己临时创造出来的角色合二为一。他的灵魂，奔走在小丑的命运里，感受着那种不无荒凉的荒诞。

直到灯光亮起，大幕拉开，他的心中一片雪亮。做小丑，最重要的是忘我，而人生何尝不是？

台下观众回应他潮水般的掌声，他以手抚胸，向台下还礼。这样一个简单的动作，居然又像石子投向湖面，笑声如涟漪般一圈圈推开。这笑声，让他感到身为小丑的光荣。

他不再害怕被别人嘲笑了，这种无惧，渐渐从演出中延续到生活里。他不再关注别人对他的态度，少了很多纠结和内耗。他变得更开朗，同时也变得更专注。他只想做好自己的事。是小丑这个角色，让他懂得了一个重要的道理：“不管你被命运分配扮演怎样的角色，演好这个角色才是最重要的事。”

感谢丑角，感谢生命总能以各种方式给他启悟。

（本刊原创稿件，胡晓江图）

玫瑰盛放，并不因为小王子

● 叶倾城

她觉得她的问题难以启齿，当作惊天大秘密吐露给我：从小学起，她就更喜欢和男生玩。

不是她不喜欢和女生玩，而是她觉得女生的圈子太复杂：A和B形影不离，C想加入就像“第三者”一样；B一旦跑去和D一道吃饭、打水、讨论明星，A就觉得自己被抛弃了，有不尽的心碎……她觉得自己很难适应这样的关系。

她喜欢和男生玩。一大帮人一起玩，一起疯，什么都能聊，还特讲义气。

她一直是混在男生堆里的女生。但到了初三，她隐隐听见，有人在她背后窃窃私语。最夸张的，说她是在大面积撒网“养备胎”。她被气哭了，她要的只是纯洁的友谊呀。

女生和男生，难道必须像两个星系，各有各的恒星，各有各的轨迹，只能隔着茫茫宇宙，彼此看见渺茫的光？

她才15岁，我却忍不住对她提起一本讲老人的书，书名叫《我们能谈点开心的事吗》，是一位画家写给她过世不久的父母的。二老同年出生，小学五年级时成了同班同学，26岁结合。之后，除了战争、工作、生病、洗澡，他们无论做什么事都黏在一起。画家的父亲95岁那年去世，两年后，画家的母亲也去世了。

这大概就属于“甜到虐”的故事，让人感慨，美好如此伸手可及。若能找到一位能相伴终身的伴侣，该有多幸运。其他人能听你的痛哭，分享你的甜蜜，却很难照顾你的病痛，与你共同酿造未来。

所以，如果一个女生喜欢与男生玩，这是挺好的一件事。我不认为这是“养备胎”。这样的措辞侮辱了青春，就像指摘一朵才稍稍含苞的花：“你在招蜂引蝶。”不，二月的第一记雷惊醒了地底的虫子，三月的第几场雨唤起了植物的芳菲。玫瑰绚烂地盛放，不是因为小王子即将到来；青草锐利地长高，不在乎诗人们是否怀念。

爱情往往沉重含蓄至不可言说，但喜欢是多么明亮的情感，有各种各样的喜欢：欣赏、仰慕、怜惜、信任、懂得、敬重……每开启一种喜欢的模式，就是让你多领受一点他人的好，也多知道一点这世界的可爱。

你有一天或许也会进入自己的甜蜜世界，但在那之前，“一起玩”这三个字好简单、好快乐：郊游、看电影、不止不休地讨论“见义勇为对不对”“读书有用还是无用”……拓宽了我们的视野，开阔了我们的心胸。

这喜欢是否会通向爱情？坦白说，如果仅仅是一起上自习、在教室里坐前后排就已经很开心，我想，称它是什么并不重要。

重要的是，你知道你要的是“纯洁的友谊”，你知道你喜欢的是“一大帮人”，你知道你更珍惜“什么都能聊”——那么，就让你与男生的交往到这个程度为止。

总有一天，会有人似火种掠过你，像一颗流星点燃整片森林。而幸运的是，那时的你，已经与很多男生做过朋友。你听过场面话，听过一些人赤裸的心声，另一些人早已让你警惕远离。

反之，你如果从来没与异性做过朋友，长大后可能会发现，金星与水星语言不通，木星与火星相距很远。我们毕竟不是孤独的星系，而是生活在地球上的、需要同类的人。

你担心同学们的误会？

10年后，他们中有95%，你可能已经不记得名字，也不认得面孔。

（张秋伟摘自微信公众号“作家叶倾城”，大冰哐图）

企鹅寄来的冰

●闫晗

同样一件事，可以从不同的角度去写，但究竟哪个角度更合适，这很考验作者的功力。

《白毛女》是一个非常有戏剧冲突的故事。这个故事的灵感来自民间发生的一件真事。20世纪40年代，在河北西部一带流传着“白毛仙姑”的故事。八路军和区干部弄清了事实真相，原来是一个老佃农的女儿怕被恶霸地主抢走，逃到山林里，毛发尽白。

故事引起了延安一些文艺工作者的兴趣。他们经过多次探讨，创作了歌剧《白毛女》。很多人可能只是把“白毛仙姑”的故事当作传闻，听过就算了，但高手能点石成金，发掘出深度和意义，让它变成精彩的文艺作品。

电视剧《山海情》中有段情节讲明了“立意”的重要性。不同的立意，会给人带来完全不同的感受。

从宁夏海吉到福建打工的姑娘白麦苗，冒着大火抢救电子厂的物资。因为吸入大量烟雾，她肺部受损，不得不住院。当时有很多记者想要采访白麦苗，她很害怕，一个劲儿地说，不行，自己不会说话。

后来，宣传干部丁世俊给她传授接受采访的经验。丁世俊做了一次模拟采访：“请问，你当时为什么义无反顾地冲进火场去抢救物资呢？”白麦苗脱口而出：“我们厂里有些海吉女工容易被人瞧不起，我想争口气。”

因为之前确实发生过一些不愉快的事情，这让白麦苗有些情绪。丁世俊对这个回答有些意外，愣了一下：“有没有一种可能，你说的这种瞧不起只是你的主观感受。人的立场不同，看问题的角度也不同，你感受到了别人的歧视，也许别人只是缺少一个认识你们、了解你们的机会。”他告诉白麦苗，这次接受采访，她代表的是所有海吉女工。他启发白麦苗，让她挖掘出内心深处的正面想法，而不是带着情绪说些不利于团结的话。

白麦苗最终说了什么呢？电视剧没有平铺直叙，而是在另一个情境中展现出来。涌泉村的村干部喊白麦苗的爸爸看电视，说白麦苗在接受采访。电视上，白麦苗说：“在我的老家，宁夏海吉涌泉村，家家户户都很亲近，谁家有难，别家都会去帮忙。救火的时候，我没想太多，就像是自己家着火了，一心只想着去救火……”这段话的立意大气诚恳，为海吉女工做了很好的形象宣传。

人有的时候会有很多念头，选择从哪个角度去讲，效果会大不相同。

小学语文课本里有一篇题为《企鹅寄冰》的课文：狮子大王住在炎热的非洲，听说在南极有一种很冷的叫冰的东西。狮子给南极的企鹅写了一封信，请它寄一块冰来。企鹅收到信后，挑了一块冰，装在塑料袋里，给狮子大王寄去。过了很多天，狮子大王收到了箱子。“咦，怎么是一袋水？”狮子大王很生气，把箱子退了回去，又给企鹅写了一封信：“我请你寄冰来，你为什么寄来一袋水？”企鹅打开箱子看，疑惑道：“这明明是冰嘛，狮子大王怎么说是水呢？”

你从这个故事中学到了什么道理？

我们可以从自然科学的角度讲温度变化对水和冰的影响，也可以借此来沟通——你寄出的是冰，而我收到的是水；你说的话不是那个意思，我觉得你就是那个意思，我不要“你觉得”，我要“我觉得”。

写文章，立意和主题很重要，要找到准确的表达，才能让世界更好地理解我们。

（丁强摘自微信公众号“闫晗”，视觉中国供图）

教AI学会遗忘

●吕之品

现在，由AI驱动的聊天机器人，如ChatGPT，已经很强大，强大到令人不安。譬如，假如你是林黛玉，有一天你在ChatGPT上输入：“请提供关于林黛玉的一些信息。”结果，ChatGPT很快便给你输出一长串信息，包括林黛玉的身份证号、银行卡号、过去和现在的住址、健康状况、爱吃的美食、读过的书、跟谁谈过恋爱，等等。这肯定会吓你一大跳。

ChatGPT是怎么获得这些信息的？当然是从互联网上，你写的文章或帖子、你在社交媒体发布的信息、你浏览过的网站等多方渠道收集汇总来的。

你想：那好吧，我尽我所能，把那些文章或帖子都删去，把社交媒体清空，把浏览网站的踪迹抹去。现在ChatGPT总该收集不到这些隐私信息了吧。然后，你再问ChatGPT同样的问题。可是，让你惊讶的是，ChatGPT照样能给你同样的答复。换句话说，ChatGPT是有记忆的，一旦记住了，就再也无法忘记！

这真要把我们吓出一身冷汗，这些隐私要是被黑客或者坏蛋知道了，多危险啊！这就不难理解，教会AI学习固然重要，但教会AI遗忘，有时候也很重要。

可是，如何教AI遗忘呢？那还得从如何教AI学习说起。

AI聊天机器人是如何学习的

新一代AI聊天机器人，都以大型语言模型为基础。这些模型是在大量数据基础上训练出来的。这些数据来自互联网，从社交媒体上的帖子到大约25万本电子书，以及几乎所有公开的信息，包括新闻网站和百科网页。它们从中学会了预测句子中最可能出现的下一个单词。这使得它们能流利地回答我们提出的几乎每一个问题。

问题在于，这种工作方式意味着，当它们学会某些东西后，就无法遗忘。一般的网页，我们可以自行删除文章或帖子，自己删不了还可以请求管理员删帖，但语言模型是根据汇总的数据生成回复的。这些数据是在过去某个时间段收集来的，不会实时更新，而且，一旦训练完成，就不再能影响AI。这就像网页上的一篇文章，如果我们阅读后记住了，哪怕删去文章，也不会把我们的记忆删去。为了提高AI的性能，我们此后当然还会拿更多的新数据训练它，但新的训练只会增加AI的知识储备，不会把原来的记忆抹去。

AI有过目不忘的本领，这相较于健忘的人类，当然是一个无可比拟的优点。但这不仅侵犯了我们的隐私权，甚至有可能被坏人利用。譬如，你的某个敌人为了诽谤你，先在网站上散布大量谣言。然后，这些数据被拿去训练AI，于是当别人在ChatGPT上查询有关你的信息时，他们从那里了解到的尽是不实之词。

阅读是一种激活

●张亚凌

常有人问我阅读有什么作用，以我自己的阅读经验看：是回望自己，审视当下，以一种特殊的形式与自己、与他人、与这个世界交流；是重塑自己的精神长相，构建自己的心灵庙宇。

在阅读中，足不远行却看见了更广阔的世界，没有经历却收获了丰富的人生经验。

阅读还有一个重要的作用——以阅读激活写作。

为什么说是“激活”？

每个人都有倾诉的意愿，在大量的阅读中会觉得自己在生活中也遇到过类似的事，接触过类似的人，也有过类似的心绪……

种种“类似”就会让阅读者平添“原来这种感觉也可以写出来”“原来只要真实就可以触动他人”“原来我也拥有这么多写作素材”的想法……这么多的“原来”会催生一个念头：我也可以写出自己的思考或精彩！

于是，一幅幅神奇的画面出现了：正在阅读，提笔在书页间留下大量的感触或被唤醒的记忆；正在阅读，忽然合上书，摊开纸，笔尖开始快乐地歌唱……

（从容摘自微信公众号“张亚凌的文字作坊”，视觉中国供图）

好消息是，考虑到这些危险，研究如何有选择性地删除AI知识库中信息的工作已经开始。坏消息是，这项工作并不能一蹴而就。

让AI学习遗忘

目前，AI公司只能依靠“沉默”来解决这个问题，即通过编程阻止用户访问某些信息并拒绝回复。例如，当我要求ChatGPT告诉我有关林黛玉的信息时，它会说：“非常抱歉，我无法满足你的要求。”这种方法在一定程度上可行。但数据仍在AI的“记忆”中，仍有可能由于故障或恶意诱导而出现在回复中。

让AI遗忘得最彻底的方法是，删除特定的数据点，然后从头开始训练语言模型。但这需要一切从头开始，并需要很长时间。有没有办法在不从头开始的情况下，移除或至少屏蔽特定信息呢？

有一种方法是，在训练AI的时候，不在全部数据上训练，而是把数据分割成一块一块的，分别对每个小块进行训练，然后再合并结果。这样，当一个人要求删除某些信息时，你只需修改相关数据的片段，再对这块数据进行重新训练，这就大大地降低了训练成本。

不过，上述方法往往会削弱AI强大的学习能力。为了规避这个问题，还有一种方法是选择事后处理。这种方法被称为“知识解除学习”，即对于一条AI已懂得的知识，不是完全删除它，而是将其搁置一边，永远不去引用它。“知识解除学习”不必对语言模型进行伤筋动骨的改造，目前是这一领域最有前景的方法之一。

（和叶摘自《大科技·科学之谜》2024年3月A，邱炯图）

“现代徐霞客”的访古之旅

●央视新闻

有段时间，一张标注得密密麻麻的地图曾引发热议。将地图放大，博物馆、古塔古寺、亭桥院落……近万处文物古迹的坐标清晰可见。

网友震惊于璀璨如繁星的国宝印迹，也对在地图上标注文物古迹的人充满了好奇。

地图的标注者吴运杰是一名“90后”文物爱好者，也是网上拥有500多万名粉丝的历史博主“遗产君”。9年来，一个人，一台相机，一个背包，还有一腔热血，他以行者的姿态，在祖国大地上踏行万里，寻找、探访、记录文物古迹。

一

哪怕它只是一座小小的桥，或是一个不大的亭子，或是一处比较破败的古民居，在我眼里都是有艺术价值的。

吴运杰今年31岁，在过去的9年时间里，他的足迹遍布全国近30个省区市，参观文物点超2000处，“打卡”200多家博物馆，拍摄了30余万张照片。

而让网友们震惊的那幅收录了近1万个古迹坐标的地图，实际上是他的“工作图谱”，里面记录着他已经去过和准备前往的古迹点位。

受父母影响，吴运杰从小就喜欢看《探索·发现》节目。他被其中介绍的来自全国各地的历史遗产深深吸引，对文物的热爱也自此在他心里深深扎下了根。

2015年，正在读大三的吴运杰开始了访古之旅。在他看来，站在历史遗址前，自己仿佛在和古人跨时空对话。“不管是四川广元，还是巴中的石窟，大部分都深受当时长安和洛阳的影响。在这边能看到非常多的佛造像，跟龙门石窟的几乎一模一样。虽然在龙门石窟看到的是残垣断壁，但通过完整的窟龛去‘脑补’曾经完整的画面，可以感受到它们是多么华丽、辉煌。”

美好的感观和体验让吴运杰有了分享欲。

每到一地，吴运杰都会跑遍当地的博物馆和重点文物保护单位，拍摄大量照片。他在查阅书籍、论文后，会将整理的资料分享在互联网平台。

吴运杰在山西临汾曾拍摄过一座明代楼阁。

十几年前，这还是一座非常破败的濒危建筑。村里有位老奶奶身患重病，她想让儿子把给她治病的钱省下来，用来修复这座楼阁。后来老奶奶去世，她的儿子遵循了她的遗愿。附近村民很感动，有钱的出钱，有力的出力，合伙把这座楼阁修复成现在漂亮、精致的状态。

这样的惊喜与感动，其实时有发生。在云南一个小县城，吴运杰竟偶然踏访到自己偶像的故居。

吴运杰说道：“在没有做攻略的情况下，我突然看见一座明代的老宅子——‘徐霞客故居’竖立在面前。《徐霞客游记》里确切地记录了他住的这个宅子里面发生过什么事情。打开房门的那一瞬间，就好像打开了时光大门，仿佛在与古人跨时代交流。”

二

我想过放弃，因为拍摄的成本非常高，投入的时间和精力也非常多，但是回报往往非常少。

2017年，吴运杰辞掉工作，在网友们的支持下开始全职访古。有人叫他“现代徐霞客”，还有人羡慕他“行走天涯”的潇洒。

然而，访古旅程并不简单，尤其是刚起步的时候，吴运杰经历过多次“断粮”的情况。

每到坚持不下去的时候，来自全国各地的支持者的帮助，总会让吴运杰打消放弃的念头。他说：“我的相机是网友给的，衣服、鞋子，包括手机都是全国各地关注我的朋友送的。大家觉得我做的事情很有意义，相当于我带着他们到全国各地去看历史古迹。”

吴运杰的访古行程总是很赶，经常早上8点出发，晚上10点才返回住处。外出作业十几个小时后回到住处，吴运杰还要整理资料、撰稿。作为文博科普博主，他要求自己发出的每一个字、每一幅图，都能经得起检验。

虽然在旅途中又苦又累，但这样的生活，让吴运杰感受到更多的是充实和快乐。

“我最开始拍文物的时候，在想怎么能拍得好看，让观众体会到直观的美。我买了很多摄影方面的书籍，学习怎么构图。不过，把文物拍得好看还远远不够，我需要向观众传递文物背后的历史、工艺方面的价值。我也买了很多文博方面的书籍，查阅了大量的论文。我做的文博笔记有几十万字。”吴运杰说。

在遍访古迹的日子里，吴运杰也有失落和难过，有时走了很远的路才发现要寻找的古迹已然不在，因此常常要“跟时间赛跑”。“一些比较小的田野景点、田野文物，比如说一个亭子、一座桥或者一处民居大院，

很可能在一场山洪或暴雨中就被毁掉了。这也是我们不辞辛苦去奔波的意义：记录它的历史、现状，哪怕是以后的复原，我们都有资料提供。”

三

如果有机会，我很想去国外的博物馆拍，尤其是去大量收藏中国文物的博物馆，以另一种方式把这些文物请回中国。

随着访古经历日渐丰富，吴运杰的历史知识也在日益累积。2022年，在第二季《中国国宝大会》节目中，他在12轮文博知识竞答中过关斩将，最终夺得冠军。

在吴运杰看来，每一处文物古迹都承载了祖先的智慧、创造、精神。他的理想，是让越来越多的人关注文物、热爱文物，在文物古迹中认识中国、读懂中国。

吴运杰的规划，是沿着自己所做的文物地图，把里面所标注的博物馆、古建筑、石窟等文化遗产一个一个“刷”完，然后在各个平台上继续给大家分享。

第三次全国文物普查数据显示，全国登记的不可移动文物超过76万处。吴运杰的地图所记录的，其实还不足总量的2%，但地图上密密麻麻的坐标，已足以令人眼花缭乱，深受震撼。

吴运杰在地图上标注古迹，用双脚丈量大地，这份可贵的实测精神与当年的徐霞客一脉相承。

16世纪的“80后”徐霞客用一生抒写“朝碧海而暮苍梧”的豪情，20世纪的“90后”吴运杰则实践着“访历史而注文博”的理想。他们与他们所钟爱的灿烂文化一样，都值得我们自豪。

（叶子摘自微信公众号“央视新闻”）

武将关羽怎么成了财神

●豆子

隋唐时期，关羽还不像后来那样受到人们的普遍崇拜，只是荆州附近区域性的小神。直至北宋，他才成为整个江淮地区的神祇。

北宋末年，随着大量文学作品与道教、佛教经典对关公故事的再创作，这位生前勇猛仗义、威武不屈的将军，逐渐成了代表精忠义勇的大神。到了明代，经历代皇帝的加封及民间小说的重新创作，尤其是《三国演义》的描写，武将关羽终于成为妇孺皆知的关二爷。

他强大的武力，以及忠勇仁义的性格，让人们钦佩不已。上至帝王将相，下至平头百姓，凡中华文明影响到的地方，“有井水处皆庙祀之”。他威名赫赫，“载之史传，诵之童叟，真与天地同悠久，日月共昭揭”，成了中华大地上数一数二确有其人的偶像。

人们不禁疑惑，关羽明明是武圣，为何后来又变成财神了呢?

关羽起初确实与财神没有关系。在宋代，他还是人们的守护神。在香火最盛的明代，他也只是道教中的“三界伏魔大帝神威远镇天尊关圣帝君”，是降伏魔鬼妖孽的天尊。

然而有趣的是，正在此时，影响中国数百年的商人团体——晋商——崛起了。

“晋”是山西的简称，晋商的崛起，得益于明代以来山西特殊的政治环境与地理条件。隆庆开关以前，海禁严格，为了保障陆地上的边境安全，朝廷命人在北部边疆修筑长城。但人们毕竟有贸易的需要，驻扎在边疆的大量军人也需要粮草、商品供应。于是，山西便以其独特的地理优势，担任了贸易窗口的角色。它三面环山，向南直通关中平原，东口对接京城，东南直往中原，西面有杀虎口（西口），东面是张家口（东口），既是为军人输送大量粮饷的通道，也是与蒙古交流的最佳地带。

由于从山东往边关运送粮草耗资太大，朝廷实行了“开中”政策。这个政策很有趣，让商人到处收购粮食，只需要将粮食交到大同仓或者太原仓，就给商人相应的盐引。

中国古时实行盐铁专卖制度，拿到盐引的商人，就是朝廷许可的经销商。别看现在的盐挺便宜的，在古时可不便宜。在一些缺盐的地方，一斤食盐的价格大约相当于中等收入者一天的工钱。但人们日常生活中又离不开盐，所以卖盐是有利可图的。只是，晋商们要去江淮地区取盐，然后再到分配好的片区销售。如此，商人得利的同时，也替朝廷解决了把盐从产盐区疏散到各地的大麻烦。

晋商享受了这样的便利，自然财运亨通。而那些白手起家的小商贩，是更值得人们敬佩的。他们有着吃苦耐劳、艰苦朴素、说一不二的精神。他们中有的连独轮车都没有，为了过上更好的生活，硬是通过手拿、肩挑的方式，走通数千里的远路贩货谋利，闯出一片广阔的天地。

到了清代，晋商将生意做到了极致，成了明清时期极为富庶的群体。做生意，光凭嘴说是不行的，必须

薯片形状的秘密

●中国科学技术馆

市面上的薯片虽然品牌五花八门，但是却有一个不可忽视的共同点：它们的形状大都是圆形的，其中最经典的是马鞍面形状。小小的薯片背后，也蕴含着科学原理。

马鞍面是一种曲面，又叫双曲抛物面，形状类似于马鞍。

双曲抛物面结构具有奇怪的力学特征，这种结构之间相互作用，相互稳固，既能抗压也能抗拉，在压力和拉力之间形成了巧妙的平衡。因此，你如果用手掰裂每片薯片，会发现薯片裂痕的走向是不一致的，并不存在可预测的断裂方向。

薯片从生产工厂到消费者手中，理想状态是要始终保持其形状不变。因此，这就需要薯片具有稳定、抗挤压的形状。而双曲抛物面的设计恰好可以满足这个要求。拥有双曲抛物面结构的薯片，即使厚度很薄，在包装和运输过程中也不易碎，甚至能不借助任何胶水搭出一个稳固的圆环。所以，这种马鞍形的薯片也更适合堆叠在一起存放。

除了薯片，双曲抛物面在生活中的应用十分广泛。在建筑行业，有专门的双曲抛物面的施工工法。相对其他曲面而言，双曲抛物面的屋顶大大地节省了资源成本，且其形状不同于一般的平屋顶建筑，集美观与实用于一体。

（平林月摘自微信公众号“中国科学技术馆”，视觉中国供图）

要有信誉做保障。晋商就建立了良好的信誉保障体系，打响了声誉。在群体内部，他们非常重视以义取利的生财之道。

商人合伙做生意，合伙人叫“伙计”。一个人出本钱，其他人帮忙，一起把事情做成。伙计不应有私藏钱货的行为，如果他们的祖父母或父母做生意亏本欠了钱，即便被欠钱的人认为人都没了，不必去讨要，做子孙的砸锅卖铁也要把钱还上。同为伙计，便生死不忘，绝对不会亏待成员的每一分付出。如此，晋商聚集了更多的伙计。团体内，有本钱，没本钱，“咸得以为生”。

这种义气为先、忠信为本的理念，便以关公崇拜的形式体现出来。

和其他地方一样，山西当时的关公崇拜也很兴盛，且比其他地方更甚。这是因为关羽的老家正是山西运城解州。

晋商崛起后，把买卖做到各地，凡有山西会馆的地方，必然有关公像，而且要把关公供在最显要的位置。有时商人还会直接将关帝庙作为会馆使用。

晋商富庶的名声，数百年来响彻中国。人们皆以为给晋商带来财富的正是关二爷，因此将关公视作财神。晋商散布之地，生意人都喜欢拜关公，取意生财有道：不义之财，分文不取。

关公本就是军人出身，明朝卫所制度中的军户都把他当作偶像崇拜。那些义字当先的社会组织，最讲究的也是义气，想要效仿刘、关、张桃园结义，故而也把关羽视为偶像。

就这样，原本被视作守护神的三国武将，成了义字当先、招引财富、大忠大勇的神祇，受到人们的普遍崇拜。

人们希望成为关羽那样的人，希望身边的人也和关羽一样永远值得信赖，希望财运亨通，希望冥冥之中受到他的保护。渴望当然很难成为现实，但人们不约而同地相信，只要曾经有过这样一个人，这样的心愿便是有可能实现的。

（心香一瓣摘自江苏凤凰文艺出版社《古人的想法真奇怪》一书，老老老鱼图）

云的量词

●马亚伟

给孩子辅导作业，有一道填量词的题：一（　）云。孩子说是一片云，我说是一朵云。除此之外，云的量词还有很多：一丝云、一缕云、一团云、一块云、一堆云……云的形状不同，使用的量词也不一样。再说古诗词里云的量词，苏轼说“一张琴，一壶酒，一溪云”，我理解的“一溪云”就是溪水之上自由自在的云，“溪”可以做量词，跟前面的“张”和“壶”一样。还有“一剪闲云”“一窗白云”“一重黑云”之类的，“剪”“窗”“重”都算作是云的量词吧。

世间所有的事物中，恐怕没有什么能像云这样，有这么多量词可用。我第一次发现，原来量词也可以如此生动。记得做学生时，我觉得数词和量词是最无趣的，刻板生硬，只是在跟人交代什么。而如今，我觉得量词其实具备生动描述的特点，跟形容词有相似之处。其实很多量词都在描述，比如一条围巾，是在描述围巾长的特征，一把茶壶也描述出了茶壶的外形特征。当然，云的量词是最丰富的，这跟云千变万化的姿态有关系。

云的量词里面，我最喜欢的是“朵”。“朵”也是花的量词，天上的云，地上的花，这个世界也只有云可以与花媲美。抬头看云，低头赏花；闲看庭前花开花落，漫随天外云卷云舒。云和花常常被我们赋予诗意。云是天上的花，姿态万千，变化无穷。有了云，天空便有了内容，有了故事。人类的想象，有多少是得到了遥远缥缈的云的启示？对我们来说，云神秘莫测，云朵里可以生长出无数曲折的传奇。一朵云就是一朵花，此花无香，却给人无限遐想。天空中的朵朵白云，一定是天上哪位美丽贤惠的织女剪出来的。她的纤纤玉手握一把小巧的剪刀，轻轻一剪，一朵美丽的云就从她的指尖抖搂出来。漫天云朵，如同天女散花，把广袤的天空装扮得多姿多彩。

试想一下，如果天空没有云朵，该是多么单调无趣啊！云作为天空的花朵，有着比花朵还妖娆多姿的美丽。花朵可以开一段时间，而云朵往往瞬息万变。每一朵云，都有昙花一现般的绝美风姿。越短暂越珍稀，正是因为云朵容易消散，才成就了它的绝代风华。刚刚还是一片莲花瓣，转眼间就变成了粼粼的水波；刚刚还是一朵白百合，转眼间就变成了淡淡的青烟；刚刚还是一朵康乃馨，转眼间就变成了浅浅的薄雾……云朵变了，它的量词也会跟着变。

一丝云、一缕云，多么轻，多么薄，多么美！而一团云、一块云、一堆云，就有了重量。云不仅有重量的区别，还有情感色彩的区别。自古文人墨客就喜欢通过云来表达自己的情感：“闲云潭影日悠悠”“秋风起兮白云飞”“黑云压城城欲摧”“薄雾浓云愁永昼”……云成了情感的载体，人与云的关系变得密不可分。

另外，云还是天气变化的指引。一朵云闲闲地游走着，代表晴天；一团乌云压过来，代表风雨将至。我们可以通过云的变化，来判断明天的天气如何。即使如今天气预报很准了，我有时还会看云识天气，觉得这种做法真是有一种古老浪漫的色彩呢。

云的量词，是富有生趣的表达。世间有云相伴，我们的生活会多出几分精彩与曼妙。

（孤山夜雨摘自《亳州晚报》2024年3月18日，视觉中国供图）

言论

你能做到的事情只有不超过5%的人能做到，做的优异程度只有不超过5%的人能达到，这个时候才能获得成就感。

——时至今日，年逾九旬的中国科学院院士赵鹏大依然保持着每天“6小时睡眠”“600字日记”“6000步走路”的习惯

书的世界，大于我们现实的世界。

——在冯骥才看来，世界上所有的东西都在书里面，世界上没有的东西也在书里面

把你的心灵想象成一个漂亮的小池塘，里面有各种各样的小鱼在游玩。每一条小鱼代表着一种情绪。你要成为池塘，而不是总盯着某一条小鱼不放。

——允许一切情绪的产生，但是不被其中任何一种情绪所困

世界是有生命的，会发霉也会生虫子。

——电影《你想活出怎样的人生》

怀同样心愿者，无别离。

——中国美术学院象山校区有一只猫，在图书馆生活了13年，美院学生亲切地称它“喵馆长”。因被野狗袭击，“喵馆长”在图书馆里去世，中国美术学院图书馆馆长金琤发文纪念

落日、微风、鸟叫、虫鸣。

——网友总结的“夏天最舒服的组合”

很多人遇到问题喜欢一个人琢磨，实际上绝大部分的问题别人都遇到过，甚至有标准答案。

——谈到大学时学到的经验，雷军这样说

高中：两天用完一支笔。

大学：两学期用完一支笔。

——高中与大学的不同

照着月亮瞄准，总比照着树梢瞄准打得高。

——在一档综艺节目中，年逾九旬的表演艺术家游本昌对话青年演员，探讨人生哲学

如果你站在4岁的位置瞻望未来，你会说她前途未卜，你会说她前途无限，要是你站在她的终点看这个生命的轨迹，你看到的只是一条路，你就只能看见一条命定之途。所有的生命都一样，所有的人都是这样。

——史铁生如何看待“命运”

在一个阳光充沛的地方，一个人们慢慢行走，喜欢晒太阳和笑的地方。我就在这样的地方等你。

——林婉瑜《补习街》

一段时间内让自己专注于某一件事情，全身心地投入进去，就会获得一些介于沉浸和成就感之间的快乐。

——获得快乐的方式

我想先把秦岭捡干净。

——在西安读书的“00后”大学生唐佳，自2023年10月起，就开始在爬山途中捡瓶子。近日，他和队友徒步旅行秦岭嘉午台时捡拾了200多个塑料瓶。接受采访时，他给自己定了这样一个小目标

着力解决“小眼镜”“小胖墩”和学生的心理健康问题。

——2024年3月9日，在十四届全国人大二次会议记者会上，教育部部长怀进鹏如是说

所谓诗歌，就是人类中最敏感、最多情的那部分成员，先把所有的悲哀喜乐都经历一遍，把他们千疮百孔的心灵展示给你看。然后当你再经历那一切的时候，就会觉得不那么孤独。

——在六神磊磊看来，诗歌的作用之一，是消解我们的孤独

（晓莹、木木等摘）

“普通”非平庸

●沈佳瑶

“你打算去哪里读研究生？”这是第一天认识朋友小A时，她问我的第一个问题，而那天是我们大学入学的第一天。我被这个问题唬住了。彼时的我，还在回味暑假的余味，连要不要读研究生都没思考过呢。很快两年过去了，在经历了微积分弃修、转专业失败、本专业保研无望等一系列波折后，小A说，她已经相信自己只是很普通的一个人。其实，像她这样患上“普通焦虑症”的人并不少。

创立于2021年3月的“普通学”豆瓣小组，已经聚集了7.3万名组员。他们或是从金字塔塔尖退出竞争的“后知后觉者”，或是一直都不出挑的“小透明”，或是升学受挫的“学生党”，或是职场失意的“打工人”。大家都将诗人穆旦的“这才知道我全部的努力，不过是完成了普通生活”这句诗奉为“组歌”，并向着同一目标前进：接纳自我，做一个快乐的普通人。

“普通学”小组内的一条热帖里有这样一句话：“我一直想着怎么做才能成功，从没想过怎么做才能过好人生。我想，进入伊甸园的这把钥匙就是‘过好人生’。”

“普通”的定义

接纳自己是一个普通人，归根到底是一种心态的转变。

“普通学”小组内常常挂着关于《平凡之路》的一条热评：“人生有3个阶段，知道父母是普通人，知道自己是普通人，知道孩子是普通人。”确实，当他们迈出“接纳自己的普通”这一步的时候，其实就已经放下了对绝对优秀、绝对完美的成功人设的执拗了。

那么，“普通”的定义到底是什么？在“普通学”小组里，一位名叫“圆宇宙”的组员将“普通学”总结成9课。第1课：不抱怨环境。第2课：不要求别人。第3课：不攀比，不在乎别人的口舌和眼光。第4课：不焦虑，不要求自己领先。第5课：行为不盲从，不受外部因素影响。第6课：接受自己犯错是正常的，不讨厌自己。第7课：接受有时无力改变现状的现实，但尽量做好自己。第8课：过好普通的每一天，成为合格的普通人。第9课：能安慰焦虑的朋友，放松心态，大不了就拥抱普通人的世界。

显然，组员们很清楚：普通就是没有看一眼就融会贯通一本书的天赋，也没有一天只睡3个小时仍精力充沛的毅力，但是我们普通人依然内心充盈，在自己力所能及的范围内，有创造一切的可能。

“普通学”小组的组员们要传达的，不仅有对普通的释怀，还有让大家重新走向以自我为中心来定位人生的鼓励。优秀的定义有很多，退一级台阶思考，也许就能发现许多自己的闪光点。

100个优点

在“普通学”小组中的“自洽之旅”板块里，流行着一个“100个优点”的发帖活动。发帖人要求跟帖的每个人都列举出自己身上的100个优点，然后给自己积极的心理暗示：“看！我其实也很不错嘛。”在数百条帖子的互动中，大家似乎都找回了自信。即便最开始罗列时会无从下笔，但是硬着头皮写着写着，就找到了感觉。“懂得欣赏古典音乐”，“会写一点书法”，哪怕是“头发很多”“不说脏话”，都是组员们建立起自我信念感的基础。

在小组中一篇“每个平凡的日子都闪着光”的帖子下，我看到了许多组员的跟帖：有人因为今天吃到一个超大的菠萝十分满足；有人和同学讨论物理问题，因为被知识填满了脑袋而产生一种充实的自豪感；有人分享“自己随便种的白晶菊居然发芽了”……帖子的最下面有句话，让人读来眼前一热：“你很好，要更爱自己！”

组员“峥琮”分享了自己作为普通人的小改变。比如，他终于鼓起勇气向小区里见过多次的小狗的主人询问：“我可以摸摸它吗？”在得到同意后，他如愿以偿。他还分享了一次自己控制情绪的过程。某次点外卖被严重超时后，他尝试表达自己合理的诉求，但不附带情绪。他在帖子中写道：“我感受到愤怒让我的身体紧张成一团，大脑里有各种喋喋不休的念头在呐喊，但我最终让这些愤怒情绪只停留在了体内。原来改变没有想象中那么难。”

在诸如此类的活动中，“普通学”小组内不少普通人都惊喜地发现，自己其实并不平庸，生活其实很美好，他们在自己身上看到了一个优秀的普通人。

普通且自信

普通不等于“躺平”，这是“普通学”小组最想要阐明的概念。

虽然大家嘴上喊着自己普普通通，一事无成，但其实大多数人都没有把普通当作放任自己平庸的借口，反而在找准了正确的定位后，以更轻松的心态和更好的状态重新出发。

一位名为“木生”的组员在小组内发起了“普通人的盖楼游戏”，他给自己设定的目标是为祖国健康工作50年。在帖子里，他事无巨细地列出了自己要做到的一些改变，例如改变熬夜的坏习惯，每日坚持步行至少一万步，重新学习自己的专业知识。他还鼓励大家在评论区“打卡”自己的运动习惯或是有成就感的普通日常，以相互激励，共同成长。

在“普通学”小组内，我还看到了一篇特别经典的帖子，热度一直保持在“自洽之旅”板块的高位。帖子的主人分享了自己发现并接纳普通的过程：尽管看到自己有很多劣势，她也相信“努力的人总会有光明的未来”。即便她一直做着与心理预期有差距的工作，但这并不是普通人就能随波逐流、不明不白地度过此生的理由。这位组员自学心理学，重新考雅思，迈向了更多未知的领域。

真好！我们就是这样普通的人，但再资质平平的人也会有闪光点。

（聂勇摘自《大学生》2024年第2期，与鱼图）

太阳的背面

●安有

我和姐姐是双胞胎。

据我所知，家乡的小县城里不止我们一对双胞胎。可是若以大人最看重的学习成绩论，“别人家的双胞胎”非我们莫属。

其实，我们一直是另类的双胞胎，无论长相、性格都不相像。姐姐个子高、鼻梁挺、发色偏黄、安静内向，而我个子小、鼻梁塌、头发乌黑、聒噪好动。我们有很多不同，但是只要被他人提起，就会被贴上“那对学习很好的双胞胎”的标签。

然而，我并不是一个学习很好的孩子。我偏科严重，但是每次考试又能靠着综合成绩把名次勉强拉上去；姐姐就不一样了，用现在的话来说，她就是“六边形战士”，哪怕和她一起学习了十几年，我也不知道她的弱势学科是什么。

更让我恐惧的是，学校的老师们如同约定好了一般，总是会在考试过后找到我，把姐姐的试卷拿过来给我看，让我思考一下为什么明明我和姐姐是双胞胎，一起生活学习，我却无法像她一样完美地做出每一道题。

第一次遇到这种情况是在初一。英语老师把我和姐姐的试卷摊在办公桌上，把我的错误答案和她的正确答案做对比，一道接着一道地批评我。那是六月的夏天，办公室里风扇“嗡嗡”响个不停，我却出了一身冷汗。老师的身边站着我的同桌，不知为何，她一直紧紧地盯着我。在他们尖锐的目光下，我口干舌燥，最终泪流满面。透过模糊的视线，我看不清同桌的脸，总觉得她换了副面孔，站在那里的是我姐姐。

第二次则是因为我的数学老师。数学一直是我的弱项，我似乎天生对数字、公式不敏感，看多了就犯困，数学考好的次数屈指可数。可在我们那个教育落后的小县城，我的姐姐算得上一个数学天才。

某次数学考试，我不出意料地又考砸了。数学老师站在我的身后，让我的同桌给我讲题。我很紧张，只见同桌的嘴巴一开一合，我愣是一个字也听不到。大概过了十分钟，数学老师摇摇头，留下一句“朽木不可雕也，你姐可不是这样”便转身离开了。我再次惊出一身冷汗，手指猛地抠破了刚改好的数学试卷。凝视着试卷上的破洞，我竟联想到我和姐姐的关系。我们本是互帮互助的姐妹，我却像缩在洞里的蚂蚁，她的成绩则是一根巨大的手指，能穿过世界上所有的洞穴，狠狠地压着我。

我开始讨厌这种担惊受怕的感觉，不是因为自己的成绩下滑，不是因为老师的责骂，而是因为那种无法逃离的压制。孙悟空的经历突然浮现在我的脑海，五行山下的岁月到底该如何度过才好，或许每个人有自己的选择，没有正解。自习课上，大家都在绞尽脑汁地改错题，我望着黑板上方兢兢业业工作的时钟，听着指针“嘀嗒嘀嗒”，如此笨重地为一个恍惚的下午伴奏。那时我在想，这声音如果是穿越时空的前兆，能送我去见见孙悟空吗？

后来，这样的对比仍经常发生。经历得多了，我开始慢慢意识到，这种对比是我们还在妈妈的子宫里就已经产生的。随之而来的不适就像踩在鞋底的口香糖，无论如何也不能完全除去，

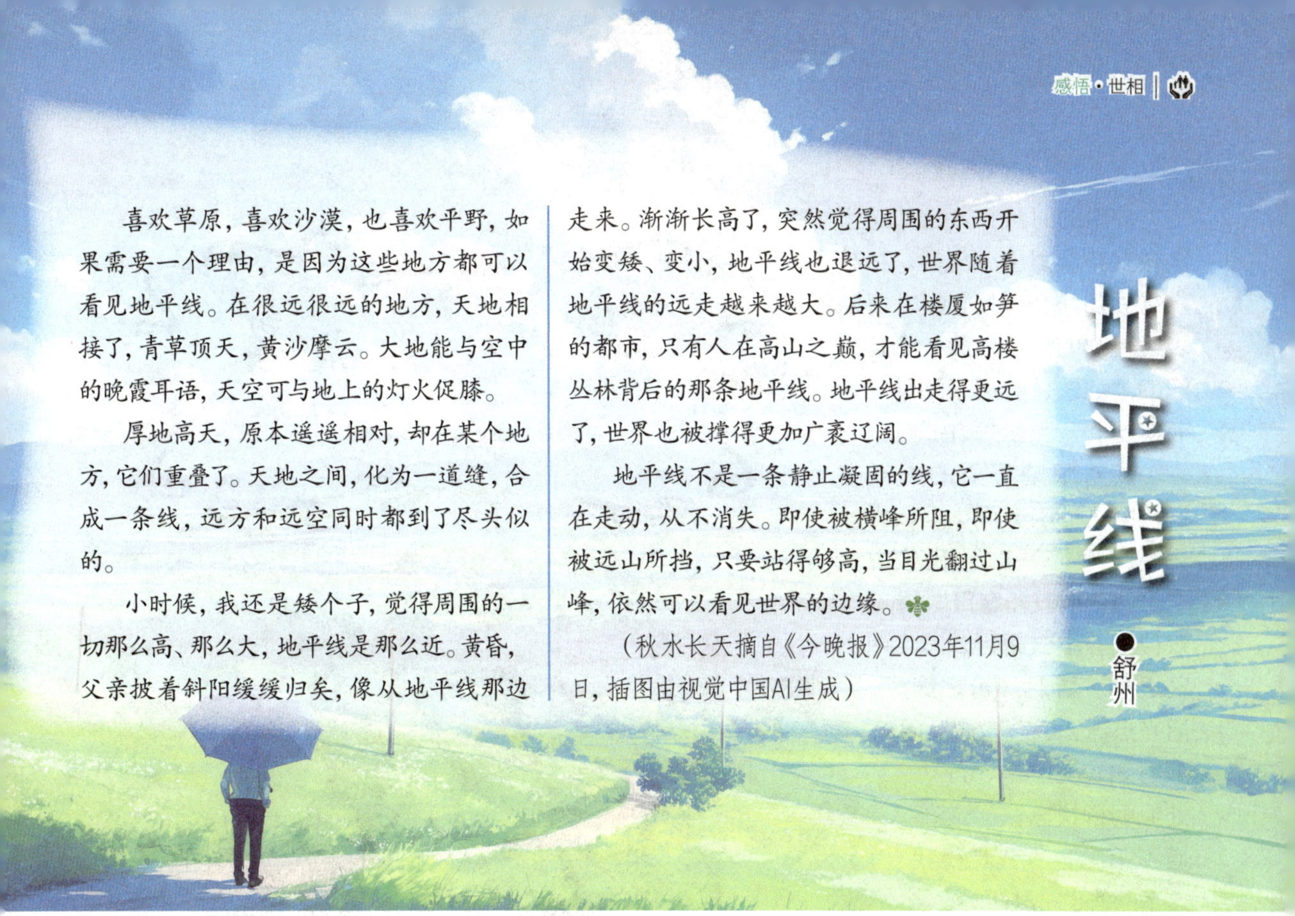

地平线

● 舒州

喜欢草原，喜欢沙漠，也喜欢平野，如果需要一个理由，是因为这些地方都可以看见地平线。在很远很远的地方，天地相接了，青草顶天，黄沙摩云。大地能与空中的晚霞耳语，天空可与地上的灯火促膝。

厚地高天，原本遥遥相对，却在某个地方，它们重叠了。天地之间，化为一道缝，合成一条线，远方和远空同时都到了尽头似的。

小时候，我还是矮个子，觉得周围的一切那么高、那么大，地平线是那么近。黄昏，父亲披着斜阳缓缓归矣，像从地平线那边走来。渐渐长高了，突然觉得周围的东西开始变矮、变小，地平线也退远了，世界随着地平线的远走越来越大。后来在楼厦如笋的都市，只有人在高山之巅，才能看见高楼丛林背后的那条地平线。地平线出走得更远了，世界也被撑得更加广袤辽阔。

地平线不是一条静止凝固的线，它一直在走动，从不消失。即使被横峰所阻，即使被远山所挡，只要站得够高，当目光翻过山峰，依然可以看见世界的边缘。

（秋水长天摘自《今晚报》2023年11月9日，插图由视觉中国AI生成）

总要留下点痕迹。在我的童年时期，懵懂无知的我尚不懂科学常识，总是在心里把我和姐姐比作太阳的两面：光彩夺目的她自然是炽热的正面，而隐藏在她身后的我便是阴暗的背面。

我当时不知道这种对比要持续多久。六年，三年，又三年，每步入一段新的学习生活，这种压制感便会找到我。极度的压抑如同魔鬼鱼身下的寄生鱼，利用吸盘牢牢地攀附在我的世界里。于是我开始变得安静内向，不再多话。除了我们天生具有的不同基因，除了我挣扎着也难以改变的偏科成绩，我们似乎真的越来越相似了，我隐约间真的戴上了面具，共享着成为太阳正面的荣光。可我知道这是一条歧途，这种荣光不属于我，它无时无刻不在灼痛我的身躯。

直到高中时期，我读了黑塞的作品。他写道：“我所理想的，无非是试着依我自发的本性去生活。为何如此之难？”我惊叹于他的思想，也更坚信我有自己的生活要过，不想让别人提到我时只会说“她是某某的妹妹”，也不想用这种外界带来的痛苦去伤害我和姐姐的亲情。毕竟，一个努力学习、成绩优异的人是无罪的，一个被他人的成绩裹挟的人也是没有错的。我要挣脱这种束缚，哪怕它基于血缘。为了摆脱这种对比，我需要比他们更了解我自己。

找寻自己是一条艰难的路，鲜有鸟语花香，没有谁是轻松的。

高考结束的那个午后，我终于下定决心，屏蔽掉一切嘈嘈切切之声，不再让姐姐“干扰”到我，独自走向属于我自己的路。我选了一座陌生的城市，准备去认识一群陌生的人。我已经不是当初那个容易惊出一身冷汗的女孩，也早就知道了太阳其实没有阴暗的背面。

后来的某天，我走在某个向往已久的城市的街边，太阳高悬，树影在我的脚下摇摇晃晃。一对模样相似的双胞胎从我的身边跑过，她们手牵着手，穿着不同的衣服，笑着踏过街角的梧桐叶。已经没有人会再将我和姐姐做对比了，我走在属于我的世界里。只是当我看着她们消失在街角时，我忽然庆幸，多好啊，我也有个姐姐。

（本刊原创稿件，视觉中国供图）

眼里住着木星

●鹿郴

初中的时候，“控”这个字在女孩堆里十分流行。在某事物后加一个“控”字，可以表达喜欢的程度之深。五花八门的“控”，听起来酷酷的。而我是个十足的“眼控”。

我对眼睛好看的人没有抵抗力。每当有同学问我为什么是“眼控”时，我总说：“‘两弯似蹙非蹙罥烟眉，一双似泣非泣含露目。态生两靥之愁，娇袭一身之病。泪光点点，娇喘微微。闲静时如姣花照水，行动处似弱柳扶风。’这难道不美吗？”我觉得我这个回答也是酷酷的。

所以我经常像一只趴在围墙上的猫咪，表面上看起来是在晒太阳，慵懒又漫不经心，实则一直在观察。我在观察路人的眼睛。而我的这堵围墙几乎都在学校，同学们的眼睛都被我看在眼里。在我们班，我最喜欢两个人的眼睛。一个是那个高个儿男生，他的眼睛像极了一个男明星的。我喜欢在太阳升起时看他的眼睛。他的眼睛像一首断了句的诗，眸底像有一座被薄雾笼罩的青山，颇显神秘，即将被朝阳浸染。

老盯着一个男孩看，我怕被误会，所以我注意到了她。

其实，我很早就注意到她了。她叫淡儿，人如其名，淡然自若，温婉可人。第一次周考后，她的作文被当作范文由本人上台朗诵，那时我就注意到她了。那天，她穿着一件粉色的短外套，那件短外套上还有一朵樱花，像是三月的春天。她的眼睛圆圆的，瞳孔如一汪泉水般澄澈。在双眼皮的加持下，这双眼睛显得更加灵动。或许只有像她那样好看的眼睛，才天生适合出现在这样的舞台上。

我明白，人对某种事物的喜爱，有时候是源于心底的缺失。拥有一双她那样的眼睛，无疑是我最大的愿望。我的眼睛不仅浮肿、不好看，而且不对称，一只是内双，另外一只是单眼皮，却有一条若隐若现的褶皱，显得老气又丑陋。“咋说呢，你这眼睛和那‘死鱼眼’有点像。”这是朋友在评价我的照片时说的一句话。即便我知道她是开玩笑，但我依旧被“死鱼眼”三个字给深深刺痛了。它像一颗长在身体隐秘处的痣，让我不敢轻易向别人袒露，自己却很清楚它的位置和故事。所以我会格外注意别人的眼睛。“眼控”这个标签下还隐藏着我的自卑，其实一点也不酷。

近距离看淡儿的眼睛是在一个中午，但那天，我很狼狈。我被数学老师叫起来回答问题，在这之前，因为生病我请了将近一个星期的假。被当众提问时，我低着头支吾着说不出一句话，身后传来此起彼伏的议论声。老师的语气突然变得很严肃：“就算请假，也还是要进行适当的学习准备。”虽然老师让我坐下了，但我心里的防线却早已崩溃。

吃午饭的时间到了，当同学们鱼贯而出，我的泪水再也压抑不住，像大雨般落下。课上让我难堪的知识点却像碳酸饮料里的小气泡，时不时刺激着胃壁，提醒着我它的存在。哭完了，还是得继续面对它的张牙舞爪。

“要不，我来教你吧！”一个声音突然从我身后传来。我像阴暗角落里的一摊水渍，只要没有人来，只要没有弄脏他人的鞋子，泥泞也好，肮脏也罢，我都无所谓。可是，她的出现让我有些张皇失措。所以，她很早就在这里了？她肯定看见我哭了。我那么丑的眼睛，一哭起来更丑了，她肯定看见了。她略显歉意地对我笑笑，说：“我是回来拿东西的，看见你在这哭，怕打扰到你……你别往心里去，其实知识点很简单的，只是因为你这几天没来上课，你要是来了，肯定懂的。老师就那样，他对谁都比较严厉，你别往心里去。”

那天，她坐在我的旁边，阳光透过窗户缓缓洒在纸上，她垂落下来的发丝也被镀上金色光芒。她眼里存着阳光，柔柔的，黝黑的瞳孔像是包容万物的黑色土壤，任何事物都能在她眼里生长。

她讲题的语气也柔柔的。那些生硬的知识点从她嘴里讲出来，就像牛肉泡馍里干硬的馍块慢慢融进了牛肉汤里，渐渐变得很绵软，十分贴合胃壁。“还有啥不太懂的，或者我遗漏的，你都可以来问我。”后来，她的这句话成了我明目张胆看她眼睛的借口。随着我向她请教问题次数的增多，我们渐渐成了好朋友。

后来，我也住校，和她分到了一个寝室。有一天，不知是谁提起了玩“真心话大冒险”。小A是第一个玩游戏的人，她抽到大冒险后说：“我喜欢××。我一直觉得自己像个小偷，但是看见他在考试时像个小偷在作弊，我就再也不喜欢他了。”小A幽默的语言加上抑扬顿挫的语气让我们笑得前仰后合，我们在欢声笑语中渐渐卸下防备，一点一点展露出属于自己的“痣”。

“说出心底最隐秘的故事”，这是我抽到的大冒险。我笑着说出了“死鱼眼”的这段故事。“其实，我也是一个小偷，我偷偷羡慕着你的眼睛，甚至有些嫉妒。”我对着淡儿说出了这句话，我以为我的话会冒犯到她。她却眨巴着水汪汪的大眼睛，先是有些惊讶，继而有些难为情地说道：“没告诉你的是，我是一个‘瞳孔控’。我也羡慕你，我很喜欢你棕色的瞳孔，很特别，像木星的颜色，而我的黑色瞳孔显得那么大众。每次你来问问题，和你的眼神对视是我故意的。起先我也不敢告诉你我有多羡慕你瞳孔的颜色。”没想到这个故事牵引出大家的话匣子，每个人都大胆地讲出了自己那些年羡慕面具之下隐藏的自卑，转头发现，大家都在互相羡慕。原来我们羡慕的人也有可能同样在羡慕我们呀！

青春可真是一颗奇妙的子弹。一方面我们只顾着低头看自己的短处，抬头羡慕着别人，喜欢在“控”字前面加许许多多的定语，给自己贴一个又一个的标签，却忘了自己也是别人羡慕的对象。另一方面，我们又会在某个节点，遇到某些人、某些事，再回头看看，在夏日的蝉鸣声里慢慢淡忘从前，撕掉一个又一个标签。

或许这就是青春，这就是青春苦乐参半的样子。

（本刊原创稿件，视觉中国供图）

天空的空

●草予

那时，我是先认识天空的，其次，才是远方。

黄昏，坐在旷野的一块大石头上，我像是天空之下唯一的存在。云的上面还是云，蓝的周围还是蓝，当然，风的后头还有风。这个看起来永远，还将永远下去的世界，让人觉得自己渺小得什么都不是。

大人们总是很忙，没人喊我回家，时间还早，还不到担心的时候；也没人叫我回去写作业，那是一个孩子自己的事，无人插手过问。

大把的时间，我就这样抱膝坐着，辽阔的大地盛着我，比大地更辽阔的天空笼罩着我，庆幸的是，竟然没有一个人，要与我瓜分这样的辽阔。天空仿佛只属于我一个人。偶尔，一只飞鸟，高高地经过，它不是来分夺辽阔的，它也是辽阔的一部分。

远方都还在课本里，东边的海，西边的喜马拉雅，漠北的雪，江南的春，种种远方，比熟悉更陌生，比陌生更熟悉。我地理学得还不错，知道赤道上的所有国家，一口气说得出长江经过的那些省区市，记得住各处的平均年降水量，还画得出所有的洋流。我对远方总是很感兴趣，可是它们都算不上充满致命诱惑。

比起远方，我还是更了解天空。

这里的四季，总是分得清清楚楚，夏有夏的样子，冬有冬的样子。天空，自然也就四季分明。

夏天的晴，是一种特别的晴。天空的云，往往抱成团、结成堆，云的轮廓清晰明朗，影子，也轮廓清晰明朗地落在大地上，看得见的，又厚又重。天空的其他地方，干净得被橡皮擦过似的，一无所有到可以无所不有。

有时，一阵雨，会跟着一片云远远而来，毫无防备。我还在外面，眼看着雨在逼近，那速度像一匹马在平野奔跑。双脚生风，只想赶在被雨追上之前躲到哪里。可是，人怎么可能跑过一匹马？不能不服输。我被夏天的雨浇得浑身湿透。很快，雨跟着云，下着下着就走了。后来想想，简直多此一举，反正要被淋湿的呀。快雨快晴，天空真的有了彩虹。

夏天就是这么可爱，它会向被它捉弄的人道歉。

冬天没有太阳的时候，天空总像快要下雪的样子。风，冷得常常让人误会，真的要下雪了吗？其实，一整个冬天，雪就那么一两场，短短几日，也就现出了大地本来的面目。

其余的日子，天空都在传达寒冷。那会儿，我还不知道寒冷的意义，直到后来看到甲骨文的“冬”字。人说，你看，冬，多么像一根绳子从中间拎起，在两端打上了结呀。原来，冬就是终。冬的寒冷，是终结的意义，春天继之而来的温暖，才有了重新开始的意义。

天空比远方更能让我着迷，是因为天空的阴晴雨雪、日月星云，都比远方更加与我有关。或许也可以说，天空是另一种远方：远方是水平方向上的远方，天空是垂直方向上的远方。

后来的岁月，我抵达了很多远方，山南海北，远方的远方。在那些素未谋面的地方，只要举目望天，就有一种似曾相识的感觉。曾经，我是一个被天空独宠的孩子。

（朵朵摘自微信公众号“草予”，视觉中国供图）

菜市场里的博物馆

●那城的城君

从巴塞罗那的旧城东区上空俯视，你会看到一道彩色的“海浪”。各色的瓷砖拼贴在一起，随着表面的弧形，似乎在上下翻滚着。除了好看，更重要的是，这是一个“转世”而来的菜市场。

1845年，市场落成，取名为“圣卡特琳娜”，是西班牙第一个有顶棚的菜市场。但随着时代发展，它变得不合时宜。布局老旧的它，卡在城市的核心区。街区间的流通从这儿被截断，人流量少，市场也就丧失了活力，整个片区都变成了贫困区。拆也不是，不拆也不是，一个便民的菜市场，变成了一个棘手的大难题。

1997年，“伯乐”来了，是当地的EMBT建筑事务所。它的任务，是改造这座老市场。

整个翻新岂不是更容易？但在西班牙，一座老房子里有壁画，你要是随意抹掉了，等待你的可是几万欧元的罚款。所以这里的建筑师大都不是在设计建筑，而是在保护和改造文化遗产。

EMBT建筑事务所了解游戏规则。原有的市场架构不能动，因为一拆就散架，全都得重来。骨骼动不了，加固却必不可少。自1848年以来的原始木质顶棚，被架上新的金属架子，新旧材质之间，还特意用相似的木质窗框填充，形成自然的过渡。

巴塞罗那聚集了毕加索、达利、高迪等艺术家。在这座艺术之都、大师之城里，EMBT建筑事务所也想搞出点花样。他们拼出了马赛克油画似的顶棚，市场里的蔬果鱼肉，似乎被直接搬到城市半空，整个老城区被唤醒。

市场内独有的鲜艳色彩，都被搬上圣卡特琳娜市场的顶棚。足足67种颜色的瓷砖代表的，都是独具巴塞罗那风情的色彩。当居民打开窗户俯瞰时，看到的是山丘般起伏的彩色花园。

就在EMBT建筑事务所以为要顺利完工时，他们挖出了意想不到的东西：12世纪的圣卡特琳娜教堂和修道院，甚至还有一座4世纪的墓地。这都是菜市场的“前世”啊！

按照常规的思路，菜市场肯定没戏了。

那么，是不是还有其他选择呢？遗迹是过去的东西了，如今的菜市场则是生活的必需。事务所开始思考，能不能像马赛克般的彩色顶棚一样，把不同时代的建筑拼贴起来？

很快，事务所找来挖掘出的建筑构件和被拆除的封闭墙体，在彩色屋顶的东南角，特意为它们留出一处空缺。它们被拼贴或镶嵌，形成了一幅构成主义的图画。

在菜市场内部的另一角，也保留了一块区域。这是施工过程中留下的一处古城遗址挖掘现场。古迹被玻璃外墙包围，买菜时能在内部参观，从市场外走过，也能透过玻璃窗观赏。这里成了一个小型的历史博物馆。

在菜市场里逛博物馆，这种烟火气和文艺气的朋克组合，完美地诠释了什么叫作“历史来源于生活，艺术存在于生活”。

历史的对话早已存在，你没法把它打断，那就将它接续起来。

建筑是有记忆的，改造后的圣卡特琳娜市场，带着前世的记忆，走向未来。

（秋伟摘自微信公众号“那一座城”）

科学长高指南

●谢不敏

一只霸王龙，即使已成年，骨骼也还在生长，直到死去前一秒；而有研究表示，人类在20岁出头，骨骼就会停止生长，身高从此定格。

究其根本，身高的增长靠的是骨骼的加长，主要包括构成脊柱的椎骨及椎间盘，以及下肢骨。这些骨头的生成原理是一样的，先形成软骨，然后软组织逐步钙化，骨头不断生长、加长，最终成形。

以大腿的股骨为例，骨干与两端之间保留着有一定厚度的软骨层，称为骺板或生长板。这层软骨在你成年前不断增殖、骨化，让你的骨头越长越长，你也就越来越高。

长高速度并不均匀

人类长高的速度并不是均匀的。婴儿时期，生长速度最高可达每年20厘米；到了青春期，生长速度迎来第二个高峰。

因为雌激素促进了生长激素分泌，女生的发育期更早，12岁左右的女生，一年可以长高8～9厘米。而男生的生长高峰期要到14岁左右，一年长高大约10厘米。这个美好的过程，往往定格在22岁左右。随着骺软骨逐渐闭合，成为薄薄一层骨组织，软骨就不会再增加，骨头不再加长。当所有骨头都不再加长，身高也就停止了增长。

不同部位的骨头生长闭合时间不同。好消息是，腿部骨头生长闭合时间很晚，要到24岁左右。所以，长高的核心，就是抢在骺软骨完全闭合之前，让骨头长得更长。

科学长高指南

在这个过程中，激素、营养和外界的机械刺激都是重要因素。

生长激素主要由大脑分泌，和一系列因素密切相关，其中最容易控制的，就是睡眠。

在一天24小时中，生长激素并不是均匀分泌的，而是在你睡着后一两个小时之内迎来高峰。这个高峰的生长激素分泌量占全天的58%，对长高战略意义重大。如果你不睡觉，就失去了这个高峰，生长激素分泌也就大大减少。不过，生长激素分泌和你具体几点睡没太大关系，就算你早上8点天亮了才睡，只要保证睡眠质量，还是可以长个儿的。

除了睡觉，还可以从另外两方面下手——首先是好好吃饭。骨骼加长，需要钙和维生素A、C、D等营养元素。比如，维生素D负责维持体内钙平衡，为骨头生长提供足够的原料。

在日照时间更长的高纬度地区，营养更充足，

运动的谎言

○英语街

I bought some running shoes, but all they want is watching TV.

我买了一些跑鞋，但是它们都想去看电视。

My doctor wants me to reach a normal weight. But if everyone is heavy now, then overweight is the new normal.

医生想让我达到正常的体重，但如果每个人都超重了，超重就是新的常态。

Part of the good feeling after working out is not having to feel guilty for not working out.

锻炼后的部分良好感觉是不必为没有锻炼而感到内疚。

My doctor told me to keep in shape. Well, sitting on the sofa watching TV is my shape and I'm keeping it!

医生告诉我要保持体形。嗯，坐在沙发上看电视是我的形态，我要保持它！

I used to run everyday. But lately the treadmill is just been a rack for my clothes.

我以前每天都跑步，但最近跑步机成了我放衣服的架子。

We're supposed to stop for a mini exercise break twice a day. Does a tantrum count?

我们每天应该休息两次做做小型运动。那么发脾气算吗？

How many times should I push the elevator buttons to equal the same calories as taking the stairs?

我应该按多少次电梯按钮，才能消耗与上楼梯相同的热量？

（爱丽丝摘自《英语街·高中版》2024年第3期，视觉中国供图）

动物的个头也就更大。之前人们就发现，生活在高纬度地区的人往往比中低纬度地区的人个头更高。这一点不仅适用于人类。南极的企鹅比其他地区的企鹅个头更大，北极熊也是这样。这被称为“伯格曼法则”：同一种类恒温动物的体形，会随着生活地区纬度的增高而变大。

这并不是因为冷空气让动物长个儿。对动物来说，寒冷的地方种群数量更小，“内卷”压力小，不用太费力就能获得充足的营养；而对物资富足的人类来说，最有效的长高办法之一，就是用肉、蛋、奶保证营养。营养没跟上，即使生长激素水平升高，也会长不高。

此外，体育运动这种外界刺激，会让人体能量供不应求，也会引起生长激素分泌增加，来升高血糖、分解储存的脂肪，为身体补给能量。

不过，你的努力能带来的改变是有限的。身高增长中60%～80%的决定效应，来自遗传基因。激素、营养、外界的机械刺激这些可控因素，最多能让你达到基因决定的上限。

好消息是，就算过了24岁、骺软骨完全闭合，虽然你不再长高，骨头却依然在变化。骨骼是一个代谢旺盛的器官，处在生成和消解的动态平衡之中。

到60岁左右，你睡眠时分泌的生长激素已经不到年轻时的一半，骨头形成的速度完全跟不上被破坏的速度。如果不加干预，你的身高就会“喜迎”新的变化——缩水。

（米粒摘自微信公众号“答案如下”，视觉中国供图）

《水浒传》中的日常生活

●李天飞

《水浒传》这部书好看，除了一段段热闹的故事，还在于它写的市井生活，就是宋元时期的真实场景，非常细致，用今天常用的话说，就是特别有质感。

市井生活无非衣食住行，我们挨个说一说。

梁山好汉在喝酒吃肉上并没有太多细致的讲究，有大碗的酒喝，有大块的肉吃，就满足了。但在《水浒传》中，老百姓待客还是有讲究的，通常是“鲜鱼、嫩鸡、酿鹅、肥鲊、时新果子之类”。

肥鲊其实就是腌鱼。不过，不是简单地腌，而是把鱼切成小块，用盐、酒、香料腌过，再一层一层地放在容器里，每一层之间还要放上米饭，时间久了，就成了鲊。因为古代没有冰箱，所以就用这种办法将鱼保存得久一些。

鲜鱼存不过夜，所以饭店里也是现卖现杀。宋江在江州时，和戴宗、李逵喝酒，叫店里做了鱼汤来，发现是腌的鱼。

戴宗叫酒保来问道：“却才鱼汤，家生甚是整齐，鱼却腌了，不中吃。别有甚好鲜鱼时，另造些辣汤来与我这位官人醒酒。”酒保答道：“不敢瞒院长说，这鱼端的是昨夜的。今日的活鱼，还在船内，等鱼牙主人不来，未曾敢卖动，因此未有好鲜鱼。”（第三十八回）

前一晚打的鱼，就得腌了，否则没法保鲜。

武松被发配，施恩在他的枷上挂了两只鹅，让武松一路上吃了。可别小看这两只鹅，这说明施恩对武松是真的有感情。因为在当时，市场上很少卖鹅。鹅肉特别贵，一只要卖两三千文。而一只鸡也就几十到一百文。这两只鹅，大概相当于现在的两只大龙虾。施恩要是对武松没有感情，完全可以给他挂两只鸡敷衍了事。

武松过十字坡在母夜叉孙二娘的店里吃饭时，孙二娘说，“也有好大馒头”，就上了一笼馒头。武松拍开来，问是什么馅。我看的时候就很奇怪，馒头为什么会有馅呢？原来，那时候的馒头，相当于现在的包子。

后来，馒头的含义发生了变化。现在，北方人管没馅的叫馒头，有馅的叫包子。江南一些地区，不管有馅无馅，都叫馒头。

武大郎还卖一种东西，叫炊饼。炊饼就是今天的馒头。所以武松对武大郎说：“假如你每日卖十扇笼炊饼，你从明日为始，只做五扇笼去卖。”由此可见，这里的炊饼是蒸出来的，而烧饼是烤出来的。

馒头不是圆圆鼓鼓的吗，怎么能叫饼呢？其实最早的时候，人们管所有的面食都叫饼，后来才管扁扁的面食叫饼。

除了吃饭，人们另一个重大的需求就是穿衣。今天，无论男女，虽然也戴帽子，进了室内却要摘下来。古人并不是这样。古人从生下来到老死，头发一般不能随意修剪，所以一定要戴头巾。

那时的头巾不像今天这样，把一块布裹在头上就完事，而是有各种造型。为了撑起造型，有的头巾里面还衬着竹条或铁丝。不同身份的人，戴的头巾也不一样。会武功的好汉们，一般戴干红凹面巾。这是用纱布做的，红色或青色。文人戴抹眉梁头巾，就是头上有一片类似瓦片的布，下边和眉毛齐平，很像戴着一座小房子。官僚、文人的头巾都很大，造型很讲究。官员戴的头巾，又叫幞头。幞头有四根带子，两根系在脑后，两根反过来系在头上。孙立和呼延灼打仗，一个戴交角铁幞头，一个戴冲天角铁幞头。

除了头巾，《水浒传》里还写了毡笠。杨志第一次出场，就"头戴一顶范阳毡笠，上撒着一把红缨，穿一领白段子征衫，系一条纵线绦，下面青白间道行缠，抓着裤子口"。毡笠就是羊毛毡帽，行缠就是绑腿。走长路时，把腿肚子紧紧绑住，能缓解肌肉的疲劳。所以鲁智深从五台山步行去开封，是"鹭鸶腿紧系脚绷"，这样一个莽和尚，也要把腿肚子捆得细细的，像水鸟的腿一样。

宋代人的住宅，根据主人地位高低，也分很多种。但是《水浒传》的作者似乎社会地位不高，所以他写平民百姓的住宅时就很真实，写到皇宫、官府的时候，就没那么细致了。

北宋末年到南宋，北方经常有战乱。所以为了自卫，一大家族聚居在一起，周围盖上城墙，就叫堡聚或堡寨。所以你会看到《水浒传》里有那么多的寨。不光强盗们在山上建山寨，老百姓也建寨。

《水浒传》里最有名的堡聚，就是祝家庄。可以说这是当时北方堡聚的真实写照。祝家庄的格局是：

原来祝家庄又盖得好，占着这座独龙山冈，四下一遭阔港。那庄正造在冈上，有三层城墙，都是顽石垒砌的，约高二丈。前后两座庄门，两条吊桥。墙里四边都盖窝铺，四下里遍插着枪刀军器，门楼上排着战鼓铜锣。（第四十七回）

一座小小的村庄竟然有三层城墙，这几乎是一座军事要塞了。而且，祝家庄全民皆兵，甚至佃户家里都有兵器。如果当时社会安定，一个村落里怎么可能有护城河、城墙和兵器？

古代人口不如今天多，普通老百姓的房子也相当宽敞。即便是卖炊饼的武大郎，也能住上两层小楼。

宋代人出门，有钱的坐车、坐轿、骑马，没钱的只能走路。但是智取生辰纲的时候，书里提到一种太平车子：

梁中书道："着落大名府差十辆太平车子，帐前拨十个厢禁军监押着车，每辆上各插一把黄旗，上写着'献贺太师生辰纲'，每辆车子再使个军健跟着。三日内便要起身去。"（第十六回）

太平车是一种大的两轮车。根据《东京梦华录》记载，小的两轮车用一头牛就能拉动，叫平头车。大的两轮车，需要用三四头牛或十几头驴才能拉动，叫太平车。

现在的乡下，还能看见牛或马拉的两轮平板车。你可能觉得这已经很大了，但是太平车需要三四头牛拉，比那种马车还要大得多。《清明上河图》里面就画出了宋代的太平车，一个轮子就有一人多高。

古人没有载重卡车，也没有火车、轮船，要运大宗的货物，肯定得把车做大做宽——当然要相应地增加拉车的牲口。但这也比分散的小车容易运输。

但是，太平车太笨重，从大名府到京城，一路上翻山越岭，十分不便，且十分招眼。所以杨志坚决反对，要把生辰纲装在担子里挑去才安全。他的考虑不可说不周密，只是对手算计得更加周全，这实在是没有办法的事情。不幸的杨志已经尽最大努力了。

（秋天摘自人民文学出版社 天天出版社《为孩子解读〈水浒传〉》一书，本刊节选，小黑孩图）

幽默&漫画

水知道吗

我哥洗澡超快。

我妈问我哥："你刚刚洗澡，水知道吗？"

吃　饭

很多同学都没有完成作业，班主任生气地说："为什么你们学习不能像吃饭一样积极？"

同桌在底下小声地说："谁一天吃9顿饭啊！"

吓　唬

堂弟回到家里，叔叔问他："你的成绩单呢？"

堂弟神秘地一笑，说："我把它借给同桌了，让他吓唬一下他爸妈。"

另一种矛盾

期待放假的我：轻舟已过万重山。

得知本周日要上学的我：轻舟撞上大冰山。

蒲公英的复仇

小时候吹过蒲公英的人注意了，蒲公英是会复仇的，它会化身为梳子、吹风机、洗发水等物品，在你不经意间，带走你的头发。

您贵姓

"您好，请问您贵姓？"

"免贵姓齐。"

"哇，齐天大圣的后代！"

"齐天大圣姓孙……"

拿手菜

老师问学生："你们在家里会帮爸妈做饭吗？最拿手的菜是什么？"

大家都讲了自己的拿手菜，轮到小明，他站起来说道："我最拿手的菜是热剩菜。"

答　案

课堂上，老师让兰兰回答问题。

兰兰没听清楚，反问："啊？"

老师满意地点点头，说："很好，这道题目选A。不过，下次别说拼音了。"

造　句

一天，儿子问我如何用"不仅……而且……"造句。

我稍作思索，对儿子说："你可以写一写爸爸或妈妈呀，比如'爸爸不仅长得帅气，而且多才多艺；妈妈不仅长得漂亮，而且能歌善舞'。你看，造句很简单吧？"

儿子听了，翻了个白眼说："爸爸，老师让造句，不是让造谣！"

背单词

学霸告诉我一个背单词的好方法，就是把QQ密码、邮箱密码、微博密码都改成不会背的英文单词，定期更换。我按照这种方法试了试，结果……第二天密码全忘了！

老大徒伤悲

老师："你上课为什么不好好听讲呢？"

学生："我听着没多大意思。"

老师："你已经是小学生了，难道还不知道'少壮不努力，老大徒伤悲'的含义吗？"

学生："这句话我懂，可我是家里的老二啊！"

命令式

语文课上，老师说："现在每人说一个句子，然后其他同学将其改成命令式。"

华华说："牛拉车。"

老师："谁可以把这句话改成命令式？"

小胖举手："驾！"

（苏格拉没有底、潘光贤等摘）

HUMOR & CARTOON

●瓜里瓜里瓜里

外界的包袱

练球

会飞的翅膀

（小肥羊摘自“瓜里瓜里瓜里”的新浪微博）

“田野诗班”的春天

●南望

春天的会同，如诗如画，美不胜收。柔和的春风吹过，花香沁人心脾。“小诗人”龙春明在油菜花田前触摸乡野一日浓过一日的春意。他是一名留守儿童，父母常年在外打工，陪伴他的只有爷爷和这几间老屋。周末，爷爷在屋内劈柴。帮忙的间隙，龙春明拿起纸笔，构思了一首短诗。

曾经性格内向的他如今开朗大方，他说这种变化是学校的“田野诗班”带来的。在“田野诗班”，有许多像龙春明一样的小诗人，他们平均年龄不到10岁，有自己最崇拜的作家、诗人，也有自己最值得炫耀、随时都能朗诵出来的原创诗歌。

悉心陪伴和引导他们观察世界、记录生活、表达情感的就是“95后”女教师李柏霖。7年来，她创办的“田野诗班”，把一群留守儿童培养成了小诗人，引导他们创作诗歌、热爱生活、快乐成长。

做一名乡村语文教师

李柏霖出生于1996年。2017年，她从湖南第一师范学院毕业，本有机会留在大城市发展，她却放弃舒适便利的生活，选择怀抱理想，反哺乡村教育事业。她回到了家乡湖南省怀化市会同县，成为粟裕希望小学的一名语文教师。

一开始，李柏霖认真教学，但孩子们的成绩却提高得很慢，对语文的学习也缺乏兴趣。她觉得这样下去不行，于是开始带领孩子们阅读，让他们学习仿写。然而孩子们仍对此提不起兴趣，甚至会为了完成老师布置的任务随便抄一首诗交上去。李柏霖意识到自己陷入了机械化教学的误区。“什么样的语文教育，才能带给孩子们一个更丰富美好的精神世界？”李柏霖陷入思考。

一次作文课上，一个孩子写下了“棉花吐出了丰收”的句子。“写得太好了，一个‘吐’字，写出了画面感，把秋天写得好有趣。”李柏霖说。这个句子也给了她启发，孩子们拥有独特的创造力、想象力，他们就是天生的诗人。诗歌也许能成为孩子们情绪的出口、情感的寄托。

孩子们说，他们对诗歌创作的热爱，离不开语文老师李柏霖的引导。“李老师会带我们找灵感，有时在教学楼里，有时在操场上。只要能带我们去的地方，她基本上都会带我们去看看。”粟裕希望小学位于大山深处，交通不便，却有绝佳的风景，田园、乡野，四季的风貌不同。李柏霖便想到带着孩子们走到校外去采风。从此，孩子们看到了朝阳与晚霞、山林与雾岚、大地与花朵。开阔的大自然丰富了孩子们的想象力，让一串串生动的句子流泻在笔端："乌云吐出了银色的雨，大地上蹿出了五颜六色的花。""风是自由的，到处飞；水是自由的，到处旅行。""大概，冬天是梅花的心上人吧。"

诗，是心灵沟通的桥梁

李柏霖在学校里先后成立了"校园诗社"和"田野诗班"，7年间，她带领孩子们写出了1600多首诗。什么是诗？李柏霖最喜欢的答案来自英国女作家埃莉诺·法杰恩："玫瑰不是诗，玫瑰的香气才是诗。"对于孩子们写诗，李柏霖认为：童诗不应该局限在古诗词的平仄、韵律等框架里，"它就是自然的、不加修饰的表达，就是孩子们眼中的世界"。

粟裕希望小学的孩子多半是留守儿童，在"田野诗班"，孩子们用纯真的语言，写下了对父母的思念，令人动容："小蝌蚪想找到妈妈，询问了很多人，终于在荷叶上找到了妈妈。但我想找到妈妈，却没有一个人告诉我。泥土怀抱里的种子，在慢慢长大，雨水亲吻着的花朵，在慢慢长大。而我，在爸爸不注意的时候，偷偷长大。"当家长们看到这些诗时，先是惊讶于自家孩子的语言天赋，再是感动和思考。常年在外务工，他们对孩子的内心和成长关注比较少。而这一首首童诗，仿佛在亲子之间架起了一座座桥梁，便于心灵的沟通。

少年的心中有了诗，童年就有了光。通过写诗，孩子们的生活充满了诗意。在与文学交手的日子里，孩子们的性格变得开朗自信，诗歌为这些大山里的孩子打开了心门，成为他们抒发心情的方式。正如李柏霖所说："希望文学或者写作能够一直陪伴着孩子们，因为我一直认为写作是用来抵抗遗忘的，生活中有很多美好的瞬间，或者脆弱的时刻，都可以用笔记录下来。哪怕以后遇到困难，只要翻开从前写的诗，就能够从中获得力量。"

诗意的种子

"我一口吞下了鸟叫""云朵在修剪自己的头发"……2022年，"中国文学盛典·鲁迅文学奖"颁奖典礼上，李柏霖和她带来的7名小诗人显得与众不同。

小诗人们在盛典上朗诵了自己写的童诗，还为获得"诗歌奖"的诗人颁奖。这一幕，正是文学与诗意的传承。

天空是一个想作画的画家，可最后他因为没有蜡笔而哭泣，他后来又得到了蜡笔，就开心地在空中作画。

——粟裕希望小学学生龙春明《天空中的画》

我走到哪影子就跟到哪，我想把影子甩开，于是，我飞快地跑开，用力地踢它，重重地踩它，可它还是黏着我，我知道了影子是甩不掉的，我想要影子这样的朋友。

——粟裕希望小学学生唐裕华《甩不掉的影子》

奶奶对我说，山的另一边，就是我爸妈工作的地方。我常到山顶，望着那座城市。

——粟裕希望小学学生粟李珏《山的那一边》

2023年，李柏霖获评敬业奉献类"中国好人"。她说："我无法改变孩子们目前正在经历的生活以及需要面对的苦难，唯一能做的就是帮助他们从文学中汲取成长的力量，转变看待问题的角度。"

列夫·托尔斯泰说过："诗歌是一团火，在人的灵魂里燃烧。"李柏霖不仅带着孩子们观察和表达，还自费帮孩子们出版了诗集，让文字变成铅字，用仪式感获得孩子们满满的认可。有这样的老师，是学生的幸运。比起生活便利、交通发达的城市学校，随时可以亲近野外、观察自然，正是乡村学校的优势。无论哪一种生活，只要用心，就有收获美好的可能。

正如李柏霖说的那样："播下诗意的种子，倾听花开的声音。"

（一朵花摘自《人生十六七》2024年第3期上）

这也是艺术？

●冬冬熊

嘘，请听

1952年，在美国的一场交响音乐会上，先锋派古典音乐家约翰·凯奇在掌声的簇拥下登台演出。一分钟过去了，凯奇连琴键都没碰；两分钟过去了，凯奇仍然不抬手；一直到4分33秒时，他突然起身鞠躬，示意演奏完毕。演出结束后，观众席先是鸦雀无声，随即爆发出响亮的掌声。这是凯奇最著名的作品《4分33秒》，它由3个乐章组成，咳嗽声、低语声、掌声，就是这首曲子录音的全部。你觉得它算音乐吗？这场演出的票价网上并未显示，但这首曲子的版权费还真不低。2002年，凯奇的出版商指控英国音乐家迈克·巴特抄袭，因其摇滚唱片中出现了一分钟的沉默。为此，巴特支付了高达6位数的罚金。

天价香蕉

把一根香蕉用胶带固定在一面白墙上，就能卖12万美元！这其实是2019年12月初，在美国迈阿密巴塞尔艺术展上展出的一件艺术品——《喜剧演员》。它的创作者是意大利艺术家莫瑞吉奥·卡特兰。《喜剧演员》是一个系列作品，共包含了3根香蕉。其中有两根香蕉分别被两位买家以12万美元买走，剩下的一根直接被吃了。在展览过程中，美国行为艺术家大卫·达图纳没花一分钱，直接撕下胶带，将墙上展出的香蕉吃掉，并称这是他的艺术表演，主题为“饥饿”。

“卷款跑路”也是艺术

延斯·哈宁是丹麦鼎鼎有名的艺术家，2007年和2010年，他分别创作了两件艺术品——《奥地利人平均年收入》《丹麦人平均年收入》，作品就是将一定数量的欧元和丹麦克朗纸钞装进画框。到了2021年，丹麦奥尔堡现代艺术博物馆决定委托延斯·哈宁复制这两件艺术品进行展出，并承诺资助他50万丹麦克朗。等到作品交付时，哈宁直接寄了两张白纸给奥尔堡现代艺术博物馆，并称这是自己的新作品《拿钱跑路》，旨在为社会上收入过低的人群鸣不平。博物馆方一怒之下起诉了哈宁。一直到2023年9月，哥本哈根法院才为这场纠纷画上了句号，判决哈宁向奥尔堡现代艺术博物馆支付50万丹麦克朗。

想升值，碎了吧

班克斯是全球最神秘的涂鸦艺术家之一，他喜欢在画框里设置碎纸装置。2018年10月5日晚，伦敦苏富比当代艺术晚拍专场上，班克斯的画作《女孩与气球》最后亮相。最终，这幅画作拍出了104.2万英镑的高价。正当众人庆祝时，画框突然响起警铃，随后一半画作缓缓下滑，被切成碎纸条——这是班克斯对艺术消费的抗议。事情还没结束，拍卖行、收藏家们也不是吃素的，3年后他们做出了反击。2021年10月14日晚，这件被毁画作更名为《垃圾桶里的爱》，又一次被苏富比拿去拍卖，结果还拍出了1858.2万英镑的价格。这不像一次拍卖，更像一次艺术家与艺术市场的抬杠。

（木子李摘自《商界少年》2024年3月下）

往马里亚纳海沟扔一块砖头

●李轩畅

马里亚纳海沟是地球最低点，如果把喜马拉雅山脉放进海沟，还不能把它填满。

这样壮观的海沟究竟是怎样形成的呢?

地质学家认为，在地球板块的运动中，太平洋板块和亚欧板块相互挤压碰撞，结果密度较大的板块被推进地下，不断凹陷形成深沟。马里亚纳海沟环境险恶，在它的最深处漆黑一片，水压巨大，约1100个大气压，理论上能够瞬间将一辆坦克压成碎片。

据此，有人设想：如果往马里亚纳海沟扔一块砖头，会不会还没有沉到底就被压碎了？或者说，因为深海的海水密度大，这块砖头最后会悬浮在深海中吗?

这个问题真的需要研究一下。

在常规环境下，一块普通砖头在水中下沉的速度约为0.6米/秒。但如果把砖头扔进海洋，情况就不一样了。在深海的极端低温和高压环境中，或是海底火山喷发的情况下，砖头的下沉速度会受到很多复杂因素的影响。在马里亚纳海沟，情况会更加不同。

首先，我们从砖头自身和海水密度的角度来考虑下沉问题。在通常情况下，只要砖头的密度大于海水的密度，它就会不断下沉。一般来说，砖头的密度约为1800千克/立方米，海水的密度约为1025千克/立方米。虽然马里亚纳海沟海水的盐度极高，密度会大一些，但是无论如何，也大不过砖头的密度。从这一点来看，砖头会一直往下掉。

接下来，我们再从受力的角度考虑砖头的下降情况。砖头在海水中受到海水的浮力、自身的重力、海水的阻力三重作用。海水对砖头是有阻力的，阻力的方向朝上，而且砖头的下降速度越快，阻力就越大。不过，这个阻力始终超不过砖头所受的重力，即使这个重力会被浮力抵消一部分，也仍然会使砖头继续往下沉。也就是说，即使是在马里亚纳海沟，这块砖头还是要向下沉的。至于经过多长时间这块砖头才会触底，科学家测算的时间是2个小时左右。如果遇到洋流等问题，这块砖头的下沉时间会更久。

然后，我们再来看看这块砖头会不会被压碎。从压强的角度来看，海洋的深度每增加10米，压强大约增加1.03×10^5帕斯卡。马里亚纳海沟的深度约为1.1万米，砖头要受到巨大的压力，很可能会被压碎。但是，由于液体具有流动性，其内部各个方向都受到均匀的三向压力的作用，砖头受到的侧向压力约束了它受压后的横向变形，抑制了内部竖向裂缝的产生和发展。所以，在三向压力的作用下，砖头的强度和抗变形能力都有明显提高，也就不会出现被压碎的情况。不过，由于砖头并非一个球体，所以存在受力不均的情况，其外形可能会发生一定程度的变化。

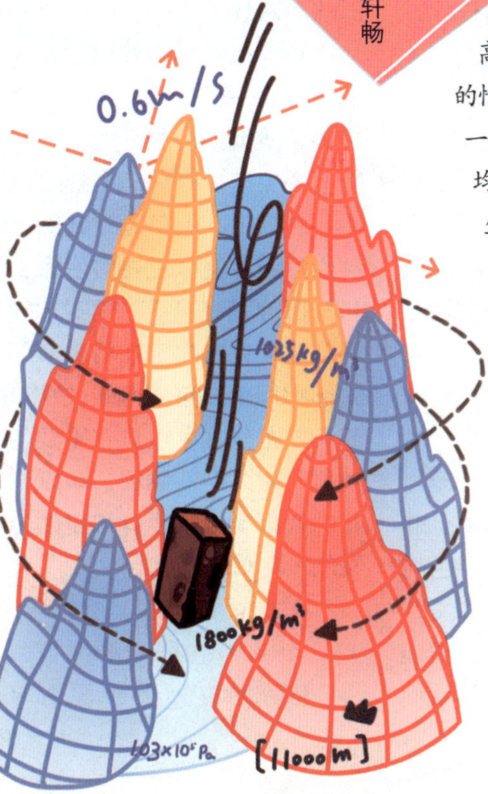

总而言之，当我们往马里亚纳海沟扔一块砖头，2个小时至3个小时后，这块可能有一些变形的砖头大概率会沉到海沟底部。

（张秋伟摘自《知识窗》2024年第1期，Raven图）

打卡中国纹样，开启东方藤蔓之旅

●罗絮茹

中国传统纹样存在于每个朝代的服饰、器物里，也隐藏在每一座宫殿建筑中。它们是中国传统美学的魅力之源，也是古人登峰造极的创造力的集中体现。

师法自然——一切源自对万物的抽象表达

纹样的载体及使用群体互相影响，促进了纹样结构、组织形式、色彩搭配的发展，形成了令世界惊叹的中国纹样。

◆蛙纹：先民的殷切期望

蛙纹彩陶钵

在新石器时代的彩陶中，就已出现了古老的纹样。彩陶作为古代人类智慧的结晶，上面的纹饰往往蕴含着深厚的文化内涵。其中，蛙纹便是彩陶中一种极具特色的装饰图案。它不仅以其独特的形态吸引着人们的眼球，更通过富有象征性的意象，向我们揭示了古代人类对于生命、繁衍以及自然力量的深刻认知。

在彩陶上，蛙纹通常以简洁明快的线条勾勒而成。艺术家们运用流畅、苍劲的笔触，描绘出蛙的生动形态，使得这些蛙纹在彩陶上跃然如见，充满生命力。这些蛙纹有的呈现出蛙的全身形象，有的则只呈现简化的蛙头或蛙足。无论哪种形式，都充满了原始而神秘的艺术魅力。

蛙纹在彩陶中的出现并非偶然。在古代社会，蛙因其旺盛的繁殖能力而被视为生育和繁衍的象征。因此，将蛙纹绘制在彩陶上，不仅是对蛙的一种崇拜和敬畏，更是对生命力和繁衍的美好祝愿。同时，蛙的冬眠和复苏也象征着生命的循环和再生，这使得蛙纹在丧葬和祭祀仪式中也具有重要的地位。彩陶中的蛙纹，可以说是古代人类对于生命和自然力量的一种原始赞歌。

◆宝相纹：中外文化的碰撞融合

佛家称庄严的佛像为宝相。中国的宝相纹是典型的中外文化交融和创新的产物。例如，南北朝时期的宝相纹受印度莲花纹的影响极深，从形态上看是以顶部俯视的盛开状莲花为主体，同时融合了大自然中多种花卉的造型特征。初唐至开元中期，大唐盛世气象初现，莲花纹也吸收了西域传来的忍冬纹、牡丹纹、石榴纹等造型的特征，无论是内容的丰富程度还是形式的精美程度，都大大超越以前。盛唐时期，雍容华贵的牡丹成了“国花”，那个时期的宝相纹多以牡丹为主角，花瓣圆润，纹样整体造型细腻，似乎也不再严格遵循中心对称的原则。宝相纹似花非花，成为独具特色的中华民族传统纹样，对后代的装饰性纹样影响深远。

◆龙纹：中华民族的瑰丽想象

许慎《说文解字》概括龙

的特点为：“鳞虫之长，能幽能明，能细能巨，能短能长。春分而登天，秋分而潜渊。”龙是神话传说中的神异动物，为百鳞之长，在中国延续时间最长、流传最广、影响最大。因此，龙纹成为匠人必学的绘制纹样。

龙纹不仅是一种图案，还是一部审美演进史，更是一部华夏民族发展史。古人在历代创作了神态、造型各不相同的龙纹形象：秦汉龙的神秘，唐朝龙的大气壮观，宋朝龙的严谨精巧，元朝龙的矫健威猛，明朝永乐龙的雄伟端庄、成化龙的清丽秀雅、嘉靖和万历龙的威严磅礴，清朝早期和中期龙的富丽堂皇、晚清龙的颓丧等。走过千年岁月洗礼，龙纹作为一种重要的文化符号，见证了时代的变迁和文化的发展。

玉猪龙是现存最早的玉龙饰，

◆吞兽纹：立足实用的艺术加工

从神话到现实，威武的铠甲是盖世英雄们的必备单品。铠甲肩部的瑞兽就是吞兽。吞兽的形象是龙头鱼身，“龙吞口，兽吞肩”，《封神演义》中姜子牙金台拜将时身上穿的袍甲和《三国演义》中吕布的龙鳞甲上都有吞兽纹样。

吞兽纹

吞兽是实用美学的典型代表。故宫屋脊上的吞兽，作用是使屋顶结合处严密封固，防止雨水渗漏，既有装饰之美，又有护脊的实效。吞兽身份显贵，是龙的第九子，但它为什么被“定”在了屋脊上呢？传说上古时代的某一天，龙的两个儿子上演了夺嫡的戏码，约定谁先吞下屋脊谁就能称王。可怜的吞兽在吞屋脊的时候被兄弟暗算，兄弟拔剑把它刺死在了屋脊上。

人的双臂就像宫殿的屋脊，龇牙咧嘴、张着大口的吞兽形象作为盔甲肩部的装饰，在战场上既可以保护肩部，又可以起到震慑敌人的作用。

意必吉祥——那些纹样中的“谐音梗”

南朝沈约撰《宋书·符瑞志》曰：“符瑞之义大矣。”无论是统治者还是普通百姓，他们的审美都能在祥瑞观念中寻找到共识。

古人对蝴蝶抱有诸多神秘而唯美的幻想。从庄周梦蝶，到梁祝化蝶，蝴蝶象征着美好的爱情；又因为与“福迭”谐音，蝴蝶成为吉祥的象征；若再配上一枚香瓜，就有“瓜瓞绵绵”之意了。

“马牛羊，鸡犬豕。此六畜，人所饲。”（《三字经》）古代的六畜中，鸡是唯一的禽类，可见鸡自古以来就与人们的生活息息相关。鸡谐音“吉”，有着吉祥的寓意。除了畜养食用，鸡还会被用在纹样装饰中。

鹤在民间被誉为长寿鸟，其姿态优雅，长颈、素羽、丹顶。日出时仙鹤飞翔，表示“指日高升”；鹤与松树搭配称“松鹤长春”“鹤寿松龄”；与龟搭配为“龟鹤齐龄”“龟鹤延年”。鹤纹多见于古时寝室用品和屏风上，有团鹤、翔鹤等。

要数纹样寓意的“谐音梗”，“高官厚禄”也是不得不提的一个。人物头戴高冠，意为“高官”；身后蹲坐一只梅花鹿，意为“厚禄”。

白鹭亦称白鸟，是吉祥之鸟。陆机《诗疏》云：“鹭，水鸟也。好而洁白，故谓之白鸟。”自科举制度出现后，鹭纹大行其道，在众多鹭纹与其他纹饰相伴的组合纹中，最受欢迎的就是寓意科考连连中举的一路连科纹。白鹭与莲花、荷叶组成的纹样，分别取“路”与“鹭”，“连”与“莲”的谐音，这两者画在一起就是祝愿考生金榜题名，仕途一帆风顺。

（茉末摘自《课堂内外·课外阅读》2024年第4期）

友情方程式

●曹小优

1

不管过了多久，我还记得那个场景：很多年前的那个下午，你抱膝坐在落地窗前，眼神空洞地望着远处袅袅的烟。刚才你好友的母亲打电话到你家来找你的父母，罗列你的“罪状”，让你不要再接近他们的女儿。你不知道自己究竟做错了什么，只能从父母的指责里拼凑出，好友的母亲从她的书包里翻出一封她写给男生的情书，而她说，指使她写这封情书的人是你。她的母亲怒火冲天，打电话来找你的家长。

大概一个月之后，你收到了好友写来的信。那个你当时一厢情愿把她当成好友的人，在信中对你说对不起。被母亲发现情书之后她很惊慌，情急之下，只能撒谎说是你让她写的。大家都知道你懂事早，知道的事情多，说你，没有几个人会怀疑。

拿着那封求你原谅的信，你的委屈和怒火忽然被绝望浇灭。你没有打算再去她家据理力争，也没有打算将这封信寄给她的父母自证清白，甚至没有告诉自己的父母这件事。对你来说，这是青春期里最大的一桩冤案。

那是你第一次对“朋友”这个词语感到疑惑。比起背叛的苦楚、被冤枉的委屈，你心中有铺天盖地的惊讶与不知所措。你问自己该如何面对她若无其事的道歉，到底是她错了，还是把她当作好友的你错了。

2

后来你在中学有了新的好友。她腼腆本分、认真又朴素的模样和飞扬跋扈的你大相径庭。她在你没认真听课的时候为你抄好笔记，也在你和别的女生产生矛盾时听你倾诉，作为一个独生子女，你第一次期望自己有个像她那样的姐妹。你继续口无遮拦、大大咧咧，她继续谨慎仔细地为你收拾残局。你在学校里因作风大胆又写得一手好文章而出名，她则以霸占各种考试成绩排行榜前十名而被瞩目。直到某天，一直贪玩的你忽然想要当个好学生，开始认真学习了。你的成绩奇迹般地在排行榜上“嗖嗖”上升，你高兴地挽住她的手臂想和她分享喜悦，她却面无表情地移开了你的手。

再去学校，你发现班里的女生看你的眼神如同看到厕所里的苍蝇或墙缝里的蟑螂。你来不及细究，一群女生便过来把你围住，抓住你的衣领向你讨一个说法。

你说过你不喜欢A用的洗发水的味道，你说过你不喜欢B总是在食堂抢座位，你还说过你不喜欢C对待男生和女生的不同态度，你也说过你看到D在数学考试时作弊。你都说过，都和你认为是最好的朋友说了，作为小姐妹之间的秘密。这是事实，只是没想过有一天，你需要和A、B、C、D当面对质。

作为“受害者”，A、B、C、D排挤你。你回家独自在房间里大哭，反省自己为何陷入这四面楚歌的局面。你觉得友情比解不开的方程式更难——为什么每一次你想要伸手触碰，你想要完全信任，你想要分享一切，换来的都是背叛。

高中起，你变得戒备森严。

身边的人苦口婆心，劝说你收起锋芒，让你反省自己的心直口快，别总以为坦诚的倾诉才能换来等价的友谊。周围的人说得多了，你也渐渐开始怀疑自己。你觉得自己是缺点太多的那类人，所以总是遇到友情中的背叛。你不知道哪个节骨眼儿会暴露自己的缺点，于是决定把自己藏起来，不再主动和任何人交朋友。

成绩优异是你唯一的标签，也有人因为这个标签而接近你。

女生们下课围在你的课桌周围，很久没有被人群簇拥的你，有种久违的感动。课间操的时候她们拉着你去操场，周六约你一起去逛街，你受宠若惊，一一答应。在麦当劳明亮的餐桌上，你们占了整整一长排桌子，你按照她们的要求将写好的试卷拿出来让她们“借鉴”。你心里并不情愿，却不想因此失去朋友，只能沉默地任由她们摆布。女孩们很开心，请你吃甜筒，这样的关系让你觉得似乎哪里不对，但你却说不出是哪里。

这样的事情重复几次之后，终于有一天，老师在课堂上点了包括你的名字在内的一串名字，全是你的“小姐妹”。老师“啪”一声丢下一沓试卷，分数一样，错误相同，甚至连错别字都一样。你们全体起立，去走廊上罚站，这些平时和你嘻嘻哈哈的小姐妹，忽然变成了你不认识的一群人，在抄试卷这件事情上，她们坚定地否认了自己的主观能动性，统一的答案是——是你主动拿出试卷，对她们说“你们可以参考我的答案”。老师固然不会相信如此荒谬的说法，但无论如何，伤心的那个人是你。

事情过去之后，那些曾叽叽喳喳围着你的女生如离巢的鸟儿一般散去，你像一根燃尽的火柴，被人扔在墙角，无人问津。

那一刻你开始想，友情的代价若是这样，你还是宁愿一开始便没有友情。

3

你的这些过往，我都记得。

我回忆着这样的你，此刻仍能想起你那时胸腔中的苦楚。如若那时你我相识，如若那时我可以对你说话，我会抱紧你，体恤你的孤单和不安，平复你的心情，然后告诉你，友情也需要缘分、需要等待。

一年之后，你会认识一个女孩，笑起来眼睛眯成两道弯弯的月牙，和你一样娇小。她将会非常喜欢你，喜欢你写的字，喜欢你的品位，喜欢听你讲故事，更不会将你的糗事告诉任何人。她会慷慨地和你分享秘密，也会将你的秘密收在心底。她和父母吵架了会来找你，住在你家，像只迷路的小猫咪。你们会建立漫长深厚的友谊，漫长到你们后来去了不同的国家，却还是能跨越国界一直保持联系。

之后，你还会遇到一个女孩，圆圆的杏眼，樱桃般粉嫩的嘴唇。她在你独自抵达异国的夜晚，连夜赶来机场接你，把你送到家，又热情地邀请你到她家去，吃她奶奶做的炸酱面，和你分享她的旧照片。她在你被人攻击的时候挺身而出，她那么不擅长和人争执，却也不怕为了你得罪其他人。她不会嫉妒你每一次的成功，会为你每一次的进步而骄傲，你们固然会有争吵，但能在每一次争吵后真诚地向彼此道歉，然后和好。她会是你人生的挚友，你们会相伴彼此很久。

你看，人生中也并非遍地荆棘。你如果早一点知道这些，知道你人生中将会拥有的美好与温暖，那么在那些年少的岁月里，你会不会过得快乐一点？会不会觉得人生中、未来里，还是有梦可以相信，有希望值得期盼？

你总是急于去找自己哪里做错了，很久以来，你总是认为错在自己。而我想对你说，有时你需要改变自己，有时你只是需要换一个环境。并非每一次都是你的原因，也并非每一处不合适，都有需要你去检讨的部分。

人生其实不过是一个又一个的轮回，那些你

猫画家

●慈琪

画家养了一屋子的猫。

黑猫、白猫、黄猫、蓝猫、狸花猫、奶牛猫、玳瑁猫、三花猫。

每个星期，画家都要给猫梳一遍毛。由浅至深，依次梳过去，把梳下来的一团团颜色保存在不同的玻璃罐里，整整齐齐摆在架子上。

黑色、白色、黄色、蓝色。

深灰、浅灰、褐色、米色。

作画的时候，她从罐子里选取想要的颜色，画黑夜，画雪地，画树林，画睡着的湖泊。她更喜欢画果实，画谷堆，画冬天的河，画土坡上杂乱的野花。

后来猫的年纪都大了。先是白猫离开了这个世界，接着是黑猫。之后是黄猫和狸花猫。现在，她只有四只猫了。

画家很伤心。她换了一把更小的梳子，更仔细地给猫梳毛，从它们身上梳下一小团一小团的颜色。她小心翼翼地梳着奶牛猫身上的黑团和白团，就像抚摸小时候的黑猫和白猫。比起玳瑁猫，在三花猫身上找黄色猫毛更容易。玳瑁猫只能给她一些陌生的褐色猫毛。

“等我离开之后，她怎么办呢？”蓝猫担心地想，“谁来给她晴空和湖泊呢？”

它偷偷在窗户上贴了一张告示，对着外面的马路：

“诚招无家可归的蓝猫。

“蓝色的鹦鹉、布谷、知更鸟也可以。这里提供新鲜的猫粮和蛋黄，只要你们每周付一根蓝色的羽毛。（我保证不会偷偷咬你们！）”

贴完告示，它安安静静地在窗台上趴下来，等一只蓝猫，或一只蓝鸟。

（层林染摘自《少年文艺》2024年第2期，视觉中国供图）

幼时遇到的事情，会在几年、几十年后，以别的方式重新回到你的人生里。那时的你会发现，彼时的经历像一粒粒珍珠，串联成你完整的人生，好与不好，都独一无二，仅属于你。

当你成为我，与彼时相比，你会更清楚孤独的意义。独自一人的时光如此难能可贵，品尝它、拥有它，也是生命的一种形态。而那些能被你称为挚友的人，在时间的沙漏中渐渐流逝，在一层层岁月的滤纸都干燥，你开始担心鱼尾纹和法令纹的那一刻，才在你身边渐渐凸显轮廓。人独自来，独自走，独自在山头纵身一跃进入人生的长河，将那些相伴过你的人当成一份上天的礼物来纪念，就够了。

（小伟摘自微信公众号“曹小优”，橙子酱图）

李白的世界有没有细菌

●吴先宁

“李白的世界有没有细菌？”这是我的老师林兴宅教授问我的问题。

我心里一怔，但还是毫不犹豫地答道：“当然有细菌！”话一出口，就有点胆怯和疑惑，这是一个我从来没想过的问题，它背后藏有什么玄机吗？

那个夏天，我向林老师请教做学问的方法。教授很恳切地说，哲学很重要，做任何学问，精读一点哲学都很有好处，并说，他自己就得益于精读黑格尔的《美学》，这部书为他研究文艺理论和文艺批评打下了基础。

他的话令我颇为惊讶。我只大概知道黑格尔的《美学》是唯心主义的。唯心主义是错的，唯物主义是对的，这是我那时根深蒂固的观念。

“唯心主义错在哪里？”林教授针对我的疑惑问道。

按照我学过的唯物主义：世界是物质的，物质是运动的，运动的物质的存在是不以人的意志为转移的；物质第一性，意识第二性；等等。而唯心主义有所不同：意识第一性，物质第二性；物质的存在是以人的意志为转移的；等等。

我说：“尽管我们闭上眼睛看不见月亮，但月亮还是在那里，这不是物质的存在不以人的意志为转移吗？这是哲学课上老师习惯举的例证。”

这时，林兴宅教授问了我上面这句话：“李白的世界有没有细菌？”

我脑子飞快地转动，李白也许不知道世界上有细菌，但细菌总是在那儿，不管李白知不知道。所以我说：“李白的世界当然有细菌。”

林教授哈哈大笑，继续问：“你见他的哪首诗、哪篇文章提到细菌了吗？”

我说没有。

他问：“那你觉得他知不知道这个世界有细菌？”我说当然不知道。

他说：“所以李白的世界里没有细菌。他不知道有细菌，没有意识到细菌的存在，细菌的存在对他来说是没有意义的，也就是李白的世界里没有细菌。”但我还是不明白，因为李白不知道有细菌，所以就没有细菌，这太违背常理了。但是我们站在李白的角度想想，没有人告诉他，世界上有一种叫作“细菌”的东西，他也确实不知道有细菌这样一种东西，那么对他来说，不就是处在一个没有细菌的世界里吗？因为这是“李白的世界”，而不是现在的一个中学生的世界。这个话反过来说就是：李白的世界没有细菌。既然没有，他自然也绝对不会在诗文里提到“细菌”，因为那个时候连“细菌”这个词都没有，这不也没问题吗？但是，物质的存在不以人的意志为转移的客观真理呢？

从此，我总会想起“李白的世界有没有细菌”这个问题，想起林教授问我的时候，那种想让我明白的热切的眼神和说话的语气。这时候我的好奇心就又被勾了起来，忍不住要去找一本哲学书来看看，看看书里有没有说到“细菌”。由此，不断地阅读，对于什么是“意义”，什么是“世界”和“生活世界”，什么是“存在”，什么是“本质”“本原”，等等，都加深了理解。但是对于教授的问题，一直到现在，我自忖还是不能透彻地解答。

（文化摘自《随笔》2024年第1期，邱炯图）

当巴黎奥运会遇上紫色跑道：来之不易的“紫色自由”

●河边的卡西莫多

2024年7月26日，第33届夏季奥运会将在法国巴黎开幕。此次奥运会有一个特别之处——承担田径比赛的体育场将采用紫色跑道。

常规的运动赛场的跑道，一般都是红色或者蓝色的，巴黎奥运会则打破了这一常规。按照负责人的解释，这是为了与观众座位区形成鲜明的对比，更能吸引现场和电视机前观众的注意力。同时，“跑道的紫色能让人想起普罗旺斯的薰衣草”。

作为一种颜色，紫色在自然界中并不少见，尤其是在植物领域。比如薰衣草、紫罗兰、丁香花、吊竹梅、桔梗……甚至是成熟的茄子。但对人类来说，想要获取紫色的颜料或者染料，曾经是一件非常困难的事，以至于很少有国家用紫色作为国旗的颜色。

人类最早使用紫色颜料的历史，可以追溯到新石器时代。距今约2万年，在法国的佩奇梅尔及周边的一些洞穴中，当时的人用含锰矿物留下了他们自己的手的轮廓。

不过在自然界中，能够形成稳定紫色的矿石种类很少。虽然植物中的花青素类物质也可以呈现紫色，但这些天然色素会随着酸碱度的改变而变色，导致其在实际应用中不够稳定，更无法作为服装纤维的染料。

大约在公元前1500年，生活在今天地中海东岸的腓尼基人，发现当地海域里有一种贝类生物骨螺，它分泌的黏液在经过复杂的提取和加工之后，可以形成一种不易褪色的紫色染料。腓尼基人迅速掌握了这种技术，并且垄断了紫色染料的贸易。甚至，这个民族的名称“Phoenician”都与紫色有关，翻译过来就是“紫色国度的人”。

当时的古罗马人尤其喜欢这种紫色。只不过有学者统计过，大约1万只骨螺才能生产出约1克的染料。因此，只有古罗马的皇帝和贵族，才有资格和能力享用紫色，这也让紫色成为“高贵”的符号。

在大陆的另一端，古代的中国人也在尝试“征服”紫色。

在秦始皇兵马俑身上，研究人员发现了紫色的痕迹。但由于环境的变化，很快，这些紫色颜料就消失了。这种惊鸿一瞥的紫色是什么物质，成为困扰学者很久的谜团。直到20世纪90年代，研究人员才终于搞清楚兵马俑的颜色之谜。原来俑体上的紫色颜料，是一种自然界并不存在的物质——硅酸铜钡。这说明，早在秦朝的时候，我国已经掌握了人工合成颜料的技术，这种古老的颜料，也被命名为“中国紫”。

随着时间的推移，人类逐渐掌握了更多的紫色颜料。但相比其他颜色来说，提取紫色依旧不容易。

19世纪初期，德国著名的科学家、探险家亚历山大·冯·洪堡在南美洲的秘鲁附近发现了巨量鸟粪石矿。这是由海鸟粪便长期堆积形成的资源。很快，这些鸟粪被源源不断地运往欧洲，尤

摘抄本

林间的四季充满节奏感：春日明媚，生机盎然；夏日漫长，华英成秀；秋日丰收，繁华渐褪；冬日肃杀，万物凋零，伐木的季节再次到来。

——理查德·梅比《心向原野：自然如何治愈了我》

妈妈的手曾经是软软的、白白的，不知从何时开始变得干巴，手背上一根根筋清楚可见，如地图上的河流。

——杨本芬《豆子芝麻茶》

萨莎的胸口充盈着一股温暖，她很小的时候曾问妈妈这是什么，因为这感觉实在美好，妈妈说那是你身体里的夏天。

——阿莉·史密斯《夏》

这个世界上的所有人都在说，他们的征途是星辰和大海。而我，也许就是外婆的星辰和大海。

——赵挺《外婆的英雄世界》

冬天掸了掸身上的雪，顺手将冰湖砸碎。他望着远方的山，打了个呼哨。风声瞬间便起来了。

——温酒《嘿，小家伙》

花期用力绽放，抖落一场春天，生出芳香扑鼻的水蜜桃。这些树，一年四季都不闲着。

——张皓宸《抬头看二十九次月亮》

其是英国。它不仅可以作为农业所需的肥料，人们从中还能提取出紫脲酸铵，这是当时最重要的紫色染料来源。

不过很快英国人就失望了：虽然紫脲酸铵印染的衣服色彩非常鲜亮，但这种紫色太容易褪色了。原来，当时英国处于工业革命时期，大气污染十分严重，空气中含有大量的含硫化合物。这些物质一旦和紫脲酸铵接触，就会发生化学反应导致褪色。为了得到更加稳定的紫色，科学家纷纷投入研究。

不过，正所谓“无心插柳柳成荫”，一次失败的实验，竟然产生了新的紫色颜料。

疟疾是一种由蚊子传播给人类的恶性疾病。在当时，人们已经知道用奎宁可以治疗疟疾。但当时的奎宁只能从天然的金鸡纳树树皮中提取，价格十分昂贵。所以，人工合成奎宁是当时科学界的一个重要研究领域。1856年，英国科学家威廉·珀金在自己简陋的实验室中，试图用煤焦油合成奎宁。他不出所料地失败了。但他在用酒精清洗烧瓶时，无意间发现烧瓶中出现了一种紫色溶液，并且这种溶液滴在衣服上很难被洗掉。

这次偶然的发现，造就了世界上第一种合成染料苯胺紫。它不仅廉价，而且不易褪色。因此，这种紫色迅速引领时尚，在欧洲风靡一时。至此，紫色才脱离了“昂贵”的标签，真正能够走进千家万户，成为我们进行颜色搭配时的一个寻常选项。

人类追求紫色的故事，正是我们不断探索未知的过程。即将举行的巴黎奥运会上，紫色跑道将首次亮相，这正是关于紫色历史的新故事。

（晓莹摘自微信公众号“把科学带回家”）

Q：美术课上不是说，用三原色中的红色和蓝色，就可以调和出紫色吗？

A：首先，三原色分加法三原色（如显示器，颜色越多越亮，最后形成白色），分别是R、G、B（红、绿、蓝）；减法三原色（如打印、染色，颜色越多越暗，最后形成黑色），分别是品红、黄、青。在古代，中西方都没有品红色。如果用红色和蓝色，只能调出又暗又脏的紫色，和高贵完全不搭边。而古人喜欢的，是用品红和青调出来的、明亮鲜艳的紫色。

——网友“泄气的狮子像猫一样”

每个人都需要一个解忧杂货店

●赵瑜

若将小说当作一栋房子，那么，让读者一眼就看到门在那里，或许就是最好的开头。作为推理小说的写作者，东野圭吾的《解忧杂货店》在一开始，便将高潮部分打开。

三个小偷作案后，所偷的车子坏了，途经一个小镇时，他们走进一间年久失修的旧房子。三个人计划在这间废弃的旧房子里凑合一夜，天亮便离开。然而，故事发生了。他们无意中发现外面有人往门口的信箱里投了一封信，是一封求助信。原来三个人误闯入的，是一家名叫浪矢的杂货店。这个杂货店一度很有名，因为店主热爱回答顾客有关烦恼的问询。在好奇心的驱使下，三个人决定给这个有着烦恼心事的姑娘回信。然而让他们三个感到惊讶的是，他们看到的那封求助信竟然是一封来自过去的信，这个旧杂货店竟然有一条秘密的时间通道。

这便是《解忧杂货店》的开头。这个开头如同剧场大幕拉开后的一场争执，在争执中我们发现，通过东野圭吾小口径的叙述，我们进入一部时间跨度很大、想象空间也很开阔的小说。

作为推理小说家的东野圭吾，擅长以碎片到整体的演进方式来讲述故事。这部非推理小说，有着作者一贯的叙述气质。三个小偷出于好奇帮助人，本来已经挑衅阅读者的逻辑了，那么，如果帮助成功了，这剧情岂不过于狗血？所以，东野圭吾将自己分裂成三个小偷，每一个人都给求助的姑娘写了一封信。她是一个准备参加奥运会的运动员，但是男友却身患绝症。究竟是陪男友走完最后一程，还是坚持训练争取参加奥运会？她很

犹豫。三个小偷查证了时间，知道女孩要参加的是1980年的莫斯科奥运会，那一年日本并没有派人参加。所以，知道了结果的三个小偷想要女孩放弃训练，陪着男友。然而，那女孩却朝着相反的方向去做。三个小偷哪有那么高深的修养，甚至在回信里直接骂她，女孩却并不介意三个小偷的回复，甚至感激三个小偷的答复让她更加坚定了参加训练的决心。她的男友也为她的决定感到开心。

《解忧杂货店》的故事从倒叙开始，三个小偷拉开了浪矢杂货店的大门，同时也拉开了那个年代的故事。

《深夜的口琴声》是其中一个温暖的、舍己救人的故事。

克郎是一个在东京漂泊的歌手，却一直没有找到合适的机会。父亲反对他搞音乐，替他选的大学专业是经济学，满心指望着他能接手自己的鱼松店。然而，克郎却为了音乐退学，开始了他的漂泊。克郎的奶奶去世，克郎回到家里守夜，发现父亲已经老了。父子俩因为音乐的话题关系疏远，然而，当叔叔嘲笑克郎搞音乐没有前途的时候，父亲却奋力维护自己的儿子。这种温暖让克郎瞬间决定放弃音乐，帮助父亲开店。而父亲仿佛知道克郎去过杂货店，了解他的不甘心，将他赶回了东京，并说，真的努力过了，仍然不成功，再回来。意外的是，克郎回到东京，遇到孤儿院着火，他在救人时身负重伤而死，他创作

敦煌石窟，古人的虚拟现实

●邢耀龙

我常这样想：敦煌石窟是不是古人营造出来的一个虚拟游戏世界？

想象一下：一个居住在敦煌的人，平日里忙着农事，到了佛教固定的节日，他赶了一天的脚程，来到幽静的宕泉河谷，当他用钥匙拧开窟门的一刹那，是不是正在登录自己的精神账号呢？

当窟门一关，他周身找不见一点点现实社会的影子，这里有的只是用丹青、墨线、泥塑组成的虚拟世界。洞窟里看不见太阳，所以时间消失了。洞窟里有一维的经文、二维的壁画、三维的塑像、向上延展的覆斗顶，二维空间和三维空间的边界变得越来越模糊，打破了空间的界限。在这样一个没有时间和空间的洞窟里，古人会深陷其中，乐此不疲。洞窟里，脚踩着象征净土的莲花砖，周身围绕着弟子、菩萨、千佛。此刻，他全然置身净土，成为这个虚拟世界的一部分。

这么看来，石窟就像浪矢先生的解忧杂货店，关上门，一片漆黑，没有时间的流逝，你只需要静静等待墙壁上的来信。

（平林月摘自北京联合出版公司《敦煌大历史》一书，视觉中国供图）

的曲子，则被他救下的孩子的姐姐唱红。

《解忧杂货店》的老板名叫浪矢雄治，自从妻子去世以后，他的精神和身体一直都不大好，直到开始做烦恼问答，才找回人生的意义。他乐于将自己有限的生命经验说给别人听，这成了他活下去的支撑。为此，儿子和女儿也都支持他这么做。直到他患了重病将不久于人世，他才答应随儿子一起回到东京。然而，在东京的某一天，浪矢雄治突然想回到自己的杂货店看一下，并回复一些信件。儿子开车去送他，然后自己在汽车里睡了一夜。儿子守护父亲的安全，父亲却要替那些问询的人守护他们的秘密。

这便是温暖的人性。一个老人，拖着病体回到杂货店里给问询的人做出回答，其实就是将自己身体里的暖意传递出去。而儿子暗暗支持着他，甚至答应父亲在未来仍然将那些信件保存好，这也是一种暖意。

我最喜欢的是这部小说里的时间线索。一家已经废弃了的杂货店，可以收到来自几十年前的信件，这本身是可以解释的。但是，进入这个房间的人看了信件，回复的信件竟然也可以被几十年前的人看到，这就有些勉强了。

小说家就是有如此强的建构能力，东野圭吾让时间不再是我们手机上的计时维度，而是三维空间里的时间。三个小偷中的敦也最不相信时间可以穿越，所以，在小说的结尾，东野圭吾就让敦也走出杂货店，往信箱里投了一张白纸条。他想试一下，会不会真的能将这张白纸条送回过去。

果然，他将白纸条投进信箱的时间正好是浪矢贵之陪着父亲从东京回到杂货店的那天晚上，于是，敦也收到了老人家的回信。那封信穿过时间的隧道，深情而有力量，劝慰他说："如果把来找我咨询的人比喻成迷途的羔羊，通常他们手上都有地图，却没有去看，或是不知道自己目前的位置。但我相信你不属于这两种情况。你的地图是一张白纸……换个角度来看，正因为是一张白纸，才可以随心所欲地描绘地图。一切全在你自己。我衷心祈祷你可以相信自己，无悔地燃烧自己的人生。"

这段话是如此动人。是啊，三个小偷也从解忧杂货店获得了人生的答案。

（心香一瓣摘自广西师范大学出版社《别想跳过这些书》一书，本刊节选）

智齿生长

●段佳琳

1

当积雪在草丛里开始流失的时候，我终于意识到，现在已经不再是那个万物萧条的季节了。北方的初春，风还是很冷冽，一地的树叶不断发出好似呻吟的呓语，我总是想象着自己在湖上独自泛舟。

我来河北金融学院读书已经近乎一年半，和它的关系已然不再陌生。在这里告别了17岁和18岁，来到了19岁的开头，我常常感受到源自青春的旺盛精力，以及有些时候留滞在心里的难言痛感。

如果说我过得非常圆满，这不真实，因为青春不可能了无缺憾。一度，我认为自己的人生偏离了轨道。看到录取结果的那一刻，我的脑海里只有一个念头：学会计一定得学很多很多的数学知识。

然而我无法回头。坐上去保定的车，颠簸的路途让我幻想自己是击溃庞培军队的恺撒，是奇袭意大利的拿破仑。

“到了。”司机简短地说。

于是我离开了古希腊和法国，来到了这里。

2

智齿隐隐作痛，我还未拔掉它。我饮下冬天的一盅风，当作我的止痛胶囊，智齿带来的疼痛得到了短暂的缓释。

博闻路的灌丛依旧苍劲，笃学楼窗户外的晨雾在我眼中氤氲出了和苍穹一样的颜色，晨跑时第二田径场的风带着独属于北方的冷冽气息。我路过24小时自习室时，有很多只来自南方的飞鸟从我头顶上空飞过，这是我在这里经历的第二个春天。暮色时分，听着列侬的*Oh My Love*，我拍下了这里的无数张照片，想留下些什么，却并不试图让一切暂停，也从未想过要从照片中解构出什么，因为它是那么纯粹。尽管我是个歌颂初春的狂热分子。我热切地、奋不顾身地，融入河北金融学院的春季，像苍劲的灌丛，像北方的冷空气。

3

即便我的智齿背叛了我，但每天早上带着疼痛吃第一食堂热腾腾的煎饼，让煎饼在我的齿间跳舞时，我仍觉得那是珍馐美味。在这样阳光灿烂的日子里，我想躺在第一食堂前面的那片草坪上，那是我的席梦思床。

食物给了我慰藉，也包容了我的幻想，我体会到它们是那么善良。高数太难让我想要放弃时，只需一碗小锅炖菜或是板栗味的糖葫芦，大快朵颐之后，我就可以成为臆想中的欧几里得，然后奔向图书馆投入新的学习。

我已经忘记我第一次来学校食堂时吃的是什么了，好像是软皮的煎饼，和室友一起吃的，让我回味至今。如今那个食堂即将变成自习室。与此同时，新的食堂也已经建起，装上了步梯。

4

前几天我去了医院。医生说，我的智齿顶破了牙龈，那是因为它一直在生长。

“可是我已经19岁了，智齿还能生长吗？”我问。

“当然可以啊，我们约个手术时间吧！对了，最近患流感的人特别多，注意保暖，感冒不能做手术。”医生提醒我。

我的智齿在初春生长了，没有选择我喜欢的夏天。

北岛说：“毕竟只有一个世界，为我们准备了成熟的夏天。”

上学期，我最喜欢上近代史课。夜晚，我总能听见博学楼旁边的一簇簇月季此起彼伏的呼吸声。下课的时候，我总是先冲出教室，然后装作在门口等朋友，因为这样就能和他擦肩而过。当他从我身边路过时，空气出乎意料的好闻，像话剧台词说的那样：“奇怪的气息，有些湿乎乎的。”

我就这样每次都等待着那个瞬间。直到有一天，我看到他转身去了隔壁教室门口像我一样等人，然后和一个女孩一起消失在我的视线里。

留给我内心的，是如智齿生长般的微微痛感。

5

智齿生长的痛感在不断流失，那或许又是我的错觉，而非因为时间的流逝。

我在河北金融学院丢了一本纳博科夫的小说集和两只纯白色的耳机，后来再也没能找到。我的错觉并非以为它们还在我身边，而是相信总有一天它们会突然回来。这种错觉在某种意义上就像幻想中多年后毕业醒来，我以为自己还睡在上铺的床上，离天花板那么近，下铺舍友的闹钟还在响。

网上有一句很流行的话：“人不可能同时拥有青春和对青春的感受。”我们永远不会比此刻更年轻了。我的青春和大学是紧密相连的，就像生长的智齿和此刻的我一样密不可分。河北金融学院是我青春的栖息地。记得辅导员找我谈话的时候，我本想故作成熟，但最后还是轻易地展现了自己的脆弱。她耐心地开导我，我觉得她像我的姐姐。

在一个春风沉醉的夜晚，我和舍友们聊了时间最长的天。这里面不乏一些专属于青春期的烦恼和向往。虽然最后我们相继沉沉睡去，但她们让我在这个10平方米的地方感受到了一种辽阔。

在校园里，每当我跟在别人身后，他们掀开厚重的门帘时几乎总是会坚持得时间长一些，以免砸到我；我等着吹头发的时候，有好心的女孩指给我有空位的地方；部门里的学姐时常会叮嘱我注意一些小事……我的身边其实充满了善意，值得我留心发现。

6

昨天去了医院，我把那颗拔下的略带斑驳血迹的智齿用纸包起来，放进了我的口袋。我期待一场初春后的雪，到那时，我将把它深埋在宿舍楼前，它就会变成一颗种子，等待春暖花开。

（本刊原创稿件，习k图）

猴面包树在秘密生长

●解梦雨

喝了一口水，感觉自己又胖了。我是一个“通俗意义上”的胖女孩。很长一段时间，我都不愿再回忆我的青春。

初一时，我的体测免测申请被驳回了，理由是：非正当理由，不符合免测条件。我想，如果有卖看不穿谎言的神奇药水就好了，我一定会去买。我并没有任何身体不适，这只是我逃避的托词，因为免测就可以不用称体重了。其实，我在“没病找病”。

计划失败，我只好硬着头皮坦然面对。当时的体测，测量身高体重的仪器已经支持语音播报了，他作为班长就坐在旁边负责填数据。当然，我不仅害怕在他面前出糗，还怕被别的同学笑话。我站在队伍最后边，跟着队伍一寸一寸地往前挪，一直不敢抬头，害怕和他有眼神上的接触。他是阿延，和我一起长大的人。夸张点说，我还没出生就“认识”他了。

“好，最后一个做好准备！”老师的声音像深冬里的冰水直接灌进我的耳朵。我好像体会到童话故事《海的女儿》里“跟随的双脚，每一步都如同在刀尖上行走”的感觉。奇怪的是，当我笨重的身体和体重秤接触时，屋子里明明没有风，为什么仪器晃个不停呢？

“‘猴面包树’，你要站稳一点，仪器要倒啦！”人群里传来的声音打断了我的思绪，周围的人议论纷纷，我却什么也听不见，只有“猴面包树”这四个字在我的脑海中挥之不去。随后，仪器没有丝毫感情地播报出我的体重。周围同学都投来异样的目光，这让我的手脚无处安放，我想寻找支撑，却始终无法摆脱此刻尴尬的处境。

这个时候，阿延突然站了起来，看着大家欲言又止。“班长，你是不是和‘猴面包树’很熟啊？”面对同学们好奇的询问，他的脸上泛起一丝红晕，仿佛晚霞映照在西湖的水面上。通过余光，我看到他虽然在竭力维持镇定，但眼神中难掩尴尬之情。我害怕的场面还是来了，这种尴尬在无尽地蔓延，整个世界都在围观这一场表演。

我出生起就比别的婴儿胖很多，就是那种显而易见的肥胖。小孩子喜欢吃的零食，我从来不敢贪嘴，因为自打我还不能完全记事起，我就已经感受到来自外界的恶意，甚至时常连带着我身边的人无辜“躺枪”。

《小王子》一书中写道：“孩子们！要当心那些猴面包树呀！”梦里，我来到了小王子的星球，变成了他眼中令人非常讨厌的猴面包树。它以极其夸张的体形肆意生长，狂放的枝干在空中张牙舞爪，错综盘踞的树根想把整个星球撑破。

因为这件事，后来，我有意和阿延保持距离。我固执地认为，所有靠近我的人，都会变得不幸。

“蹲下”“起立”“原地踏步走”……转眼间，嘹亮的口令中，盛夏已至。

高一那年，新生军训，我

一部分

●孙君飞

我爬到榕树上
我是榕树的一部分
最温暖的一部分
我面朝太阳
我的一部分属于太阳
另一部分属于阴影
我站到高山上
我是高山的一部分
我钻进大海中
我是大海的一部分
我离开了爸爸妈妈
我仍旧是爸爸妈妈的一部分
不管我走了多么远、多么久
我照了照镜子
忽然就迷糊了
我和另一个我都那么完整
究竟谁是谁的一部分呢
不想了
不想了
不管我走到哪里
都是地球的一部分
让星星们羡慕的一部分

（小林摘自微信公众号“孙君飞的小木屋”，视觉中国供图）

宛如初次在冰面上尝试行走的企鹅，摇摇摆摆，每一个动作都显得颇为艰难。尽管我已经选了最大号的军训服，但我依旧感到紧绷不适，汗水浸透了衣服。突然，“刺啦”一声让训练场瞬间安静下来。因为军训的大幅度动作，众目睽睽之下，我的裤子不堪重负，从中间崩开。

军训场上的阳光如火，照耀在我那破裂的裤子上。“报……报告教官，我……我的裤子……”周围同学的窃笑声不断侵蚀着我，我低着头，尽量避免与同学们目光接触，我不知道该用怎样的言语表述自己当时的窘迫，只恨不得立刻消失在这个世界上。

尽管回去后我凭着自己拙劣的针线活儿把裤子勉强缝合了，但它会不会再次裂开，尴尬会不会再次上演？“我真的不想再穿军训服了。”我沮丧地抱着膝盖，低头在心里嘟囔着。

“走吧，去一个地方。”

背后传来的声音陌生又熟悉。当时，我有点恍惚，但还是鬼使神差地跟着他走了。我觉得跟阿延在一起，就有安全感。

我们去了学校门口的一家服装定制店铺。据说，我们的军训服都来自这里。店里的阿姨给我量身定制了一套军训服，那是一套宽大的、适合我的军训服。我想，我应该可以安全地度过军训期了。

“其实，猴面包树一点儿也不像小王子描述的那样可恶！”

阿延跟我说，现实中的猴面包树被称为“生命之树”，它在非洲大草原上茁壮生长。它粗壮的树干能储存大量水分，使得它在旱季也能维持生命活力。它结出的果实巨大，果肉甘甜多汁。“所以啊，你也一定要在自己的宇宙里好好生长，然后开花结果。”风吹散了他的话语，我们走在回去的路上，曾经的哀伤和隔阂都已渐渐飘散。

后来，我制订了一个长期且可行的减肥计划，只是每一次体重秤上减少的数字，最后都会报复性地反弹，我还是没能完全瘦下来。但是我依旧在坚持，在更加理性地对待自己的身体，我也不再将外界的偏见当作枷锁。

日复一日，植物逐渐褪去嫩绿，沉甸甸的果实挂了满树，它们还在努力地生长，尽情地展示着生命的活力，只为向世界宣告它们的成熟与强大……

（本刊原创稿件，陆世清图）

读者爱人物，胜过爱情节

●亚比煞

刚开始学着写小说的人，总是纠结于写什么主题、编什么情节，总是把想象力放在对情节的安排上，怎样让故事发展得峰回路转、跌宕起伏、出人意料。

这样写出来的故事，或许马不停蹄、高潮迭起。然而，这种“精彩”的故事，看到最后却会让人感觉腻味，因为其中的人物只是为情节服务，失去了自身的光彩和立体性。

其实，读者爱人物，永远胜过爱情节。

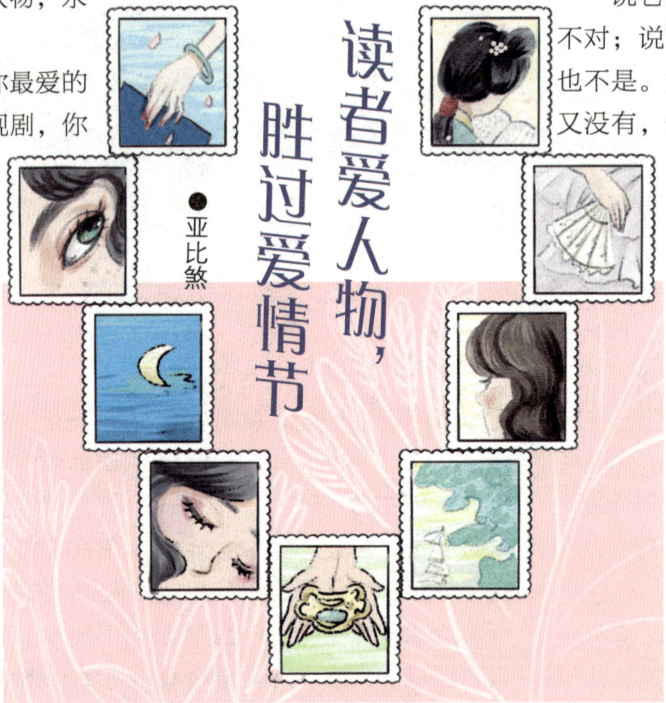

不信你想一想你最爱的一本书，或一部影视剧，你爱它的理由是什么？得到的答案多半是：我喜欢其中的某个人，他身上有某种品质，让我感动、欣赏或是怜惜、遗憾。很少有人谈到自己喜欢的作品时，只谈情节，而对其中的人物没有感觉。

读小说，潜意识里是在模拟一种社交经验，是想去体验在不同的世界里与不同人物相处的感觉。虽然它需要架构在情节的基础上，但核心需求仍然是想要获得一种虚拟的相处经验。

我们在小说里看到众生百态，了解行事做人的准则：不可以学这个人，应该学那个人；这个角色身上有我曾经爱过的谁的影子，另一个角色身上的缺点我也有。由此，我们可以在有限的生命里得到无限的经验，推演出我们可能的命运走向。这才是真正令人心潮澎湃、欲罢不能的关键。

所以，小说作者太重视情节，甚至超过重视人物，是一种失焦。作者真正应该思考的问题是写出什么样的人物。把人物的真实性放在第一位，然后再围绕人物去编织情节，才会是一个好故事。

读书越多，越发对情节复杂的小说不感兴趣，反而更喜欢弱情节的小说。有人曾问我，《红楼梦》到底在讲什么，你能不能把它的情节大致讲一下呢？

我发现，我做不到。

说它是讲宝黛的爱情吧，不对；说它是讲家族管理吧，也不是。它看似有情节，其实又没有，像棵大树一样，不断长出旁枝。大家每天就是做些平平凡凡的事情，看戏啦，赏花啦，逛园子啦，能花上好几回的笔墨扯闲篇。

比如第十九回《情切切良宵花解语　意绵绵静日玉生香》，这一回没发生什么事，就是着力在刻画人物。前半回在讲袭人，后半回在写黛玉。袭人劝宝玉，要长大了，要成熟懂事了。而黛玉呢，却让宝玉肆无忌惮地重新做回小孩子，两个人躺在榻上，讲笑话，抢枕头，呵痒痒。

在这种扯闲篇里，我们认识了这两个人物：袭人实际，黛玉超脱；袭人老练，黛玉天真；袭人周到又隐忍，黛玉敏感又直接。两个人被放在同一回里，一前一后，两相辉映，在对比中又加强了刻画性格的效果。

简·奥斯丁也一样，她的小说的情节性也是弱得可怜，来去就是舞会啦，宴会啦，要不就是草地上散步，你来探望我，我去拜访你。但就在这些看似水波不兴的场景里，我们爱上了她笔

创意

艺术家海伦娜·哈费曼通过用缝纫线连接瓷器碎片，“冻结”了破损的瞬间。

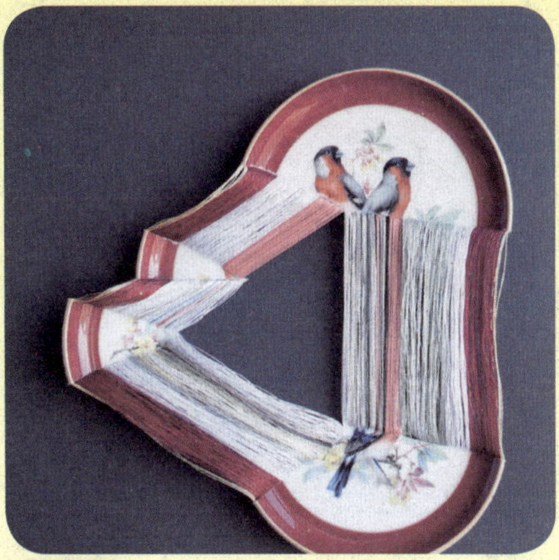

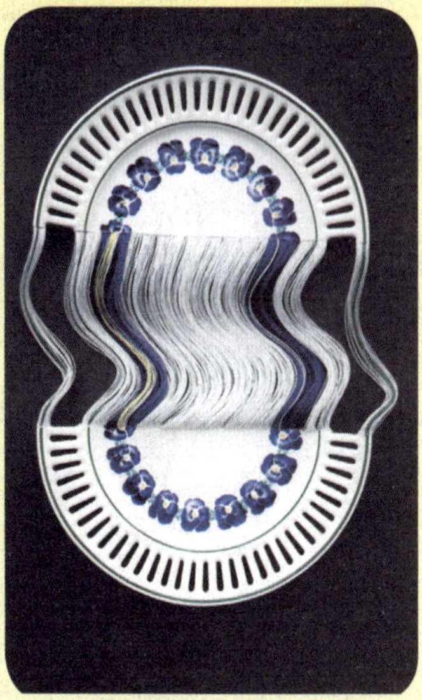

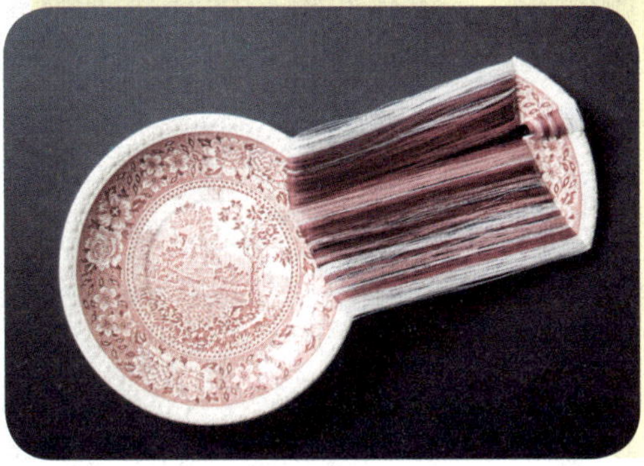

下的人物，她把我们真实地带回到那个时代，达西、伊丽莎白就好像活在我们身边的人。

所以，情节一定要为刻画人物服务，否则就是无意义的情节。好的情节，能让读者清楚地看到，一件事发生了，这个人物是如何应对的，他是勇敢的还是怯懦的，是高尚的还是卑鄙的，是智慧的还是愚蠢的。如果我置身于那个情景中，我又会怎么做？情节不需要多，需要的是精准。

反观现在的很多小说，情节复杂，主角一天到晚都在经历各种奇遇，练成各种神功，碰到各种贵人，被各种美女帅哥爱上。这种故事，可以像流水线一样源源不绝地生产出来。这样的小说，情节大同小异，人物也都像戴着面具一样千篇一律。这种小说，就特别适合如今风行的“五分钟带你读完一本书”。

但是，五分钟你根本讲不完《红楼梦》，你要选哪一部分来讲呢？讲了起诗社，就要漏掉群芳宴；讲了薛宝钗，就要漏掉史湘云。《红楼梦》是无法被简单描述和概括的，你必须老老实实地去读每个字。必须都读了，你才能知道作者到底想告诉你什么。

好的小说，就是带你去认识人，认识各种精彩的人。好的小说，可能情节琐碎，写的是一些看起来毫不重要的事，但我们看着，却像在看自己的生命，看我们的生活。那些琐碎、无聊甚至留白，都是不能分割的片段，构成我们生命里动人的过程。它们最终成为我们最重要的东西，成为生命本身。

（张秋伟摘自北京联合出版公司《密云晨光》一书，阿砂砂图）

人类为何对圆周率如此执着

●魅力科学君

圆周率被定义为圆的周长和直径的比值，通常用“π”来表示。它是所有的圆所共有的一个数学常数。也就是说，无论一个圆的大小如何，其周长和直径的比值都保持不变，是一个固定的值。

想要知道圆周率到底是多少，最简单的方法就是，直接测量出一个圆的周长和直径，然后再做除法就可以了。但这样做有一个问题，那就是无论什么样的测量，都是有误差的，而误差的存在，就会导致我们无法精确地计算出圆周率。所以我们需要在不进行测量的前提下，通过纯理论的推导计算出圆周率的精确值。

实际上，从公元前3世纪的古希腊数学家阿基米德开始，人类就一直在执着地通过理论来计算圆周率。

阿基米德用的方法可以简单地描述为：在一个圆的内部和外部分别画一个内接正六边形和一个外接正六边形，这样就可以通过勾股定理计算出圆周率在3与4之间。在此基础上，只需要持续增加多边形的边数，就可以得到越来越接近完美的圆，进而计算出越来越精确的圆周率。

阿基米德使用这种方法计算到边数为96的正多边形。他的计算结果是，圆周率在3.140845至3.142857之间。

在人类计算圆周率的历史中，我国的数学家留下了浓墨重彩的一笔。公元263年，我国数学家刘徽提出了著名的“割圆术”。这种方法可以简单地描述为：通过“割圆”的方式持续增加圆内接正多边形的边数，使其面积不断逼近圆的面积，进而计算出越来越精确的圆周率。

通过“割圆术”，刘徽计算出圆周率的值大约为3.1416。在公元480年左右，我国数学家祖冲之则进一步将圆周率的计算推向了新的高度。他利用“割圆术”，一举将圆周率精确到小数点后7位，也就是我们所熟悉的“3.1415926与3.1415927之间”，而他的计算结果，则保持了近千年的世界纪录。

随着时间的流逝，人类的数学理论也在不断地深化和发展，数学家们不但证明了圆周率是一个无理数，还提出了多种通过理论计算圆周率的方法，进而使人类可以更加精确地计算出圆周率。

1948年，数学家弗格森刷新了当时的圆周率精度纪录。他用了近一年的时间，将圆周率计算到了小数点后808位，这也是已确认的人类通过手工计算圆周率值的最高纪录。在此之后参与计算圆周率的，就有电子计算机的身影了。

1950年，一台被人们称为“ENIAC”的电子计算机首次被用来计算圆周率。作为世界上的第一台通用计算机，它只用了大约70个小时，就将圆周率算到了小数点后2037位。

电子计算机的加入，让圆周率的计算开始进入一个全新的时代。随着电子计算机的发展和应用，圆周率的精度也在迅速提升。2024年3月14日，美国一家计算机存储公司发表声明称，圆周率已算到小数点后105万亿位！

π疼

●罗伯特

“π疼”是一个网络流行语，源自一个对话情境。在这个对话中，当一位妈妈询问小孩受伤后有多疼时，小孩回答说：“不是很疼，但是无止境地疼。”随后，当妈妈让孩子用数字1～10来形容痛感时，小孩回答“π”。这里的“π”是数学中的圆周率，它是一个无限不循环的小数。因此，“π疼”形象地表达了那种虽然不是特别疼，但是持续不断、无止境的痛感。

这种表述方式既有趣又富有创意，生动地描绘出一种难以言说的感觉。在网络语境中，“π疼”逐渐流行开来，并被用来形容各种持续不断、难以摆脱的不适或困扰，例如“π无聊”“π难受”“π穷”等，都被网友用来形象地表达相应的情绪或状态。

（本刊原创稿件，视觉中国供图）

据悉，在2023年时，他们就将圆周率算到小数点后的100万亿位，追平了当时的世界纪录。而现在他们又将计算结果增加了5万亿位，创造了新的纪录。

不得不说，圆周率被算到如此高的精度，确实令人惊叹，但问题是，人类对圆周率如此执着，到底是为什么呢？

需要知道的是，尽管圆周率被广泛用于各种科学研究和技术应用场景，但人类对圆周率的精度要求其实并没有想象中的那样高。在绝大多数场景中，祖冲之计算出的精度就完全够用了。即使在登陆火星这样的对精度要求很高的场景中，人类也只是用到了小数点后16位。而只需要小数点后40位，人类就可以在误差小于一个质子的直径的前提下，描述直径高达920亿光年的可观测宇宙。

实际上，人类之所以对圆周率如此执着，最主要的原因就是：通过对圆周率的计算，可以测试和检验超级计算机的性能。

时至今日，超级计算机已经成为人类的好帮手。人类想要对超级计算机的综合性能进行系统测试，就需要让它们持续进行大量的计算。计算圆周率就是一个不错的选择。

在软件层面，圆周率的计算挑战了超级计算机算法的效率和优化。数学家已经证明，圆周率不但是无理数，而且是超越数（即不能作为有理系数多项式方程的根的数），因此，计算它的精确值需要使用一些特定的算法。这些算法必须能够高效地执行大量的数学运算，同时保持极高的精确度。

一方面，通过不断优化算法，有可能显著提高计算效率和精确度，同时减少计算所需的时间。另一方面，通过测试新的算法，还有可能建立新的思路或概念。

在硬件层面，圆周率的计算是对超级计算机的处理速度、存储容量和数据传输能力的综合考验，这涉及计算核心的运算、内存的读写、存储的效率以及处理器之间的协调和数据交换能力等等。在计算过程中，系统的稳定性和可靠性就是硬件性能的重要指标，毕竟任何硬件故障都可能导致长时间计算的成果丧失。

总而言之，通过对圆周率的计算，可以全方位地揭示超级计算机在各个方面的潜力和限制，从而促进计算机科学的发展与进步，这其实就是人类执着地计算圆周率的主要原因。

除此之外，由于圆周率是一个备受人类关注的常数，因此，更加精确的计算结果，除了能够直观地展示超级计算机的性能，还可以进一步深化人类对圆周率的理解，这可以算是一个次要的原因。

（月亮狗摘自微信公众号“魅力科学君”，视觉中国供图）

再见，猫学长

●山也

“如果让你变成一种动物，你会选择变成什么？”

如今的我已然能够不假思索地给出答案：成为一只猫，一只生活在大学校园里的流浪猫。

流浪猫并不是少见的动物，它们会在清晨熹微的阳光下梳理毛发，抑或在春天午后的屋檐下慵懒地晒着太阳。尽管如此，路边的猫总是警觉的，只要感觉到有人靠近，它们便会迅速消失在树丛中。

我们学校的猫，却大多是不怕人的。它们偶尔出没在学生的生活区，似乎有着和学生相近的作息。一到饭点，它们就蹲在食堂门口，时不时“喵喵”叫两声吸引人们的注意，不多时，便会有被“俘获”的学生买来肉肠喂给它们。我曾一度怀疑猫界是否存在着一本名为《校园流浪猫守则》的秘籍：“如果在大学校园流浪，切记，利用可爱的优点讨好‘两脚兽’，如此便可不愁吃穿。”

刚上大学时，我加入了学校的一个学生组织，负责在网上发布一些校园活动，还有大家感兴趣的话题。某天，我在办公室百无聊赖地做着海报聊着天，负责摄影的同学突然兴奋地冲进来，大声嚷着：“图书馆那边有很多只小猫咪！”

平日里学校的猫并不多，而且形单影只的，仅偶尔冒出来。听他这么一说，一屋子的爱猫人士跟着兴奋起来，都想过去看看。

不知是哪位同学提议，说不如做一期有关学校猫咪的文章发在公众号上，也能呼吁同学们对流浪猫多多关注。说干就干，大家纷纷扛着相机等设备，带着已经毕业的学姐留下的猫粮和冻干，奔向图书馆。

图书馆附近静悄悄的，几只小猫伏在地上舔着什么，走近才看清楚，几位老师带着从学校食堂买的肉包子专门过来喂这些流浪猫。她们明显比我们更熟悉这些小猫，问清我们的来意后，唤了几声“咪咪”，周围的灌木丛中便又蹿出几只小猫，蹭着老师们的裤脚。

我们把猫粮撒在长椅和石桌上，小猫见状“喵喵”叫着，嗅着气味跳上来吃，不时发出“呼噜噜”的声音，任凭大家摸它们的脑袋也不抬头。饱餐一顿后，它们仍不急着离去，或在草地上打闹，或静静地趴在人们身边。

那天我们拍了很多照片，编辑了有关猫咪的文章，还制作了宣传海报，忙碌到很晚。大家有说有笑，都很开心。我们的关系也变得更近了，原本无趣的一天被这些小猫用乐趣填满了。

夏天到来的时候，宿舍楼下突然来了一只特别的猫。它白白胖胖的，嘴上有块黑色的斑点，像极了胡子。第一次见到它时，外面刚下过雨，它就蹲在路上，偶尔不合时宜地跟在人身后要吃的，用湿漉漉的毛蹭蹭路人，惹得一些女生惊呼着避让。

但它并未因为人们的嫌弃而离开。那段时间，我常常能在楼下见到它。它饿了便挡在路中间“喵喵”叫，吃饱了就去长椅上趴着睡觉，即使有人来了也不挪开。胆大的同学更是直接把它抱在怀里，揉揉它的肚皮和小脑袋，它也会开心地将尾巴高高翘起。学校对它而言像是一个大游乐场，人们带着善意与它互动，它也很乐意陪不同的人玩耍。

那年冬天放寒假前，我看到它每天照常蹲在路中间。12月天寒地冻，终日不见太阳，大家考完试纷纷回家，学校的人越来越少了，它更显得落寞。我正担心它假期怎么办，没想到第二天它常待的路口便多了个猫窝，里面是几件旧衣服，但看起来厚厚的暖暖的，旁边更是放着用大面粉袋子装着的猫粮。我和舍友调侃那袋猫粮比猫还大，却也因此庆幸和感激，正因为有人精心准备了这些东西，才能让它在这个“人类集体消失”的漫长冬天里不再那么难挨。

我大四那年，学校多了只狸花猫，圆圆的脸，看着虎头虎脑的，很讨喜也很亲近人。那时毕业压力很大，学校又不允许随意进出，我和舍友时不时就会去它常待的地方，只要摸摸它、喂喂它，烦恼和焦虑便也随之一扫而空了。

办离校手续那天，我们俩照常买了肉肠去找它。它好像刚被喂过，只是象征性地吃了两口便过来蹭蹭我们，翻着肚皮撒娇。我们摸了摸它，拍了几张照片，正抬脚准备离开，没想到它一个翻身，软软的爪子落在舍友的鞋子上。

“它不想让我走呀！”舍友欣喜地惊呼。话音刚落，我们却都沉默了。

几个刚下课的同学恰巧从我们身边经过，他们开玩笑地和小猫打招呼说：“学长好。”

但它不是我们的“学长”。

那年它悄无声息地出现在校园，而今，属于我们的夏天和关于猫咪的回忆，终究是悄无声息地远去了。

（本刊原创稿件，视觉中国供图）

我不再害怕在雨天湿鞋了

●小肾

喜欢在雨里走，感觉很自由。好像违抗某种东西的意志，小小的，但胜利了。

——陆茵茵《台风天》

南方的春季像个爱折腾的小孩，不愿在一个稳定的温度待太久，喜欢把一切搅乱，让人们在无意间生病，它再下起一场欢乐的雨来庆祝。

我走在雨中，撑着小小的破旧的伞，低头注意到地上的水坑——来来往往的车辆无情地将地面的水扬起，雨水向四面八方飞溅。望着雨中惊慌急躁的人们，我显得不慌不忙。我的生活总在下雨，我习惯了它的来临。所以当具象的液态物质从高空坠落，在每一滩集合体中蹦跶，再短暂地飞出一只晶莹的蝴蝶，我只是感觉，我融进了这场雨，雨水掺杂着泥土和灰尘，黏上了我。一个人在雨里走，不会被困住，不再怕湿鞋，很自由。

小时候我很讨厌下雨，因为每次下雨，小学门口那个窄窄的路口一定会塞车。遇到下雨天，我每次在校门口眺望不到我爸的身影，就会开始哭，在雨中看不到一点希望。终于等到我爸，我还得忍耐下雨带来的不适——坐在摩托车后排，藏在有一股难闻味道的雨衣下，低着头，弓着腰，掀开一点点雨衣，靠着潮湿的路面判断离家的距离。

上了中学，我仍不喜欢下雨，因为衣服干不了。还有一种恐惧，就是在教室外的一排雨伞里突然找不到自己的。我有几次印象深刻的号啕大哭也是在雨天发生的，包括高考出分的第二天。那天，雨下得很大，我在我爸的摩托车后座哭，他什么也听不到。雨声淹没了哭声，就可以不用过于忍耐了。雨是我的同盟，可以为我的脆弱打掩护。

我还记得在一个下雨天，我坐在回家的校车上，看着雨贴着窗划过，呵一口气，画一个笑脸，很快就会变成哭脸。快到家时，我又隔着窗户寻找我爸的身影。但那时，就算找不到，我也不会着急地哭了，因为我已经学会了自己走回家。

我对雨也不全是厌恶。比如，在我要入睡时，有了它我会安心许多。中雨的声音听起来是最舒服的，我被天然的白噪声包裹着，那一觉都会变得幸福很多。

雨天容易把我打散，变成一块块碎片散落一地。破碎、落败、孤独、痛苦、无措，都是我，一切情绪都在雨天变得合理起来。我会一块一块把它们拾起来，“这一块是我，那一块也是”。

如今，我依然不敢扔了伞在雨中撒腿奔跑。不知道要淋多少场雨，我才能做到。

“我逃出小时候的那场雨了吗？”“不，我没有。”

但我突然理解了，为什么现在的自己看着飘落的雨不再感到压抑，反而有种洒脱和自由？因为雨下得越大，我的心情和思绪就越显得没有那么突兀。雨是飘的，风是湿的，一切都在尽情流淌，好像有什么东西在理解我的无助，我没哭，它替我哭了。

我还在执着地想，雨还是能带来希望的。大雨过后，心被浇灌过，一些意识不到的东西在抽条生长，会长出茂密的植被吧！

我希望记忆中的那个小孩有一天能拥有一片雨林。“雨好大啊”，她一边说着，一边往外冲，尽情地在雨里奔跑。鞋湿了，脱掉就好了。雨停了，没有星星，但云也很好看。

（本刊原创稿件，视觉中国供图）

夏天，大概就是坐在外婆常坐的藤编摇椅里，伸出右手试图挡住密密麻麻的葡萄叶间散落的阳光，然后慢慢将食指与中指分开，任凭阳光笼罩着自己。就这样摇啊摇啊，然后缓缓地进入梦乡。梦里有很多大鸡腿，馋得我口水直流，直愣愣地傻笑。

直至从睡梦中醒来，我发现自己身上多了一条毯子，而外婆搬了个小凳子，就坐在我的对面，笑盈盈地看着我。阳光散落在她身上，她整个人看起来柔和中带点泛黄感，就像老照片的质感一样。

我呆呆地看着她，她却起身，慢慢地向我走来，笑着说：“又梦见大鸡腿了吧？又傻笑又流口水的。”

我慌忙地去擦嘴角，发现什么都没有，便假装生气，背过身不看她。

她笑得更开心了：“人小鬼大，来叫你吃饭了，今天有你最爱吃的大鸡腿。”听见大鸡腿，我“嗖”地起身，边跑边说：“都是我的，您来晚了，就没得吃。”

只一会儿工夫，我就消失在她的视线里。那时候，不管我跑多远，她都可以赶上来。

外婆家门外到处都是大片大片的麦田，风吹过，麦浪翻滚，由远及近，一波又一波，连绵不断，滚滚流向远方。

盛夏的夜晚总是热闹的。我和一群小孩，吵吵闹闹的，从麦田的这一头打到那一头，直到满头大汗，酣畅淋漓。

我们躺在大片的麦田中，嘴里叼着狗尾巴草，细数着漫天的繁星。一阵凉风徐徐吹过，麦浪翻滚，起起伏伏。

蝉鸣、繁星、清风，还有一夜的好梦，都是盛夏的专属记忆。

记得有一年暑假，外婆从乡下来到了我家。白天，她陪我放风筝。我牵着风筝线，从巷头跑到巷尾，风筝随风飞向天空，越来越高。每到这个时候，我便会大声地朝她喊：“外婆，快看，风筝飞得好高，我是不是很厉害！”此时的外婆总会笑着说：“厉害，我家幺幺最厉害了。”

快乐的笑声，在巷子里、在微风中、在我和外婆的耳朵里，从头到尾，一遍又一遍。

每天晚饭过后，我牵着她的手在巷子里散步。昏黄的路灯将我们的影子拉得越来越长。此时，我打开了话匣子，絮絮叨叨地东拉西扯。讲到搞笑的事情，我会笑得前俯后仰、直不起腰。

这个时候她总会轻轻地拍着我的背，小声地说：“慢点说，又没人和你抢。”就这样，我们慢慢地走着。时间在这一刻被无限地拉长，延伸到遥远的未来。

夏天燥热，但并不漫长，好像只是和外婆牵手走过小巷，夏天，就到此为止了。

（本刊原创稿件，视觉中国供图）

智趣

分乒乓球

有4949个乒乓球，100个盒子。把这些乒乓球全部装进100个盒子，要求任意两个盒子中乒乓球的数量都不能相等。请问该如何分配这些乒乓球？如果不能满足条件，至少要增加几个乒乓球才能做到？（答案见下期）

上期答案：我的闹钟是电子钟，而它出了故障，表示分钟的数字右上角的那一竖无法显示。它可以正确显示5，也可以正确显示6，却不能正确显示8，到了59分时，也只能显示55分。

期中考试、运动会、朗诵比赛都安排在了下周，所以这一周任务艰巨，考前复习、入场式排练、朗诵排练同时进行。

火急火燎，忙前忙后，一会儿教室，一会儿操场，总算坚持到周五，最后一节体育课也被我借来，进行朗诵排练。

操场上，好几个班都在加练，我们班在食堂旁边找了一处空地排练。

“上完这节课就能解放了。”我暗暗给自己打气。可事与愿违，我的小喇叭已耗尽了电量。我叹了口气，无奈地和孩子们说：“我的喉咙已经不行了，我知道你们也很累，再坚持一下，我们尽快结束。”

平时就爱趁机混在队伍里闹腾的几个孩子经过几天的复习、训练，今天也都木木的，呆呆地看着我。也好，省得小动作一大堆，还要我费心维持纪律。

可是，想实现一次完美的排练，是多么难！

一位同学跟错了背景音乐，突兀地出声朗诵，打乱了整体的节奏；女生的朗诵，把花木兰的英姿飒爽读成了浓浓的哀怨；还有扮演士兵的男生，几面旗子挥着挥着，就缠在了一起……

大家都无意捣乱，可总是有很多错误出现。一次，两次，三次……不断地“再来一遍”，我渐渐失去耐心。孩子们静静地恢复初始队形，沉默地站着。他们也很疲惫。

我知道这个时候发火无用，便缓了缓语气，平静地说：“离下课还有15分钟，我们最后排练一次，没什么大问题就直接自由活动。”

有人小声低语了。不错，孩子们那充满激情和认真的劲儿，好像又被点燃了。

这次的排练确实没有出纰漏，但还是差了点什么，没有我要的激情，没有我要的震撼，没有我要的精彩……

就这样吧，大家都累了。也许周一的舞台，气氛到了，他们自然会再振作一点。我乏力地想着，眼神不自觉地飘到了他们的头顶。

这段时间广州的气温上来了，学校里的花开了，一簇簇，一树树，是不会掉落的明媚烟花。孩子们正好站在一棵树下，头顶的玫红色花朵热热闹闹的，红扑扑一大片。一旁是食堂大楼，笔直的线条往上延伸，尽头是天空，碧蓝澄澈。

音乐结束，所有人保持着队形，没人动。

“大家往右挪。”我指挥道。

没有人出声，大概是看我面无表情，以为大难临头。他们朝右看着，互相挤着，小步移动。

“再往右挪一点。”看着队伍一点点地调整到花开得最盛的位置，我说，“好，正好站在花下，我们来拍一张照片。”

孩子们忽地像树上的花一般，“哗”地笑开了。经历了一番心事重重，花洋洋洒洒地

母亲，其实我不寂寞

●小竹子

大学把五湖四海的人聚集在一起，但对内向的人来说，这简直是“地狱”。

每天，我会固定在几个时间点和母亲通话。我每每提到自己吃饭去了，母亲总会插进来一句：“没和同学一起吗？”

往常，我听到这儿，会觉得母亲总把我当小孩看待，所以敷衍了事，几句话搪塞了她。但母亲的回答里总有一股淡淡的忧伤，好像怕我落单，觉得我在逞强。这次，我还想说很多，但全憋了回去，兴许是害怕母亲担心，就耐心向她解释：“妈妈，她们点外卖，我吃食堂，不同路，而且食堂就在宿舍楼旁边，挺近的。”

挂断电话，我心里有种空落落的感觉，仿佛心被扎破，在漏气。

母亲，其实我不寂寞。

我很享受这种孤独的自由，没人约束我，想飞多高就飞多高，想半空停下就停下。

我不喜欢患得患失的感觉，就好像行走在断桥上，要时不时回头看一下才心安。

记得高中时，朋友有了新朋友，我也有了“饭搭子”。后来，我的“饭搭子”离开了我们寝室，搬去了另一个寝室，她成了别人的“饭搭子”。

我花了很长一段时间适应这件事。那是在高三，一分一秒都宝贵如金的高三。但我没有气馁，我为自己加油打气，告诉自己一个人也可以。迈出第一步后，第二步、第三步就成了习惯。后来，我开始享受孤独的快乐，一个人吃饭，一个人回寝室，一个人看报，无比自由。

但我从没告诉母亲这些。我跟她说的最多的一句话就是：“妈，我想回家。”

母亲，我不是大雁，我是一只老鹰，不用成群结队，也可以飞过那座大山。

（本刊原创稿件，视觉中国供图）

绽放了。“老师好浪漫。”有人说。

晚上，我把照片发在了微信朋友圈，很多家长点赞。我自己忍不住一遍又一遍地把照片放大来细看。

平日里我也会给他们拍照，在他们背书的时候，在他们看安全教育视频的时候……这些都是因工作需要而进行的记录。每次我说“抬头”的时候，他们就听话地抬头，淡淡地看着镜头。

但这张照片不一样。大概是就要放假没了压力，也可能是刚经历了一场小乌龙，他们笑得这样舒展。我没有像往常那样要求他们仪态端正。他们有的随意坐着，有的挺直了背，抬起下巴，有的勾肩搭背，还有几个男生十分霸气地高举旗子。他们看着我，而不是镜头。

我久久地看着这张照片，心想，这才是我想要的、花开的样子。

进入初三后，我常说“要是再多一些时间就好了”。我的焦虑比全班孩子的加起来都多。明明是他们参加中考，在后面使劲催着赶着的是我，不急不缓的却是他们。

我苦口婆心地劝说，总是希望他们能在课后再多花一点时间，最好把所有的时间都用来学习。三番五次说这些话的时候，我心里也在无奈地发笑。十年前，我也像他们这般坐在座位上，愣愣地听着讲台上的老师说着一样的话。我当时不懂，现在换了角色，体会深刻。可是当时懵懂的我不也一路摸索着走到现在了吗？

成为大人后，我总想着让孩子们的努力早点结出果实，才算见证成熟。可是花开不易，花骨朵儿同样惹人怜爱。这张照片这样明媚，我又在想，要是再多一些时间就好了。再多点时间吧，让这树上的每朵花都能开得尽情一些。

（本刊原创稿件，豆薇图）

大卫·霍克尼："我只想画画"

●有色 space

1839年，照相机横空出世，法国学院派画家保罗·德拉罗什首次见到摄影印刷品后高呼"绘画已死"。然而，绘画并没有被摄影取代，艺术家们避开追求真实、逼真的传统路径，开创出印象派、野兽派、抽象派、超现实主义等风格流派，"绘画已死"成了一个伪命题。

英国当代艺术家大卫·霍克尼，是20世纪以来最重要的艺术家之一。在过去的60多年里，他探索了摄影、版画、绘画和iPad绘图等多种艺术形式，作品让世人惊艳。

加州的阳光

1937年，大卫·霍克尼出生于英国约克郡西部小镇布拉德福德，1959年考入英国皇家艺术学院。

1964年，从英国皇家艺术学院毕业一年后，霍克尼第一次来到美国洛杉矶，就爱上了加利福尼亚州的阳光与大海，并决定从英国移居美国。加利福尼亚州的阳光与泳池成为霍克尼灵感的源泉，"游泳池与水花"系列在此"喷薄而出"。

霍克尼说："当你用相机照下水花，你将那个瞬间凝结后它就变质了。我领悟到人眼永远不可能和相机看到一样的水花，它如白驹过隙。我很享受缓慢地雕琢这一时间切片的过程。"

《大水花》，布面油画，1967

为了描绘那稍纵即逝的时光，霍克尼尝试用细刷和细致的线条去雕琢这朵四溅的水花。

挑战肖像画

20世纪60年代后期，霍克尼转向更传统的具象绘画方式。他开始给亲戚、朋友作画，描绘这些人的生活细节与情绪变化。他挑衅了传统肖像画风，也代表了那一代人的自信：我们可以颠覆任何东西。

《克拉克夫妇和珀西》被人们称为"英国最重要的当代艺术作品之一"。画中的夫妇是霍克尼的密友奥希·克拉克和他的新婚妻子西莉亚·伯特威尔，珀西是男主人腿上的猫。他们惬意地待在自己的卧室里，接受着画家的近距离观察。

霍克尼自述道："人物几乎是和现实中一样大的。画如此大的肖像是一件很困难的事，模特

《克拉克夫妇和珀西》，布面丙烯，197

需要维持姿势许久。我画了无数遍奥希，涂涂改改又涂涂改改，单是他的脑袋我便画了大概12遍。”

艺术史上的“黑客”

挑衅了传统绘画之后，霍克尼又开始挑战摄影。他宣称摄影从绘画而来，也将回归绘画。因此，有人称霍克尼是艺术史上可怕的“黑客”。

在摄影艺术领域，霍克尼创造出全新的艺术表现形式——摄影拼贴的新立体主义艺术。在他的个人主页上，他的照片被分为两类，一类是摄影拼贴，另一类是宝丽来拼贴。

摄影拼贴采取类似接片的方式，连续拍下同一物体的各个截面，形成鱼眼镜头一般的透视变形效果，给人以强烈的视觉冲击。宝丽来拼贴是拍摄同一对象的不同局部，再拼合回原来的整体。由于相机的视域变形以及人操作的影响，局部照片之间不可能实现完美的对接，经常会出现重叠或者错位，甚至视角的偏移。但正是这些重叠与拼合，给人以奇妙的拼贴观感。

霍克尼把相机当作画笔，用立体主义解构摄影，用拼接重新建构、连接眼前熟悉的世界，用块状的时间和空间的堆叠来拓宽视野。这种堆叠可以无限延展，甚至可以从一个点延伸到整个宇宙。所以，从本质上来说，这些照片是霍克尼用相机创作的立体主义绘画作品。

《巴黎弗斯滕贝格广场》，摄影拼贴，1985

《阳光下的洛杉矶泳池》，宝丽来拼贴，1982

用iPad画画

之后，霍克尼继续探索、尝试各种绘画媒介和风格。他用传真机、激光复印机创作，甚至用电脑、iPhone、iPad等设备画画。

霍克尼说：“我对一切能够做出图像的技术都感兴趣，相机、传真机、iPad等任何可用的媒介。”他强调真正有力量的是图像，而不是装置和行为。行为是现在时的，剧院是现在时的，但图像不一定是，时间是巨大的谜。

当传统的老艺术家们还在强调自己用胶片而不是数码相机，

《2020年4月22日，No.2》，iPad画，2022

或者不用手机也不上网时，霍克尼用手机发短信，用iPad画画。对他来说，画画是一件和时间赛跑的事。因为光线、色彩随时都在变化，所以iPad成了一种极为方便的画画工具，不用费时间支画架，不用等着颜料晾干，随时随地都可以画。

在已经持续60多年的艺术生涯中，霍克尼从未停下创作的脚步。他从来不止步于任何一种技艺和媒介，而是让它们在他的手上流动起来，汇聚成他对世界的观察和对自我的表达，构成一幅史诗般的全景图。

更难能可贵的是，在这个人人都说“绘画已死”的时代，霍克尼始终坚持创作皆需根植绘画，并与绘画本质相符。“我只想画画。”他说，“当你年纪大了就会发现，没有任何东西能和画画相比。”

（花摘自微信公众号“有色space”）

此心安处是吾乡

● 陶满月

初识《读者》（校园版）其实是很早以前的事情了。我曾在《给妈妈的小情诗》里写到，家人从我小时候起便致力于培养我的语文素养，所以家里一直整年地订阅各种杂志，《读者》（校园版）便是其中一种。因为可供选择的杂志实在是太多了，所以我有时候还没来得及将手头的杂志细细看完，下一期的杂志就到了。因此，在很长一段时间里，《读者》（校园版）给我留下的印象并不深刻。

直到高中开始住校。我起初非常不适应，加上高中学业任务越发繁重，自己的理想和师长的期许都沉甸甸地压在心头，我时常辗转反侧。夜越深，孤独就越发磨人，巨大的茫然和难言的忧伤将我的心扯出一个大洞。

偶然间，一本《读者》（校园版）正好被我夹在作业里从家里带上了宿舍的床。台灯暖黄的光线下，我郑重地翻开它，像是与一个久未谋面的老朋友寒暄，有些局促，又有些欢喜。

看了太多与高考、青春有关的波澜壮阔的故事，我本有些排斥，担心《读者》（校园版）也是如此。但捏着书页细细翻看后，我看到一颗颗细腻的心，一个个娓娓道来的青春故事，就像寒冬里的一杯热可可，一口喝下去，浑身舒畅。透过书页和文字，穿过时空的界限，我忐忑不安的心也得到抚慰。原来，我的迷茫从来都不是无病呻吟，这只是成长过程中一段再正常不过的阵痛期。前辈们已经顺利度过并踏上新的征程，他们站在远方，将过往的感受通过杂志传递给我，告诉我，没关系的，向前走，别回头。

我不习惯向人诉说内心深处的孤独，于是《读者》（校园版）就成了我孤独时光里的唯一观众。上课、考试、写作业，我的生活依然在有规律地继续，但我却不会再陷入对前路的慌张和迷茫，因为我知道，前路是满园芬芳。

晚上回到宿舍，学累了的时候我就会翻开一本《读者》（校园版），里面有无数个知己，他们静静等候着我，耐心听我讲述困惑与烦恼，让我在疲惫的学习之余，可以短暂地在另一个世界里畅游。无论是青春里的悸动，还是与同学的相处，我都能在其中找到答案和共鸣。

高考结束后，再回首时，我终于也可以云淡风轻地说一句："轻舟已过万重山。"那些看似不想重来的日子，却成了我最怀念的时光。而枕边常放一本《读者》（校园版）的习惯，我依旧保持着。是杂志里的无数个鲜活真实的故事，陪伴我走过了那段难熬的时光。只要看着《读者》（校园版），我就知道，这是我的心安之处。

我已到达彼岸，但有很多孩子依旧在重复着我的故事，挣扎在青春的迷雾中。所以我学着那些曾带给我鼓励和帮助的前辈，将我的青春故事用文字记录下来，希望能在某些时候给他们带去前行的动力和方向。

我多么幸运，在孤独又迷惘的青春期遇见《读者》（校园版），它见证了我的成长，给予我前行的力量。它是我的"此心安处"，是我永远的精神故乡。

（本刊原创稿件，视觉中国供图）

读者®

校园版

我们都是这样长大的

总第338、342期

成长合订本（第三辑）（上）

读者杂志社　编

读者出版社

图书在版编目（CIP）数据

《读者》校园版·成长合订本．第三辑 ：上、中、下 / 读者杂志社编．-- 兰州 ：读者出版社，2024．9．
ISBN 978-7-5527-0835-6

Ⅰ．Z89-55

中国国家版本馆CIP数据核字第2024VR9950号

《读者》校园版·成长合订本（第三辑）

读者杂志社　编

总 策 划　宁　恢
责任编辑　尹　莲
封面设计　张　林
版式设计　杨逸群

出　　版　读者出版社
发　　行　北京读者天元文化传播有限公司
地　　址　兰州市城关区读者大道568号（730030）
邮　　箱　readerpress@163.com
电　　话　0931-2131529（编辑部）　0931-2131507（发行部）

印　　刷　炫彩（天津）印刷有限责任公司
规　　格　开本 787 毫米 × 1092 毫米　1/16
　　　　　印张 24　字数 722 千
版　　次　2024 年 9 月第 1 版
　　　　　2024 年 9 月第 1 次印刷
书　　号　ISBN 978-7-5527-0835-6
定　　价　72.00元（上、中、下）

目录 | Contents

读写 DUXIE

互动 HUDONG

世相 SHIXIANG

自然之声

●叶申仕

英国的小鸟说英语吗
为什么我听不懂英国小孩说什么
却听得懂英国小鸟唱的歌——
跟中国小鸟唱的一模一样。

朝鲜的小溪说朝鲜语吗
为什么我听不懂朝鲜小孩说什么
却听得懂朝鲜小溪说的话——
跟中国小溪说的一模一样。

非洲的风儿说土著方言吗
为什么我听不懂非洲小孩说什么
却听得懂非洲风儿说的话——
跟中国风儿说的一模一样。

意大利的雷电说意大利语吗
埃及的蝈蝈说埃及语吗
日本的雪说日语吗

我听不懂外国小孩说的话
就像外国小孩听不懂我说的话
可是我们都听懂了
小鸟、小溪、风儿、雷电、
蝈蝈还有雪说的话

自然之声
是地球上唯一通用的语言
当它唤醒耳朵
就像听见婴儿在世界上发出的
第一串笑声
或者第一声啼哭
这时候我们就是同一个小孩。

（海生摘自《十月少年文学》2023年第10期，本刊节选，老老老鱼图）

给妈妈的小情诗

●陶满月

我来自一个教师家庭，或者更准确地说，来自一个“数学教师浓度”超标的家庭。

不仅我的爸爸妈妈是数学老师，连我的爷爷奶奶、姥爷姥姥也都是数学老师。

在这样无比强大的基因的影响下，尽管妈妈怀胎十月时天天给我读“四大名著”，但我学会说的第一句话不是“爸爸”也不是“妈妈”，而是“一一得一”。

“多好，赢在了起跑线上。”爸爸欣慰地评价道。每每提起来，他的脸上都是“虎父无犬女”的骄傲神情。可妈妈却如临大敌，迅速为我制订了日后的文学启蒙计划。

至于她为什么如此紧张，就说来话长了。

我的爸爸妈妈在同一个教师大院长大，他们青梅竹马，沿袭了长辈理科出身、数学系就读的传统。所谓得陇望蜀，对写作一窍不通的妈妈，天然地对文学充满向往。更何况在20世纪90年代，文学兴盛，中文系里天之骄子云集，少男少女白衣飘飘、吟诗作赋，是校园里最靓丽的风景线。所以那个时候的大学校园里，最流行的就是写诗。或华丽或质朴的诗句里，藏着诗人的绵绵真心。

哪个少女不怀春，所以当妈妈收到来自爸爸的信时，信里的情诗一下子就击中了她的少女心。几番下来，妈妈眼中的爸爸周身自带光环，妈妈看爸爸的眼神都带着滤镜。

每每说到这里，妈妈都会停下来，毫不留情地瞪一眼旁边一脸无辜的爸爸：“结婚后，一天我进书房翻开桌上的书，结果里面全是你爸爸‘写’给我的诗。”兢兢业业当抄诗人的爸爸试图为自己开脱：“我又没说那些诗是我写的……”眼看着妈妈游走在“爆炸”的边缘，我赶紧做乖巧状讨好她。妈妈总会摸摸我的头，语重心长地教导我：“可不要像妈妈一样啊，被人用几句酸溜溜的话就骗走了，还不是他自己写的。”

有“惨痛教训”在先，妈妈在我还未出生时就定下要将我培养成文学少女的目标。胎教要读“四大名著”以及纪伯伦、雪莱的作品，学龄前要背《唐诗三百首》，上小学要写日记、周记，上初中要看中外名著……简直恨不得直接把刚出生的我送去北京大学中文系深造。

成功把妈妈“拐”到家，爸爸也觉得为我树立“防骗意识”很重要，所以他举双手赞成，说：“毕竟家里有这么多数学老师呢，不愁你学不好理工科，就怕学不好需要日积月累的文科。”就这样，在一众理科生为我营造的文学氛围里，我成功长成了他们期待的模样，无论是吟诗作对，还是挥笔作文，我都信手拈来。

可渐渐地，妈妈开始察觉到事情有些不对劲了。升入初中后，第四次收到我的数学测验成绩不及格的通知时，她坐不住了：“宝宝，数学课有意思吗？”彼时的我浑然不知她平静表象下的风起云涌：“有呀，妈妈，只有上数学课的时候我才有灵感写小说。”

我毫无保留地说出实话，本以为她会和以往一样支持我，毕竟

十几年来，我阅读了一万多本书，但等到下笔时，写出的句子依旧平淡。反思昔日的粗放式阅读，才发现自己对经典作品囫囵吞枣式的阅读方法是错误的。譬如《古文观止》我只是随便翻过，生字、生词不去查，更别谈弄懂其中的含义了；需要花费时间和精力细读的《瓦尔登湖》，我只花了一个小时就翻完了，看书只讲究阅读的速度，不追求大脑的吸收率。

梁启超非常推崇《史记》，到三十岁时，还能背诵书中十之八九的篇章，并且做到了对重要段落的精读。因此他学到了那种汪洋恣肆的文风，下笔千言，横扫千军。

对待经典，应当“咀嚼”、吃透，才能将其转化为营养。否则，读再多的经典也无法在大脑中留下痕迹。

（梁衍军摘自《今晚报》2023年10月24日，视觉中国供图）

她最常挂在嘴边的话就是“数学嘛，随便学学就会啦，不着急不着急，比不得语文，语文可不是一天就能学成的噢”。“不行，宝宝，咱们还是得学学数学。”出乎我意料的是，妈妈一反常态地开始紧张。也许是觉得初中和小学不一样了吧，我并未在意。

可事实证明，我亲爱的妈妈是有先见之明的。当爸爸画完八个角度的立体几何平面图，就差帮我3D建模演示，可我还是一脸迷茫地看着他时，他开始崩溃：“我！教！不！会！”在上一题的讲解中已经被我气到离场的妈妈火速搬来救兵。姥爷笑眯眯地出现：“我教了半辈子书，还怕教不会我们家囡囡？”我有些心虚地摸摸鼻子，谄媚地将笔递了过去。

半小时后——

“桃李满天下，家里结苦瓜啊！”姥爷的眉头已经皱成了“川”字，“你怎么就学不会呢？”我默默哽住，眨巴着眼睛表示我真的尽力了。

我想不通。爸妈比我更想不通，按照生物学的遗传规律，数学基因传到我这儿也该稳定遗传了呀。数学成绩排名表上，且不说名列前茅，我也不该是倒数的常客吧。

妈妈当机立断，制订了新的“培养方案”，爸妈每天轮流给我辅导数学作业，周末加强训练，严格执行数学提升计划。爷爷奶奶、姥姥姥爷也都全身心投入这场“持久战”，立志要将我这颗“苦瓜”强扭成“甜瓜”。被这氛围感染，我也决心将我的小说创作大业暂时搁置，努力学习数学。

可是……

为什么啊？我已经很努力了，怎么还是学不会呢？

我不明白，家里的几位“数学大师”也不明白。一道证明题给出五种解法，一个几何题搭出六个模型，他们确实尽力了。

无数次的面面相觑后，他们放弃了数学提升计划，连夜改成数学及格计划。就这样，我依旧快乐地写点儿小诗，在文字里遨游。升入高中后，我“光荣”地成为家里第一个文科生。乃至后来填报高考志愿，我也义无反顾地选择了中文系，继续追逐我的文学梦。

而我的妈妈，则是一边欣慰于“我的女儿真有文采”，一边又五味杂陈地痛心我完全没有遗传到数学基因。但大部分时间里，还是前者更多。因为，每个节日在微信上给她写完一篇感人肺腑的“小作文”后，我都会收到她感动得一塌糊涂的回复。

我的妈妈呀，终究还是对酸溜溜的“情诗”毫无抵抗力。

但没有关系，因为不管是爸爸抄来的诗，还是我字斟句酌写成的诗，都饱含我们对她的爱。

（本刊原创稿件，莉莉夏图）

少女与霓裳

●简洁

1

现在想起来，我人生中购买欲最低的时候，应该是上初中时。

那时我们有两套校服，周一到周三穿黑色的，周四和周五换蓝色的，在衣服上唯一要花的心思，就是要买领口不同的白衬衫作为内搭。每天早上七点二十分，我们需要到学校集合跑步。我家离学校只有五分钟的路程，在路上常会遇见班主任。我和她打个招呼，赶到她前面，刚好不算迟到。然后我把书包往篮球场边的水泥凳子上一扔，都顾不上喘口气，就开始跑八百米，跑完之后接着早读，八点开始上课。

学校操场的跑道是用黑色河沙填的，人跑上去，它总会扬起黑色的沙尘。跑不动时，我会盯着远处缓缓冒出白色浓烟的烟囱——那大概是一天中节奏最慢的一个场景。

初中那段无法喘息的日子在我心中是灰蓝色的，这很大程度和我的班主任有关。每天课程结束后，她会训话半小时，训话的内容庞杂，从抹桌子的正确方式到不遵守纪律的处罚，甚至还会教我们如何为人处世。我当时对她由衷地敬畏，因此对她这种事无巨细的管教没有丝毫反抗的心思。她的公正、严厉，使我们在穿着打扮上使不出其他花招。即便在寒冷的冬天，我们想在校服外面套一件羽绒服都要犹豫半天。

那段“非蓝即灰”的日子，把我对于穿着打扮的欲望降到最低。后来，我竟会不时地想念那种每天不用花心思打扮的日子，那是一种被强制要求的心无旁骛、无欲无求。现在每每回想起那段时期，我都会想起那时画到深夜一点的电路图、不分寒暑假参加的奥数班以及中考体育得了满分的八百米。那也是我最不放纵自己，最有毅力的一段日子。

之后，我的八百米再也跑不进三分二十秒了。

2

到了高中，我很快感受到了穿衣的烦恼。

我的高中和初中是两个极端，作为全市最好的高中，在其他学校都要求学生穿校服的情况下，它非常任性地只规定我们每周一上午在举行升旗仪式时穿校服。我们常常会带一条牛仔裤，在升旗仪式结束后换下校裤，但是会把校服的上衣穿一个早上，好像都有点儿珍惜这不多的穿校服的机会。

这样当然是有优越感的。平时在放学的公交车上，其他学校的学生都穿着校服，只有我们学校的学生可以随心所欲地决定自己穿什么。但同时，我第一次感受到身边人因追求穿着给我带来的压力。身边的人迅速填补着我对于名牌的认知缺口。一些知名运动品牌每一季的新款上市之后，我都会看到学校里更新的风景线，这些名牌成了另一种意义上的校服。

当时全年级二十五个班，我的成绩即使是全班第一，也还要在整个年级的排名中厮杀一番。最后，我的名字被挂在了宣传栏的红榜上，但我旁边都是一些爱玩、爱打扮、体育好、有特长、成绩也不差、长得还好看的言情小说主人公一般的人物。比如，隔壁班有一个白净、俊美又时髦的男生，某次期末考试成绩出来，他是年级第八名，而我是年级第十二名——那已经是我高中前两年拿到的最好排名。传说他每天上课都在睡觉，一放学不是打篮球就是去网吧。那一刻我真切又无奈地感受到了人和人之间的差距，别人的举重若轻和我的拼尽全力。

不久之后，我爸第一次和我就虚荣心进行了郑重的谈话。我突然开始对容貌和穿着在意起来这件事，已经超出了他的理解范围，我们谁也没能说服谁。

转机来得出乎意料。高三前的假期，我背着父母去做了人生中第一次离子烫。随着满头的自来卷被拉直，仿佛心中的毛躁也被抚平了。每天早上起床时，我可以不用对着镜子纠结，穿衣搭配也顺利了许多。从那时起，我的零花钱最重要的用途就是拉直头发，这笔钱从此雷打不动地躺在我的预算清单上。

随之而来的还有一种解脱感。文理分科之后，我进入了新的班级，摆脱理科之后，我在学习上终于感受到什么是真正的游刃有余。高三竟然成了我高中三年中最放松的一年。进入别人眼中的顶尖学霸行列之后，我发现大家更关心学霸们的怪癖和个性，反而不大会讨论他们穿得好看不好看。

也许真正的原因是我自己也不在意学习之外的事情了，当精神上的虚荣得到满足时，物质上的欲望便不那么强烈了。

3

我的大学生活延续着高三松弛的节奏。

和高中阶段比起来，我在大学阶段真正享受了自由，无论是在精神上还是财务上。高中时那种爱慕虚荣又手头拮据的矛盾，在我有了真正的自由后，离我远去了。

很多年后想起来，我都觉得选择去广州读大学是我的幸运。我的很多同学家境殷实但很低调，他们的消费观让我耳目一新。班上有家庭条件很好的女生，她们生活得精致而讲究，但天生有一种“够用就好”的满足感。比如，她们会有一条每天都戴的质地很好的项链，不会去追逐每一季的新品。

和天南地北来的同学在一起，我才感受到我高中时遇到的情况是特例。大学宿舍是四人间，上面是床，下面是衣柜，每人还有一个壁柜。别人的壁柜都是放杂物的，而我的塞满了衣服。大家花钱不至于吝啬，但也没有攀比之风，走在校园里的女生风格各异，氛围宽松随性，懒有懒的美法，精致有精致的美法，大家各安其道。

我的两个室友也着实可爱，有时我还是会为穿衣搭配而烦恼，她们会宽慰我，说班上已经少有比我更会穿的女生了。而我另一个双子座的好友，更愿意把钱花在吃美食和看展览上。

身边的人对我的购买欲的影响是最直接的。读研究生的时候，我和外校考过来的两个女生一度玩在一起。她们有一个习惯，每天来宿舍叫我上课时，会品评一下大家今天的穿着。其中一个女生的眼光很毒，如果她觉得我搭配上有不妥，会拉着另一个女生一起嘲笑我一路。我渐渐感到难以忍受。这让我每天过得小心翼翼，同时也对她们理所当然的挑剔和品评感到不耐烦。

后来我买了一辆自行车，再也不用和这两个女生同路。每天早上七点五十分骑车去上日语选修课的路上，我能看见紫色和粉色的牵牛花刚刚舒展的样子、叶片上还没干透的露水、湖面荡起的涟漪，一切都很美好，美好到让我对这一整天都有所期待。想起以前这一路聒噪的挑剔和议论，我觉得我辜负了很多个这样的早晨。

无论你的购物清单上有什么，它们都应该带来快乐和满足，而非束缚和戾气，这是大学四年给我带来的见识和底气。

（林冬冬摘自湖南文艺出版社《少女与霓裳》一书，橙子酱图）

我的骄傲

●高大悦

读初中的时候，我最骄傲的事情是拥有一副近视眼镜。我喜欢自己戴上眼镜之后的文静模样，喜欢自己是人群里最独特的那一个，更喜欢那种被大家簇拥的感觉。

我是通过自己的"努力"获得眼镜的。健康卫生课上，老师耐心地教我们怎么保护眼睛——看书要在亮堂的地方，写字时眼睛和书本要保持距离，下课了要多看看窗外的景色放松眼睛。老师不知道，我希望自己的眼睛成为近视眼。看黑板的时候，我故意将眼睛眯起来；晚上在书桌前做作业的时候，我趴在桌子上，再将台灯的光线调暗；我还偷偷试戴了一下爸爸的眼镜，只是那副眼镜的度数太高了，还没坚持几秒钟，我就受不了，将它放下了。

我的"努力"很快有了结果。看电视的时候，字幕是模糊的，字和字之间开始重叠，字形也不清晰。

"妈妈，我好像近视了。"我小声地说着，生怕妈妈反应过度。果不其然，妈妈反应激烈，立马就给我预约了视力检查。在她眼里，女儿的眼睛近视是天大的问题。但在我看来，我终于可以拥有眼镜了。

那是一副很普通的眼镜。睡觉前，我将眼镜放在床头，侧着脑袋盯着它。台灯微弱的光打在眼镜上，它就好像博物馆里珍贵的藏品。黑色的镜框，细细的镜脚，圆形的镜片。我迫不及待地想去学校向同学们炫耀我的眼镜。

第二天的学校生活如我所料。当我昂首挺胸地走进教室的时候，连角落里的同学也抬起头来看向我；上课的时候，老师看似不经意地提问我，让我朗读课文。当然，最让我激动的是下课后，我的座位周围挤满了人。他们叽叽喳喳地议论，但我一点都不觉得他们烦，我斯文地用右手托了一下眼镜腿，抬起头一个个地回答他们提的问题。渐渐地，凑过来的人越来越多，我抬头看去，全是脑袋。我从未受过这么多的关注，我觉得自己就像讲台上的老师，又像聚光灯下的明星，还像跑道上的运动员。

我想，这都是眼镜的功劳。

从那以后，我的眼镜和我寸步不离。每一个课间，我都会用眼镜布擦拭我的眼镜；上体育课时，我也会将眼镜揣在衣服兜里跑步；放学的时候，我更是仔细地把眼镜收回眼镜盒里，免得它被沉沉的书本压坏。我并不觉得这样很麻烦，因为这副眼镜是班里的孤品，而我是唯一佩戴它的人。自信心让我的初中生活焕然一新。我的名字开始出现在表扬榜上，我的朋友圈子开始扩大到整个年级，老师和同学们都认识我了。

可我没想到，这样的快乐并没有持续很久。一个暑假过去，好几个同学都配上了眼镜，而且如出一辙，全是和我的眼镜同款的黑框眼镜。初中骤增的学习压力，让大家的眼睛都不堪重负。班里正好来了新的老师，她很努力地辨认着同学们，却还是将我和另一名女同学混淆了。因为我们留着差不多的发型，佩戴着差不多的眼镜，有着差不多的性格。老师

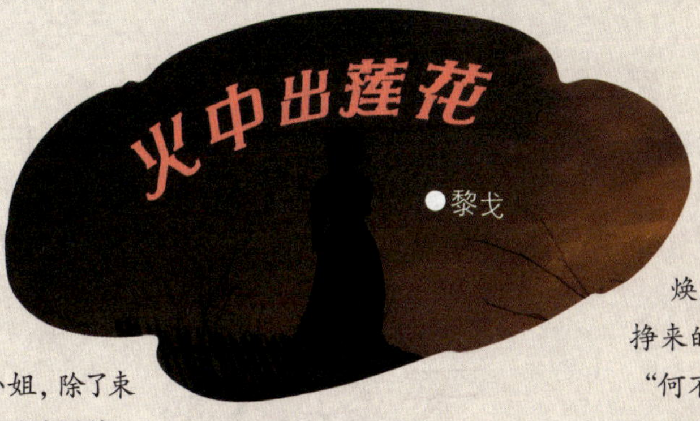

火中出莲花

●黎戈

《乱世佳人》里，那个戴着巴拿马草帽，撑着遮阳伞，穿着镶满蕾丝、坠着大蝴蝶结的蓬蓬裙的郝思嘉，庄园里的大小姐，除了束出十六寸的小细腰，和男性调笑，契合时代风气装晕倒、扮柔弱，什么都不用烦心。她穿着公主裙，看起来处处合宜，但又觉得哪里都不对。这甜美肤浅的容器，如何能承担她不规则的力量……那时她很美，可那时她并不美。一直到她蓬头垢面，穿着破衣烂衫，站在被战火烧成废墟的塔拉庄园的红土上，对着红色的天空举起拳头，宣称一定不会再挨饿时，她的美，才真正焕发出来。每一粒米都是自己挣来的，这样的劳动女性当然比“何不食肉糜”的公主美多了。我们原以为莲花出水是美，没想到，火中出莲花，更有一番苦练的顽艳和蹈险之美。

（羽惊林摘自江苏凤凰文艺出版社《心的事情》一书）

不好意思地向我们道歉，我还是止不住地失落，心里的落差仿佛游乐场里从高处急速下冲的过山车。

我不再是班里最独特的那一个了。

我开始嫌弃这副眼镜——镜框有些掉漆，镜腿有点变形，鼻托开始染上铜绿，松松垮垮的，总是滑落。我越是嫌弃，眼镜的缺点就越多。从室外走到室内的时候，眼镜上必定会蒙上一层烦人的雾气，就像两个厚厚的瓶盖挂在眼前。更恼人的是，其他女生都有一双有神的眼睛，眨眼的时候从来不会被这一层镜片挡住。

我不想再戴眼镜了！我把眼镜塞进了抽屉的最深处，把座位换到了离黑板最近的地方，把所有的课间时间都用来看窗外的景物。但近视是不可逆的，我只能低着头走路，这样才不会摔跤。但低头走路就顾不上迎面而来的同学，他们嘟囔着我不搭理他们。可他们不知道，我其实是看不清。就这样，我变回了一个普通的中学生，有着模糊的眼神和模糊的中学记忆。

我失去了引以为傲的光环，不再有人一直围绕着我。我将自己还给书本，心思全部放在了学习上。数学是我最薄弱的科目，于是我每天缠着老师问习题、学解题思路。英语需要背诵和朗读，于是我在食堂排队打饭的时候，都攥着单词本。到后来，又要学物理，还要学化学，科目越来越多，我只能用碎片时间来放松眼睛。那时候，看操场上的大树，我都觉得摇晃的树叶似乎在嘲笑我，笑我不懂得爱惜自己的眼睛。

功夫不负有心人，我的成绩突飞猛进。学期末的表彰大会上，我获得了上台领奖的机会。我还记得，表彰大会在大礼堂举行，有红色的幕布，木地板铺成的舞台，可以容纳一千人的阶梯座位。老师念到了我的名字，我从座位上起身，穿过同学，走上舞台。那一刻，我想起了自己最期待的光环。舞台的灯光打在身上，明亮又温暖，虽然看不清台下同学们的模样，但我听到了热烈的掌声，就像一阵又一阵的波浪。而当老师将奖状交到我手里的时候，我看清了她发自内心的笑，还有充满鼓励的点头。

表彰大会结束后，我回到教室，翻出了抽屉深处的眼镜。我擦去镜片上薄薄的灰尘，重新戴上了它。我的眼前一下子清晰了，我的心也一下子明朗了。

我终于知道，我喜欢的从来不是这一副眼镜。我着迷的是充满骄傲的自己，是可以昂首挺胸的自己。这样的骄傲，不在外表，而在努力后的收获。春天种下的种子，会在秋天结果，而一个小女孩也会在秋季，收获自己的骄傲。

（本刊原创稿件，视觉中国供图）

外婆是个语言天才

●周红

我的外婆生于1928年，没有上过学，是个地地道道的农民。但奇怪的是，她却有着不输语言大师的语言天赋。

1.词语

印象中外婆老当益壮，经常从两公里外的村里步行上街赶集。来街上的第一站当然是我家的小超市。如果是雨天，她就把那把橙色大伞一收，抖抖上面的残雨，对我说：“红，你把撑花儿拿到屋头去。”

她不说伞，说“撑花儿”，我听着很稀奇，便兴致勃勃地把伞接过来。这时外婆顺势把藏在伞后的包裹一并塞到我手上。我立刻明白了伞和“撑花儿”的区别，便快乐地叫道：“哈哈，撑花儿结果啦！”

妈妈就笑：“妈，我们屋里那么多吃的，你又给这个好吃狗儿买啥子嘛，她越吃越好吃！”

外婆的反驳就一句：“你叫她莫不得！”

我在学校没学过“莫不得”这个词，但我总能喜滋滋地理解它：那一定是比“没关系”“让她吃”更高级、更能体现偏爱的词语。

2.比喻

去集市把要买的东西买齐后，外婆就会坐在超市门口帮我们看店。对面也是一家超市，跟我家是竞争关系。外婆在招呼顾客之余总要朝对面瞟几眼。

有一次，她看到对面生意不好，就高兴地对我说：“你看对面那个大姐，坐到那里动都不动，像尊菩萨一样。”听了她的话，我脑子里那纹丝不动的菩萨和对面一动不动的店家瞬间重合，于是，我们俩齐齐笑出声来。

由于小超市投入成本不高，因此几年内小镇上的新超市如雨后春笋般冒了出来。

外婆给我买蛋糕路过这些新开的小超市时，总要愤愤地说几句：“这些人不晓得去做其他的吗？就知道跟别人学，像个跟狗子一样！”每每听到这句话，我也要恨恨地瞪几眼那些小超市，狠狠地吓一吓跟过来的馋嘴狗，再高兴地吃蛋糕。

3.反问

青春期的我是个“逆子”，经常跟爸妈吵架。赶集的前一晚，妈妈实在没忍住拧了一下我的脸。

我没在意，当然也没注意到脸上那一小块破了皮的指甲印。来赶集的外婆见到我说的第一句话就是：“红，你妈妈打你了啊？”

我死要面子：“没有啊，没有没有。”

外婆却很生气地对妈妈说：“幺妹儿，你当时那么想要个女儿，现在生了又不爱惜，打人硬是打脸才舒服啊？”

妈妈眼神飘忽，什么话也没说，但此后再生气也没拧过我的脸。

4.引用

后来，外婆来赶集的次数

花的量词

●罗逢春

朵、株、枝、丛、把、束、簇、捧、盆、钵、架、篮、园、垄、车、船。它们对应着花朵的产生和交易过程。

《白雪歌送武判官归京》中，梨花用“树”，词牌中梅花用“剪”。善攀缘的凌霄、牵牛、紫藤之类，可以用“墙”。荷花用“池”，柳永在《望海潮》中用“里”，多一些可以用“片”（花瓣也可以用），更多还可以在“片”前面加“大”“成”。苏东坡别出心裁，用过“城”。而在贵州百里杜鹃，可以用春天——一个、一个又一个，或夏天。通常，我们用的是平方公里——足足125.8平方公里呀。

当然，你也可以说我们的用法不太标准，但标准用法，找不到合适的数词。

（马儿摘自《人民文学》2023年第9期，视觉中国供图）

越来越少，因为她渐渐走不动了。我在县城上学，放假回家也是睡到日上三竿才起，而那时集市早就散了。

那天我在爸妈的一再催促下终于早早地起床了，刚到超市就听到一个苍老的声音：“红啊，你怎么这么没精神，是不是病了？”

我很惊喜：“外婆，你什么时候来的？”

她没回答我，而是拉着我继续说：“外婆给你挖了新鲜萝卜，‘萝卜上了街（方言读gāi），药铺都莫想开’，你吃了保管好。”

那一袋萝卜上还有斑驳的黑泥，它们黑黑白白的外皮跟外婆的发色很般配。我这才惊觉，外婆怎么都这么老了。

5.反复

上大学后，我回家的次数更少了。偶尔回家的我在逢集时也会帮忙看店，但人来人往的超市里再没有那抹熟悉的枯瘦的身影。

外婆卧床好久了。我想她，可也不那么想去见她，但最后还是跟着送货的爸爸去看她了。

外婆躺在床上，稀疏的白发胡乱地散在廉价又艳俗的枕巾上，见到有人来了立刻艰难地支起身子，压得身下的稻草垫子嘎吱作响。她瞪着病理性流泪的红灰色眼睛，哑着嗓子问：“这是哪个？哪个来了？是红吗？是不是红？”

我不知所措，照顾她的大舅娘连忙凑到她耳边大声喊：“这是红，她来看你了。”

我这才走到她床边，大声喊：“外婆，我来看你了。”

外婆终于放心地露出了干瘪的笑容，然后不顾众人的阻挠，下床坐到木桩上，又拉着我坐在旁边的板凳上，像从前一样开始聊天。

她的开场白还是那一句：“红真能干，读大学了，以后工作好得很。”

然后外婆停下来费力地望了我半晌，又说：“你妈妈命苦哦，没享到福，好不容易你和你哥哥都有出息了……把我的命给她嘛……外婆没得祥，没得祥，你妈妈命苦哦，命苦哦……”每每说到这里，我和外婆就齐齐落下泪来。

6.预言

外婆在语言上天赋异禀，而在预言上就资质平平了。所以，她对自己会活到103岁的预言没有实现。在95岁这年，她永远地闭上了眼睛。

我数了数外婆留给我的“利钱”，正好是103块。

真好，她可以少承受8年的痛苦。

真好，她可以提前8年跟壮年早逝的妈妈团聚。

真好。

我揭开黑布看了她最后一眼，那苍老得变形、凹陷得严重的嘴，再也说不出令我惊喜和温暖的话语了。

（海城楼摘自《中国青年作家报》2023年9月26日，匀犇图）

胆小鬼

●淡蓝蓝蓝

高三那年，她桌子上的复习资料码得像一座小山。她埋首在山脚下，占山为王。

周五的晌午，同桌斜斜地探过身来，惊讶地问：“都什么时候了，你居然还在看这种闲书？”她慢悠悠地翻过一页，语速极缓却又掷地有声地说道：“我喜欢宋词啊！”

那是一本《苏轼选集》。

周围响起一片欢快的哄笑声，有男生吹起口哨，有人随手扯了张草纸揉成团，向最后一排靠窗的男生砸过去。

沉闷的冬天，属于青春的那条河凝固着，却仿佛因为这个小插曲迎来了一缕风，河面荡起柔柔的波。

直到值周老师面色冷峻地出现在门口，仿佛带来一股寒流，河面瞬间冻结，笑声止歇。她吐吐舌头，收起《苏轼选集》，扯了一套英语卷子来做。

靠窗沉睡的男生坐起身，打了一个哈欠，将桌上的纸团随手向身后扔去，准确无误地落在墙角的垃圾桶里。他对之前的哄笑浑然不觉，眼神漫不经心地扫过第三排的她，内心并无波澜。面前的习题册封面被他压皱了，只有名字还工工整整地露在外面——宋词。

她不是那种开朗的女生，放在人群里并不起眼，成绩排名中游，循规蹈矩。这种类型的学生惯常会被老师忽略，名字都鲜被提起，也从来不会成为一个班的焦点。除了偶尔有一两个调皮的男生会促狭着问她：“曾黛眉，你喜欢宋词？”她眼睛也不眨一下，应和着：“宋词有趣，我当然喜欢宋词。”

看她一副不苟言笑的样子，旁观者便分不清这句话有无玩笑的成分，说了几次，自然觉得无趣。

宋词与她是完全不同的。即使是自习时间，宋词也在睡觉，但依然是年级里的学霸。学霸并不是书呆子，他会写歌，擅抢篮板，辩论赛上自带光环。她有时候会想，世界上怎么会有这么完美的男生，仿佛做什么都轻描淡写，却又能达到极致。

高中三年，他们几乎没有说什么话。每次从他面前走过，她都小心翼翼的，连自己呼吸了几次都能数得清。

他是她的秘密，庞大又隐秘。

她看着墙上的高考倒计时，甚至会悄悄地哭出来。有一次被妈妈撞见，妈妈心疼地说：“压力不要太大，尽力了就行，考得好不好无所谓。”

谁也不知道，她是因为越来越近的离别而难过。他那座山啊，太高了，他会考清华大学还是北京大学呢？她只知道，自己追不上他的节奏。

她也不记得是从什么时候开始有了这样一个习惯，在书包里装一本《宋词选》，仿佛这样就可以明目张胆地把他的名字挂在嘴边。她是一个胆小鬼，鼓足了勇气开玩笑，却因为太用力了，玩笑都不像玩笑。

春天扑面而来，他们依然像面对面的陌生人。她照例会在复习的间隙捧着看那本《宋词选》。他偶尔会在同学的笑谈里听见她的

一切都是新的开始

○韦芳杰 辑

日出之美便在于它脱胎于最深的黑暗。

The beauty of the sunrise is that it is born out of the deepest darkness.

你要像太阳一样，有起有落，却不失光彩。

You should be like the sun,with its ups and downs,but without losing its brilliance.

舞动指尖，附和海浪的翻腾，追随地平线爬升的曦光。

Move your fingertips,echo the waves,follow the sun on the horizon.

日出未必意味着光明，太阳也只是颗星星而已，只有在我们醒着时，才是真正的破晓。

Sunrise does not necessarily mean light,the sun is just a star,only when we are awake,is the real dawn.

天边渐明，日光透过云层，一切都是新的开始。

The sky is dawning,the sun is filtering through the clouds,and everything is a new beginning.

聆听鲜花的芬芳，嗅闻清雨的声音，观赏心情的甜蜜，品尝日出的阳光——这便是我所想要的生活。

Listening to the fragrance of flowers,smelling the sound of rain,appreciating the sweetness of the mood,tasting the sunshine of sunrise—this is the life I want.

站在世界某一个角落，
看着日出日落。

Standing in a corner of the world,watching the sunrise and sunset.

（浪花摘自《时代青年·哲语》2023年第9期，视觉中国供图）

名字，抬头望一望她，总是看不清她仓促经过的眉眼。

夏天如期而至，他并没有如她想的那样去清华大学或者北京大学，传闻他会去温哥华。她拿到了一张北京某大学的录取通知书，虽然是所不起眼的大学，但全家人都欢天喜地。她叹了口气，宋词里读到过的哀愁与失意皆在那一声叹息里。

大雨滂沱的傍晚，他们有一场离别宴，几十个少年第一次扮成大人模样，杯子里盛满金黄苦涩的液体。她来得最晚，他招招手，拿起椅子上的背包让出身边的位置。她紧张地坐下来。席间有人劝他干杯，她望着他为难的模样，拿过他的杯子，一饮而尽。

全桌人哄笑。

天渐渐黑了，有人哭有人笑，有人轻叹离愁，有人豪情万丈。她和他有一小段沉默又尴尬的时光。还是他最先打破这沉默，却偏偏问道：“听说你喜欢宋词？”她张口结舌，支吾半天，最后却只点了点头。然后，他被人拉到台上去唱歌，她被同桌拽着去了洗手间。

雨夜昏暗，离别也变得仓促混乱，没有说够再见，人群就散了。

他只在她坐过的位置拾到一朵蓝紫色的野花。

多年之后，他的小侄女从他的书架上翻出一本《苏轼选集》，看见里面夹着一朵干了的小花。

青春里你我都曾是胆小鬼，所以故事没有成为故事。

但是他们说，欲言又止的青春是一生中最美好的一个故事。

（林冬冬摘自《花火A》，豆薇图）

《偷书贼》：唯有读书可以救赎

●北方有佳

在《纽约时报》的畅销书排行榜上，有一部作品，位居榜单超过10年，先后被译成40多种语言，感动了无数人。

这本书的封面上，有一句醒目的介绍：“这是一个关于文字如何喂养人类灵魂的独特故事。”

这个故事，是关于一个“偷书贼”的。

读书，是生活的避难所

1939年冬天，一辆开往慕尼黑的火车正在疾驰，车里装满了面黄肌瘦的穷人。一个6岁的小男孩病死在车上，第一个发现他的，是他9岁的姐姐莉赛尔。莉赛尔一边叫醒母亲，一边使劲摇晃着弟弟，可是无论怎样哭喊，弟弟都没能醒过来。火车临时停靠在一个无名小镇，她们带着小男孩的尸体下车，找了一个墓地草草将其安葬。葬礼上，莉赛尔悲痛得几乎失去知觉。母亲使尽力气，才把她拖离墓地。在慌乱之中，莉赛尔看到地上有本书，就偷偷将它捡起来藏在怀里，好让自己以后能想起弟弟葬在这里。

母女俩重新乘坐火车前往慕尼黑。

火车到站时，母女俩饿得皮包骨，生存都成了问题。为了让莉赛尔吃饱饭，母亲狠心将她塞给远郊一户人家收养，然后头也不回地走了。

养父汉斯是个粉刷匠，养母罗莎替人洗衣养家。刚经历过生离死别的莉赛尔，十分想念弟弟和妈妈，每天都会做噩梦。半夜惊醒时，她就偷偷拿出在墓地里捡的那本书一遍遍地抚摸。她不懂里面讲了什么，但这样能抚慰她对弟弟和妈妈的思念。

有一天，养父汉斯发现了莉赛尔的秘密。他轻轻读出书名——《掘墓人手册》，惊讶地发现这并不是儿童读物。当莉赛尔告诉他书的来历后，他微笑着对莉赛尔说：“以后我们一起读这个。”在汉斯的陪伴下，莉赛尔渐渐学会了认字，并用阅读搭建起了自己的小世界。

自从开始读书，莉赛尔黑暗的生活仿佛有了光亮，压抑的心灵也打开了一扇通往幸福的窗。

毛姆说：“阅读，是一座随身携带的小型避难所。”

当我们沉浸在书籍中时，书里的一字一句都仿佛能覆盖心中的悲伤，缓冲我们的委屈与不安。

阅读，唤醒灵魂的一道光

书籍为莉赛尔打开了新世界的大门，但现实世界远没有书中那么美好。

莉赛尔所处的时代，正是法西斯专政时期，频频上演焚书运动。

有一天，小镇广场上又开始焚烧书籍，莉赛尔趁人不备，从堆积如山的灰烬中迅速捡起一本书，紧紧将其贴在胸口。这是莉赛尔第一次“偷”书。尽管书上残留的火星灼伤了她的皮肤，但她心中满是兴奋。

这一切，被镇长夫人看在了眼里。几天后，莉赛尔随养母来镇长家送洗好的衣服。镇长夫人故意将莉赛尔引进书房，那里有成排的书架和满满的藏书。镇长夫人默许她每次送衣服过来时，都可以在这里读一会儿书。这成了莉赛尔最幸福的时刻。

战争爆发后，大家的生活日渐困难，镇长家成了最后一个能雇佣莉赛尔养母洗衣的客户。直到有一天，镇长夫人告诉莉赛尔，他们也要取消洗衣服务了。这让莉赛尔难过不已，她再没有地方看书了。禁不住读书的诱惑，她潜入镇长家的书房，开始偷拿书籍。《吹口哨的人》《送梦人》《黑暗中的歌》……在偷来的书籍中，她看见了被高压病态社会压抑的正义、秩序、勇敢与光明。

第6次去偷书时，莉赛尔从玻璃窗上看到了镇长夫人凝视的目光。镇长夫人在莉赛尔偷去的书中夹了一封信，上面写着，希望莉赛尔下一次能主动敲门，以更文明的方式进入书房。

战争能够毁灭一切文字，却无法熄灭藏在文字下面的灵魂。就如莉赛尔从灰烬中“偷”走书，忍受火苗的噬咬时，她的心已经战胜了恐怖的战争。就如镇长夫人默许莉赛尔“偷”走书，她不过是用无声的行动，对抗这个黑暗疯狂的世界。

雨果说：“书籍是造就灵魂的工具。”

人终其一生，就是不断地通过阅读看见自己的灵魂。

读书，是托举人生的支点

战争越来越激烈，一天，马克斯逃到莉赛尔家，请求他们救命。善良的汉斯，冒死将他藏进家中的地下室。地下室潮湿阴冷，加上心情抑郁，马克斯高烧不退，他虚弱地跟莉赛尔说，害怕自己一旦睡着，就再也看不到这个世界。莉赛尔为了让他振奋精神，坐在床边一遍一遍为他朗读，从下午一直读到深夜。清脆的朗读声犹如一只手，把他拉出深渊。他逐渐打起精神，有了战胜病痛的勇气。慢慢地，马克斯的精气神回来了，身体也开始好转，没过多久就康复了。

再如霍茨佩菲尔太太，她是莉赛尔的养母罗莎的死对头，有时她经过莉赛尔家门口，甚至会狠狠吐一口唾沫。当儿子在战场上死去后，她变得精神恍惚，终日以泪洗面。莉赛尔得知后，每天去她家为她朗读书籍。霍茨佩菲尔太太已经封闭的心，被女孩的读书声打开，空洞的双眸慢慢恢复神采，开始正视现实生活，不再沉沦于失去。

在那些令人无比恐惧的遭遇空袭的日子里，小镇的人躲在防空洞里，满面愁云，唉声叹气。在角落里的莉赛尔默默打开一本书，轻声诵读起来。

渐渐地，哭泣声、抱怨声、辱骂声都停止了，人们的表情随着故事情节而变化着，每个人都被书中的故事所吸引，暂时忘却了外面的死亡和杀戮。

莉赛尔坚持读了那么久的书，战争依旧没有结束，生活依旧艰难，有时她不禁怀疑：读书教会她珍惜生命，却救不了那么多生命；读书教会她热爱生活，却给不了她书中美好的生活，文字到底有什么用？

此时，镇长夫人敲响了她的家门，提示她，如果读书不能消弭人性的残暴和现实的复杂，那么属于自己的文字，会让思想永存，让自己重生。

于是，莉赛尔从阅读者开始变成一个写作者。也正是因为在地下室专心写作，她躲过了空袭，成为唯一的幸存者。

后来，战争结束了，莉赛尔将“偷书贼”的故事记录下来，讲给很多人听。

她用自己的人生经历告诉我们：每一个不放弃自我，通过读书成长蜕变的人，都是敢和命运抗衡的勇士。

书籍是一个个托举人生的支点，让你哪怕身处黑夜，也永远有一颗不言弃的心。

（鬼鱼摘自微信公众号“每晚一卷书”）

炼兽师，复活东方神兽

●浦东

从零开始，耗时3年，中国第一只自主研发的巨型机械兽诞生。它不但可见、可摸，还会眨眼、点头、咆哮、吞云吐雾、露出獠牙……仿佛下一秒，《山海经》中的神兽就要扑面而来。这些装点景区的“巨兽”的设计者是机械装置艺术家肖迪——一家机器人科技公司的创始人，人称“炼兽师”。

想干点儿有意思的事

肖迪从小喜欢画画和设计。上课时，他在书上、试卷上画，画满后就在书桌上画。有一次考试，肖迪考得不错，每月工资只有98元的妈妈拿出28元买了一个变形金刚玩具奖励给他。这对一个孩子来说，是极大的激励，在他心中掀起了小小的浪花。他梦想着有一天自己也能造出这种激动人心的大玩具。

后来，肖迪考上了大连理工大学，大二时担任学生会美术宣传部部长。那时没有印刷海报，活动宣传图全靠水粉画、毛笔写，很锻炼画技。作为一名工科专业的学生，他却在大学因美术而出了名。

备考研究生期间，肖迪买了电脑，自学设计。创作了几幅图后，他被学校刚成立的多媒体研发中心的钱教授欣赏，加入莫比斯多媒体光盘国际大奖赛的队伍。

物理教材上的科学原理示意图，都比较抽象和晦涩。钱教授提出，能否用多媒体方式更加直观地展示理论？确定这一选题后，肖迪和团队开始利用业余时间创作，先使用3D动画去模拟黑洞、万有引力等，再展示相对论原理。花费了一年左右的时间，他们制作了上百个小动画来展示宇宙理论，再用多媒体软件将其合成到一个光盘上，取名为《宇宙之谜》，准备冲击辽宁省选拔赛。没想到，这个理念超前的设计作品一步步从省级比赛打到了国家级比赛，并一路冲进了世界级决赛，最终获得了第八届国际莫比斯多媒体光盘大奖赛（巴黎）5个大奖之一的教育大奖。评审委员会一致认为，《宇宙之谜》将艰深的科学理论演绎得通俗易懂，设计颇具艺术性。

因为在这次比赛中的特殊贡献，本科毕业后，肖迪破格留校任教。工作期间，他考取了美术学雕塑专业的在职硕士研究生。几年后，他辞职并创立了公司。强烈的创作欲望需要找一个出口，肖迪希望干点儿有意思的事。

“中华巨马”引爆流量

肖迪所在的团队在公司创立初期相继参与众多电影的特效、游戏动画制作。2010年，他又接触到全新的文旅行业。此时的文旅产业，已经历了几次升级，处于高速发展阶段。

肖迪几乎每年都会出国交流，看到很多国外的先锋艺术家用高科技结构和材料创作出很朋克的装置艺术，他受到不小的启发。他想，自己有机械学基础，又热爱设计，肯定可以做出兼顾艺术和科技的作品。博大精深的中华文化为什么只能存在于博物馆呢？它应该以某种方式更为生动地展现在游客面前。

有了这一想法后，肖迪开始研究机械装置艺术。他为此学习了结构力学、液压传动、电子控制和材料学等知识，逐渐熟悉工程逻辑，尝试将技术与艺术相结合。

肖迪完成的首个大型机械装置艺术作品“中华巨马”历时3年，仅设计阶段就有3000多张图纸，前后投入超过2000万元，定制了上千个零件。“中华巨马”的头有一吨多重，如何让脖子顺利带动头摆动？这需要非常复杂的控制系统编程，只能反复设计，比如脖子应该设计多少节，每节之间怎么联动等。此外，装置的功能和美感也需要不断去妥协和平衡。复杂的钢结构骨架，需要通过智能化控制及合理的逻辑程序编制。全身98个关节能极大限度地实现机械仿生，再结合艺术化设计的外部造型、特效系统、声光系统，“中华巨马”整体视觉冲击力十足，具有东方神秘艺术气息与现代工业特有的机械美感。

2019年7月1日，在大连举行的夏季达沃斯论坛会场外，这匹高8米多、近50吨重的巨兽“中华巨马”，吸引了众多参会者驻足观看。在4名机械师的操作下，“中华巨马”时而跃起，时而昂首、摆尾，为参观者带来强烈的视觉冲击。这匹巨马很快成为参会嘉宾的打卡景点，各国政要、商界精英、专家学者纷纷举起手机拍照，与之合影。

当年国庆假期，“中华巨马”在河南开封参与当地景区巡游活动，它不仅能张嘴吐舌、眨眼、摆尾，还能嘶鸣、喷烟、喷火、喷雾，仅在抖音平台，关于“中华巨马”的视频的点击量就达到3000万次以上。

在打造巨兽装置的过程中，肖迪逐渐提炼出一套名为“尖叫美学”的方法论。

“尖叫美学”主要包括奇迹感、生命感与美感3个组成部分。肖迪说：“参观者突然看见这么一只巨兽，会感到惊奇，觉得它好像不是来自现实世界，这是奇迹感；巨兽具有丰富的面部表情，参观者与它互动时，会不由自主地觉得它是一个活的生物，这是生命感；巨兽有着独特的外形，是机械与文化的有机结合，这是美感。”

打造国潮神兽

有了经验后，肖迪持续探索“巨兽”形式的大型机械装置。中国古代有很多相关题材，比如《山海经》中就有诸多兽类形象。他带领团队马不停蹄地上线了貔貅、猛犸、巨象等多个巨兽作品。他运用“尖叫美学”为全国多个旅游景区打造的巨兽装置，不仅收获了游客的喜爱，也得到了景区的认可。

2020年9月19日，由肖迪带队创作的巨型机械仿生装置艺术系列作品“黄金巨马”落地都江堰融创文旅城。“黄金巨马”的动作细腻程度提升了不少，内部控制系统和零件更加完善，全身有100多个关节可以活动，仅头部和颈部关节就多达40个，整体看上去栩栩如生。这一年，他还为南京汤山矿坑公园打造了“金陵辟邪”。它是高8米多、总重近60吨的庞然大物，仿佛从神话中飞腾而来，全身百余个关节灵活自如，眼睛瞳孔可放大可缩小……

中华优秀传统文化中记载了数不尽的珍禽异兽，未来，肖迪想通过新的艺术形式来展现它们，打造具有完全自主知识产权的“国潮神兽宇宙”。

（五花马摘自《莫愁·时代人物》2023年第9期）

球星受伤越惨，越被路人喜欢吗

●殷锦绣

在2022年世界杯比赛中，巴西球员内马尔9次遭到对手侵犯，最后因脚踝受伤退出比赛。媒体在报道这一事件时，总会提到他“曾创下当场比赛被侵犯10次的纪录”。不解的“路人”发问：“为什么他会这样被针对？”立刻有球迷科普内马尔有多强，放他各种花式进球的视频，当然，还有十分帅气的西装照……

一时间，无论看没看世界杯，是不是球迷，网友都开始了解和“心疼”内马尔。

其实，不只是体育界，“美强惨”放到哪儿都是一种“吸粉”无数的“人设”。“美”，就是外貌俊美，有吸引力；“强”，就是能力或才华突出；“惨”，就是有不幸的人生经历。

“美”吸引我们的注意。比如，对称的面孔就有着跨文化的吸引力。某短视频平台曾有一个模板，可以测脸是否对称，很多网友惊讶地发现，原来自己的左右脸差异非常大。大多数人也会喜欢匀称的身材，比如肌肉线条、恰到好处的腰臀比等。

进化心理学认为，这种对美的注意和向往，可以说是根植于我们天性中的。因为在原始社会中，面孔对称、身材匀称等“美”的特点，往往和健康、能生育挂钩，而这些在原始社会中都是至关重要的。

“强”激起我们的向往。“强”在进化心理学中，当然和“美”有着类似的象征意味。只有强者才能捕到足够多的食物，才能保护家人不被野兽侵袭，所以仰慕强者也是一种近乎天然的心理。

有心理学家认为，这种仰慕本质上是我们对于“理想自我”的向往。理想自我是一个人理想中希望自己成为的样子，多数情况下会比现实自我更强；但如果理想自我比现实自我强太多，我们就会失落、沮丧、抑郁。在这种情况下，喜欢那些和我们的理想自我相似的强者，在心里建立起和他们的联系，会让我们感觉离理想自我更近一点。

“惨”拉近我们的距离。“强”招来的不只有仰慕、向往，如果有人又美又强，已经远远超过了我们的理想自我，未免遥不可及，就会让我们相形见绌。所以，仅仅有“强”会招来嫉妒，甚至记恨。“美强惨”人设中的“惨”是点睛之笔，可以拉近我们和“美”“强”之间的距离。

日剧《四重奏》中有句台词，描述成年人吸引他人的套路：“变成猫，变成老虎，变成被雨淋湿的‘狗狗’。”如果只是一只俊美强壮的“狗狗”，也许还会让一些人感到害怕，但被雨淋湿的“狗狗”，就会格外惹人怜爱了。

就像网友总结的那样，“美”吸引“女友粉”，“强”吸引“事业粉”，“惨”吸引“妈妈粉”，所以“美强惨”的“人设”无敌“吸粉”。但我们仍希望，在现实生活中，有“美”和“强”就够了，而“惨”尽量不要发生。

（层林染摘自中青在线，邱炯图）

言论

文化存则国家生——是文物的接力，也是文明的流浪。

——战火不断的叙利亚将自己的文物送到各国展出，以避免战火对文物的影响。中国多家博物馆参与了这场守护接力

数学和钢琴是我最喜欢的东西，这两者存在共通之处，都是美妙的艺术。

——第5届阿里巴巴全球数学竞赛近日落下帷幕，17岁的重庆少年、北京大学大二学生瞿霄宇成为该项赛事历史上最年轻的满分金奖得主

当我们抱有敬意地寻找时，美好的事物决定接近我们。

——你会遇到、认识或发现什么样的事物，很大程度上取决于你接近它们的方式

感谢宿舍区的每一只猫咪，治愈了我很多的不开心；感谢每一本我看过的小说，文字是我的乌托邦；感谢牛肉火锅，给了我很多次满足的感叹；感谢傍晚好看的晚霞、校道上洒下绿荫的大树、偶尔跟朋友在操场散步的夜晚……

——“这届年轻人”把爱宠和美食写进论文致谢部分

长安大学的支教老师来了，他们告诉我们，不论起点有多低，只要奋力奔跑，就会抵达终点。

——山区女孩肖红玉受长安大学研究生支教团老师影响，6年后考入长安大学

人只要铆足劲儿往前走，就一定会有新的东西在前面，甚至是比错过的、懊悔的还要好一万倍的东西。

——如果觉得自己陷入进退维谷，那这里就不是属于你的地方，就更要走到前面，走到高处

40多年来，每次走进教室上课，我都会对孩子们说一句“起立”。“起立”代表着力量、希望和行动。中国的“起立”，将由孩子们的“起立”撑起，而孩子们的成长，离不开教师的“起立”。

——张桂梅在《写给青年教师的一封信》中如是说

再见啦，我最热爱的篮球。感谢你赋予我这段21年的美妙旅程，这是一段此生难忘的宝贵经历。无关胜败，皆是热爱。

——CBA（中国男子篮球职业联赛）历史上首位4次获得常规赛MVP（最有价值球员）的篮球运动员易建联宣布退役

我喜欢我们的人生不仅仅为了生存，还有奢侈、虚荣和美丽。有些阶段就是需要踩着这些华丽的东西才能跨过去。

——金爱烂《容易忘记的名字》

人们很容易嘲笑它（PPT）的企业特性，但真正的故事是它的参与性和民主性。高中生用它，拉比用它，它甚至被人们用来进行婚礼祝酒。

——PPT发明者之一丹尼斯·奥斯汀去世，享年76岁，引发人们对PPT历史的回顾

我是马来熊吉拉，昨天我下班后，接到园长电话，问我是不是偷懒没有上班，找了“两脚兽”代替我。没想到我“熊在山中坐，热搜从天降”。

——因为过于“人里人气”，杭州动物园马来熊被怀疑是人假扮的，还因此上了热搜。动物园以马来熊的口吻回应了质疑

“你们只管好好学习，我负责保家卫国”“鲜衣怒马少年时，不负韶华行且知”“纵有狂风拔地起，我已乘风破万里”……

——曾驻扎在吉林省扶余市士英小学参加抗洪抢险救灾任务的武警战士隋瀚峰和刘晨龙，利用晚饭后就寝前的时间绘制了多幅黑板报，作为送给学校师生的礼物

（李宏、赵楠等摘）

和孩子“谈情说爱”吧

●刘小念

1

最近，我一直被一本日记感动着。日记来自我刚送别的毕业生刘槿，她是从上初中不久开始记上日记的。

这本日记不光有对学业压力的“吐槽”，还有一部分很重要的内容，是关于爸妈的——“妈妈每天五点多起来做饭，爸爸每天‘早六晚九’接送我，很辛苦，好抱歉。”“过几天是爸妈的结婚纪念日，想了很久也不知道送他们什么。晚上偷偷起来临摹了他们当年的婚纱照，被妈妈发现，被骂不务正业，呜呜呜……”“晚上我学到几点，妈妈就陪到几点，让她睡，她就说不困，但她的黑眼圈很诚实。我要好好学习，将来给她买最贵的眼霜。”

离中考还有8天，孩子还写了一句话：“看到爸妈那么焦虑，我很抱歉。我在想，如果没生下我，他们活得该多洒脱。”正是这句话，把刘槿的爸妈看哭了。他们从来不知道，自己的孩子如此在乎他们。

中考结束后，他们以为孩子一定会睡上三天三夜。可是，一觉醒来，看到孩子在厨房里忙得热火朝天，她笨手笨脚地熬着粥，煎着鸡蛋。刘槿说：“你们为我早起了9年，今天我也给你们做顿早餐。”那一刻，前嫌尽释。

刘槿的爸妈之所以把这本日记交到我手上，是因为他们很自责、很后悔。他们一次次错过了与孩子沟通、增进感情的机会，亲手在自己与孩子之间垒起了一堵墙。他们对我说：“其实仔细想想，和孩子一起聊聊生活，一起庆祝节日、选选礼物、吃吃饭，能浪费多少时间呢？就算浪费一点儿时间，也是值得的呀。”他们还有一句话非常打动我：“我们是这么不可爱的爸妈，但孩子从来没有停止过爱我们，真是羞愧。”

但日记毕竟是刘槿的隐私，我让她爸妈先征求她的意见，然后再选择是否让我看。刘槿非常通情达理，对我说：“老师，您看吧，我写的都是心里话。”直到此时，她才坦率地对我说：“老师，其实初中3年，我的压力很大一部分来自爸妈，我嘴上多爱顶撞他们，内心就有多抱歉。我妈一句‘好久没买新衣服了’，我会觉得，都是因为我，爸妈才活得这么委屈。”

2

这个暑假，令我更为感慨的，还有一件事。

前几天，通过中考考进全市排名第一的高中的学生柳涛来看我。将近一个月没见，本来就瘦削的大男孩，如今更是瘦得皮包骨头。我拍着他的肩膀问：“怎么搞的？不是说好假期要好好锻炼身体，多多吃饭，争取长到135斤吗？”

柳涛努力冲我笑了笑，说：“前一段时间我生病了……”原来，中考后，柳涛的日子并没有因为考上重点高中而好过。相反，因为他没能通过统招进入重点高中，进校靠的是统配名额，这让他的妈妈非常失望。她在孩子中考分数公布之后，整整哭了3天，然后就给他报了一个为期30天的“初升高”衔接班。在她看来，柳涛没能以统招身份考进重点高中，没能考进全市前100名，没能考进重点高中的“强基班”，就是考砸了。

事实上，柳涛临考前身体就出过问题，曾经两次突然看不见黑板上的字。中考数学考试开考半小时前，他头疼到拿笔尖扎手臂。但这些情况，都被他的妈妈视为一时的紧张，认为他多参加几次大考就好了。

中考后，柳涛的妈妈给他报了班。他每天仍像中考前一样，除了吃饭、睡觉，其余时间都在上课。稍微走神儿，妈妈就会责问他：“中考考砸了，高考也要继续砸锅吗？”他的状态越来越差，先是上课无法集中注意力，连最基础的数学计算题都做不出来，后来则出现了幻听。

直到这时，柳涛的妈妈才肯带他去医院，而他被确诊为中度抑郁、中度双相情感障碍。他住了一周院，回到家，他妈妈做的第一件事就是拿出数学练习册，让他做题。当他把那道高中函数题解出来后，他的妈妈泣不成声：“儿子，你还能做出来题，说明身体已经没事了，对不对？咱们明天就去上课，好不好？”尽管他还是很难集中注意力，每晚连睡半小时都很困难，但还是选择背起书包去上课。他说：“如果知道我学不进去，我妈就垮了。”

柳涛找到我，对我说：“老师，要是哪天我不在了，麻烦您告诉我妈，我真的很抱歉，我也真的尽力了。让她再生一个孩子吧，肯定比我优秀。”那一刻，我抱住这个骨瘦如柴的孩子，没能控制住自己的眼泪。

后来，我找到柳涛的妈妈，跟她讲了孩子的现状，也复述了孩子对我的嘱托。我以为他的妈妈一定会改变。但她挺直腰板，字正腔圆地跟我说：“老师，你别相信一个孩子的胡言乱语，他就是在为自己的懒惰找借口。抑郁、双相情感障碍，呵呵，一个孩子每天衣食无忧，就听听课、做做题，怎么可能得上这样的病？”她再三叮嘱，千万别把这件事讲给第三个人。后来，我发现，母子俩同时把我的联系方式“拉黑”了。

3

刚送别的这届毕业生里，有一个叫蒋诗晨的男孩，他和爸妈关系很好。

蒋诗晨的妈妈对我说，从小到大，他们从来没有打骂过孩子。在他们家只有一个规矩：凡事讲道理，谁对就听谁的。孩子每次做错了事情，爸妈说的第一句话是：“你做错了事，是爸妈没有教育好你，爸妈会和你一起承担责任。”第二句话则是：“就算你做错了事，爸妈也爱你。”

上了初中，蒋诗晨的学习骤然变得紧张。可是，每天不管时间多紧张，他的爸妈都会“不正经”地打扰他：“来，唠10块钱的，别一直学习。”每天不管多忙，哪怕只有临睡前的几分钟，爸妈也会跟他讲讲他们在工作、生活上遇到的事，听他讲讲他在学校遇到的人和事。偶尔，爸爸会加班到深夜。但不管多累，他一定会在蒋诗晨临睡前，给他打一个电话，道一声晚安，“肉麻”地跟儿子说一句：“爸爸爱你。”

就是这样一个被爸妈充分疼爱的孩子，自身拥有松弛感，为人处世周到平和。无论大考、小考，无论运动场、考场，他永远不紧张，经常超常发挥，妥妥的“黑马”和“千里马”体质。

美国心理学家艾瑞克·费洛姆有一句话：“我希望我所爱者，能够按照自我的意愿，依其自我的方式生长和发展，而不是服务于我的目的。”所以，家长们，每天拿出一点时间，和孩子“谈情说爱”吧！每天抱抱孩子，和他们聊聊天，或者临睡前告诉他们：“我爱你！”这比督促孩子多背几个单词、多做几道题，更有意义。

（枫林晚摘自微信公众号“写故事的刘小念”，陆世清图）

少年的旋转

●苏东

大概在我上小学一年级那年，我爸妈有一回在厨房里吵架，吵得惊天动地。

厨房是个比较危险的地方，里面包含了一个家庭易碎和具备攻击性的东西，某种意义上，那是一个家庭的“军火库”。作为一个六岁的儿童，当时的我对争吵还不具备免疫力。我立刻跑到厨房，拉着他们的衣服，哭着说：“爸爸妈妈，求求你们，别吵了。”

但事与愿违，我的阻止很大程度上反而推动了他们的争吵。

眼看激烈的争吵无法平息，六岁的我选择了一个奇葩又自毁的方式来制止他们，我说：“你们如果还吵架，我就不停转圈，转到你们停止吵架为止。”

那时，我刚刚在小区的小伙伴之中获得“转圈王”的称号。我是那么精通转圈，以至于没有一个人能比我转得快、转得久。选择以转圈来制止吵架，潜意识里，我可能是想用一种自己更擅长的方式来掌控局面。

我在他们的吵架声中开始转圈，如同一个舞台上的小丑。他们的争吵声，简直就像在给我喝彩。我越转越快，天旋地转间，突然失去平衡，一头撞到了家里的棕色米缸上。

当时我就晕了过去，后面的事情也不记得了。

如今回想，严格来说，我爸妈吵架并不算很频繁。后来他们再吵架，随着成长，我也有了多种应对方式，比如躲进屋里听歌，比如用比他们更大的声音吼“别吵了”，比如摆出一张嫌弃且烦躁的脸。很多时候，我记不清他们吵架的内容，但能记得身处其中的那种焦躁不安。我对这种情绪太熟悉了。

在我长大之后，有时候吃饭，我会跟爸妈聊起“天旋地转”的那一年。但是他们不约而同地摆出一副如听天书的表情，问：“什么？怎么可能？我们家什么时候发生过这种事？”他们甚至会说：“我们什么时候吵过架？那不过是辩论罢了。”

但毋庸置疑，贯穿于我成长之中的这些大大小小的吵架事件，一定程度上也塑造了我。我在工作和生活里，总被说“脾气很好”“性格稳定”“好相处”，但我深深知道，在我内心深处，一定潜伏着一场激烈的风暴。它与我的成长密切相关。我厌弃它、憎恨它，却无法消灭它。

这也是为什么，我会排斥旷日持久的冲突。人和人的争吵如果一定会出现，我不会回避，也不会激化，我会千方百计地预警它，标记它，解决它。这是我从我爸妈的爱情中习得的一种能力。

那次年少时的旋转，也给我留下了生理上的缺陷——我再也不能转圈了。时至今日，只要我原地转一圈以上，我的世界必然天旋地转。这也是为什么，有一年中央电视台的《春节联欢晚会》上，小彩旗在舞台上转了四小时，别人看到的是她的美，而我看到的，是我逝去的少年时光。

（林冬冬摘自微信公众号“人物”，习k图）

关门打烊

●章学城

古人在赶路的时候，如果累了，会短暂停留，找个地方休息或吃饭，这被称为“打尖”。提供打尖的场所一般都是酒店、饭馆之类。不过，到了晚上，酒店、饭馆往往会打烊，就是关门、停止营业的意思，而打尖的人是不希望店铺打烊的。

“打尖”这个词，在北方比较流行，特别是北京、天津一带。这个看上去让人猜不出意思的词，到底是从哪里来的？有两种可能。一种是，打尖原来叫“打火”，就是用引火工具点火。想吃饭，就得生火做饭。有些客人一路奔波，身体感到很疲惫，需要用热水泡泡脚，吃口热饭。在门口负责接待的店小二，远远看到有客人来了，就对厨房的伙计喊：“客人来了，打火哦。”时间长了，“打火”这个词就流行开了。后来被叫成打尖，也许是因为容易被误听为“打虎”吧。另外一种呢，打尖原来叫“打间”，“间”就是用来供客人休息的房间。后来也被误叫为打尖。

说完这打尖，再来说说打烊。“烊”原来写作“炀”，在方言里是炙燥的意思，也就是有火或者热的意思。关于这个词的由来，也是议论纷纷。

流传最广的说法是，打烊指熄灭酒店里的火。酒店全靠火来烹饪，做生意，把火熄灭，也就意味着这一天的买卖做完了，准备关门下班了。

也有人说，打烊其实是点火的意思。不过点的不是炉火，而是烛火。到了晚上，客人越来越少，天越来越黑，看不清货了，买卖双方都不方便，于是掌柜决定收工。在收拾东西的过程中，需要点燃蜡烛来照明，这便是打烊。“烊”代表的是蜡烛。后来，打烊便成为约定俗成的叫法了。

这些解释听起来都很有道理，但没有下面这个显得有趣。那时候的酒店、饭馆等售卖食物的场所，常常引来小动物的光临。到了晚上，伙计们会检查一下房间里有没有爬进来小动物，常常拿一根木棍敲一敲门窗，把它们吓跑。检查完之后，把门窗关好，防止小动物趁人不在时来偷吃食物。这个“烊”呢，指的就是售卖食物的场所，“打”呢，就是敲打的意思。

在商业发达的苏杭一带，人们又赋予了打烊一种新的含义。买卖人做买卖，都想日进斗金，多多发财，对“关门”这种叫法比较忌讳，因为关门有破产倒闭的意思。谁也不想整天晚上大声喊“关门、关门”。而那时候的营业收入基本上都是些散碎银子，晚上需要把它们熔化，铸成“大元宝”，店主们把这个叫打烊。这里的“烊”就有熔化金属的意思。这打烊的行为有点儿“招财进宝”的寓意，于是替代了“关门”的说法。

（嘉林秀摘自新世界出版社《给大忙人看的历史常识》一书，小黑孩图）

东北“i人”的嘴

●脏脑丸

这两年很流行把人分为“i人”和“e人”。“i人”，指人格测试里的“i型”人格，内倾性格，可以理解为“社恐”；与之相对的就是“e人”，外倾性格，也是“社恐”——社交恐怖分子，又称“社牛”。

但在“社牛”之地东北，有一种“特产”，就是东北“i人”。你说他开朗，他还挺沉默；你说他文静，他立马开始聒噪。

“i人”有个共识，就是非必要不跟陌生人说话，如果有陌生人上来搭话，首选“装死”，次选“聊死”。东北“i人”也一样，能一个人做的事，绝对不麻烦第二个人；可一旦有人开口麻烦自己，就会一键从“i人”模式，转换成东北人模式。

问路是吧？心情不好就给你口头详细规划一下路线，顺便告诉你路上哪家奶茶店的饮品好喝，推荐你买来解渴；心情好的话，必须亲自带路。

光带路，东北“i人”还会觉得尴尬，本地人问路，就跟你“吐槽”一下天气；外地人问路，必须跟你普及一下风土人情、旅游攻略。知道的是东北“i人”在带路，不知道的还以为自己要被拉进什么组织了。

有些东北“i人”看起来比南方“e人”还开朗，真的一点儿不夸张。

去过东北的朋友都知道，东北小孩都有一种“小小年纪，就已经年纪不小了”的气质。张嘴：“×叔，溜达呢？风湿病好点儿没？”闭嘴：“×姨，你儿子那事别太愁了，多跟那谁走动走动。”

一个东北小孩很难“i”下去，因为东北家庭就不养“i人”。东北小孩自打口齿不清地叫了一声“妈妈”，接下来如何称呼全家男女老少、街坊邻居，都得在最短的时间内学会。

秋后算账是东北小孩共同的记忆。在外面没跟人打招呼，东北家长会说：“你等回家的。”家里来人，不知道打招呼，东北家长会说：“你等人走的。”

在东北，跟街坊邻居打成一片，你可以吹3天牛；跟外省的朋友拜把子，你可以吹3年牛；能跟外国人搭话，你爸都允许你骑在他头上。总之你怎么吹牛都没事，但如果你话少，不好意思，那你就是装。

除了要主动跟人打招呼，东北社交必修课还有“接话”。如果说主动打招呼“挂科”了，家长还会给你留点儿面子，回家算账；在外面有人跟你说话，你没接住，别说你是亲孩子了，就是条狗，都会现场挨上一脚。

接话少于3轮那也是失败的。“东北接话学”就像一场乒乓球友谊赛，讲究一个氛围热烈，有来有回。关心与赞美交织，情绪与表情和

美好着就行了

●刘炜

鸟鸣悬挂在公园的树上
像果实被风吹着
被太阳照着，随手可摘
喜鹊、野鸽子的果子要大点儿
白头翁、麻雀的果子要小一些
我坐在公园的椅子上
看水里的鱼腾起的水花
猜测哪条是大鱼，哪条是小鱼
天气晴朗，蓝天白云
都已开始接近秋天
太阳是人间最大的果实
声音洪亮
河边的蜻蜓不说话
蚂蚁也不说话
这么美好的早晨
美好着就行了
说什么都是多余

（海底飞花摘自《少年文艺》2023年第9期，视觉中国供图）

鸣；每个东北人都是一个声部，采用“总分总”结构，共同把这嗑唠出起承转合。

整个接话流程走下来，多于10字少于100字的，那叫内向。接话少于10字，那这孩子算“完了”，大家都得安慰家长：“没事，能治。”

东北“i人”的童年，学业压力可能还行，但社交压力是真的很大。“12年说话义务教育”下来，性格是“i”的，嘴是“e”的。就算长大走向全国，走向世界，也不会允许任何一个社交场合的气氛冷掉。

东北“i人”关于接话好像有种使命感。不管是在团建时，在出租车上，还是在围观大爷跳水的海河桥上，有人说了话没人接，东北“i人”必须挺身而出，不让任何一句话掉到地上。优秀的东北“i人”不仅能接话，而且力求接得幽默，追求自己说出的每一句话都高质量、高回报。

东北“i人”的追求就是，接上所有看似接不上的话，而且接得漂亮，整个场子因为自己的一句话热络起来。当时使用的句式会被东北“i人”奉为自己的社交高光时刻，并且牢牢背诵，活学活用。如果反应慢了没接上，东北“i人”会把这种尴尬算在自己头上，一晚上都睡不着觉。

毛不易，知名东北“i人”，也是“东北接话学”专业的优秀毕业生。他经常语出惊人，惹得记者笑出“工伤”。有一回记者问他：“能持续被大家喜欢，你觉得自己凭的是什么？”记者以为他会说些场面话，结果毛不易答：“凭公司的运作。”

还有李雪琴，一个能在家里休息，绝对不出门溜达的东北“i人”，她是知名社恐，也是知名社交恐怖分子。作为东北“i人”，她不仅能“整活儿”，还会潜心学习一些社交秘籍。比如，初次见面想破冰，就要会夸人，但不能夸得假；夸人要夸细节，不仅令人信服，对方也接得住话。

像李雪琴这种不冷淡不过火，让所有人都如沐春风的社交“牛人”，才是真正的社交高手。

东北“i人”，就是一群没有社交天分，却社交技能满点的人。这个词火了之后，不少东北朋友都对号入座。但大家聊起小时候被家长逼着社交，也没有人怨怼，因为想到自己去哪里都能很快适应，就知道自己确实是受益者。

东北人会教小孩拿筷子要拿得靠后一些，因为有传言说，筷子拿得靠后，就会走得远。夸小孩子会说话是“闯实”，可以在外面闯荡的意思。东北小孩都是蒲公英的孩子，风来了就留不下。把力气用在嘴上，是东北家长对小孩最好的期许。因为嘴会说一点，会多几个朋友，好走得远一点儿，再远一点儿。

（何欢摘自微信公众号“ONE文艺生活”，邱炯图）

唐诗里的十大姿势

●郑依妮

山居

无论是看透世事的隐居山林，还是被贬返乡的壮志未酬，山居总是能够给人平静与安慰。唐诗中山居主题的诗数不胜数，前有王维隐居终南山辋川别业时所描述的“空山新雨后，天气晚来秋”，后有颜仁郁在《山居》中写到的“柏树松阴覆竹斋，罢烧药灶纵高怀”。

出师

岑参可能是唐诗中描写出师场面最多的诗人。杜甫和宋代的陆游同样是出师题材爱好者，最有名的是杜甫的“出师未捷身先死，长使英雄泪满襟”和陆游的“出师一表真名世，千载谁堪伯仲间”。

留别

古代文人为求得一官半职，往往远离家乡，多方游历。面对别离，诗人们或折柳相赠，或吟诗话别。唐代留别诗创作的数量和质量上，只有李白可与王维匹敌，《赠汪伦》《黄鹤楼送孟浩然之广陵》《金陵酒肆留别》《送友人》《宣州谢朓楼饯别校书叔云》等，都情深意切。

怀古

诗人怀古往往通过咏怀古迹来感慨兴衰、托古讽今，人们从诗句中分明可以感受到诗人功业无望的焦灼。怀古诗的触发点和形式都相对统一，无非是在古迹触景生情、借古讽今、忧国伤时，感慨人生无常。孟浩然、李白、刘禹锡等都是写怀古诗的专家。

高卧

高卧看似惬意，实际上并非高枕无忧，更多的是失眠的惆怅。在李白写给杜甫的几首诗中，《沙丘城下寄杜甫》就出现了“高卧”的姿态。当时杜甫在鲁郡告别李白欲去长安，李白说“我来竟何事？高卧沙丘城”，把欢快生活消失之后的苦闷，以一种突发的方式抒发出来。

望月

把望月姿势描写到极致的，莫过于张九龄，“海上生明月，天涯共此时”堪称经典。它和谢灵运的“池塘生春草”、鲍照的“明月照积雪”、谢朓的“大江流日夜”以及张九龄的“孤鸿海上来”等名句一样，看起来平淡无奇，却具有一种高华浑融的气象。

从军

从军题材是诗人表现爱国情怀和男子气概的最佳选择。李白写过不少从军诗，《从军行》中的“愿斩单于首，长驱静铁关”，可以看出李白的洒脱不羁、容易触动又容易爆发的强烈情感。杜甫的从军诗却是另外一种风格，少了壮志豪情，更多的是担忧和哀愁。

客至

每逢有客来，诗人们都会畅饮狂歌。李白是重情重义之人，他招待朋友挥金如土，“烹羊宰牛”，不喝“三百杯”决不罢休。

世界著名作家的创作心得

○岛屿书坊　辑

我很喜欢读作家们的创作谈，有时候甚至超过喜欢读他们的作品。原因在于，阅读写作者的创作谈，将使人获得难得的精神鼓舞，你虽然无法和对方进行哪怕一句实际的对话，但有可能实实在在地产生一种日常口头沟通中无法产生的精神共振，从中汲取力量、获得启发，这是专属于写作者的私密体验。希望今天推荐给你的这些伟大作家的创作心得，能带给你类似的心理感受。

1.海明威

只要别人不打扰你，随你一个人去写，你任何时候都能写，或者你狠狠心就能做到。但最好的写作注定来自你爱的时候。

2.杜鲁门·卡波蒂

若想考察一个作家是否领悟了讲故事的自然形态，只要通过这样的方法：读完小说后，你是否能想象这个故事换一种讲法？或者说，现在的讲法是否能让你的想象黯然失色，让你觉得它是无懈可击、不容置疑的？多写是唯一的利器。

3.马尔克斯

在《百年孤独》此前尝试的写作中，我想要讲述这个故事但不相信它。后来我发现，我所要做的便是相信它，而且是用我祖母讲故事的那种相同的表情来写作：带着一张木头脸。

4.亨利·米勒

艺术家是什么？就是那些长着触角的人，知道如何追逐空气中、宇宙中涌动的电流的人。

5.凯鲁亚克

评论不应该成为一个习惯。这会让作家以为自己是专家、权威，以为小说是集体产业和专业物种，以为想象力是一种理智的、社会的活动——这些都是极为有害的错觉。

6.雷蒙德·卡佛

小说不需要与任何东西有关，它只带给写作它的人强烈的愉悦，给阅读那些经久不衰作品的人提供另一种愉悦，也为它自身的美丽而存在。

7.帕慕克

小说家借耐力来打拼，基本上是靠着耐心，慢慢地，像蚂蚁一般前行。小说家令人印象深刻，凭的不是那种疯魔而浪漫的眼光，而是他的耐心。

8.艾柯

我一直说我善于利用空隙。原子和原子之间、电子和电子之间，存在很大空隙。如果我们缩减宇宙、去除中间所有的空隙，整个宇宙可能被压缩成一个球。

（海底飞花摘自微信公众号“岛屿书坊”，视觉中国供图）

他的《山中与幽人对酌》写道：“两人对酌山花开，一杯一杯复一杯。我醉欲眠卿且去，明朝有意抱琴来。”朋友对饮，意气相投，千杯嫌少，万语不够。

夜泊

张继的《枫桥夜泊》可称为绝世佳作，整首诗的意象密集，造成一种意韵浓郁的审美情境。传说唐武宗酷爱这首诗，在他猝死前的一个月，还敕命京城第一石匠吕天方精心刻制了一块《枫桥夜泊》诗碑，说自己升天之日，要将此碑一同带走。

相思

唐诗名篇经乐工谱曲而广为流传，王维的《相思》就是梨园弟子爱唱的歌曲之一。据说天宝之乱后，著名歌者李龟年流落江南，经常为人演唱此曲，听者无不动容。“红豆生南国，春来发几枝”，《相思》语浅情深，当时就流行是意料中的事。

（秋水长天摘自《新周刊》第496期，老老老鱼图）

小卡的美术课

●冯大鲸

上初中的外甥小卡，思维一直让人头疼，班主任老说他发育迟缓或者发育突变，但他以此为荣。

比如，实习美术老师布置了以《桃园三结义》为题作画，小卡的画里竟出现了四个人。除了对拜的三个人，另外还有一个站在旁边吃大桃，而且比那三个人还高大。老师说，背景应该是盛开的桃花。他说，谁说结拜时间一定是春天，为什么不能是夏天？老师说，那个人是干什么的啊？我没让你画《桃园四结义》。他刚看过电视剧《笑傲江湖》，就说，围观群众是桃谷六仙共同的儿子，可能也想结拜。老师说，为什么他那么显眼？小卡说，群众力量大无边，本想画他们六个，可是纸太小，只能画个儿子算他们的合体吧。老师说，你这叫喧宾夺主。他说，占的地方大，不见得就重要。老师说，那个人为什么不拜？小卡说，因为桃吃多了撑的，弯不下腰来。还有同学接茬，他们结拜本来是想摘桃子吃，可没想到都让六仙吃了，他们站起来肯定要跟六仙的儿子打一架，然后还是没得吃就散伙了。据说老师自己都不知道是怎么把课上完的，然后下课气得没吃午饭，肚子里仿佛装了二斤桃。

小卡在家抱怨，这个实习美术老师，又不是教数学的，也不是教历史的，脑子里怎么那么多条条框框。表姐说，他年轻时，肯定想学音乐，唱《在那桃花盛开的地方》，结果因为各种原因没学成，或者嗓子实在太差总无法正常开口，所以脑袋里一直有顽固的桃花情节。小卡说，幸亏他没盯上《牡丹之歌》和岳云鹏，否则《五环之歌》哪还有出头之日啊；幸亏他是来实习的，要是真的留下了，得耽误我们多少同学的想象力啊。表姐说，你就给我老实点儿吧，你以为你真是艺术家呢。就你那点儿画画水平，如果不是老师边看画边容你矫情，大家都不知道你在画什么。

过了一阵子，又听小卡叨叨美术课的事。老师让大家临摹某画家的名叫《蓝色海洋世界》的画，小卡忘了带彩笔，就想跟人借。很多人用蓝色的笔画大海，都不借，什么红的、黄的和绿的也不借，他们要画鱼和水草。他好说歹说借了支紫色的，画下了紫色的大海。那些鱼虾、贝壳、海草，他也懒得借别的颜色的笔画了，统统是紫色的。结果把紫色的笔芯都用完了，他还为此赔了对方一包海苔。

第二周的讲评课上，老师上来就把小卡的“紫色海洋”给展示了。老师说，你这个跟要临摹的画完全不一样。小卡说，临摹又不是复印，我就是想临着这幅画，画出我自己的想法。老师说，人家画的是一片美好的海洋。小卡说，我画的是一片美好的海洋被破坏。人类如果不拯救

在木星上炸薯条最好吃

●橙子鱼

如果在木星上炸薯条吃，味道会怎样？虽然这个问题看起来有点无厘头，但欧洲航天局通过一台为全世界科学家提供重力实验的大直径离心机，解决了薯条难题。为什么欧洲航天局愿意研究这么一个“愚蠢”的问题？说来你可能不信，因为空间站的宇航员跟局里提要求，说想吃炸薯条，而且必须是现炸的，不能用火箭送上来，因为凉的薯条不好吃。

但毕竟是炸薯条，油炸这种烹饪方式看起来就不太安全，在地球上用油炸食物时都会溅油，更别说在太空中了。考虑到帮宇航员吃上新鲜的炸薯条，可能会对机组人员产生积极的心理影响，希腊科学家花了几百万英镑进行研究，并且该项目得到了欧洲航天局的支持。

在欧洲航天局，有一个专门用于训练飞行员和宇航员的可以产生相当于地心引力9倍的大型离心机，最大可以达到20倍。这台离心机直径达8米，有4个长臂，每个臂可以装载两台测试吊舱，吊舱的最大有效载荷为80千克。当离心机旋转起来的时候，即会产生向心力模拟吊舱内的超重力场。当然，吊舱肯定不能直接用来装炸薯条的仪器，得做一定的改装才行。改装后的“特制炸锅”，有控温器，可以用于炸薯条。里面还有一个高速摄像机，用于观察炸薯条时产生的小气泡。科学家将土豆切成条，在橄榄油中炸，同时用离心机创造不同的重力条件，以研究重力加速度对土豆条在炸制过程中酥皮厚度和水蒸发速率的影响。

结果显示，更高的引力能增加热油和土豆之间的热传递，缩短油炸时间，使薯条的外壳更厚、更酥脆。最终研究人员发现，在引力为地球的3倍的地方炸出的薯条最好吃，而木星的引力刚好是地球的3倍。所以，在木星上炸薯条最好吃。

（三三摘自知乎网，Raven图）

自己，拯救海洋，未来海里的所有的动物都和海水是一种颜色。我本来想画一片漆黑，可是怕你给我不及格。这次矫情没有招致哄笑，好像还有零星的掌声。据说这老师当天见到什么都是紫色的，聚餐的时候，见到有人举着红酒来敬，还问人家为什么拿着大瓶的紫药水，是来给大家消毒的吗？

后来，老师实习结束了，向小卡要走了有四个人的《桃园三结义》和紫色的《蓝色海洋世界》。半年后，小卡收到一本杂志，里面有一篇论文，题目是《论教学中的求异思维》，他的两幅画是仅有的配图。作者是实习的美术老师，地址是某师范大学的教育学院。天哪，原来他不是诚心来教美术的。

小卡对我说，他觉得这个实习老师很好玩。他突然想生个孩子，然后教孩子学美术。他觉得孩子将来可以变得与众不同。他说每个人都是与众不同的，可是我们有时活着活着就忘了，到死就可能完全忘了，临死之时也许能突然明白点儿，可惜晚了。我问，这些都是谁跟你说的。他说，这些都是我睡不着觉的时候瞎想的。我说，你可能更适合当个蹩脚的或者伟大的哲学家。

（张秋伟摘自《三联生活周刊》，大冰砸图）

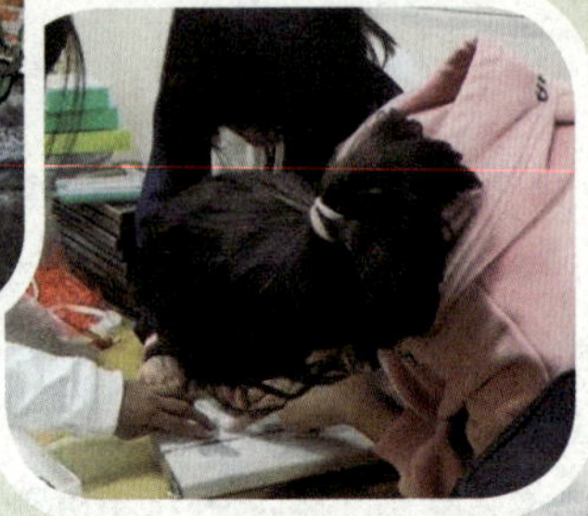

村小昆虫记

●魏晞

在广东省河源市百叟小学的传统教育中，学生在宿舍用脸盆养螃蟹是要被批评的。但在支教老师潘珂的自然教育课上，他当着所有孩子的面表扬了这种行为。

这位1996年出生的支教老师，显然对乡村教育有着不一样的理念。潘珂毕业于陕西科技大学环境科学与工程专业，2020年参与美丽中国支教项目，来到了广东省河源市连平县隆街镇。

1

百叟小学所在的村庄在粤北的九连山区，村子里有山林、农田、溪流，还有许多被忽略的动植物。

村里的小河是天然的教室。天气好时，潘珂带着学生在河边打水漂、采集石头。天空偶尔飞过一群白鹭，他让学生用望远镜观察。河水涨起来时，汹涌的水流把岸边的竹子冲断，他也时常提醒学生，在欣赏自然之美时，别忘了大自然的破坏力。

一开始，班里只有一个学生爱钓鱼，潘珂跟他学，又带动了一群学生。他们用竹子做成鱼竿，钓上鱼来，放生，再继续钓。鱼塘成了师生周末聚会的欢乐场。

鱼塘里养的罗非鱼属于入侵物种。潘珂就在鱼塘边上给学生讲中国的原生鱼类如何慢慢地被压缩生存空间。他还会讲生物常见的雌雄二象性，再讲到人类社会里的性别平等。

学生们惊喜地发现，就在自己生活的村子里，居然有那么多有意思的新鲜事：花不一定只在春天、夏天盛开，有些花会在秋冬绽放；蜘蛛并不可怖，每一只蜘蛛的颜色、大小都不一样。

一名学生用显微镜看到了蚊子的“嘴”，蚊子不再是讨厌的、惹人烦的，它的幼虫孑孓能喂饱小鱼。这位学生还用一整个暑假养了一对双叉犀金龟，俗名独角仙。等独角仙自然死亡后，潘珂让学生挖开腐殖土，学生意外看到，在独角仙的尸体下，还有4只幼虫和一堆卵。生命以新的方式开始延续。

2

这个村子里大大小小的水塘参差错落，农田依水塘而建，几乎每家每户都种花生。大多数学生要跟着祖辈一起干农活，但很少有人会关注花生地，仔细揣摩其中蕴含的自然知识。

一名学生的外婆为了支持潘珂的自然教育，从家里的红薯地里挖出20多只蛴螬送到学校。过去，外婆常用这些幼虫喂鸡，很少去分辨它们属于哪类虫子。如今，她也跟着外孙女在潘珂的自然教育课上了解昆虫。

潘珂带着学生做昆虫标本。不同种类的昆虫标本有着不同的制作方法，需要使用不一样的工具：蝴蝶需要展翅板，大型甲虫需要掏空内脏用棉花填充，螳螂通常要用反展翅法制作，蜻蜓标本的保色是个难题……

学生们动手做了14个目、120多种昆虫的标本。后来，潘珂争取了一间教室，将其改造成自然观察室，这些标本就放在自然观察室的陈列柜里。

作为一名动物园爱好者，潘珂知道，动物园圈养动物，会为了满足动物生理、心理需求而构建或改变它们的生活环境，术语叫作“丰容”。他慢慢发现，“丰容”的理念和教育是相通的，走进自然，学生会不自觉地展现天性，更好地成长。

潘珂还想让学生的“触角”伸得更长，不仅走出村子，还要走出河源，去其他城市和城里长大的孩子比拼。据潘珂了解，大多数乡镇教育部门不会把参与科学竞赛的名额分配给乡村小学，因为老师少、学生多，没有能力完成竞赛任务。

但当潘珂开始组织一群村小的学生去参加科学竞赛时，他发现，学生会提出各种有趣的点子，比如“人的色盲症和光的传播有没有关系”。

最后，潘珂的学生获得了4项一等奖，其中有学生个人赢得了2000元的奖金，潘珂被评为河源市十佳科技辅导员。而后在广东省青少年科技创新大赛中，他和学生又获得两项省级荣誉。

3

某种程度上，与学生的相处，弥补了潘珂童年的遗憾。他在西安的城中村长大，他记得，清晨跟着外公外婆去地里，老人指着乡间的昆虫，告诉他它们的俗名。

长大一些，潘珂去陕西省图书馆看昆虫展，买了一张昆虫挂图，垫在书桌上，每次写作业时，会盯着昆虫图案入神。

大学毕业后，潘珂一开始在百叟小学教的是数学。后来，他主动寻找自然教育的教案，在线上自学普通昆虫学等课程，看了制作标本和采集昆虫的书籍。在2021年下半年，他开始教自然教育课。

潘珂坚持重视科学和音体美教学。他能感受到学生认知上的变化——从最开始爱掏鸟蛋、玩虫子，到后来看到捕鸟网，会主动上前撤掉，解救缠在网上的斑鸠。现在，学生会花更多时间在自然环境中，而不是痴迷于电子设备。

潘珂回忆，最初来村小支教时，他发现有些留守儿童沉迷电子产品，有的学生在短视频里看到山外的世界，对自己身处的农村会有厌弃心理。

潘珂组织学生钓鱼、野炊，也是想把他们从虚拟世界里拔出来，让他们慢慢喜欢上身边的家乡。“我们教育孩子要走出农村，并不意味着逃离，要让学生意识到农村也蕴藏着瑰宝，值得他们将来回来建设。”

一位沉迷过短视频的学生说，跟着潘珂学自然教育，观赏品味也提高了，如今更爱看科普纪录片。

有一节班会课，潘珂询问学生有没有梦想，大多数学生的答复是没有。一个数学成绩不好的学生说，他在家里做了鱼缸，熟悉各种水草，将来想做水产养殖。潘珂引导他：“买鱼苗要计算成本，也需要学好数学。”

一位母亲发现，女儿在潘珂的班上学习了3年，慢慢对未来有了新的规划。上初中的第一天，学校布置写人生计划书，大多数学生写得很简单，但这个女孩仔仔细细写满了一页纸，规划以后要怎么学习、怎么生活。她计划，长大以后要当法官，要用法律知识惩恶扬善。她还说，家乡有山有水，有自然风光，将来想回老家工作。

2023年，潘珂的支教工作结束了，上了3个学期的自然教育课也暂停了。支教的最后一天，他在校门口和学生抓了一只蝴蝶。一起做蝴蝶标本时，学生突然提出，长大后，也想做跟虫子打交道的工作。

潘珂如今还留在河源，想把自然教育课推广给其他乡村小学。

（大浪淘沙摘自《中国青年报》2023年9月27日）

幽默&漫画

恶　心

今天吃完饭，我突然感到反胃。同学叫我一起去买东西，我说："我不去了，我觉得我有点儿恶心。"同学说："是吗？我也觉得。"

胡萝卜鸡

高三时有一次上课，新来的物理老师讲着讲着突然说了一句"胡萝卜鸡"。我异常兴奋，还以为他在说食堂研究出了新菜式，后来才知道，他说的是"忽略不计"。

互夸游戏

同桌："我们来玩一个互相夸奖的游戏，你先来！"

小强："你真漂亮。"

同桌："你真有眼光。"

沉　鱼

妈妈买了几条金鱼，鱼都躺在鱼缸底喘气，生病了似的，爸爸脱口而出："这些鱼都……"外婆打断爸爸的话："你是不是想说我女儿太漂亮，所以鱼都沉了下去？"我感觉，外婆那语气好像在教爸爸，又好像在救爸爸。

小锄头

爸爸教儿子学写数字"7"。爸爸说："数字'7'像一个小锄头。"随后，爸爸看见儿子在本子上写了几个"L"。爸爸说："你写错了。"儿子大声地说："小锄头有时是可以这样放的！"

高　考

高考是个神奇的游戏：小学一年级开号后，长达12年的副本让你打个够，剧情曲折，任务颇多；玩家海量，对战临场感超强；解谜题难度高，通关成就感强；高分过关还能获得"其他玩家父母猛夸"等荣誉。

叫家长

上初中时，有一次同学闯祸了，老师让他的家长来学校。同学问："我的父母不在家，让我四叔来行不行？"老师说："可以。"

第二天，同学带着一个咬着棒棒糖的四五岁的小孩出现在老师面前，说："老师，这是我四叔。"他回头又拍拍小孩的头，说："四叔，快说'老师好'，就知道吃！"

停　电

晚上我家突然停电，我出去检查电表是否跳闸。我把电闸一会儿拉上一会儿拉下，反复十几次，家里还是没电。这时，邻居一脸惊恐地打开门，激动地说："大哥，你快帮我看看，我家一会儿有电一会儿没电，闹鬼啊，吓死人了。"

养孩子

父母把小孩子养大需要很多金钱和时间。有人问，为什么不直接买个大的？因为大的已经被公司几千块钱一个月买走了。

方　向

我觉得AI的方向搞错了。

我们都希望机器人帮助人类扫地、洗碗，是因为人类要去写诗、画画。

但现在的状况是：AI都去写诗、画画了，而人类还在扫地、洗碗。

看孩子

五岁的女儿在沙发上睡觉，爸爸在看电视。突然，女儿从沙发上掉到了地上，可是小家伙很坚强，并没有哭，而是走到她爸爸面前怒吼道："你是怎么看孩子的！"

没有机会

妈妈："瞧你这手，多脏啊。你看，我的手就没有像你的手这么脏过！"

女儿："哼，那是因为我从来没有看到过你像我这么大时候的样子！"

（李王强、刘海兵等摘）

HUMOR & CARTOON

当鲨鱼温柔袭击

●〔哥伦比亚〕安德烈斯·科尔梅纳雷斯
○花大钱 译

*UNO是一种纸牌游戏。

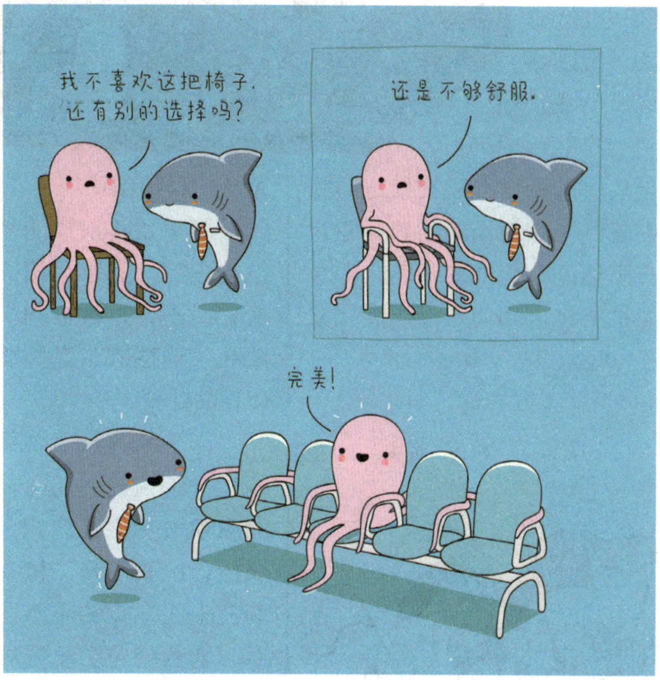

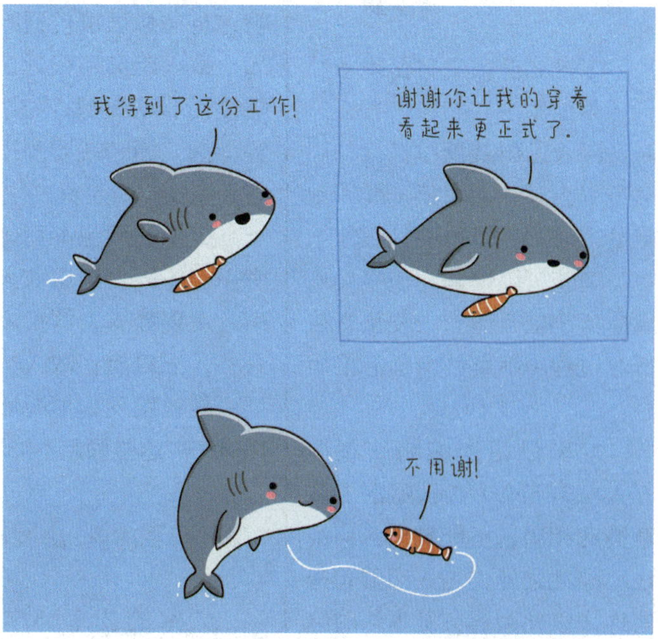

（小肥羊摘自接力出版社《当鲨鱼温柔袭击》一书）

你在古代当将军

●黑云

在古代，行军是一件挺复杂的事儿，并不像我们玩网络游戏那样，鼠标一点就成功。假设此刻，你是一位明代的将军，接到带兵攻城的命令，要在指定时间内赶到指定地点。看着一双双充满信任和勇气的眼睛，你身为主将，该如何带领士兵完成任务呢？

出发之前，先侦察

出发之前，主将召集各部将领歃血军祭、鼓舞士气，并令各部收拾行装器械。待一切准备妥当后，大军还不能即刻出发，须先派塘骑出去侦察。

塘骑可以理解为侦察兵和通信兵的结合体，主要负责在行军过程中侦察敌情、汇报信息。

塘骑以塘为编制，每塘五人。这五个人在侦察时要注意彼此相望，不能脱离各自视线。除此之外，每人都要装备信炮，以便遭遇突发事件时给大军报警。可以说，塘骑就是军队的眼睛和耳朵。

塘骑要将侦察的信息直接报给主将，回营汇报途中，沿途官兵不许拦截盘问。如有人敢在中途拦截、盘问情报，即以军法处置。

每个塘骑都要装备一把腰刀、一副弓箭，还有非常重要的旗帜——说是旗帜，其实是旗枪，枪长三米，枪头下置一面三十厘米宽的小旗。发现敌军，塘骑就左右急摇旗帜，后边的塘骑看到，也依样摇动旗帜，将信息层层传递给主将。如果敌人距离还很远，塘骑只需慢慢摇动旗帜；如果敌人来势汹汹，塘骑就要画圈式地快速大幅度摇动旗帜。

旗帜的颜色不同，代表的意思也不同。遭遇敌人，摇红旗；发现敌人，摇黄旗；敌人众多，摇青旗；敌人数量少，摇白旗；发现地形有问题，摇黑旗……这些颜色不能用错。

行军途中，讲顺序

大军的行军顺序颇有讲究。首先出营的是骑兵，因为骑兵速度快，出营后就迅速前进到距离营地二三里的地方摆好队列，开始警戒；随后，步兵各部按照位置、方向、远近依次出营，在距离营地几十步外，列阵警戒；最后，辎重队出营。全部出营后，步兵收阵，越过骑兵走在最前面，骑兵护卫带领辎重队，与步兵保持一定距离行军。遇到大雪天，行军顺序就改成骑兵在前踏雪开道，步兵在后跟随。

行军路上，将士们会遇到各种各样的地形，有的可以顺利通过，有的却暗藏危机，主将需要时刻保持警惕之心和判断力——

如遇三岔路口，主将会让全军停下，派游兵前往高处瞭望；如遇密林幽谷，主将会派塘骑前往深处搜索探察，确认无异常再继续行进；如遇大河阻挡，水深无船，主将会派善水者携带粗大绳索游到对岸，将两岸的绳索立起固定，再让士兵们砍伐竹木铺在绳索上，做成吊桥。为避免敌人设伏，吊桥造好后，大部队也不能全部过河，主将须让精锐部队先过河，进入警戒模式后，再让后面的士兵依次渡河，每过一队就占据有利地形，摆一队阵势。

虽然处处小心，但主将也不得不考虑遇伏的应对办法。若大军在幽谷密林、狭窄山路遇伏，必然会出现首尾不相连、断成数个部分的情况，致使主将无法统一指挥。因此，经过这种地方时，大军要不断变换队形。以一千人为例：将一千人分为十哨，每哨百人。过山路时，第一哨先行，走到第一塘位置，看塘骑举什么旗，没有危险就在此处列阵警戒；然后，第二哨越过第一哨前进到第二塘位置，列阵警戒。其余各哨按此顺序依次前进。这样步步为营，就算遇敌兵伏击也不会惊慌失措。

安营扎寨，有谋略

在行军途中，如遇突发情况，需要暂停一段时间，大军就要原地等待。主将除了安排将士们安营扎寨、布置工事，还要命人在营寨外一二里地之内修建烽墩，作为明哨预警。

一旦有敌军攻营，哨兵就会根据对方人数点燃烽火。一般情况下，十人点小火炬，一百至二百人点大火炬，三百至四百人点两个火炬，五百至一千人点三个火炬，以此类推。如遇风沙天气，敌军来攻时，由于能见度低，各部不得出营应战，以免出营后各部由于风沙阻碍无法配合，被敌军用骑兵挨个击破。

当然，一直龟缩营内也不是办法，主将可以命令各部坚守营寨，用弓弩、火器射击，再挑选精锐骑兵，悄悄出营寻找敌军腹地攻击。等到了敌境，如果对地理位置不熟悉，还需要寻找当地居民做向导。为了避免有人提供虚假信息，不能只听一人言，要多找几人，分开询问，看最后得到的信息是否一致。

俗话说："人到一万，无边无沿。"行军时，数万乃至数十万大军的队伍长达数十里。由于队伍过长，金鼓不相闻，旗帜不可见，只能依靠塘骑或士兵口头传递信息。因层层传递的信息容易出现错漏，军中有规定，塘骑或士兵传递信息时不可废话连篇，需精简重点，内容不能超过三句。此外，塘骑或士兵还要复述一遍信息确认，回答"知道了"，再继续向后传递。

攻下城池，先别进

在攻下城池之后，主将并

不会像影视剧里演的那般，带着军队全部进城。相反，主将会带着将士们在城池四面坐地等待，先派一队人进城安抚居民，肃清敌军残余，待一切安排妥当后再带领全军进城。进城后，由于军营还没建成，士兵需要安插进民居中歇息。这时，士兵以队为单位，每队同住一家，方便队长监管。遇到居住面积较大的富贵人家和官府机构，就数队同住。如果有士兵不愿同住或偷偷离开，队长有权当场军法处置。

布置完毕后，各部将官带领各队前往指定的民居，在门口立定，等到军中一声炮响，各街敲锣后，才可以进入民居歇息。若士兵没接到号令擅自进入民居，会被捆绑并被打八十棍，同队之人也要连坐。

至此，作为主将的你才算完成了任务。是不是感觉很辛苦？要知道这只是带兵出行，还没把攻城时的风险算进去呢！由此可见，古代的将军真不好当啊！

（紫陌红尘摘自《少年博览·初中版》2023年第9期，Raven图）

美猴王为何爱衣装

●肖能

孙悟空不好食色，不贪钱，不恋权，对衣装却很在意。他人生中的几个重要关口，都与衣装有关。衣装确证了他的角色变化。

第一回，孙悟空从花果山出来，漂洋过海，初到南赡部洲，上岸后干的第一件事，就是找件衣服穿上，而且是强“剥”来的。

第三回，孙悟空从菩提祖师处学艺归来，有了一身好本领，终于可以扬眉吐气了。他跑到东海龙宫讨要兵器，赖到了定海神针铁仍不满足，得陇望蜀，继续缠着敖广：“当时若无此铁，倒也罢了；如今手中既拿着他，身上更无衣服相趁，奈何？你这里若有披挂，索性送我一副，一总奉谢。”敖广没办法，叫上其余三海的兄弟们，凑齐了锁子黄金甲、凤翅紫金冠、藕丝步云履等全副装备，孙悟空满意而归。他其貌不扬，瘦骨嶙峋，但穿戴上一身名贵的套装后，便威风凛凛，有模有样了。四海龙王奉上的衣装，衬托了他笑傲江湖的美猴王身份。

第十四回，孙悟空被五行山压了五百年，唐僧把他放出来。本来嘛，一只猴子，全身毛茸茸的，一丝不挂，也不是说不过去。可悟空不这么想，重获自由，还没来得及和唐僧寒暄以及套近乎、诉衷情，便先打死一只老虎，把虎皮剥下来，裁成两副，“收起一副，把一副围在腰间，路旁揪了一条葛藤，紧紧束定，遮了下体”。对悟空来说，找件衣服穿上，遮羞蔽体，比加入释门来得更为紧迫。师徒两人在一处庄院歇息，“行者又有眼色，见师父洗浴，脱下一件白布短小直裰未穿，他即扯过来披在身上，却将那虎皮脱下，联接一处，打一个马面样的折子，围在腰间，勒了藤条”。唐僧夸他，这才有个行者的样子。

问题是，孙悟空缘何对衣装如此用心？

首先，大概表现的是他成人的自觉与执着。人类是世界的主流物种，而禽兽属于异类，获得人身，是它们的终极理想。人和兽最直观的区别在于，动物可以赤身裸体，而人必须有穿戴。

既然爱惜身份，自重为人，那么就不能不讲究做人的礼数。孙悟空特会来事儿，心高气傲不假，碰上必须尊敬的人，该行的礼，他可从不马虎。三打白骨精后，唐僧决意“开除”孙悟空，孙悟空临行前定要唐僧受他一拜，小气的唐僧转头不受，悟空硬是施法术，拔下三根毫毛变作己身，四面围住唐僧下拜。唐僧对他不仁，他对唐僧却不失其义。即使走人，也要走得占理，尽徒弟最后的情分。讲礼的人，离不开衣装，因为衣装是行礼的最佳道具。我们看第二回，猴子连撞带问，摸索到了斜月三星洞，随童子进洞之前，“这猴王整衣端肃”。这个时候我们就知道衣装的妙用了，如果猴子此时全身光溜溜的，撅着个红屁股，凭这副尊荣，怎能表示内心的敬意？怎能面见道行高深的神仙？怎能获得神仙的信任而被授以长生不老之术？而有衣服在身，并做整理，这个小小的动作，就能把随意、散漫的态度，瞬间转变、调整，变为严肃、恭敬的心境——这是进入庄重、正式的场合所必需的。

孙悟空爱衣装，还表明他有强烈的羞耻心。我们看上面提到过的例子：他被唐僧从五行山放出来，随即割下虎皮做围裙，遮住下身。面对唐僧，赤身裸体怪不好意思的，即便将就，他也要先把下身遮住再说。有强烈的羞耻心，那就意味着有所不为。尽管他无法无天，可有的事情他是做不出来的，譬如有损“名头”的事。第三十三回，孙悟空见识到精细鬼、伶俐虫两个小妖手上宝贝的厉害，准备一抢了之，本来嘛，他是正义的一方，抢妖怪的东西怎么能叫“抢”呢？不过转念一想：“不好！不好！抢便抢去，只是坏了老孙的名头。”他可是闹过天宫的齐天大圣，不能留下欺负小妖怪的名声，丢不起这个人。明抢不行，就用“公平”的方式，用自家能装天的葫芦去换，并当着小妖的面成功演示装天，令他们心甘情愿地交换。且把事情做绝——与小妖签订合同文书。

有时候，成也衣装，败也衣装。衣装这个东西既是孙悟空所在意的，也理所当然成了他的命门。他初入唐僧之门，师徒关系尚未磨合好，受不了唐僧的迂腐，拂袖出走。后经东海龙王的义劝，回过头来。哪知道唐僧已有观音菩萨相助，为孙悟空准备好金箍，夹在包袱中，就等他自行入瓮。果然，他打开包袱，“见那光艳艳的一领绵布直裰，一顶嵌金花帽”，受唐僧的诱导，换上了这身新衣裳，从此金箍戴到头上，自由就这样被交了出来。

（林冬冬摘自复旦大学出版社《世道人心说〈西游〉》一书，视觉中国供图）

地球这颗星星

大解

我算过一笔账，要想到天上的星星上去，修路是最笨的办法，造价昂贵不说，从技术上讲，难度太大，路途也过于遥远。那么，有没有离我们近的星星呢？经过精密的计算，得出的结论是：离我们最近的星星是地球，距离为零。这个结论使我兴奋不已，并且恍然大悟，原来我一直就生活在一颗星星上！

有了这个重大发现以后，我注意到，地球是颗美丽的星星，能够登陆这样的星星，是祖先的造化，也是我的幸运。更加幸运的是，我在这颗星星上获得了永久的居住权。在地球上，一切都是免费的，只要你出生了，你就有了生存权，活多久都行，死后还可以埋在这颗星星上，参与生命的大循环。

有如此好的环境和优惠的条件，不到地球上来一趟，简直是个傻瓜。因此，有那么多人争先恐后地来到世上，我就是其中之一。在此，我要感谢我的先人，是他们先于我发现了地球，并把我带到这里。我来后，顺便带来了我的子女。我的子女们表示，地球这颗星星确实不错，既然来了，就要永久地住下去，并打算在此绵延不绝。我知道，许多人都是这么想的，也是这么做的。

现在，我要做的是，在地球这颗星星上，能走多远就走多远。走累了，我还可以坐在这颗星星上，随着地球的自转而遥看白昼和星空。当在遥远的星星上生存的智慧生命看到我们这颗星星时，一定会羡慕地说：“看，那颗神秘的星星上有一种动物，名字叫人。”

（米兔摘自花山文艺出版社《大解寓言》一书，视觉中国供图）

退课的N种境界

●邓琬秋

牛刀小试，一马当先

在清华大学，我们能在3个时间段进行退课操作。第一个阶段是在上课的前两周，第二个阶段是在第6周，第3个阶段是在第10周和第11周，而后两个阶段退课是要在成绩单上记“W”的，也就是“withdrew（退课）”，我们通常将它戏称为“wonderful”。

故事从选课的那个下午开始。向来被称为“五道口体校”的清华，在我们大一新生刚入学时就赠送了3周“军训大礼包”。在烈日下暴晒后的我回到宿舍，打开选课手册，看见丰富多彩的课程，就如同琳琅满目的商品尽收眼底，这让被军训磨平棱角的我对上课充满了期待。于是，我一口气选了28个学分的课程。

很多学长笑我“初生牛犊不怕虎”，对此我不以为意，心中依旧充满激情。直到正式上了一天课，我这才意识到，都选了些什么课啊？作为一个纯正的文科生，我的课程表上竟明晃晃地摆着一门“基础生命科学”。之前听别人说生物是理科中的文科，于是我怀着“我能行”的自信踏入课堂，后事如何？老师发送了一份随堂调查问卷，结果显示，在座的同学90%以上都在高中学过生物。老师很欣慰，而我很辛酸。

但是勇敢的我怎能被这点“小小的震撼”威慑到呢？于是我十分专注地听老师讲课、做笔记，即使周围的同学都在悠闲地“摸鱼”。事实证明，我高估了自己。老师已经默认大家都知道生物的基础知识，直接带我们“翻山越岭”，向高阶行进。奈何我真的跟不上课堂的节奏，也搞不懂知识点，于是萌生了退课的念头。虽然心中有些许遗憾，但不得不说，第一次体验退课还真有点激动呢！

呼朋唤友，越战越勇

刚入学时，学长都向我们推荐“社会学的想象力”这门课。我不管三七二十一，随大溜选上了，而后便经历了复杂的心路历程。课程确实很有趣，每节课前老师都会放一段宫崎骏动漫电影中的音乐，然后问我们这首音乐的名字。第一节课以《泰坦尼克号》这部电影为切口，分析真实事件中幸存者的构成，如性别、身份、舱位等，由此讲述相关的社会学知识。我在课上听得很投入，也觉得课程很有意思，但不得不面对一个严肃的问题——课程的考核方式。

考核方式跟这门课一样，十分“有趣”：首先是令人后背一凉的每节课随堂小测，当场计分；接着是一学期4次的电影小班讨论，需要分成多个小组以近乎辩论赛的形式对一部电影各抒己见，按照表现得分；最

后是期末考核，要求我们运用社会学知识写一篇不少于5000字的自传，外加一次期末闭卷考试。除此之外，这门课每周的文献阅读量几乎超过了我的专业课。老师还云淡风轻地坦诚相告："这门课的优秀率不高哟。"

课程第二阶段，恰逢我的心态出现了问题，我每天都很迷茫、焦虑，每天都担心自己的GPA（平均成绩绩点），一想到这门课的任务如此繁重，考核方式如此"魔鬼"，给分还不和善，秉承着班主任奉劝我们的"应退尽退"的原则，索性一退了之。

其实，在退课之前我还是有过一丝顾虑和犹豫的，因为在这个阶段退课，成绩单上会被记一个"W"。但真正给我吃下定心丸的，是我的几位同班同学。他们跟我上同一门课，并且不约而同地和我有相似的困惑，当我们产生了灵魂碰撞，确认过眼神，便都坚定地按下了那久违的"withdrew"。果然，退课会迟来，但永远不会缺席。

血雨腥风，后悔不迭

小A是我的室友，我们在清华入学英语分级考试中拿到了同样的二级，于是沦为"非英语免修儿"，投身到腥风血雨的英语抢课中。小A从学长那里打探情报，了解到外教露丝的读写课口碑很不错，于是我们俩都去选了她的课，而且这次小A可是下了"血本"——用第一志愿去"砸"的。

课程口碑好，选的人就异常多，我们面临着巨大的竞争压力。即使小A用第一志愿下赌注，依旧没能被老天眷顾，但幸运的是，她排在"Waiting List"（候补名单）中的第一位。只要有人退课，她就能顺利"登基"。但离谱的是，小A性子急，她见自己没有选上，被恼怒冲昏了头脑，直接按了"withdrew"，把我都看呆了。

事后，小A恢复理智，懊悔地自敲脑门，闹着要吃"后悔药"。但事已至此，她只能接受现实，可怜地去选了另一个老师的"早八课"。可作为一个"起床困难户"，她早该想到，自己是承受不住的。

周三上午我没课，正美好地开启"睡到自然醒"模式。睁眼后，看了看手机，10点32分，起身下床，被坐在书桌前的小A吓了一大跳。小A睡眼惺忪，用生无可恋的眼神看着我，哑着嗓子说："我一觉醒来已经10点了，早八英语课都结束了……"我哭笑不得，她继续说："所以我刚刚把它退了，去它的早八！"我被她逗笑了，但又有些心疼——好端端的一个美女，竟被英语课来回折腾，在还没上过一节课的情况下就默默退场。

奇思妙想，知难而退

这学期我依旧冲锋陷阵，彰显"激情选课人"本色，比上学期更上一个台阶，选了29个学分的课程，可谓"死不悔改"。其实我想的是，我知道自己一定会退课，因此不如先多选一点，好让退完课后剩下的学分不至于那么不体面，这也算是一种"奇妙的思路"。

其实，我们退课的原因还有很多，比如本来还在犹豫不决，但看到期中成绩之后立马退掉，我们将这称为"最终判决"。又比如遇上了"坑小组"和"坑队友"，自己辛勤耕耘，但小组群寂静无声，其他人一言不发，这时的全身而退何尝不是上上策呢？更加离谱的是，自己加入的课程小组中的其他人不约而同地跑路，只剩自己"独守空房"，于是这个"冤魂之组"大概率会在最后一个成员——也就是自己，点击退课按钮之时被"飓风"抹去。再比如，当看见老师在网络学堂里上传的大作业上写着"不少于5000字"后，我们知难而退，及时止损……

自由选课，自由退课，两种自由的背后是无数大学生酸甜苦辣的人生百态，以及与课程之间上演的爱恨情仇。而退课后，回望时，感受到的更多是哭笑不得、趣味十足，也算是自己在大学生活中收集的一枚枚勋章和一个个印记吧！

（周郎摘自《大学生》2023年第9期，匀犇图）

我们很有可能来自太空

○〔英〕吉姆·查普曼
○吕同舟 译

你知道是哪件事情让我大吃一惊，而且惊讶程度远远超过其他事吗？那就是，我们生存的这个星球，当初除了水、岩石、灰尘和一些随机产生的化学物质，一片荒芜，但是不知怎么回事，生命就这么诞生了。这个星球上第一个生命点亮了整棵进化树，成为所有存在过和未来可能存在的生物的始祖（至少对地球上的生物而言是这样）。它是每一种细菌、鱼类、哺乳动物、真菌、昆虫、变形虫、蛛形纲动物和黏菌的共同始祖，但它不是被生出来的，因为在它之前，这个星球上没有任何形式的生命。

当然，这件事发生在数十亿年前，所以无论如何我们都只是在假想而已。但即便是假想，只要够精彩、够有趣，我也喜欢。更何况，这是一个关于人类、獾、细菌、伶盗龙、章鱼及其他所有生物来源的假想。这可是一个巨大的假想。对有一些科学常识的人来说，“生命源于化学”是一个显而易见的设定。我们都知道原子之间相互作用，从而形成分子，比如两个氢原子和一个氧原子会形成一个水分子。而这些分子也会相互作用，从而产生一些尺寸更大的分子结构及各种化合物。

几乎所有的东西都是由原子和分子组成的，从我们呼吸的空气，到我们用来呼吸的鼻子和肺，都是这样。有趣的是，我们过去一直以为有一些特殊的分子不可能出现在除生物体内以外的环境中，然而如今在从外太空坠落到地球的陨石中，我们发现了它们。我们并不能就此证明人类来自外太空，但这可以用来佐证那些分子并不像我们想象的那么罕见。事实证明，它们的存在还是很普遍的。而且如果条件允许，它们也许就能从无到有自行产生。

远古时期的海洋通常被称为“原始汤”，因为海洋里漂浮着各种零星的、产生生命所需要的物质，它们就静静地在那儿等着发生各种反应。没有人能确认这些原子、分子和各种结构如何相互合作，以形成存在于DNA中的基因密码，不过有一个猜想提出：一个中空的球状分子结构恰好围绕一个柱状的分子结构形成。地球上第一个类似细胞的产物就这么诞生了，那个球状结构充当细胞膜的角色，保护着其中重要的细胞内容物。

当然了，这仅仅是对世界沧海桑田变化的一瞥。如果你有兴趣做更深入的研究，你会发现神奇的RNA（核糖核酸）、氨基酸、化学进化及代谢途径等关于生命诞生的奇迹。这些知识点实在是太繁多了，所以就让我给你留下这么一个想法作为结尾吧：如果生命真的不是来源于偶然，分子确实能自我组织和自我组装，那么面对宇宙中数不胜数的类地行星，不论这个概率有多低，存在地外生命的可能性也没有那么小。

（梁衍军摘自中信出版集团《超纲冷知识》一书，视觉中国供图）

鲤鱼靠酿酒过冬

●大科技

鲤鱼是欧亚地区常见的一种淡水鱼，经过人工繁育，可以产生许多新品种，金鱼就是野生鲤鱼演化而来的彩色变种。这些鱼很常见，但本领可不小，因为它们竟然可以靠“酿酒”过冬。

能“酿酒”的奇特鱼类

当冬天到来时，北欧的河流持续数月被厚冰覆盖，水中的氧气极少。这个时候，生活在水里的大多数脊椎动物会选择无氧呼吸模式，快速分解碳水化合物以获得能量。但是类似于短跑运动员只能在短时间内保持体力充沛，大多数动物可没法长时间依赖这个过程生存。因为脊椎动物无氧呼吸的代谢产物是乳酸，乳酸在血液和肌肉中积累会带来致命性伤害。若鱼的体内乳酸浓度过高，更会导致它们在几分钟内中毒死亡。可鲤鱼有一个独门绝技，能将乳酸转换成乙醇，随后经鳃排出，避免乳酸中毒。借助该能力，鲤鱼能在严寒地域冰封的水池里存活数月。

但我们知道，酒精的产生依赖于微生物的发酵作用，这些淡水鱼又是怎么产生乙醇的呢？

原来，这些鱼的肌肉组织里有两种酶。鲤鱼体内的一种酶用于标准的有氧代谢过程，另外一种叫作丙酮酸脱羧化酶，能在低氧环境中被激发，将代谢物变成酒精，这个过程有点类似于酿酒酵母分解葡萄糖产生乙醇。

进一步的基因测序显示，大概在800万年前，鲤鱼祖先的体内发生了一次基因组复制事件，能“酿酒”的丙酮酸脱羧化酶正是从那个时候进化出来的。

鱼有没有喝醉

研究者发现，这种酿酒能力只有鲤鱼家族具备。他们在对北欧地区鲤鱼血液里的酒精浓度进行检测后发现，其身体里的酒精浓度竟然达到了0.5毫克/毫升，已经超过了大多数北欧国家法定的酒驾酒精浓度限制，可以说是一条“醉醺醺”的鱼了。那么，这些鱼是否真的醉酒了呢？

虽然这些鱼在冰层下通常一动不动，就像醉酒的人陷入昏睡一样，但没法确定这到底是酒精在它们体内发挥的作用，还是它们为了过冬，在减少能量消耗。

也许有人会想，既然鱼的血液中酒精浓度这么高，我们可不可以吃几条，以此解酒瘾呢？

答案是不太可能。一条小鲤鱼重约20克，血液约占其体重的5%，这意味着每条鱼有大约1克的血液，所以吃一条小鲤鱼你只会获得0.5毫克的酒精。而一瓶啤酒大概酒精含量是24克，这就意味着你得吃掉1.6万条20克的鲤鱼，才相当于喝了一瓶啤酒。

那么吃多少条20克的小鲤鱼才能达到相当于喝5罐啤酒的效果呢？答案是8万条。

（心香一瓣摘自微信公众号“大科技”，视觉中国供图）

《小鞋子》：那些孩子来自天堂

●平智炜

《小鞋子》是一部小众的伊朗儿童影片，然而，它曾入围奥斯卡最佳外语片提名，这是伊朗电影史上里程碑式的荣誉。此外，它还获得过蒙特利尔电影节最佳影片、第23届国际儿童电影节最佳电影奖等诸多奖项，影片名称也被直译为《天堂的孩子》。

影片十分简单，是关于两个孩子还有一双鞋子的故事。哥哥阿里在买菜的过程中丢失了让鞋匠帮妹妹修补好的小鞋子，因为家庭经济窘困，兄妹俩不敢将遗失鞋子的事告诉父母。为了隐瞒这件事，两个人决定每天轮换着穿哥哥的一双旧跑鞋上学。

为了能及时换鞋，兄妹俩飞奔穿行在伊朗的小巷里，妹妹因为鞋子不合脚而差点弄丢了鞋子，哥哥则常常担心上课迟到。无意中，他们发现了小鞋子的去向，但那家人同样拮据的生活令他们无法开口讨回鞋子。阿里听说跑步比赛得到季军可以获得崭新的运动鞋，毅然报名。他拼了命地奔跑，最后得到了冠军，却倍感失落。而此刻，父亲已经为兄妹俩买来了新鞋子……

如果你用成年人的眼光去看这部电影，会觉得有些压抑，因为影片中的兄妹俩没有享受同龄孩子的快乐，而是背负了超越他们年龄的沉重负担；可如果你回归单纯的儿童视角，也许就会看到虽然厚重，但依然闪光的童真以及美好的人性。

影片中最让人难忘并且导演运用大量镜头来展现的，是兄妹俩在丢失鞋子后共穿一双鞋子飞奔在各自求学路上的画面。哥哥的鞋子妹妹穿着并不合脚，在一次急着跑回家与哥哥换鞋子的途中，妹妹不小心把一只鞋子掉进了沟渠。顺着小水流一路向前，妹妹紧追不放，跑过了一条又一条街巷，几次扑进水里，却还是错过。急哭了的她，在好心人的帮助下才捞起湿漉漉的鞋子，赶到与哥哥约定的换鞋子的地点。

妹妹因为迟到被哥哥责备，而哥哥也因为耽误上课时间被校长批评。但即便如此，兄妹俩依然信守承诺，对父母隐瞒丢鞋子的事情。因为母亲生着病，房东催着租金，家里还有小弟弟，父亲的工作也不如意……两个孩子担负着为家庭分忧的责任，他们是早熟、懂事的，但也保留着最纯真的初心。

除了责任和担当，影片所呈现出的人性之善也深深地打动了观众。当妹妹发现自己的小鞋子穿在另一个小女孩脚上后，理直气壮地带着哥哥

上门去理论。在小巷深处，他们发现小女孩的父亲是一个盲人，于是什么都没做，而是目送那个小女孩扶着她的父亲走街串巷，去兜售面包。

兄妹俩去时斗志昂扬、正气凛然，此刻却沉默不语，两个人在彼此清澈如水的眼神流动之间，默默放弃了追讨的权利。这无声的画面，让我们感受到的却是心灵的震撼，人性的美好被发挥到极致，此刻的放弃是宽容，是发自内心的善良。

更为难得的是，这种善良绝非单方面的。当穿着妹妹鞋子的女孩捡到妹妹的笔后，没有私自占有，只是好奇地用自动笔写了两个字，然后就规规矩矩地将笔送还到妹妹手里。东西再好也是别人的，不能私自占有，这是常识。影片所传递的人性之光是温暖的，共同拥有的向善之心，让她们收获了友谊。

家庭的窘境，让阿里和妹妹的童年时光变得短暂。生活无情地磨蚀了他们爱美爱玩的童心。他们的早熟也许很无奈，但内心根植的善良和责任，让他们能够直面苦难。

影片中还有这样一个细节：神父托付给父亲一大块冰糖，让他砸成小块在教会上用。妹妹在给父亲倒茶时，父母明确地告诉她，要拿自己家糖罐里的糖，不能辜负信任，绝不容许妹妹取半点不属于自己的糖渣。

诚实与守信，在这个贫穷的家庭里被传递、放大，这是多么高尚的教育！没有人因为贫穷而怨天尤人、自暴自弃，每个家庭成员都在凭借自身的力量试图改变。在他们多舛的命运中，自始至终贯穿着真、善、美。

影片中最令人动容的是哥哥阿里参加长跑比赛的情节。当哥哥看到运动会季军的奖品是一双运动鞋时，在报名已截止的情况下，他一再请求体育老师让他参赛。因为真诚以及良好的测试成绩，他如愿以偿。他向妹妹承诺，一定跑第三名！

长跑那天，在其他装备齐全的孩子面前，阿里显得单薄而无力。但为了实现对妹妹许下的诺言，他拼尽全力奔向终点，接近终点时，猛然发现自己已把对手远远抛在后面。一心要获得第三名，为妹妹赢取一双鞋子的他，停下脚步等待对手，而当对手超越他时，他又拼尽全力向前。这样一份要得到季军的执念，深深地令人敬佩。

最终，阿里在拼命冲刺时戏剧性地夺得了第一名。荣誉突如其来，面对记者的镜头，他盈盈的泪光中充满的却是无尽的自责和愧疚。当妹妹知道哥哥没有得到运动鞋时，难掩失望却又不忍责怪。阿里将长跑中磨破的脚丫泡进冰凉的池水里，水中的鱼儿向他游来，温柔地亲吻他的脚丫，这也许是上天对他的慰藉和祝福。

影片的结局十分温暖：哥哥和妹妹的失望只是暂时的，因为父亲已经买好了兄妹俩的鞋子往家里赶。而哥哥用全部努力摘取的冠军头衔，就算他万般不情愿，也一定会成为生活给予他的美好馈赠。

在屏幕前，我们没有看到兄妹俩得到鞋子的兴奋、释然与满足，但这个温馨的结局已毫无悬念。当画面渐渐淡出，留在我们心底的是两个孩子的坚韧、执着、宽容和善良，是他们为了一双鞋子而付出的全部努力，是他们永不放弃的梦想。

我不由得又想起了影片中那双历经曲折的小鞋子，想起大街上那家被大家无数次深情注视过

火星上的落日是蓝色的

●苏澄宇

为什么火星上的落日颜色与地球上的不同，火星上的落日是蓝色的，而不是红色或橙色的？要回答这个问题，我们需要了解两点：火星上的大气和散射光。

火星上的大气非常稀薄，大约只有地球上的1%。这意味着火星上的空气分子很少，所以它们对光的散射作用也很弱。散射光就是当光线穿过大气时，被空气分子或其他微粒反射或弯曲的光。

在地球上，当太阳接近地平线时，它的光线要穿过更多的大气层，所以更多的光被散射。其中，蓝色光波长最短，最容易被散射，所以天空呈现蓝色。而红色光波长最长，最不容易被散射，所以当太阳落山时，它的红色光能够到达我们的眼睛，使我们看到红色或橙色的落日。

在火星上，由于大气稀薄，太阳的光线几乎不受散射影响。但是，火星上有很多灰尘颗粒，它们比空气分子大得多，所以它们对光的散射作用也不同。灰尘颗粒会反射所有颜色的光，但是更偏向于反射红色光。

所以，在火星上，当太阳高挂天空时，它的光线会被灰尘颗粒反射成红色，使火星看起来像一颗红色行星。而当太阳接近地平线时，它的光线要穿过更多的灰尘层，所以更多的红色光被反射。这样，剩下的蓝色光就能够到达我们的眼睛，使我们在火星上看到蓝色的落日。

（小小摘自微信公众号“把科学带回家”）

的鞋店——盲人父亲进店打听鞋子尺码时，隔着橱窗打量鞋子的是阿里父亲的脸；阿里也曾来到鞋店，默默地看着鞋子，从左到右；妹妹在鞋子丢失后，也曾用渴望的眼神紧紧盯着躺在橱窗里的鞋子……

我想，在导演的镜头里，“橱窗里的鞋子”代表着一个梦想，不管生活如何艰难，人们依然殷切地憧憬着美好。这样的梦想即使遥远，也如同一缕暖心的阳光，而有阳光照耀的地方就是天堂。

《小鞋子》平静而自然地讲述了一个贫困家庭的故事。对阿里和妹妹这对在窘迫境况下生存的兄妹，影片没有表现出廉价的同情，而是体现出了足够的尊重。影片并非为了展示贫瘠的苦难，而是为了让观众看到简单朴实生活中的人性光辉。

阿里那双清澈的大眼睛中，始终闪烁着倔强的光芒和不懈的激情，传递出的是热爱生活的坚韧力量以及对梦想的执着。此刻，我才明白“the children of heaven”的含义，正是那些来自天堂的孩子，用自己纯粹的心温暖着彼此，让所有的苦难都黯然失色。

我不禁想到，回归教育的本质。孩子成长为什么样的人，取决于唤醒他们心灵的那些东西。

德国教育家斯普朗格认为：“教育的最终目的不是传授已有的东西，而是要把人的创造力诱导出来，将生命感、价值感唤醒。”

我想，在这一点上，《小鞋子》给了我们满满的正能量：面对并不如意的人生，面对生活中的种种磨难和挫折，我们要用积极的态度去面对。

我们所追求的更好的教育，就应当是让孩子直面自己的人生，获得更多快乐和幸福的教育；应当是让孩子感受到生命的意义和价值的教育；应当是让孩子们始终拥有梦想和追求并为之努力的教育。

这样的孩子，才是来自天堂的孩子。

（鬼鱼摘自《上海教育》，视觉中国供图）

巴黎大菜场的味道

●张佳玮

巴黎大菜场，着实赫赫有名。钱锺书先生的《围城》里，就有这么个段子：方鸿渐坐在味道怪异的沈太太身边，心里想，这真是从法国刚回来的女人，把“巴黎大菜场的臭味交响曲都带到中国来了”。

如今，巴黎大菜场是不复存在了，只留下了一个庞大无比的夏特莱车站。凡在巴黎坐过地铁的人，说到此地，都要做噩梦：3条铁路，5条地铁线路，15条公交线路，26个电影院。“宁可走一站路，也别去夏特莱换乘！”

传统的巴黎大菜场，指中央市场。早在12世纪，巴黎市民就在市中心分区摆摊，贩卖蔬菜。

大作家左拉说这是“巴黎的肚肠”。肚肠的味道，自然不算好闻：每天天不亮，8个火车站，5000多辆马车，将猪羊牛鱼、蔬果瓜菜，一气儿运到中心去。这一路味道袅袅，自不待言。到市场里，万头（匹）牛马形形色色的粪便、10万多条鱼的腥味、成千上万种怪异奶酪的臭味，分声部吹拉弹唱，没法子不“交响”。

所以大菜场到1971年消失了：诚然此地宏丽热闹，商品琳琅满目，人们摩肩接踵，但现代社会，更得解决卫生和拥堵问题。

大菜场没有了，但大菜场的精神流散到了大街小巷。

比如朗吉，售卖海鲜、肉类、蔬果、奶酪、鲜花。每天仅蔬果，得卖出去3000吨。这地方已经算巴黎近郊了，穿戴讲究的人们轻易不来，来的都是专业厨子、资深主妇、食品供应商，都是行家，挑肥拣瘦，巧舌如簧，偶尔有旅游者来看热闹。既然如此，免不了看见论半爿买卖的牛、巨型的鱼、大桶的酒之类的玩意儿了。

对于寻常人等，拉斯帕伊市场更适合。卖的东西也不吓人：土豆、蒜、韭、葱、春夏樱桃、夏秋葡萄、杨桃、蜜瓜、蘑菇、鳕鱼、鲑鱼、贻贝、各类香草——总而言之，淑女们也可以从容面对，不像一个猪头、半头牛，会吓得人不知如何下手。这地方的吆喝声也不大，不像朗吉的那么粗如洪钟，毕竟是在市区里，大家都斯斯文文。

当然还有好处：去拉斯帕伊周边的餐厅，叫一份松露煎蛋，或者点一份浇上橄榄油和松露碎片的意大利面，多半货真价实。

在大菜场买个酱肉三明治，还可以溜达到卢森堡公园里，坐着看孩子奔跑、业余乐队演奏，赏心乐事。

在波德莱尔眼中，真正的巴黎民间的快乐，来自那些平常的节假日，到处一片光芒、烟尘、叫喊、欢乐和嘈杂，生命力满溢的狂欢。这种狂欢是什么味道的呢？波德莱尔说，是一种“油炸食品的香味”。波德莱尔认为，这味道压倒一切芬芳，像是为这节日所供烧的香火。

俗气吗？然而这才是生活。

（巴山夜雨摘自《新民周刊》2023年第39期）

一天建成的“山河大学”长什么样子

●汤秀云

众所周知，山东、山西、河南、河北人口多、生源多，但“985”“211”高校屈指可数，这成为四省共同的痛点。2023年6月27日，一位网友在社交平台发布了一段视频，开玩笑称如果晋、冀、鲁、豫四省的343.4万考生一人拿出1000元，总共是30多亿元，可以打造一所位于四省交界处的“山河大学”，这样四省学子上大学就不用愁了。

这个天马行空的提议瞬间点燃了网友们的热情。上午发出提议，下午，行动力强的网友就将学校地址选定了，还设计了录取通知书、校徽，甚至连校训都想好了。“山河大学”主校区设立在四省交界处邯郸，分别在石家庄、济南、郑州、太原设立4个分校区，校训是“山东山西谓之山，河南河北谓之河，兼爱大成谓之大，博学求知谓之学”。

同时，一个网友发布了“山河大学”的校徽，并配文称：“山河大学今天成立了！”校徽中，一双手托起了一本翻开的书籍，两边写着“博学”“求知”。随后，校徽的图片在网上广泛流传。

紧接着，有网友发布了一则“招生公告”，称“山河大学”主要录取山东、山西、河南、河北四省考生，外省考生若要报考“山河大学”，高考分数需达到700分以上。当晚，该网友又发布了一张宿舍效果图，并配文：“宿舍已建好，欢迎大家报考‘山河大学’。”

此后，一众网友利用各自的专长为这所虚拟的大学添砖加瓦。有网友说招生代码就用“985211”，有网友设计了“山河大学”学生卡，有网友写了校歌，有网友陆续提出“山河大学”二级学院的设置构想，有网友开设了“山河大学”的一系列社交账号、建了交流群，还有网友为“山河大学”开发了一个招生网站，并精心设计了一份综合性的课程表……

随后，网友还将唐代诗人杜甫“任命”为“山河大学”的校长，他的诗句“国破山河在”中恰好有“山河”二字。

就这样，中国唯一一所筹备时间不超过48小时的“411大学”（四省联办、一夜建成、超一流大学），在互联网上拔“地”而起。越来越多的人加入这场办学的狂欢中。

网友“陆西鱼”使用建设类游戏软件，为“山河大学”设计校园建筑。他在网络平台发布了一段视频，展示了在游戏中设计的“山河大学”正门和图书馆方案。在游戏中，他以形意结合的方式把“山”“河”融入校门造型，用大理石雕刻出了几个由三角形组成的“浪头”形状，又用一个缓坡将其和山峦形的石雕连接在一起，寓意四省学子能够逐浪山河。他还在“山河大学”的小广场上矗立了一个两手相握的雕塑，象征着同学们互相扶持、互学共进的精神。在图书馆造型上，他引入阶梯、天井等造型，把古典建筑和西方现代设计元素相结合，图书馆前面流线型的绿地造型代表了前路曲折漫长，但只要走下去，最终就会到达成功的彼岸。

虽说“山河大学”是一所建立在互联网上的虚拟高校，但其“五脏俱全”，几乎涵盖了一所大学应具备的基本框架。在学院设置方面，“山河大学”已拥有理学部、工学部、医学部、文学部、计算机学部等13个学部，

人与城市

●〔意〕詹弗兰科·卡利加里奇
○陈英　译

城市的黎明降临了，在灰蒙蒙的天色中，一群人等着早班公交车的到来。

这座城市是当时我唯一可以生活的地方。她本身带有一种特殊的醉意，与其说是一座城市，不如说是你内心深处的一部分，一只隐藏的野兽。

在她面前，没有任何中间路线，要么就毫无保留地爱她，要么就离开，因为这只温柔的野兽要的就是被爱。

不管你从哪儿来：南方崎岖的绿荫小路，北方起伏的笔直大路，还是灵魂的深渊，这座城市唯一收取的过路费就是我们的爱。

我们要做的便是随波逐流、享受当下，荡漾在距离幸福咫尺之遥的地方：拥有灯光闪烁的夏夜，春日里充满活力的清晨，寒风刺骨的冬季和病恹恹的秋天。

直到在日复一日的等待中，我们也成为城市的一部分，发现再也没什么可以等待的了。

（田龙华摘自南海出版公司《虚掷的夏日》一书，视觉中国供图）

下属包含新闻与传媒学院、数学科学学院、生命科学学院、软件学院、文学院等常规院系，还有诸如玄学院、爱情学院等创意院系，有近百个学院。

网友可以在“山河大学”官网上自行生成录取通知书，在新生报到频道，招生办的工作人员会详细介绍入学通知；在每个学部频道，学生会讨论相应的学科问题；在考试频道，群主会分享大学考试真题。在生活区，宿舍里，上床下桌，有独立卫浴，还有空调。学校里有湖、公园、图书馆、实验室、食堂等设施。在短短几分钟内，学生可以在线上体验一遍上大学的全部流程。

2023年7月4日，在“山河大学”的“总群”里，“学生会”开始组织首届大学生辩论赛。3天内，参赛选手便已确定，来自金融系、播音系、法律系等不同虚拟专业的14名选手，在线上会议室里，就“大数据让我们生活得更轻松/更沉重”的话题展开辩论。

在哲学院群里，“院长”每天都会发布作业和一个讨论话题。比如，有一次作业是一道考研习题：人类首次拍摄黑洞正面照，验证爱因斯坦广义相对论的预言是对的，这表明了什么？当天的讨论话题则是：请问“我在”是不是“我思”的推论，我们如何理解“我思故我在”？

博主“唐宿秋”是一名刚参加工作的初中教师，她也是第一个在“山河大学教育学院”给大家答疑的老师。她通过“山河大学”的网络社区开启了一场直播答疑，主题是“教育研究方法”，这也是专升本、考研等考试的重要科目。许多“同学”聚集在直播页面，弹幕里飘着“老师好棒”“好厉害”等评论。

“山河大学”事件得到了教育部的回应。2023年7月6日，教育部副部长吴岩回应称，已关注到“山河大学”的话题，将不断优化高等教育资源布局结构，支持中西部地区，特别是人口大省扩大高等教育资源规模，并优化类型结构和区域布局。

每个人心目中都有一所属于自己的“山河大学”，这所大学可能是自己对美好学校的向往。我们有理由相信，“山河大学”不会只停留在愿景里。

（学而摘自《知识窗》2023年10月上）

缓慢生长

●秦贞迪

高中时，我偏科极其严重，是文科生中的优生，理科生中的“差生”，综合看来，就是一个中等生。我努力补习数学，几乎把百分之九十的时间用来攻克数学题。有一次，我像往常一样拿出那沓厚厚的练习卷，同桌突然冷哼了一声，对我说：“笨鸟先飞。”听他那么说，我的眼泪都要掉下来了。那四个字绵软又精准地刺痛了我，让我的自尊心碎了一地，像是跳梁小丑遭人嘲讽。我快要窒息了，虽然忍了很久，但最后还是找了个没人的地方哭了一场。

我努力了很久，但数学成绩还是起起落落，没有大的改变，总是遭到数学老师若有若无的忽略。可能只有当过毫不起眼的中等生，才知道老师的鼓励有多重要。而“笨鸟先飞”这四个字，就像同桌给我打上的标签，我努力地挣扎，拼命地想要撕下来，却总是在一次次没有起色的数学考试成绩中溃败。我渐渐觉得这四个字似乎生出了一种尖锐的东西，时不时刺着我。后来，我就不敢在同桌面前做数学题了，不懂的题目也不敢去问老师，只能拿回家偷偷写，偷偷琢磨。在好几个深夜，我都觉得自己活得好辛苦，折磨自己，拷问自己，好像总是不能找到合适的节奏。那些不被察觉的缝隙中，也总是充满了无法言说的痛苦。

高三时，气氛紧张，欢乐稀薄，时间稍纵即逝。大家都憋着忍着，不敢松懈，不敢放弃，更不敢退缩，而我恨不得把自己绑在座位上，把这世界上的所有数学题都做完。在那个阶段，我还是一个脆弱的“小鬼”，看着试卷上解了十几次依旧做错的数学题，又看看窗外的落日，总在叹息什么时候才能解脱。一个偶然的触发点，就会让我的眼泪毫无征兆地流下来。

我常常被这种无力感击中，只能时不时地敲打自己：这世上怀才不遇之人多如过江之鲫，我又算得了什么。可随之而来的，便是面对高考时的惶惶不安，像是一个漫长的审判过程，煎熬折磨。高考就像是我生命的全部，而我也只能在文字中得到片刻喘息。文字在蹉跎的时间中给了我微乎其微的意义，如生命的救赎，我从来没有那样急切地渴求过它。

后来的日子我时常沉默，曾经的我大放厥词，说要耕耘文学，但其实是在高考倒计时中一边哭泣一边奔跑，“不择手段”地提高分数。兴趣被消磨，经常熬夜做题，心情又常常紧绷着，人就出了问题。我时常对什么都提不起太大的兴趣，有时候会脆弱得无法自处，不知道自己被困在哪里。我也感受不到那种肆意飞扬的青春，留给我的只有不起眼的分数，额头上的痘痘，无数个因为数学成绩而焦虑的晚自习。我奋力奔跑，却总是跌倒在岔路口。

于是，我休学一个月，接受心理治疗。我

记得最清晰的是医生讲的关于马的故事，她说：“乌克兰地下煤矿有一匹运煤马，它常年待在矿洞里，听着断断续续的轰鸣声，似乎全身的血管都膨胀起来，忘记了痛苦和恐惧，只会往地球深处钻，英勇地流血。很久很久之后，它完成了所有任务，拖着疲惫的身体摇摇晃晃地走出黑漆漆的矿洞，来到阳光明媚的地面。阳光迫不及待地涌上来，而那匹马却因为在地下待的时间太长，失明了。”

医生看着远方，仿佛在对我说，又像在对自己说：“很可惜是吧？你以为你得到的很多，但其实你失去的更多。欲望越强烈，矛盾就越深，痛苦也会越盛。这个世界上，总有比学习更重要的事情，学习并不是生命中的一切，它只是你某个阶段的主要任务。有时候要学会放松自己，慢慢走，时间长了，也能走很远。”

我恍然间觉得，曾经那样固执的思想顷刻间分崩瓦解。我隔着那段困顿的时光重新审视自己，恍惚间仿佛看见路有尽头。就那样，我丢下了心中的包袱。周身的尘埃缓缓落下，我突然觉得，生活还是很美好的。

在此期间，我被文学充实着，又读到了余华的短篇小说《十八岁出门远行》。小说讲主人公十八岁出门远行，经历了兴奋、困惑、折磨、疲惫，最后变得坦然。世道叵测，伪善横行于世，他就这样以肉眼可见的速度成长起来。我在独自一人的时候常常会想：人生之路的核心解法到底是什么？我突然就这样懂了。这是一条不容拒绝的路，人不能总是漫无目的地向前走，总是会在某一个时刻变得笨重，于艰难困厄之中缓慢生长，开始自我意识的觉醒，然后头也不回地走上自己的大道，而不是慢慢地、无声地退让和屈服。

绿萝枯又生。我攒足了勇气重返学校，数学成绩依旧毫无起色，但我心里出奇地平静。日子就这样一天天过去，我也出乎意料地坚持了下来。有时候，我会在学校某个不显眼的角落里看见那些默默努力的人，他们和我有共同的特点，害怕自己的努力被别人看见，害怕被别人嘲笑。当我出神地盯着他们看的时候，他们总是遮遮掩掩，装出一副漫不经心的样子。那种感觉我很熟悉，因为我也有过那样的时候。这个世界喜欢听年少有为的故事，人人看得见功成名就的少年英雄，却看不见壮志未酬的末路英雄，似乎关于成功的故事向来都是胜利者在讲述。很多时候，我想冲上去告诉他们，没关系，慢一点也很好，有些努力即使没有成功也值得被肯定，何况前程远大，这里并不是终点。可我还是忍住了，因为他们和以前的我一样，总是倔强又脆弱。我想，这也算是青春年少时的一种悲哀吧。

可能是得益于那种出奇的平静，又或是命运的安排，高考时，我超常发挥，数学成绩上了三位数，我考了一所还算不错的学校。亲戚们都知道我的高三一波三折，揶揄道“可算考上大学了啊”，再说些风凉话，好不热闹。我又在心里懊恼，怎么总是这样，别人轻轻巧巧的几句话，就能在我的心上撕开口子，该怎么反驳那些有恶意又毫无意义的话呢？那些话，最平常不过，好像怎么说都微不足道，虽然我心里的小人早就开始咆哮了，但现实中，我只能淡淡地笑着，装作事不关己，然后抹去不为人知的三年。

以前的我，只会匆匆低头赶路，陪伴我的只有路灯下孤独又坚定的影子。每次，我都想着赶快走，回家再做一套数学卷子，或者听着耳机里悲伤的音乐，默默哭出来，自我怀疑，整夜整夜失眠，留给我的只有数不清的错题和看不见尽头的失望。而今，再看到昏暗的路灯，我终于能停下来慢悠悠地欣赏，也开始原谅成长中遭遇的那些苦和痛。我偷偷地告诉自己，没关系，慢一点也很好。

我知道自己在缓慢地生长，也渐渐明白，很多时候不知道怎么走没关系，它们只是人生方程的参数，并不会影响答案。如果说事与愿违，那一定是命运对你有了新的安排。

（本刊原创稿件，胡晓江图）

破译甲骨文的女孩

●李传云

选择“最高冷的专业”

27岁的李莹，毕业于浙江师范大学，主修汉语言文字学古汉语专业，研究方向是甲骨文。一个漂亮时尚的“95后”女孩，怎么会爱上3000年前刻在龟甲、兽骨上的古文字呢？

原来，李莹读本科时就接触了甲骨文研究方面的入门书籍，发现那是一个博大精深、妙趣横生的世界。“学甲骨文不是难吗？越难我越要学，总得有人去研究古代文化啊。”在强烈的求知欲的驱使下，李莹读硕士研究生时就选择甲骨文作为今后的研究方向。

读研期间，因为汉语言文字学古汉语专业的同学太少，浙师大没有给他们安排专门的教室，而是让李莹他们4名学生，和学现代汉语的5名学生组成了一个班级。平时的大课他们一起上，到了上甲骨文专业课时，李莹就去导师陈年福的家里学习。

在师母眼里，李莹是一个文静又时尚的姑娘。“没想到她会选甲骨文这门枯燥的学科，我看过郭沫若写的《卜辞通纂》，感觉完全是天书，她却一口气‘啃’完了，我真的很佩服她的耐性！”

“小小的办公室堆满了书，一个人，一间屋子，一辈子，用99%的‘无用功’换来1%的突破。”在李莹眼中，甲骨文学者正是这样做着研究，每一个被破译的字的背后，都有着不为人知的孤独与坚持。因为热爱，李莹对自己的“冷”专业保持着“热”心态，不断为传承中华优秀传统文化而努力着。

然而，现实是冰冷的。2021年研究生毕业后，李莹竟然找不到和甲骨文相关的工作。毕竟这一行需要的研究人员不多，而全国各大院校每年都在培养专业人才，即便想一辈子研究甲骨文，要进入研究中心也并不容易。

为了生存，李莹应聘到一家网站做文字编辑，工作内容和甲骨文没有关系。李莹心里放不下自己钟爱的专业，就在业余时间以“李右溪”的名字开设视频号，成了一位主讲甲骨文故事的知识分享博主。

甲骨文背后故事多

李莹的导师陈年福有一个梦想——让更多的普通人了解甲骨文。为了帮助导师实现梦想，研二的时候，李莹曾组织师妹们做过一个介绍甲骨文的微信公众号，几个人轮流写古老文字背后的故事。后来因学业压力大，这个一直不温不火的公众号就停了。

2022年年初，李莹总结经验教训后，决定改用短视频的方式推广甲骨文。为此，她在杭州的出租房里搭建起一个简易的拍摄场地，每天下班就开始找选题，写文案。为了挖掘甲骨文中蕴含的乐趣，李莹特意找出背后有故事的字，再结合网络热点，把科普做得妙趣横生。她认为，趣味性和专业性正是视频制作的核心。

在李莹的视频中，每个甲骨文都有造字故事，以及字形的演变过程。一旦了解这些知识，

智趣

10年有多少天

陈奕迅有一首歌叫《十年》，吕珊有一首歌叫《3650夜》，请问，10年有多少天？（答案见下期）

上期答案： 第一步，将硬币分成3堆，每堆9枚，把其中两堆分别放到天平两端的托盘上，若天平平衡，假币在第3堆中，若不平衡，假币在较轻的一堆。第二步，将有假币的那堆硬币分成3堆，每堆3枚，把其中两堆分别放到天平两端的托盘上，同上次，找出有假币的那堆硬币。第三步，从有假币的那堆硬币中取出两枚硬币，分别放到天平两端的托盘上，若天平平衡，则剩下的一枚是假币，若不平衡，则较轻的一枚是假币。

网友们就能跟随李莹探究“汉字的生命轨迹”。在李莹拍的短视频《两个字讲述三千年前的一场车祸》中，只见画面左侧出现的甲骨文“车”字，是倾覆的；右边则是发生事故后被损毁的“车”，车轴和车轮都分离了。原来，这是商王和臣子驾车猎取犀牛时，在途中发生了车祸。为了生动地记载当天的情景，我们的祖先直接造了两个不同的象形文字“车”。

李莹的另一条视频，推介了用甲骨文写的“情书”——商王武丁的妻子妇好的名字，在甲骨文中出现了200多次，这代表着武丁在占卜时对妇好的挂念。而作为一名赫赫有名的女性将领，妇好为国出征的事迹也被记录了下来。

为了鼓励大众学习甲骨文，李莹还在视频中介绍说，甲骨文目前已发现大约4600个单字，但其中2/3的字仍无法释读。2018年，中国文字博物馆曾以最高10万元/字的“天价”，向全社会重金寻找破译人员。

李莹坦言，“释字”就像警察破案一样，首先要读懂甲骨文，查阅各类古籍，以扎实的理论为基础，之后寻找各类线索进行串联。“最难的一步就是把各种线索组织在一起，进行论证。过程很苦，但结果很酷！”

让更多普通人喜欢甲骨文

2023年3月下旬，李莹像往常一样录制节目。这一次，李莹没有介绍甲骨文，而是向网友们说起自己的专业：“2021年毕业时，只有我们4个学古汉语的同学一起拍了毕业照，看上去那叫一个冷清。殊不知，其中研究甲骨文的还只有我一个人……”

李莹的导师很快就要退休了，如果学校一直招不到研究甲骨文的老师，这个专业方向只能暂停。李莹感慨道：“甲骨文仿佛是祖先留给我们的一个‘通关密码’，用文字可以实现古今对话，了解我们先辈的故事。但现如今潜心破译这份密码的人并不多，研究甲骨文需要数十年如一日，耐下心来治学。”

令李莹没想到的是，正是《一个甲骨文女孩的独白》这条视频，让她意外地一炮而红，吸引了大批新粉丝。通过李莹的介绍，大家才了解到甲骨文背后那些有趣的故事，以及这个专业的发展现状。

有很多留言令李莹非常感动。受到鼓励的李莹决定辞掉网站编辑工作，留出充分的时间做甲骨文科普视频号，让更多人了解中国最古老的文字。目前已有公司主动联系李莹，请她联合打造甲骨文表情包、文化衫，以及开发甲骨文的线上课程等。

在2023年4月20日“国际中文日”这一天，李莹抛出一个问题：“我们的文字为什么叫汉字，不叫唐字、宋字呢？”视频中，她从甲骨文中的“文”字切入，介绍“汉字”一词的由来，再一次激发了网友们探究甲骨文的热情。

“如果能让更多人喜欢甲骨文，了解中华文明的起源，我也算是帮导师圆梦了。”李莹露出开心的笑容，她终于找准了职业方向——发挥自己的专长，通过新媒体传播中华优秀传统文化。

（仙儿摘自《恋爱·婚姻·家庭》2023年10月上）

撕下青春的标签

●玉梓茗

我并不喜欢青春，因为青春里满是偏见。

小学时，我是个爱笑的男生。由于在家里接触最多的是姐姐和妹妹，久而久之，我说话的语气就比较温柔。

不知道从什么时候开始，同学们都开始孤立我。

初夏，蝉鸣开始此起彼伏，微风穿过教室的窗户，吹起前座女孩的发梢。我愣愣地看着她扎得高高的马尾，她侧过头的样子，像极了漫画书里的少女。

那天开班会，大家展示自己的才艺，被意外抽到的她，就像不知所措的小鹿一般，惊慌地走上了讲台。平时就爱写写画画的她低着头，犹豫了一会儿才说，给她几分钟在黑板上画画，让大家猜猜她画的是什么。

“画得真好！”同学们纷纷感慨。

忽然，有一个同学指着黑板好像发现了什么，大声说道：“是那个‘娘娘腔’！”

瞬间，全班同学的目光都转移到了我的身上，我只感觉炙热难熬。我再也控制不住自己的情绪，站起身朝教室外跑去。

那天以后，她老是躲着我，我也像胸口堵着一口气，没再理她。对于“娘娘腔”这个称呼，我始终不能接受。

如果我能摆脱这个标签，该有多好。直到那天班主任把我拉进办公室，告诉我，因为我说话字正腔圆，想给我一个机会，去当学校文艺会演的主持人。

我刚想开口拒绝，老师忽然握住我的手，好像看出了我眼里的惧怕，语重心长地说：“你语气温柔，普通话也很标准，很适合当主持人。这是难得的机会，孩子，不要害怕，试试吧。”

当我怀着忐忑的心情回到教室，她轻轻地塞给我一张字条，上面写着：“在我眼里，你一直是个很棒的男生。那天我在黑板上画你，以为会让你开心，可是没想到却让你难过了。是不是因为我把你画丑了，你才生气的？”

我看着这张布满褶皱的字条，又看了看前座梳着高马尾的她，忽然就释怀了。她似乎察觉到了我在看她，转过头来，笑眯眯地说：“其实，我从不觉得你是‘娘娘腔’。我一直觉得你是个内心很强大的人，因为每次他们那么说你，你都没有理会他们。你就做自己，无须别人的认同。”

舞台上，我字正腔圆地念着台词，台下的她，眼睛里闪着光芒，一直为我鼓掌。青春的美好，我在这一刻看到了。

毕业典礼那天，她穿着碎花长裙，微风拂过发梢，吹起少女的裙角，连同我隐晦的心事，被掩藏在了那个炽热的夏天。

听别人说，她选了插画专业。她一直认为当初是因为把我画丑了，我才愤然离开教室的。因此，她决心好好学习绘画。

在爸妈的鼓励下，我最终选择了播音主持专业。曾经狠狠刺痛我的标签，在那个夏天，被我轻轻地撕了下来。

我开始喜欢青春，放声大笑，体会着岁月中成长的各种滋味。那些年贴在我身上的标签早就不再重要，重要的是，我明白了青春真正的意义。

（本刊原创稿件，与鱼图）

创意

艺术家瓦迪姆·萨多夫斯基用AI生成的透明物品，美妙绝伦，未来感十足。

阅读像旅行一样简单

●李施漫

大家的身边有没有这么一种人，他们的眼睛就像扫描仪，拿到一篇文章或者一本书可以快速地读完，甚至还能提炼出核心思想来，真的让人很羡慕啊！但你怎么就跟患上了“文字阅读困难症”一样呢？别说读书，看篇文章都费劲！咱们就来研究研究“阅读”的那点事儿。

在这之前，先问大家一个问题：“出去玩之前，你会做些什么？”一座城市那么大，在有限的时间里，我们很难了解透彻，肯定是要挑重点，做攻略，去查某一个地方最有代表性的景点，再围绕景点规划行程。大家发现没有？这种思路其实也适用于“阅读规划”。

当我们拿到一本书或者一篇文章时，可以把它看作一座城市，在看之前先规划一下，希望从这里获得什么信息，了解什么。带着这个阅读目标，我们去翻地图——大纲目录，这上面分布着每一个细小的“景点”，我们通过通读目录，就能大概了解这本书可能会讲什么。有了目标和对书的大致了解，现在我们就可以开启“文字旅行”了。

开始旅行，大家都很兴奋，见到新奇的事物就想“拍照打卡”一下。结果旅行结束，却发现自己毫无收获，这像不像读书时拿着荧光笔“划重点”的你呢？

这就是给大家的第二个提示，谨慎“打卡”，合理用好荧光笔。很多小伙伴习惯一边读一边拿着荧光笔“划重点”，最后整本书都被画得花花绿绿的。看上去有满满的成就感，其实脑袋空空，下一次打开，还是不知道从哪里看起。我的建议是，可以略读整篇文章或者整本书。读的过程中用一张稿纸把你认为重要的地方和关键词记录下来，再对照我们的问题目标，对所记录的“重点”进行整合删减。最后带着这些提炼的重点和新的目标进行总结，然后再回到文章去精读。

当太多东西都是“重点”时，相当于“没有重点”。而这种详略结合有目标的精读，可以帮助我们更加高效地去吸收一本书或一篇文章的精华，而不是花大量的时间去读书，却毫无收获。

最后，不要纠结，停留在一个地方反复看。重复去看一个地方并不能帮助我们解决疑问，当发现读不下去时，可以先在此处做个标记，然后继续往下读。文章在段落与段落之间、章节与章节之间虽然有逻辑关联，但也有一定的独立性，不会因为一个小小的点而变得不顺畅。往下读，一方面可以推进我们的阅读进度，另一方面也可以让我们有机会在后文中找到前文的答案。

读得快是一个表象，真正重要且能够让我们受益的是阅读的思维能力。我们在讨论“阅读技巧”时，并不是说希望大家在阅读时走捷径，而是希望大家能够获得一种阅读的思维，并且享受这种思维带给我们的阅读的成就感，从而驱使我们爱上阅读，感受阅读文字的畅快感。这才是阅读的意义。

（茶花女摘自《中学生博览》2023年第19期，阿砂砂图）

睡梦中，人类和许多动物都会关闭自己的意识。对于在这个过程中到底发生了什么，科学家们还处于在黑暗中摸索的阶段。但有一点可以确定，那就是睡眠对所有动物都至关重要，即使是蛔虫和苍蝇，也需要睡眠。

但梦到底是什么样子的？动物们会不会做梦呢？还是说做梦这项能力是人类独有的？在回答这个问题之前，让我们看看科学的解释是怎样的吧！科学家们并不能对我们为什么会做梦做出统一的回答，直到今天，他们也没能找出一个所有人都认可的答案。

为什么一到晚上我们脑内的小剧场就开演了，而且还每晚不重样？我们做梦显然不是为了享受；噩梦肯定会影响我们第二天早上的心情，让我们觉得失落或者沮丧。而且，做梦还会使大脑消耗额外的能量。这正是问题的出发点：梦绝不是神经系统的多余产物，它肯定对生物的进化有着积极的作用。因为，时间会和自然一起残酷地淘汰掉那些浪费能量的物种，毕竟在困难时期，无端浪费能量，就离饿死不远了。

我们先把科学家们的想法放一放，来猜测一下做梦对于身体的作用。做梦对我们的身体有很重要的作用，这可能与进化有关。

让我们来看一看动物世界又是怎样一番景象：动物也经常做梦！狗的主人通过狗做梦时的动作，可以知道他们的小可爱正梦到狩猎。我家的狗马克茜会在梦里追猫逐鼠，它做梦的时候爪子会不时地抽动。在动物王国，随处可见将睡眠当作通往“幻想乡”的捷径。

水下动物也拥有这张通行证。哈佛大学的大卫·普洛伯和亚历山大·希尔研究了处在睡眠状态下的斑马鱼，惊喜地发现这位好斗的游泳健将，其睡眠状态与人类的很相似。他们在《科学》杂志上发表的论文声称，人和斑马鱼在睡觉时都会控制食欲素水平（食欲素的主要作用是衡量新陈代谢、生理节奏以及睡眠负债等多方面的影响，从而决定生物体究竟应该清醒还是睡眠）：食欲素水平下降，则困倦来袭；反之亦然。

在睡眠方面与我们紧密相连的，还有果蝇。加利福尼亚州拉霍亚斯克里普斯研究中心的研究人员发现，这种小飞虫的睡眠模式是由与我们相同的基因控制的。神经生物学家雷托·休伯指出，影响果蝇睡眠的因素与影响人类睡眠的因素十分相似。例如，都容易被咖啡因影响。但是，果蝇做梦吗？没有人能回答这个问题，毕竟我们也不能跟果蝇交换身体去体验一番。尽管果蝇睡着以后，也会像狗一样蹬腿。如果做梦对生物的进化有重大意义，如果我们睡觉时大脑的活跃程度远超我们想象，如果我们能搞清楚睡觉时身体为什么运动，那我们假设果蝇会梦到自己游弋在腐烂黏腻的香蕉天堂里，也是合理的。

（层林染摘自北京联合出版公司《动物的内心戏》一书，视觉中国供图）

骑着拉风自行车的女孩

●长乐

最近，我在社交平台上看到一条视频：某幼儿园放学时，刚好下雨了，只见前面排好队的小朋友都已穿上了蓝色的雨衣，镜头一转，最后面的小男孩手里拎着一个装着粉色物件的包，却不见他做任何防雨措施。老师以为他是因为雨衣颜色和大家的不同而不穿。谁知道小男孩抬起头，略带无奈地笑着回答老师："妈妈给我带成游泳圈啦！"

这个故事让我忍俊不禁，同时也勾起了我对骑着与众不同的自行车上学时光的回忆。

不记得是上小学几年级的时候，我觉得自己长大了，不再需要妈妈接送，看着同学们五颜六色的崭新的自行车，我让妈妈也给我买一辆，然后骑着去上学。一天，一辆白色的带着圆筒形前篮的自行车停在了家门口。从那以后，小白就成了我的专属座驾。

刚开始骑车上学的那几天，我仿佛有使不完的力气，每天骑着小白跑得飞快。新鲜劲儿过去后，我发现了一个大问题——前篮，那个小小的圆筒装不下我大大的书包！没几天，小小年纪的我就已体会到肩膀痛是什么感觉。妈妈发现了我的不对劲儿，于是计划在小白的后座装上能放书包的篮子。

按照当年的流行趋势，我猜测妈妈会给小白装一个常见的黑色方筐。当我正坐在家门口纳凉时，妈妈推着小白回来了。跟我想象的不一样，篮子是白色的，不是黑色的；是个方筐，还带个把。这分明是摩托车的后备箱，还是只剩底座，敞篷的那种！

妈妈说："这个比自行车的篮子大，能装的东西多，还是白色的，跟小白搭！"

"但它是摩托车的后备箱呀……"

"好用就行。"

第二天，我骑着加了新设备的小白去学校，一下子就出名了。

上学途中，认识的同学向我摆摆手，喊道："你的车怎么变成这样啦？"

到学校门口，门还没开，等待的同学们向我，哦不，向小白投来好奇的目光。

不远处，同班的几个同学一边朝我走来，一边指着小白窃窃私语。

那是我第一次觉得小白如此碍眼，第一次对拥有它感到难为情，我甚至想把它扔在路边。

接下来的日子，只要去学校，我都觉得分外难熬。难熬的不是坐在教室，而是穿过上学和放学时同学们用密集视线编织成的网。我就像是不小心撞上蛛网而拼命挣扎、企图逃脱的飞蛾。我越是挣扎，越是被束缚。起初，我以为束缚自己的是同学们的目光。后来才逐渐明白，那网不是他人的目光，而是内心被我放大的不安。可是，当时备感焦灼的我，并没有意识到问题的本质。

某天放学回到家后，我跟妈妈说让她把那个不伦不类的后篮换掉。

妈妈爽快地答应了，问我："但你得说说为什么？"

我倚在妈妈身上说："它跟其他人自行车后座上的篮子都不一样，它让我觉得自己很奇怪……"

摘抄本

从一条宽广大路出发的人常常走投无路，从一条羊肠小道出发的人却能够走到遥远的天边。

——余华《兄弟》

在世界面前炫耀自己和走入这个世界根本不是一回事。

——米兰·昆德拉《生活在别处》

有时候人会做出一些看上去奇怪的反应，比如，越厌恶、越排斥的人和地方，我们却越容易纠结于此，越容易耗尽自己。

——蔡崇达《皮囊》

或许将语言比作海面十分恰当，一样也是闪闪发光、变幻莫测。语言正如大海那般，你永远不知道清澈的深水中可能隐藏着怎样的暗礁。最清亮的海水里也隐匿着最危险的浅滩。

——罗伯特·谢克里《世界杂货店》

世界并没有在你眼前改变，而是在你背后悄悄改变。

——泰瑞·海耶斯《朝圣者》

不要把精美的瓷器和好酒，非留到难得的场合才拿出来，这一等可能就是永久；只要有机会，就可以拿出来。

——凯文·凯利《宝贵的人生建议》

从圆心能够画出多少条半径，就有多少生命的途径。

——梭罗《瓦尔登湖》

人生不可能有职业人士。有的人可能会时常摆出一副人生专家的样子，但实际上，每个人都是新手，都是外行。你也是第一次参赛的新手，不要为失败感到沮丧。

——伊坂幸太郎《华丽人生》

“这样啊，是妈妈没考虑周全，等会儿我就去换掉。”妈妈摸摸我的脑袋说。

就在妈妈准备推车去修理铺时，跟我熟识的女孩路过我家门口，我们俩便拉着手，撒丫子直奔不远处的篮球场。

玩耍途中，我跟她讲述了刚发生的开心事。

“为什么换？那筐多酷啊！”她停下脚步，不可置信地问我。

“酷吗？你难道不觉得，就是因为它有点儿丑……所以大家才老是盯着小白看吗？”我挠着头，有点不好意思地说道。

“怎么会呢！小白多有特点啊！骑着它多拉风啊！比那些男生的车都帅！”她激动得脸色通红，声音都高了八度。

“小白这么酷吗？”得到肯定回答的我，有点呆呆地应着。

“哎——怎么突然回去啦？”恍惚间，她拉起还在愣神的我飞快地向反方向跑去。

“去追阿姨呀！她不是要去换掉小白的后篮？”

我们气喘吁吁地追上妈妈时，妈妈惊讶中带着不解地等我们平复呼吸。说明原委后，妈妈什么也没问，只是笑着说：“只要你开心，我都支持。”

回家的路上，夕阳把我们的影子拉得很长，而我的小白沐浴着余晖，显得格外可爱。哦不，不是可爱，是拉风呀！

人是群居动物，所以常常在意周围人的眼光。放轻松，没有那么多人会一直注视着你。生活永远是自己的，我们有权给它涂上各种颜色。真正与你合拍的人，会由衷地赞叹你生活画布上的各种奇妙构思，并对你下一次的落笔满怀期待。

（本刊原创稿件，陆世清图）

鳄鱼凭什么能逃过大灭绝

●魅力科学君

鳄鱼是一种古老的爬行动物，它们在地球上出现的时间，可以追溯到两亿多年前的三叠纪。鳄鱼与恐龙共同存在了大约1.6亿年，直到大约6600万年前，一颗直径约10千米的小行星撞击了地球，导致了已知地球上第5次生物大灭绝事件——白垩纪-古近纪灭绝事件。

在此次灭绝事件中，地球上大约70%的物种都消失了，但鳄鱼幸运地存活下来，并且在现代地球上，依然存在着它们的身影。实际上，在白垩纪-古近纪灭绝事件中，包括恐龙在内的动物大量灭绝的原因，是食物链的崩溃，也就是说，它们是因为找不到足够的食物而灭绝的。

鳄鱼凭什么能逃过此次大灭绝？答案很简单，那就是它们特别能挨饿。

鳄鱼是食肉动物，通常情况下，它们会采用一种非常节省能量的捕猎方式——长时间潜伏在猎物可能会出没的区域，等到时机成熟，突然发起攻击，如此一来，它们就可以大幅地降低捕猎时的能量消耗。

但这样的捕猎方式有一个不足之处：不能保证鳄鱼每天都捕捉到猎物，这会造成它们经常处于一种“饱一顿，饿好几顿”的尴尬境地。

不过在漫长的演化历程中，鳄鱼早已具备长时间挨饿的本领。一方面，鳄鱼的基础代谢率很低，在静止不动的时候（这是它们的常态），它们只需要很少的能量，就能维持自身正常的生理活动；另一方面，鳄鱼还拥有强大的消化系统，它们可以一次吃下大约相当于自身体重20%的食物，它们的胃酸非常强，并且可以调节自己的pH值，以适应不同类型的食物。除了常见的蛋白质、脂肪和碳水化合物，它们还可以消化骨头、甲壳和角质，从而尽可能多地“榨取”食物的营养。

鳄鱼还是变温动物，它们不像恒温动物那样需要消耗大量的能量来维持恒定的体温，这无疑进一步降低了鳄鱼的能量消耗。所以鳄鱼特别能挨饿。

人们早已观察到，在饱餐一顿之后，鳄鱼可以好几个月都不再吃东西。在极端情况下，有些鳄鱼甚至创造了连续3年不进食的纪录。

那颗小行星制造的“核冬天”虽然很可怕，但科学家利用不同的计算机模型对其进行多次模拟，结果显示，这场“核冬天”的持续时间最短只有几个月，最长也不会超过10年。而以鳄鱼强大的抗饥饿能力，它们中的一部分是可以幸运地挺过这段时间的。

综上所述，正是凭着“特别能挨饿”这项本领，一部分鳄鱼得以逃过大灭绝，并存活繁衍到现在。

（厄鱼摘自微信公众号“魅力科学君”，视觉中国供图）

黄色的温暖

●苏州高新区实验初级中学（金山路校区）初三（60）班
李奥杰

小时候，我最爱吃爷爷做的黄桃罐头。直到现在，我还清晰地记得那些年吃黄桃罐头的场景：每天我放学，爷爷在家总会开一瓶罐头等着我。他打开瓶盖，让黄桃一块又一块地滑进碗里。这是最勾人心魂的时刻，黄桃在小瓷碗里不停地摇晃，碗里的糖水闪着晶莹的光，饱含着深情。我对爷爷说：“爷爷，这些光在寻找我，它们想要温暖我。”

这时候，爷爷总会笑着说：“来，亲一个。”我立刻贴到他脸上去，仿佛亲的是黄桃罐头。现在想想，童年我就是跟黄桃罐头一起度过的。在日复一日的期待与满足中，我的童年也染上了一抹橙黄的光。

今年暑假，我回老家看望爷爷奶奶。见到我，爷爷做的第一件事情就是去果园里摘黄桃，给我做罐头吃。在他的眼里，无论过去多少年，我都是那个爱吃黄桃罐头的孩子。我兴奋极了，和爷爷一起找来了篮子和梯子，推上三轮车就出发了。

进了果园，我和爷爷便忙碌起来。爷爷戴上草帽，眯起眼睛，绕着桃树一圈一圈地转——他是在挑选桃子。那些向阳的桃子黄中透着红，在绿叶的映衬下格外诱人。终于看中一颗，他赶紧移动着梯子爬上去，仿佛不摘下来，一眨眼它就会逃跑似的。金黄的桃子一颗一颗被装进了篮子里，它们挤在一起，争先恐后想露个脸，这让我想起了幼儿园里的孩子。十多年以前，我像颗桃子一样被爷爷从幼儿园里接回家，半路上，他怕我走丢，专门伸出一根指头让我牵着。我就是握着他的这根指头，一会儿去小超市，一会儿去游乐场，一步三摇地摇到了一年级……现在，我仰头看爷爷，汗水早已湿透了他的衣裳，地上的身影被拉得很长。夕阳西下，黄昏的微光里，尽是往事的余温。

“太阳回家了，我们也回家喽。”爷爷说着，一边又哼起了好听的曲子。下坡时，他走在我前面，叫我意想不到的是，他居然又向后伸出了指头。就在那一瞬间，我鼻子发酸，胸口收紧了一下，泪水翻涌而出，又让我使劲憋回去了。

回到家里，爷爷和奶奶就开始忙着做罐头。爷爷负责削皮、去核、清洗与装瓶，奶奶负责加糖和蒸煮。我坐在一旁看着他们，恍惚又回到了小时候。可那个时候，连夏天都显得很年轻啊，怎么不知不觉，两个爱我的人突然就老了。“快吃吧！”我接过爷爷递过来的勺子，舀起一块黄桃放入口中，一股清甜滑过喉咙，一种说不出的美味在心里迸发。我才明白，这种味道叫爱！

如今，我回老家的机会越来越少，可每当黄桃上市的季节，爷爷都会给我寄来做好的罐头。逢年过节，当我踏上归途时，一瓶瓶黄澄澄的罐头早已塞满了车的后备箱。我不知道何年何月才能吃完，但我体会到，那罐头，那黄色，那爱，如光一样，在记忆深处时刻温暖着我。

（本刊原创稿件，视觉中国供图，指导老师：李军）

为什么模特从不微笑

●贝小戎

如果你关注一下走秀中的模特，会发现她们大多面无表情，甚至一副恶狠狠的样子。走秀的模特，“身上穿着世界上最漂亮、最昂贵的衣服，可是看上去一脸厌倦”。面对观众时，她们不是面带微笑，而是显得愠怒、闷闷不乐。有人开玩笑说，这是因为她们都没吃饱。

《卫报》记者说：“模特有着战俘的身材和与之相匹配的受创伤的表情。在米兰和巴黎的时装秀上，模特们愁眉苦脸的，在T台上疯狂地跺着脚走来走去，看起来一个比一个暴躁，好像有人答应过她们会有蛋糕，后来她们发现自己又受骗了。”

为了摆出不高兴的样子，模特甚至都有自己的诀窍，就是反复去想一些让自己难过的事情。“模特们知道，他们能吸引时尚品牌的，除了发达的腹肌和符合黄金分割比例的身材，还有他们忧郁的表情。”《泰晤士报》时尚总监安娜·墨菲说。1993年，苏珊·鲍尔多在《不能承受之重：女性主义、西方文化与身体》中说，在西方占主导地位的哲学传统中，自我控制的能力被指定为男性的能力。相比之下，那些身体自发的如饥饿、情绪等需要遏制和控制的活动，都是女性的。这意味着，有时女性要去模仿男性。在表情上是不是也是如此？在奢侈品界的模特脸上盛行的空洞的表情，是不是为了证明他们对自我的控制？所以推销奢侈品的男男女女几乎从不微笑。

模特走秀时不高兴可能不全是装出来的，她们的工作过程并不是那么让人感到愉快。《纽约时报》的时尚编辑说，她们确实有理由不开心，“一整天，在一个小房间里被人戳脸、扯头发，在陌生人和十多个摄影师面前换衣服，还可能出现低血糖”。她们穿的鞋子可能不合脚，因为都是样品，在走秀时她们要全神贯注于不让自己滑倒或者摔倒。冬天的时候她们展示的是薄绸做的衣服，在9月却要穿厚厚的皮夹克。台下的闪光灯能闪瞎眼睛。

设计师也不希望模特微笑或者面带表情，因为他们不希望模特的脸转移了观众对服装的注意力，所以模特的相貌越普通越好。“衣服不仅应该让消费者感觉良好，还要让他们感到安全、强大、自信、受到保护。微笑让人显得有求于人，而时尚应该让人感到自己无所不能。”

《华尔街日报》的时尚编辑说，模特在走秀时不仅看上去一副无动于衷的样子，有时甚至故意皱着眉头、噘着嘴、拉着脸，像爵士歌手或说唱歌手一样。杂志上模特的照片也是如此。这是为了强化时尚不可企及的感觉，让时尚更像一种高雅艺术。不苟言笑、不悲不喜、自我控制，被认为是上层阶级的特质。

雨的四季

●兰州市第九十二中学七年级（2）班　苗子尧

细微的雨点，最初都是从江河湖海中升腾而上，汇聚成一团团如梦如幻的轻巧的云朵，随后又轻轻地从空中飞跃而下，变成雨洒落人间。

春天的雨是最柔和、最细嫩的，它细如牛毛且密如烟雾。在如此滋润的细雨中，各色的野花与青绿的小草都睁开惺忪的睡眼，从松软的土壤里探出一点稚嫩的尖芽。枝头的积雪也被春雨扰醒，不情不愿地化作水滴，从树枝上溜走了。而经历严寒洗礼的枯枝在春雨这只大手的抚摸下重焕活力，将自己藏起来的绿色全拿了出来，挂在枝头上。

到了夏天，雨就变得不同了，热烈、粗犷且密密匝匝，雨点儿也不再温柔，反而变得豆大，向大地奔腾而下。砸得绿叶沙沙作响，砸得花朵芳香四溢，砸得暑气落荒而逃。虽然夏雨如此热烈又有一点点暴躁，可人们非但不怕，反而出门追随夏雨的脚步，闻一闻花的香，瞅一瞅叶的绿。夏雨伴着阵阵雷声来到人们身边，即便在此时，也绝不会吓得人四散逃开，人们反而笑着向夏雨打个招呼，感受在这炎炎夏日中来之不易的一丝清凉。

秋雨萧瑟骤雨狂，垂柳飞舞敲孤窗。秋雨又不似春雨或夏雨那样啦，一场秋雨一场凉，每一次的秋雨都将夏天的热气抽走两三分，向人们宣告寒冬将至。秋天的雨是金色的，打在麦田上，麦苗便一点一点变成了金色；打在树叶上，将树叶一点一点染成了金色；打在秋天的万事万物上，一点一点、一点一点将秋天染成金色，告诉人们，丰收的时节到了。

冬天的雨改头换面，给自己披上了一层银色的冬装，从云朵上一跃而下，跳着圆舞曲慢慢降落，给整片大地披上银毯，让树木花草都沉沉睡去。漫天飞舞的雪花可乐坏了孩子们，他们兴奋地同家长打一声招呼，就急匆匆地冲出家门，打雪仗、堆雪人……誓要玩到雪花落尽、春暖花开。看着孩子们冻得通红的小脸，家长们苦笑着摇摇头，由他们去了。

雨如同活泼爱闹的小精灵一般，给这片大地带来一番别样的色彩，令人们感叹：雨落便是人间好时节！

（本刊原创稿件，视觉中国供图）

老照片上，被拍摄者也都很庄重，从不微笑。《卫报》艺术评论员乔纳森·琼斯解释说，在摄影的初期，人们知道拍照是一件很重要的事，对许多人来说，那是一辈子只有一次的体验。如今，我们拍了如此多微笑的照片，拍照片是为了社交，我们想把自己塑造成快乐的社会人。所以我们微笑着，大笑着，在没完没了的自拍中嬉戏。咧着嘴笑的自拍与严肃的肖像相反。这只是一时的快乐表现。它没有深度，因此没有艺术价值。与我们的自拍照相比，老照片是多么美丽和令人难忘。那些不苟言笑的人可能和我们一样开心，但他们觉得没有必要歇斯底里地用照片来证明这一点。相反，当他们摆姿势拍照时，他们想到的是时间、死亡和记忆。

（卧龙城主摘自微信公众号“贝书单”，视觉中国供图）

徐璋（清）《松江倪瓒像》

万径人踪灭

●罗米

中国古代的文人画中，有一位画家的作品格外引人注目。

他的作品很容易辨别：以山水画居多，鲜有设色，画面极其“干净”，一眼望去很“空”。

只需看一眼，你便能深切地体会到何谓“画如其人”。无论是用松、柏、樟、楠、槐、榆这六种品行高洁的树传达自己对君子之风的追慕，还是画中不容人进入的小阁，都是一种“孤芳自赏”。

这位画家，便是元代的倪瓒。

倪瓒并不是民间故事和传奇青睐的主角，但在艺术史上，他却光芒万丈。

倪瓒的画通常都是竖长条的立轴山水画，画面也很简单，远山近树，山色很淡，树也不多，只有稀疏几棵，并且杳无人迹。整个画面空白处比着墨处多，也没什么墨气淋漓的渲染，多是以枯笔淡淡地拖出形象。

细看，倪瓒的画一般是明确的三段式构图。上段是横着干笔拖出来的几道远山，从画面的一端拖到另一端。中段是大片的空白，这便是近水。没有波纹，也没有晕染，水景全凭观者自行想象。下段是一角小小的坡岸，上面长着几棵并不珍奇名贵的树木。

别的山水画家总爱在画面中布置几点如豆的人，以表示山水可行可游，但倪瓒绝不会这样做。他的画里万径人踪灭，毫无人间烟火气。

倪瓒自己的说法是“逸笔草草，不求形似，聊以自娱”，至于像不像、美不美，他根本就不在乎。

这种狂狷傲慢又漫不经心的腔调，正是文人画的腔调。

当时，文人画家的重点并不在“画家”，而在“文人”。对于他们当中的许多人来说，在朝为官才是主业，绘画只是闲暇修心的余事。而且，比起写诗词文章的文人，画家的地位要低得多，所以，他们绘画只是为了寄兴，追求一份洒

倪瓒《容膝斋图》

脱劲儿——画什么、怎么画，全凭自己高兴。

因此，文人们总是有意贬低职业画家。对他们来说，用画挣钱是一件庸俗到不可想象的事。因为要卖画挣钱，就得考虑雇主的喜好，自然没这么自由洒脱。

对很多文人来说，比在朝为官更令人向往、更有格调的是成为隐士。归隐南山堪称文人们的终极梦想。

倪瓒《六君子图》

倪瓒正是这样一个为文人所艳羡的隐者。

倪瓒的画之所以“一尘不染”，与他与生俱来的“毛病”有关。

他有严重的洁癖，画面墨迹过多，他会觉得脏；画面有人，他会觉得俗。

有一次，倪瓒的一位好朋友夜宿在他家，晚上朋友突然咳嗽了一声，接着仿佛还吐了一口痰，他感觉像是晴空霹雳，一夜辗转难眠。

等到天亮，倪瓒便命用人去寻找朋友的痰迹，找来找去，根本没有找到。用人知道他的心病，只好找来一片稍有污迹的树叶，说那就是痰迹。他躲到一边，捂住鼻子闭上眼，叫用人扔到三里以外。

倪瓒生活上的洁癖虽然出了名，但到底没给他带来什么麻烦。真正为他带来灾难的，是精神洁癖。

倪瓒的《六君子图》《容膝斋图》，最能代表他的精神洁癖：前者以树喻君子，表达了他对君子“正直特立”高风的崇尚；后者描绘容膝斋及周边景物，来烘托容膝斋主人洁净淡雅、清高孤傲的形象。

不可否认，家庭环境给了他精神洁癖的土壤：他生活在无锡太湖边上，这是当时中国最富庶的地方。生长在巨富人家，他从小衣食无忧；长大后，家中资财有兄长经营，他便完全不问俗事，只和他喜爱的诗文书画打交道。

到了元末，太湖一带被起义的张士诚控制。张士诚的弟弟张士信也想要附庸风雅，便向倪瓒索画。当然不是白索，他送了绘画的白绢，也送了重金，却惹怒了倪瓒。张士信的行为无异于把倪瓒看成了卖画赚钱的画师。

有一天，倪瓒到太湖泛舟游玩，恰好遇到了张士信，张士信瞅准机会把倪瓒痛打了一顿。倪瓒被打得皮开肉绽、奄奄一息，却连一声呻吟都没有。事后有人问他为何不吭声，他的回答是：“一出声便俗。”

后世有许多人极力学习倪瓒的清逸画风，却没有一个人能够达到他的这份“干净”，更别说超过他了。因为，他们都没有他的“毛病”。

（张秋伟摘自《瞭望东方周刊》）

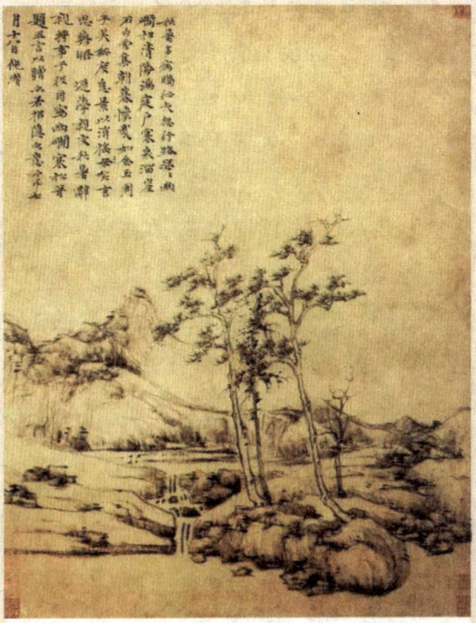

倪瓒《幽涧寒松图》

载时光

●知易

初识《读者》(校园版)是在初中。我在班级的图书角看到它,自此便与它结下不解之缘。

小小的一本《读者》(校园版),寄托着一个小镇姑娘对外面世界的好奇。像童年时期看的童话故事一样,在打开它的一刹那,我被拽入另一个国度。这时的它对我来说,犹如一位知识渊博的长者,推开一扇门,带我见识更大的世界。我的思绪随着文字游走,领略了许多未曾见过的风景;手指翻过一页页故事,感受到一缕缕复杂的情感,它为我的少年世界添上了一抹亮色。

上了高中,逐渐沉重的学业挤占了我的空闲时间。一沓沓试卷、一本本辅导书堆满了书桌上,我已记不清多久没有再翻开过《读者》(校园版)了。

再次与它重逢,是在一家小小的报刊亭。一个稀松平常的晚上,下了自习回家的路上,漆黑漫长的街道被一间稍显破旧的报刊亭点亮,暖暖的灯光照亮一方天地,默默地等待我的到来。抱着随便看看的心情走进报刊亭,在五花八门的杂志中,我一眼便被《读者》(校园版)清新亮丽的封面吸引。将它从书架上取下,我最先感受到的是熟悉的质感,光滑的封面,好闻的油墨香。随手翻开一页,它已将我的心神全部吸引。没有高中无休止的考试,也没有令人头疼的排名榜,只有一位知己,一位"衣带渐宽终不悔,为伊消得人憔悴"的知己。我们互相倾诉现实生活里压得人喘不过气来的烦恼,谈论青春期不切实际却又浪漫美好的理想。我们不说话,但彼此心有灵犀,有时相视一笑,便心满意足。我好像又回到了少年时代的那段无忧无虑的日子,没有长大,也没有烦恼。

到了大学,闲暇时间多了起来,一个很早之前埋在心底的种子再次发芽,我也想动笔写一些故事、一些回忆。一笔笔写就一个个字,一个个字连成一句句话,这些句子倾注了我的情感,便有了属于我自己的痕迹。不同于高中的考试作文,那些自然而然迸发的灵感,使我酣畅淋漓地创造出属于自己的故事,为我逝去的时光留下独家记忆。

像当初刚开始读《读者》(校园版)一样,我想把这段清澈稚嫩的时光分享给过去的自己,也送给千千万万个一如当时迷茫的我,了却一桩年少时的心事。写下最后一个句号,我开始考虑这些文字的归处。最后,我在网上查到了《读者》(校园版)的投稿邮箱,在真正将稿件投出的那一刻,我的内心是忐忑不安的:会有人为它停留吗?

所幸,我等来了稿件被录用的消息,一颗悬着的心终于放下。一篇小小的文章,让我与《读者》(校园版)有了更深的羁绊。等到我亲手打开载有自己文章的当期杂志,满足与喜悦一起涌上心头。我开心地与家人、朋友分享了这个好消息。

一缕墨香载时光,一方天地见世界。我相信有很多读者与我有相同的感受。很幸运在漫长而又迷茫的青春时期与《读者》(校园版)相遇,透过它,我看到更大的世界。

《读者》(校园版),幸得与你相识,感谢你与我同行。

(本刊原创稿件,视觉中国供图)

到大自然中去

●〔瑞典〕妮娜·波顿
○薛荷仙 刘羿 陈薇宇 译

在我们周围，活跃着各种地球生命，有的来去无影，有的繁衍不息，有的相互敌对，有的和睦友爱。小时候，为了向世人宣告我的存在，我天真地写下自己的名字、地址，还编造了“世界”的大小参数，构建出属于自己的城堡，在此称王。渐渐地，我疑惑地发现，其他人也把自己看作世界的焦点。不仅如此，人类好像并不是世界唯一的主角——同为主角的，还有大自然里的万千生灵。

那什么是自然呢？有人说，自然指的是外部环境，或是人与生俱来的内在特质；与此同时，“自然”（nature）在英文中形似“出生”（nativity），所以它似乎也与无限的新生存在某种联系。简单来说，大自然里有数不尽的生命，在这里，每个生命都是世界的焦点，都闪烁着自有的光芒，按照自己的节奏，循着自己的思路而活动，尽可能地汲取着大自然的一切。

（白醒摘自广西师范大学出版社《夏日木屋札记》一书，视觉中国供图）

少年，一直在路上

●叶梓

直到我上小学那会儿，村子通往镇子的路仍是一条南北走向的土疙瘩路。这条路不宽，刚好够两辆拖拉机错肩而过。这条路最让人头疼的是，春天大风忽起，扬尘满天迷人眼；夏日雷雨骤至，又会变得泥泞不堪，一不留神就会摔人一身泥。唯有到了秋收季节，路两旁的麦田金黄一片，连着远处湛蓝的天空，美得像一幅油画。这条土路很长时间没有正式的名字，人们干脆直接称它为“一大马路”。

我喜欢站在村口守着一大马路，踮着脚盼望爸爸从路的尽头出现。从镇子回来，他的包里一准儿装着图画书或玩具。在小小孩童的心里，这绝不是一条普通的土路，它充满魔法，不断向远处延伸，连接着一个未知而又神奇的世界。

终于，我到了上学的年龄。我和同村的阿荣一起去镇上的小学报到。沿着一大马路一直往南走四十多分钟，就能走到镇子。学校正好位于镇子的中心，几排灰瓦白墙的房子被围墙圈了起来，大铁门上写着“好好学习，天天向上”。小学对面就是百货商店，虽说只有八间连着的门头房，却是我放学后最留恋的地方。自动铅笔、带香味的橡皮、田字方格本，还有我喜欢的玩具都是在这里买到的。

我和阿荣做了同桌。他是个个头儿很高、整日流鼻涕的男生。很多人不喜欢他，他偏喜欢跟着我，看在他帮我背书包的分儿上，我宣布有我“罩”着，谁都不能欺负他。我们每天板板正正地坐在教室里，跟着老师念着并不标准的汉语拼音“a、o、e”。

清晨，我和阿荣手牵着手走在路上，太阳从地平线升起，已是跃跃腾空的“旦”字。黄昏，土路洒满金色，我和阿荣披着晚霞，一前一后追着大白鹅，大声喊着“鹅鹅鹅，曲项向天歌”。

期末考试，我考了“双百”，爸爸奖励了我一套书——《丁丁历险记》。我边看边给阿荣讲。我讲得眉飞色舞，他听得全神贯注。到了夜晚，我们不肯睡去，躺在白天被太阳晒过依然温热的屋顶上，望着满天的星星。阿荣问我，外面的世界到底是什么样的，我支支吾吾没能回答。睡眼惺忪中，远远的银河也变成天空中一条宽宽的马路，流星划过，像有人淘气地跑来跑去。

快到四年级的时候，一大马路变成了平整宽阔的柏油路，镇子的路口竖起交通信号灯。在这之前，我只在课本上看到过信号灯。我和阿荣兴奋地绕着电线杆，欢快地拍手唱着：“红灯停，绿灯行，黄灯亮了等一等。”

一大马路上的车子越来越多，三轮车、小汽车、客车，时而有大货车呼啸而过。阿荣为了躲避车辆摔了一跤，腿上打了石膏，在床上躺了大半个月。我坐在床沿晃着双腿给他讲故事，也给他讲新来的支教老师的趣事。

来支教的老师是一名刚毕业的大学生，充满活力与神气。他熟练地操作着电脑，轻轻一点鼠标，一个多彩绚丽的世界通过投影仪映在教室的土墙上。他说，外面的世界很大很大，绝不只是眼前的这座小镇，每个人都应该走出去看看。

那一刻，我的心底隐隐有了一个想法：书本里的世界、电脑里的世界，还有一个属于我的世界在远方等待着我。

我顺利考上了初中和高中，阿荣也一路陪着我。他说，我考到哪里，他就考到哪里。初中和高中在更远一些的县城，县城比我们的镇子大了许多，有电影院、快餐店，百货商城也是五六层楼，当然还有更多的信号灯。更重要的是，学校竟然有图书馆，可以读更多的书，能看到更多与众不同的世界，这让我如鱼得水。

语文课上，老师看我发呆，打趣说："你也在像庄子一样神游天地吗？"课本正翻到《逍遥游》："北冥有鱼，其名为鲲。鲲之大，不知其几千里也……"我回答时有些迟疑："鲲会不会遇到红绿灯，如果遇到了会怎么办？"同学们笑我一定是学傻了。老师却饶有兴趣地说："它也许并不会遇到红绿灯，因为它在飞。"我一个激灵，飞？不只是沿着一大马路跑，还有可能飞起来，飞向无限遥远的天空。老师在黑板上写下"海阔凭鱼跃，天高任鸟飞"。在他的目光中，我看到了赞许与期望。

自知是个笨小孩，接近梦想最快的方法就是努力。每天陪伴着我的是浩浩汤汤的题海，守着规则，背着规则，更在这些规则中找到了自己的人生方向。

我如愿考上了省城的大学，爸爸欢喜地开着面包车送我去报到。阿荣来送别，他高考落榜，准备回家帮父母务农。他略有遗憾："真是抱歉，只能陪你到这里，你要继续向前啊！"

我挥手和他告别。车驶出村子，穿过一大马路，经过镇子、县城。曾经比天还要大的世界，一踩油门就经过了，慢慢缩成身后看不清的小黑点。前方宽宽的马路望不到尽头，我给自己打气，一定要沿着这条路继续走下去。

繁华的省城，高楼耸立，人流不息，是一片广阔的新天地。我雀跃的心却在入学不久就被打击得支离破碎。是谁说，高中时就把所有的苦吃完了，我到了大学才知道自己和别人的差距有多大。上英语课像听天书，五花八门的社团，我听都没有听说过，和同学们交流好像身处平行世界。我的心跌入谷底。

浑浑噩噩地度过了大一，大二面临着考研还是求职的抉择，我完全丧失了方向，沮丧地躺在床上刷手机。已准备毕业后回到小镇的同学在群里交流，畅想的小镇生活要多滋润有多滋润，我开始劝慰自己，为什么要一条道走到黑，其实毕业后回家也是不错的选择。

校庆典礼上，事业有成的师兄做演讲，他问大家，走向成功的路上人多不多？大家回应，肯定很多。师兄否定道，其实很少很少。任何的成功都需要一千倍乃至一万倍的坚持，因为你所要走的不是一条笔直的路，虽然总会抵达梦想所在，但它曲曲折折，兜兜转转，在此之前，放弃的人太多，而坚持下来的人可谓凤毛麟角。

童年时的一大马路又浮现在我的眼前，但它早已不是当时窄小细长的土路，多到令人眼花的红绿灯闪耀掠过。我这条"小鱼"，还没有真正见到大海，就要放弃吗？

明知山有虎，偏向虎山行。英语发音不标准，那就多练，十遍不行，再来十遍。我利用课余时间去外语角，不怕说错，学到才是真功夫。当我可以流利地用英语与外教交流时，我笑了，那个无畏地走在路上的少年再次启程。

除夕晚上，吃过年夜饭，我躲在房间里刷题。是的，我已决定考研，既然不够聪明，那就早早做准备。随着电视里春晚的零点钟声响起，腾空的烟火照亮整个天空，新的一年充满了希望。

从年少时的小路，变成一条大路，再到条条马路通往远方，每一次等待，每一次前行，有徘徊，有犹豫，有勇气，有执着。成长从来不是一帆风顺，而是大路朝前，勇往直前。少年，一直在路上。

（本刊原创稿件，匀犇图）

书的味道

●〔美〕戴维·乔治·哈斯凯尔
○陈伟　译

一次购物之行后回到家，我从书店的纸袋里拿出一本新书。我用拇指把书翻开，把鼻子凑近书页，吸气。

甜蜜的气息扑面而来：明亮、浓烈，带有淡淡的木香。我又扇了扇书页，深深地探了探鼻子。这时的气味更强烈，新纸和油墨的温润之气与书脊中胶水的酸味相结合。之后，书中的文字将会——但愿如此——带给我愉悦，但最先的愉悦来自气味。我把这种愉悦留在家中。在书店里闻书让人觉得有点儿怪异或笨拙，像一种私人趣味被曝光。不管怎样，有时候我还是会偷偷闻一闻，也许是一本大画册里照片的刺鼻味儿，也许是一部厚重但纸薄的字典里的化学油墨味儿。

小时候，遇到每本书我都要用鼻子闻闻。这个习惯让我对书的气味有了一个非正式的层级排序。排在我的清单末尾的是用铜版纸印制的光滑的教科书。作为一个书呆子，我往往很喜欢它们的内容，但它们的纸张闻起来像炼油厂加工物和漂白剂的混合体。这些气味很可能来自合成化学物质——聚乙烯、树脂或合成橡胶与矿物质的混合物，它们让纸张具有光泽，氯则将纸张漂白成瓷白色。当我坐在家里做作业时，这些隐约的、有毒的气味并没有引起鼻子长时间的探究兴趣，但这工业化的怪味儿仍然令人着迷。叫人打喷嚏的、破旧发霉的书同样排在榜尾，尽管从一卷真正破旧不堪的书中嗅到一丝气味的感觉极具诱惑。这些受潮的书很不幸，它们的气味特性已屈从于真菌王国。

更高一级的书香之趣是崭新的廉价平装书。它们有一种明亮而简单的气味，干净的纸张衬托出清晰的底色，一种新锯过的干松木的醇香在混入了油墨香后变得更富活力。排名更靠前的是更昂贵的，印在纸张更厚、触感更好的纸上的精装书或平装书。这些书的气味与廉价平装书的相似，但更为复杂，调性更深沉：皮革、咖啡、烟，甚至还有一点儿臭鸡蛋或粪肥的味道。每本精装书都有不同的气味标签，所以当打开这些书时，一定会有惊喜等着你。排在我的书香层级顶端的是非常古老的书，尤其是那些躺在温暖干燥的图书馆里不受打扰的书。我家里几乎没有这样的书，所以我期待着在祖父母书架上的书中闻一闻。后来，当我上大学时，我一直在图书馆里寻找那些与新书比邻陈列的旧书。我会在书架前停下来，取出旧书，翻开书页，然后低下头吸气。

烟熏的香草味儿。一丝黑暗、肥沃的土壤气味。锯末、杏仁和巧克力味儿。这些都能带给人平静的感觉，仿佛这本书正将我从每天的喧嚣中拉出来，带到更深沉的时间和更广阔、安宁的视角之中。

（层林染摘自人民文学出版社《十三种闻树的方式》一书，视觉中国供图）

追铁环的少年

●丹蓉flower

当儿子苍苍从柜子里掏出铁环和推杆时，我就知道学校又要开运动会了。

不知道底细的人一定觉得苍苍是滚铁环的高手。真实情况是，他的成绩一路下滑至几乎垫底，按照递减数列的规律，我怀疑他这次连参加决赛的资格都没有。但他自信满满地说，全班就数他最有经验，一副舍我其谁的模样。

晚上9点，苍苍邀请我旁观他的首次训练。温柔的秋风徐徐吹来，整个小区弥漫着桂花的香气。苍苍穿着他的“战袍”，不紧不慢地做起了热身运动。他依次放松手腕、膝盖和脚踝，十几个开合跳后，他的鼻头渗出了细汗。

苍苍摆好标志桶，向我解释着校运会的规则，我下意识地问：“得了冠军，有什么用？”他撇撇嘴，嘟囔道：“很好玩啊！”苍苍弯腰准备，左手扶住铁环，右手拿推杆勾住。出发时，他手部轻轻施力，铁环晃悠悠地立起来，一个银色的光圈在路上飞驰。

望着苍苍追逐铁环的身影，我记起他3年前提出参加“滚铁环”比赛时的场景。当他兴冲冲地展示这项传统技能时，我和先生面面相觑：“这算什么运动？”我翻阅过中考体育特长生的招考文件，有篮球、足球、游泳等大众运动。而儿子13岁时，身高已经超过了1.75米，体育老师称赞他“手长脚长，一看就是打篮球的好苗子”。考虑到未来能多条“备选”之路，我倾向于让他在运动会上报名参加篮球比赛，集训一段时间后，如果有成绩，就可以参加市级比赛。所以，当他提出要去滚铁环时，我心里一百个不愿意，花时间训练等于打水漂。他却不赞成：“我又不喜欢打篮球，讨厌和人冲撞。”我给出一个折中的方案：“要不报名健美操？”这也是文件里明文规定的项目。他抗议，我却态度坚决。

于是，我强行给苍苍报名参加篮球比赛。每次训练完回到家，他都唉声叹气，不是说自己基础薄弱，就是抱怨不如别人灵巧。最后，先生出来打圆场：“做不喜欢的事情实在痛苦，就像大学选错专业，一辈子意难平。”苍苍听后，兴奋得抱着铁环原地转圈，一扫之前的萎靡。

“啊啊啊，铁环跑了！”此刻，苍苍的惊叫声把我瞬间拉出回忆，铁环脱钩，一下子冲进茂密的草丛，不见踪影。我双手捂脸，心想这孩子光有兴趣，却没多少天赋。但这话始终没能说出口，滚铁环时孩子亮晶晶的眼睛和发自肺腑的笑容，让我真切地感受到一种久违的纯粹热爱，不忍破坏。

10天后，苍苍在滚铁环比赛中勇夺冠军，打破了保持了5年的校纪录。听到这个消息，我激动地抱住他，为一个“芝麻奖”而眼眶湿润，心里嘲笑自己也太没出息了。他从小学习一般，又没有特长，然而通过这段时间的努力，我看见一个少年的暴风成长——他无惧失败，只为热爱拼尽全力。

苍苍递给我一份材料，是学校“月度之星”的申请表，先进事迹一栏里夸张地描述着他在运动会中的精彩表现，但因为项目冷门，没能被拍到一张照片。我刚想问“这奖能加分吗”，但又咽了回去，问题有点儿傻，快乐才是最大的回馈。

（索奈摘自《三联生活周刊》2023年第44期，本刊节选，与鱼图）

那些年，有位“大侠”为我擎起一片天

●湛轩

初二时，我经历过一次分班。我不知道分班的依据是什么，只知道体能和协调性都很差的我被分入一个“体育特长班”。这个班级中的男生普遍身材健硕，身高在1.8米以上的有近10人，很多还在市级的体育比赛中拿过奖——当他们站在一起时，远远看起来就如同一群成年人。而我自小瘦弱，体育成绩从来没有全项及格过，光是站在他们身边就足以让我感到自卑。

我之前的一位同学也被分入这个班，他因为篮球打得不错，很快就与新同学打成一片。我也试着追随他的步伐，却很快遭到两名男同学的带头针对。音乐课上，当我登台唱歌时，他们会在座位上发出各种怪声；体育课上，他们会仗着老师的偏爱频繁挑我的毛病，说我笨；课间，当他们在走道上碰见我时，甚至会有意无意地撞我、绊我……渐渐地，我的心上似乎落了一道锁——学校里的任何活动或游玩都会让我感到不安，每天只有在文化课的上课铃响后，我才会感到踏实。

就是在这个时期，班上有个叫阿旭的男生开始主动找我聊天。他与我身高差不多，也戴着一副眼镜，但是他很强壮，掀起上衣便能露出夸张的腹肌，纵身一跃便能翻一个空翻。老师说他是正经武术学校出来的，班上的同学都很敬佩他。

在逆境的阴影中，能有一束光照到自己，足以让我感到温暖和感激，何况这束光还十分明耀有力——有一次，班上最高的那位外号“大猩猩”的同学找阿旭掰手腕，我们眼看着“大猩猩”拼尽全力，甚至犯规地将手肘徐徐抬起，而阿旭只是微笑着，纹丝不动。阿旭一发力，“大猩猩”的手便被牢牢摁在了桌子上。

此后在体育课上，每次有分组的活动，阿旭都愿意和我分到一组。课间如果有人故意绊我或者推搡我，找我的麻烦，阿旭也会及时站出来制止对方。

阿旭并非仗着身体强壮靠武力制人，他喜欢与人讲道理。有一次在传试卷时，前面的何同学“顺手”把我桌上的文具扫落一地，课后阿旭硬是找他谈话，一面追问他到底与我有何仇怨，一面与他讨论该如何正确地传试卷。此后何同学递给我任何东西都会用双手，并且都是小心翼翼的。

奈何我在体育方面实在太差，传个篮球都时常砸到同学脸上——平日里我的种种差劲表现已经让很多男生对我颇有微词，而后来要求全员参与的一次球类比赛，更是直接将我推上了风口浪尖。

那次比赛，我被分到了足球组。由于我不怎么会带球，队友都不愿意把球传给我，所以我虽然作为负责进攻的边锋，但也只是跟着队伍走个过场。班上的那些体育特长生真不是吃干饭的，就在我全程“划水”的情况下，我们班仍然进了决赛。可惜决赛时的对手很聪明，他们看出了我是队伍中最薄弱的那节链条，是他们取胜的突破口，所以开始想方设法地逼迫我的队友们传球给我，而球只要到了我的脚下，就必定会立刻被抢走。

“要是你害我们输了比赛，你就等着瞧吧！”中场休息时，班上的一位同学红着眼睛向我发难。这之后，阿旭走过来小声嘱咐我，让我拿到球全部传给他，丢了算他的。

我不想为了保全自己而去害别人，但看着阿旭那自信的眼神，我想，也许他真的可以力挽狂澜呢。于是，在接下来的比赛中，我恪守着“接球即抛”的原则，将脚下的一个个球以各种或软弱无力或角度刁钻的方式传给阿旭，结果真的都被他拼命接了下来。我猜当时场外的观众八成是这样想我的：这人多半是对方派来的卧底……

一直到比赛临近结束，两支队伍都未能进球，所以一直保持着0：0的比分。而此时对方似乎终于看明白了我的套路——他们不再试图从我这里抢球，转而围堵起已经精疲力竭的阿旭。出于对我的蔑视，他们甚至撤走了本应防守我的人。就是在那个时刻，阿旭看准了机会，他与我“八目”相对，点头示意，接着用一个“长传”将球精准无比地踢到了我的脚下。我接球之后，见对方守门员根本没把注意力放在我这里，于是随便一踢，便射门得分了。

就是这一分，让我们班获得了那次球赛的冠军；也是因为这一分，从此再没有同学以体育差为由而刁难我。

后来，我的文化课优势越来越突出，班主任选我做了学习委员。我开始安排早晚自习，为同学讲解一些作业和试题，如此慢慢在同学间树立起威信。

一天，因为节日原因，中午打扫完卫生我们便可以放学回家。当时我正在准备一场科普问答比赛的材料，所以没有走。这时阿旭正巧路过，他看着我手边的参赛证说道：“真厉害，我最佩服学习好的人。”我听完笑了，说自己不过是心细一些罢了，会武术才是真难得，练武需要天赋与毅力。

那天，我给他讲了一些自己参加物理、素描比赛的经历，他也与我分享了几件跆拳道、摔跤比赛中的趣事。后来，他还教了我一些基本的擒拿动作。而当我问他如何锻炼肌肉才能变强壮时，他却不肯说。我笑他有所保留，他忙憨憨地解释说是因为自己练肌肉的方法可能会影响身高，他怕误导我所以才不说。

后来升入初三，我进了年级的“尖子直升班”，阿旭则进入普通班。毕业典礼那天，我们俩最后一次坐在操场上聊天，他说自己很喜欢武侠故事，最喜欢的英雄是萧峰。我听后一想：可不是嘛，他的确如同故事里的大侠一般，处事正派大气，待人宽容且真诚，没有偏见，不藏心机。

曾经，班上同学之间互藏笔记、故意误传老师板书等行为让我觉得帮助别人时或许应当有所保留，万事该以自己为中心，可与阿旭同班的那段经历改变了我。我想起自己毕竟属于看着武侠故事长大的一代人，如果我也能成为另一个“阿旭”，或许在某个时刻也可以帮助和唤醒更多其他的“我”。

接下来，若是我们能够一起努力，都在自己擅长的领域做个“大侠”，共同来擎起一片天，又何愁明天不会更好？

（钦钦摘自《哲思2.0》2023年第11期，胡晓江图）

为写春天做准备

●闫晗

春天并不遥远，越过秋冬就会到来。当小松鼠想着为过冬储存坚果的时候，我们为什么不可以提前为写一季最好的春天做点儿准备呢？

看看作家们笔下的春天，热热闹闹。

春天从冰雪的融化开始，张晓风笔下的雪像忍俊不禁的少女：“从绿意内敛的山头，一把雪再也撑不住了，扑哧一声，将冷面笑成花面。”迟子建笔下的残雪有点儿赖皮：“随着冰河乍裂，达子香花开了，背阴山坡也绿意盈盈了，残雪也就没脸再赖着了。”春天，是一点一点化开的。

春天从风变得柔软开始。春风的模样却又变幻无穷，吹面不寒，能开二月花，能把柳叶剪出精巧的模样，能吹绿江南的河岸。朱自清笔下的春风“像母亲的手抚摸着你”，在这样的风的吹拂下，人也变得感性起来，想去爱，去追逐，去寻找。电影《立春》里的王彩玲说：“立春一过，实际上城市里还没啥春天的迹象，但是风真的就不一样了。风好像一夜间就变得温润、潮湿起来了。这样的风一吹过来，我就可想哭了。我知道我是被自己给感动了。”

春天当然少不了雨。春雨很金贵，在韩愈的诗中，如同酥油浸润着草芽，那么轻手轻脚，像牛毛，像花针，像细丝，绵润、柔和、纤细，润物无声，飘进每一个夜里，让万物滋长。野菜靠着春雨的滋养肥厚起来，荠菜、二月兰领受着春雨的恩惠。暮春的雨浓烈起来，会打得“花落知多少”，敲得海棠“绿肥红瘦”。春雨是唐诗和宋词的宠儿。

春天的花争先恐后，跃跃欲试。春天里看到的第一朵迎春花总是让人欣喜，哪怕是小小的一朵。接着，山桃、碧桃、紫叶李、榆叶梅、海棠，不知什么时候乱花渐欲迷人眼，千朵万朵压枝低。如张晓风所写，“桃花把所有的山村水郭都攻陷了”——春天就是这样迅疾，不勤快一点儿就跟不上她的脚步。山里气温低，人间芳菲已尽时，山里的桃花才刚开始盛开，诗人们也追寻着花开，获得挽留住春天的惊喜。

鸟鸣是春天的诗句，唐代诗人们爱写争暖树的早莺、啄春泥的新燕。在城市的高楼大厦间，黄莺和燕子倒少得多了，那些咕咕叫的珠颈斑鸠、拌嘴的麻雀、在草地里翻找食物的戴胜、在枝头筑窝的喜鹊更为常见。它们有的歌唱着丈量天空，有的忙忙碌碌地搭建爱巢，有的在花枝上呼朋引伴、跳跃玩耍。“春江水暖鸭先知”，鸳鸯、天鹅和鸭子，游在水中，一阵一阵拍打着春天的温暖。

春天的嫩芽最为努力，余秀华说，春天是被蔷薇的嫩芽顶出来的，“芽的根处，是微红的，好像带着血，想必也是疼的。没有一种事物能够轻轻松松地获得美丽，没有经过疼痛的事物也配不上美丽，所以每一个春天都值得赞

浓烈的……

●湖北省仙桃一中高三（26）班　戚亦恬

若我是画家。

相较于水墨丹青的清新淡雅，我更沉醉于多种染料交织的浓烈。

淡雅的色彩不会成为画布的主调，相反，它们仅是浓烈的黄昏中的一处未被波及的云彩。就算是刚醒的天空，我也要在那稍暗淡的云上加一点儿红晕。

若我是酒徒。

比起用于三五好友相聚的浅斟慢饮的红酒、鸡尾酒，我可能更钟情于刚烈、辛辣的白酒，还有它那入喉时浓烈的、似是要烧尽四肢百骸的酣畅淋漓，就像风平浪静的大海蕴藏着可以埋葬众多船只与魂魄的力量。

若我是诗人。

我写不出“水光潋滟晴方好，山色空蒙雨亦奇”那般淡雅婉约的西湖，但我会写冰川消融后的轰然坍塌，会写无数北极动物眼中浓烈的失望。我写不出“月出于东山之上，徘徊于斗牛之间”的岁月静美，但我会去写那月于乌云后露出一角的刹那光亮，那光穿越遥远的距离，浸入伞边落下的一粒雨滴，打在脚前的水洼里。

若我是作家。

我写不出朱自清散文中的清新，学不来《荷塘月色》释出的宁静，但我会去学鲁迅的犀利，去学《狂人日记》释出的浓烈的悲哀，去学用文字藏起自己浓烈的心境……

若我是马戏团演员。

比起身着训练服，生活单调、一脸沉稳的特技演员，我会选择用最浓烈的色彩涂画脸庞，用滑稽、无声，然而也是最真诚的笑脸，给观众带来最饱满的欢乐。我会手舞足蹈地，不无夸张地捏出一个个气球，让它们自由地腾空而起，尽情释放生活的五彩斑斓。

若我是歌手。

我唱不出那些凋零的凄清，也唱不出卿卿我我的柔情，但我唱得出万物复苏的澎湃生机，唱得出奔马般的洒脱与率性。我唱不出微弱的星光，却唱得出盛大的绽放与浩渺的星河盛景。

若我只是那万千人中最渺小的尘埃，我会用途经的最绮丽的风景，成全我年少的张狂，成全我半世风光的浓烈。

（本刊原创稿件，视觉中国供图，指导老师：陈雄）

颂和尊重”。卡雷尔·恰佩克发现嫩芽军团微弱地嘶喊出一首进行曲：“在轻快的前奏中，紫丁香军团首先分散开来，向前跑去；然后进场的是红莓小分队；接下来，就是踢着正步的梨和苹果的嫩芽，为它们抚琴伴奏的则是菊苣和小草；最后，在管弦乐团的伴奏下，全体嫩芽军团气宇轩昂地大步向前，一、二，一、二……”

在作家的笔下，春天也具备各种性格，有时候像个害羞的小姑娘，遮遮掩掩、躲躲藏藏的；有时候又是宽厚的长者，让万物重新生长。春天有时不讲理，让天气变幻莫测，让柳树吟出飞絮。春天有时冷静持重，永远抱有足够的能量，待人间如同初见。

北岛有诗：“春天是没有国籍的，白云是世界的公民。”谷川俊太郎写道：“在可爱的郊外电车沿线，除了春天禁止入内。”幸好，春天是这样不受限制，自由自在得让人羡慕。

你准备怎样描写终会来到眼前的春天呢？

（张秋伟摘自《中学生百科·大语文》2023年第9期，视觉中国供图）

这群高中生将《千里江山图》画满教室

●王培莲

当其他高中生为了学业“不眠不休”的时候，吉林省长春市第一五〇中学伯虎画社的21名高中生，以美术教室的墙壁为画布，用时一年，将《清明上河图》《千里江山图》两部传世名画临摹出来——跨时空的对话在这间教室里上演。

创新的表达形式 与名画“擦出火花”

2023年年初，伯虎画社的创办人、美术教师段英子指导15名高一和高二学生，仅用了一周时间，就用圆珠笔在宣纸上原比例临摹了中国十大名画之一、北宋画家张择端的《清明上河图》。临摹作品完整呈现后，一时间在网络上“火爆出圈”。

同样是中国十大名画之一的《千里江山图》，被印刷在高中美术课本的封面上。指导学生对这幅时常能看到的名画进行创新临摹，成为段英子的第二次尝试。

第二期课程开始，这群高中生用浮雕壁画的形式，截取呈现了北宋画家王希孟《千里江山图》中内容非常丰富的一部分。完成后的浮雕壁画高近3.5米，总长11米。推开美术教室的门，“青绿山水”扑面而来，颇有气势。

从画线稿、做浮雕、调色、上色到最后完成，21名高一和高二学生用了129天。

“伯虎画社成立的初衷就是传承和创新传统国画艺术。”在段英子看来，临摹的形式可以让学生深刻地了解国画，并且能自然而然地传承中国传统文化。

创作的过程主要分为3个阶段：画线稿、做浮雕和上色。段英子带着学生一起调配了浮雕沙料和丙烯颜料。这些材料在没有干透和定型之前，都是可以修改的，学生因此有了更多的试错空间。

每周四的第8节课是学校的社团课，段英子会给学生上课、示范。同时，社团课使用的美术教室全天开放，便于学生随时利用空暇时间，来绘制浮雕壁画。学生绘制时，段英子也会一直陪在旁边，随时给大家指导。

以前，这些高中生更喜欢的是“二次元”文化。现在通过创新临摹的方式，他们有机会更深入地鉴赏中国画，对中国传统文化也有了更深的认同感。

没有美术基础 也能绘制出好作品

学生们自己分工，每次完成一个阶段的绘制后，大家就喜欢站在远处观看全景。团队合作所呈现出的作品效果，时常给画社的“小伯虎”们带来惊喜。

参与浮雕壁画版《千里江山图》绘制的学生，大多参与过第一期课程，积累了一些临摹经

验。但对他们来说，创作浮雕壁画还是带来不少新挑战。

“小伯虎”们大多没有美术功底，如何让更多学生参与其中，让大家在创作的过程中保持积极性，是段英子重点考虑的问题。“临摹的意义大于对艺术水准的追求。”这是伯虎画社一直坚持的理念。在段英子看来，难度太大、门槛太高会让学生对传统文化望而却步。

“之所以选择浮雕壁画的形式，是因为这种形式更好上手。”段英子介绍说，用油画刮刀做肌理，山石的质感很容易凸显，比直接画山石要简单得多，而且有些地方可以用手捏制，增加了创作的趣味性。

浮雕壁画在原画比例上放大了数倍，很多场景在绘制时不好把控比例和平衡。在线稿创作阶段，段英子会帮助学生确定最高山和最低山的大概位置，让大家在正确的位置和框架下去补充线稿细节。

做浮雕的过程最耗费体力，最后的上色环节则最有挑战性，也耗时最长。段英子说，用丙烯作为颜料来还原和调配出不同层次的青绿山水的颜色很有难度，她和学生摸索了很久。

颜色调配出来后，在上色过程中，如何平衡冷暖变化、把握虚实关系也是关键。虽然没有美术功底，但“小伯虎”们的绘画热情早已被调动起来，在反复尝试中，不断熟练直至掌握上色手法。“大家都憋着一股劲儿，不想成为拖后腿的人。”段英子说。

繁重学业之余的“营养加餐”

临摹《清明上河图》时，要绘制数量庞大的各色人物、各种牲畜、大小船只，以及房屋、桥梁、城楼等建筑，线条密集、复杂，细节多，考验着学生的专注力和耐力。而在绘制浮雕壁画版的《千里江山图》时，由于是在墙壁上作画，位置有高有低，需要站在桌子上踮着脚或是跪在地上作画，更加考验学生的体力。

在创作过程中，最让段英子感动的是学生们的热情与坚持：很多学生会利用课间10分钟或是午休时间，来到画室作画。而对参与的学生而言，这份热情和坚持源自沉浸其中所收获的快乐和自信。

“参与绘制浮雕壁画，不仅没有影响我的学习成绩，反而提升了我的专注力。”高二学生张楚莹说，临摹名画成为她繁重学业之余“有营养的加餐”。

刚参与临摹《清明上河图》时，小伙伴们觉得周柏乐“话少”“内向”。如今，谈起临摹名画，17岁的周柏乐“眼里有光”，可以大方又专业地向老师和同学介绍创作过程。

对此，作为观察者和支持者的副校长刘春，也更深地体会到艺术素养对学生综合能力的提升作用。在他看来，虽然高中阶段的学业压力大，但只要合理安排，艺术修养和学业发展是可以相互促进的。

目前，长春第一五〇中学有19个像伯虎画社这样的特色社团。社团课程是高中生学习之余的有效调剂。学校支持各类社团进行不同学科的创新实践，帮助学生打开更广阔的视野，提高他们学习的积极性。

一年前，对伯虎画社的学生而言，临摹名画还是一件“难以想象”的事。现在，看到自己的作品被广泛关注和认可，学生们也看到了自己可以不断被挖掘的潜力，自信自然随之而来。

“我们会坚持用创新的方式，把中国传统文化传承下去。”段英子说，第三期课程已经开始，是以绘制扇面的形式临摹《汉宫春晓图》，以及用素描形式临摹《富春山居图》。

（梁衍军摘自《中国青年报》2023年11月23日，本刊节选）

轻舟已过万重山

●王太立

看电影《长安三万里》，很多人对“轻舟已过万重山”这句诗印象深刻。李白的这句诗，我年少初读时，便感荡气回肠，如今在知天命之龄再读，我才品出其中那种人生况味。

记得姑外婆老到嘴里的最后一颗牙都掉了时，抿着嘴，眯缝着眼睛，吐出长长的一口气，对我说：“心上的那块石头终于落下，轻舟已过万重山。”然后莞尔。

我知道姑外婆一生坎坷，却从不向困难低头，现在102岁了，回首往昔，她说得最多的感慨就是“轻舟已过万重山”。她总是一脸淡然，似乎把一生所有的不快都已抛诸脑后。

姑外婆的这种性格一直影响着我。

3岁的时候，心爱的玩具坏了，我感觉心都碎了；及至上了小学，玩兴大，有时忘了做作业而被老师批评，我感觉脸面都丢光了；临近高考特别紧张，以致高考发挥失常，落榜后我曾焦虑不已，觉得美好的前途与自己无缘了；后来，与心仪许久的男生谈恋爱，一直以自己最好的状态面对他，最后仍然以失恋结束，我感觉心灰意冷；参加工作后，由于心理素质差，不时出纰漏，我曾抱怨为何自己总是事事不顺。

姑外婆常常以她的经历鼓励我，她说遇到坎坷不必忧虑，要保持乐观，见招拆招，想办法解决问题。玩具坏了，修理一下就好了；作业忘做，赶紧补上，并提醒自己认真学习；高考落榜，继续补习，第二年考上了心仪的大学；失恋了，离开不爱自己的人，焉知非福？如今我家庭美满；至于工作，我慢慢积累经验，提升能力，如今已是业务骨干。

回头看跨过的那一道道坎，庆幸自己虽一再遇挫，但最终没有将脚步止于那些困难，仍排除万难不断地向前走。那些坎被我一道一道跨过，曾经的得失与成败，我也不再耿耿于怀，人生豁然开朗。

人生在世，难免会遇到困境，跨不过去，困境就会成为山；而当我们全力以赴地寻找摆脱困境的方法，将困难一点一点化解，困境便是坎，越过去又可以继续向前。当我们越过一道又一道坎，会发现不知不觉间已经走了很远的路，心中会激荡起“轻舟已过万重山”的感叹，那是一种不惧坎坷、击败困难之后胜利者的自得与快意。

（秋水长天摘自《广州日报》2023年11月5日，视觉中国供图）

为什么地球上的山峰不可能超过1万米

●寰宇志

地球上最高的山峰是珠穆朗玛峰，它位于喜马拉雅山脉，海拔8848.86米，这是它6500多万年来努力生长的结果。而在火星上也有一座山，名叫奥林匹斯山，它随便一长就达到了2.1171万米，远超珠穆朗玛峰的高度。

诚然，珠穆朗玛峰还在以每年几毫米或几厘米的速度增长，但科学家已经提前“宣判”：珠穆朗玛峰不可能超过1万米，因为一切都是“设计”好的。

这到底是怎么回事儿呢？

地球上的山脉一般指群山，山峰则是有一定高度的指尖状的山顶。当地球上的两个板块相互挤压时，凸出的叫背斜，凹下的叫向斜。一般情况下，背斜成山，向斜成谷。但有时由于背斜土质疏松，也容易被侵蚀变为山谷，此时向斜就变成了山峰。

约3.6亿年前，地球上有且只有两个超级大陆，一个是位于北半球的劳亚大陆，另一个是位于南半球的冈瓦纳大陆，两个大陆之间是广阔的古特提斯大洋。

6000多万年以后，劳亚大陆一分为二，形成了北美大陆和亚欧大陆。冈瓦纳大陆则彻底解体，其中的羌塘、拉萨地块渐渐漂移到北半球，形成了如今青藏高原的核心。

又过了约2.35亿年，印度次大陆向亚欧大陆冲过来，并撞上亚欧大陆，导致青藏高原剧烈抬升，从而形成了喜马拉雅山脉和珠穆朗玛峰。

珠穆朗玛峰之所以不可能超过1万米，主要是它的“底座”不够大。

物理学家告诉我们，地球上的所有物体都会受到重力的影响。重力与地表附近的重力加速度有关，而重力加速度的大小又跟地球的质量与半径有关。

总之，重力加速度越大，地表附近的物体所承受的重力就越大，物体本身的承压也就越大。山峰的重心一般在山体的中间部位，山峰越高，它的重心就越高，累加在山峰上的重力也就越大。

要想减轻重力对自身的压迫，就得增加山峰的底座面积，但珠穆朗玛峰显然不行。喜马拉雅山全长约2450千米，宽200千米～350千米，这样的地基面积不足以支撑起万米高峰，否则珠穆朗玛峰的最终结局必然是被自身的重力压垮。

别看组成山体的石头很硬，在大自然的绝对力量面前，它们连硬碰硬的机会都没有！

为什么火星上的奥林匹斯山就可以达到2.1171万米的高度呢？

一方面，奥林匹斯山的底座面积够大。奥林匹斯山宽约600千米，占地面积约有30万平方千米。

另一方面，火星的重力加速度只有地球的约40%，所以奥林匹斯山承受的重力要比珠穆朗玛峰承受的小很多。

除了重力因素，地球上的山峰还要受到降雨、风化和侵蚀等作用的影响。日积月累，物换星移，经过几十万年甚至上百万年的积累，自然之力足以削平一座高耸的山峰。

这就是造物主的力量。它能让沧海变成桑田，也能让高山变成谷底。

（大浪淘沙摘自微信公众号“寰宇志”，本刊节选，视觉中国供图）

古人的『共享』很超前

●竹映月江

“共享经济”给我们的生活带来了便利，也让我们惊叹于科技的快速发展。其实早在汉代，古人就已经有了“共享”的理念。比如，汉光武帝刘秀在当皇帝之前，就曾与朋友合资养驴来出租，放在现代，他也算是白手起家的实干派了。

可惜刘秀没赶上现代互联网“共享”的大潮，“共享驴”生意没干多久，他就“转行”当起了皇帝。不过，当了皇帝后，刘秀依然不忘初心，专门出台政策，鼓励家里有驴的老百姓，在闲暇无事时将驴出租，一来是为了发展“共享经济”，解决“出行难”的问题，二来也可以增加百姓的收入。

然而，“共享驴”说起来容易，真干起来，技术壁垒可不少。就拿现代共享交通工具的GPS（全球定位系统）来说，在没有网络的古代社会，老百姓怎么保证租出去的“共享驴”能被顺利找回来呢？

这个难题，对颇有经验的“创业者”刘秀来说，根本不是事儿。他让百姓在“共享驴”的身上用烙铁烙出花色各异的图案，作为驴的“身份证”。而后，他又推出“簿籍制度”，要求所有供出租的牲畜都要注册登记，从而一举规范了汉代的“共享交通”。

到了南宋，人们又解锁了“共享经济”更多有趣的新花样。宋代人在“共享驴”的基础上“脑洞”大开，推出了升级款“共享车”，一用就是近百年。13世纪末，前来杭州旅游的外国游客马可·波罗看见“共享车”后震惊不已，赶紧拿小本子将这件事记了下来。

在马可·波罗的笔下，南宋人的“共享车”叫“街车”，不过一些翻译作品也将这种车翻译成“长车”，或许是因为南宋的“共享车”的外形偏长吧。

“长车”的外部一般用绸幔装饰，车顶有盖，可以容纳6个人同时乘坐。与现代的“共享单车”一样，使用“长车”也须付费，通常分为按时段收费与按天收费两种模式，这对“交通基本靠走”的古代社会

来说，已然算是奢侈的享受了。因此，“长车”的目标客户往往都是那些有钱人家出门游乐的公子和小姐。

收入一般的中产阶层使用的“共享车”则是一种用毛毡做篷的毡车。比如，《婚礼新编校注》中就记载了人们用毡车迎亲的场面。虽然听上去很浪漫，但坐在毡车里的新娘却是有苦说不出。古代的毡车没有减震系统，新娘这一路颠簸过来，怕是都要晕车了，哪里还有什么浪漫可言。

为了解决大喜之日晕车的苦恼，“共享轿”应运而生。新娘们惊讶地发现，“共享轿”服务不光提供轿子，还友情提供轿夫，放在现代，简直就是私人定制版的“共享专车”呀。

更让人惊讶的是，“共享轿”不但有效解决了人们晕车的烦恼，还能根据季节提供应季的轿子。比如，炎热的夏天，市面上的“共享轿”就以“凉轿”为主，到了冬天则以“暖轿”为主，可以说是相当人性化了。

人性化的服务外加舒适的体验，让“共享轿”一经问世就引发了众人追捧，使用范围也从“婚车”延伸到人们的日常出行。待到明清时期，“婚车”经过一次次升级换代，终于进化成一种新型共享交通工具——“轿车”。

这里说的“轿车”可不是我们现代人发明的汽车，而是用马或牛拉着走的两轮车，车上配有带窗子的车厢，可以同时乘坐多人。由于这种车的车厢很像轿子，因此，被称为“轿车”。当时的人家，无论婚丧嫁娶，都要去租车行租“轿车”使用。

除了“共享轿”，古代的“共享船”也十分流行。唐代的“共享船”业务就已经发展得如火如荼，就连大诗人白居易也凑热闹租“共享船”游了一次西湖，留下了“谁留使君饮，红烛在舟中”的灿烂诗句。

到了宋代，“共享船”依然是人们游湖的首选。据史料记载，当时西湖畔有种叫作“瓜皮船”的小舟，成了“共享船”里的主力军。大文豪苏轼在杭州做官时，就常常乘坐“瓜皮船”游西湖，想来其价格应该比如今景区里的游船优惠不少吧。

游景区并非“共享船”的主营业务，古人更喜欢将“共享船”安排在渡口，当作渡船使用。不过，古人使用“共享船”的技术门槛可不低。一些大型渡口还好一些，有专门的工作人员撑船，若是在乡野山村的小渡口使用“共享船”，就完全是自助模式了，没点儿技术都过不了河。

当然，这样的自助模式也并非全无好处，比如配备的自助“共享船”就是免费的，有些地方甚至连看船的人都没有，谁想划船过河自取就行，颇有几分“野渡无人舟自横”的味道。

对古人来说，共享交通工具不过是“共享”理念的冰山一角，他们还推出过极具现代感的“共享园林”和“共享图书”。

所谓“共享园林”，其实就是将私家花园免费对外开放，宛如现代的公园一样，任凭游人随意进出。其中不乏知名的精品园林，比如现在上海很有名的豫园、张园、申园、徐园等，在古代都属于“共享园林”。

不仅如此，古人还别出心裁地发明了“共享图书”。这种共享模式有点儿像现代的图书馆，主要是将私人藏书楼里的图书出借给需要的人，完全公益不收费。像这样的自助共享模式，就是放在现代社会也毫无违和感。但这种公益事业毕竟不发达。明清时期，虽然出版业务蓬勃发展，但对大多数人来说，书还是奢侈品。频繁买书对一般的家庭来说，还是无法负担的，于是有偿租书业务顺势兴盛起来，是不是似曾相识？读中学的时候，你是不是也在学校附近的书店租过书？

除了上述项目，古人还会共享农具、共享戏台……虽然不如今天这样便捷，但是看了古代“共享经济”的发展思路，我们也不得不感慨一句：“原来我们引以为傲的‘共享’模式，古人早就实践过了。”

（天鸽摘自四川人民出版社《古人原来这么潮》一书，邱炯图）

文字不该只有一张脸

●流瑜

时隔数年，我仍然记得高一时的班主任是个大学刚毕业的中文系女生。短头发，苹果脸，圆滚滚的小鹿眼更显青涩。那是她第一次带班当老师，也是我踏入高中的头一年。

刚经历过千军万马过独木桥的中考分流，我尚未从初中生的身份里完全抽离，就遇到了这位不走寻常路的语文老师。有别于传统的学术派，她身上兼具吟游诗人的浪漫与文艺女青年骨子里的天真细腻。她将我们牵出了教科书那纸片大小的方寸之地。

曾经她用一整堂课的时间为我们朗诵周国平的《妞妞》，如今，课本上的大多数文章我已忘得干净，却唯独记得这篇文章中的一些情节、片段。也是那天，我在课堂上感受到些许不同以往的气息，其中混杂着一股蓬勃跳跃的情感，刷新了我对语文课多年以来的固有印象。

我开始逐渐破开“课文教材”的壳子，得以窥见一点“文学作品”的皮毛。

在那之前，所有印在教科书上的文章于我而言都是阅读理解题的素材，我铆足了劲儿在其中寻找做题技巧，熟背金句，以图在往后的作文里拿到高分。

但是，高中的学习生涯教会我，不该以应试的狭窄目光去看待这些饱含深情的文艺作品。

当跳脱出对语文的刻板认知，我发现文字的组合拼装并不只是去搭建一篇符合标准的议论文或记叙文。有一回，一个插班生在日常作业里写了篇小说。那时正是“韩流”盛行，各种青春疼痛文学备受追捧的时候。那个男生瘦高个儿，梳着时下最新潮的发型，坐在教室最后一排的角落里。他经常成绩垫底，总是一副对任何学科都提不起兴趣的恹恹的模样，他能写出这种“离经叛道”的文章似乎并不奇怪。

令人意外的是，恰是这篇充满“反叛”意味的文章，被班主任拿出来与大家分享。她说文中有些描述很有意思，颇有点儿当时某位小有名气的青春小说家的影子。

她手执作文簿，笑眯眯地在课桌间踱步穿行。通篇读完后，她点评道：“行文风格能看出受到了一些作家的影响，有模仿痕迹，但模仿本身不失为一块敲门砖，很多同学在写作之初都会经历这一步，然后再慢慢找准自己的定位。”

她温和而客观，没有因为男生未能顺应高考作文的得分点而横加指责。我扭头望向侧后方，男生半垂着头，眼光定定地落在杂乱的课桌上，像在思考，又像在发呆。

但我知道，此时此刻，她保护了一个年轻人最纯粹、最本真的创作欲。

虽然我不清楚他未来能在创作的路上坚持多久，但老师为他埋下的这颗火种正在将他托举向更

聆听

●安武林

在春天，太阳笑眯眯地说
你一定要学会一种本领——聆听
聆听大地心脏的跳动

大地心脏的跳动之声
是这个世界上最美妙的绝响
坚硬的檐冰在消融
冻僵的河流在涌动

所有的种子都在打哈欠，苏醒
光秃秃的树木都会爆出嫩芽
一如贪婪的小嘴，吮吸阳光
有翅膀的昆虫，都在飞翔

星星们在黑夜聆听
猫头鹰睁着亮晶晶的眼睛
花朵们在白天聆听
露珠在花蕊里轻轻转动

大地的心脏在跳动
大地上的一切生命都在闪亮
小雨从天空中落下
听，小草们都在顶破土层

（秋水长天摘自《作文》，视觉中国供图）

远的地方。

后来我们学校开设了选修课，班主任又在一众开课的教师中脱颖而出，她选择了“考古”这个特别的主题。彼时许多学生对考古的理解还很浅薄，受虚构的盗墓小说的影响，大家容易将“考古”和“盗墓”混淆。

她在课件中向我们展示了众多墓穴背后的历史脉络，每件篆刻着字符的文物都映射了一个朝代的文化残影。我这才了解到，考古始终遵循“保护为主、抢救第一”的原则，通常不会贸然进行挖掘。

虽然很多古文字晦涩难解，渐渐湮灭在历史的尘烟中，但老师截取的影像资料让我看到它们不是凭空出世的，一切文字的形成与演变都同那个时代的宏大背景息息相关，而它们无一不美得惊人。

它们风尘仆仆而来，带着满身的故事与隐秘的心绪穿越无数黑暗，重新冲破黄土、泥沙，回到这人世间。我曾久久地停留在这种震撼里。它们与现在流通的文字并不一样，却又有着更磅礴的力量。

我庆幸有一位良师在我即将成年之际，让我感受到中华优秀传统文化的多元与厚重。

尽管在高三分班后她不再是我的语文老师，但我依然能听到许多关于她的消息。她跟大学时代的初恋结婚了，他们在一个平凡的周末来学校拍了几组婚纱照。在那个大多人去影楼照相的年代，她另辟蹊径地选了一种独特的方式去定格她的爱情。

相片里的她身披纯白色婚纱，侧身坐在自行车的后座上，笑得像个十七八岁的少女。她的身后是如火烧云般漆红色的跑道和天边徐徐铺开的一点霞光。

她总是有很多奇思妙想，并一以贯之地将开阔、自在的理念带入教学。

在追随她的路途中，我被激发出对文学前所未有的兴趣与热忱。当视野不再停滞在课本上，我领悟到文字本身没有标准答案。

好的文学理念就是允许打破条条框框，允许和而不同，任何形式的表达都值得被尊重。文字不该被统一的打分标准脸谱化。

花开千面，才能博采众长。

一直到我成年，班主任对文学的注解依旧深远地影响着我，我尝试过各类写作，写过影评，也出版过小说。在与文字为伍的旅途中，我始终坚持着文章的参差优劣不应该以是否符合某个单一标准来判断。

文字当是自由随性的，如同我们日益滋长的灵魂，可以长在土里，亦可直上云霄。

（本刊原创稿件，Cyan Lin图）

偶尔有两个C

●明前茶

我的高中同学老曹，曾在生物、化学领域耕耘30年，已成为一级教授，并且负责着一个重点实验室。他的研究生进师门后不到一年，就会跟着他做一些前沿性的研究工作。因此，老曹坚持每年都要亲自面试研究生。在学生自信满满地做了自我介绍后，老曹会翻看他的成绩单，并劈面问道：“为什么一个A－都没有？”

他的语气仿佛是责备，又仿佛是困惑，就像兜头浇了学生一瓢凉水。在这样单刀直入的问题面前，每个人只有几秒钟时间揣度教授的意图，脱口而出的多半是实话。有人说：“我是一个从小注重平衡和规范的人。每一年大考复习前，我会把时间均匀地分给每门功课，并且按照考试的顺序、难度的大小、老师的出题方向进行安排。我会列一张表，7门功课用7种不同的颜色标明，花2～3周的时间去准备，所以，我的成绩从来不会有A－。”

有人说：“上一次确实有一门提交论文的课程拿了A－，可我不服气，我不允许自己的绩点在3.8以下，于是我想法说服教授，允许我一个星期后重新提交论文。我在大方向不变的前提下，改了一些小方向，新的一版比第一版多了3000字——没有功劳也有苦劳，我终于拿到了A。”

还有人说：“自从进了大学，我立志要做学术，每天工作、学习十二三个小时。我既不拉小提琴，也不游泳；既不追星，也不跳舞。我每天要喝3杯咖啡，强迫自己振作。在把热水注入滴滤咖啡的纸包的那几分钟里，我也不会胡思乱想，而是抓紧时间多背两个单词。”

然而，这3类学生，老曹最后都没有录取。他跟我解释说：“我需要的是拥有发散性思维的年轻人。我希望我的接班人是那种生活随性、思维跳脱、稍带任性的人。也就是说，他本科阶段的成绩中当然要有很多的A，可是偶尔有两个C，我才会感兴趣。”

原来，从评上副教授起，老曹已经带了6届研究生。他发现，多数在本科阶段表现得循规蹈矩，每一门课都竭尽全力考到A的学生，在真正投入前沿性的科研工作时，往往表现平庸。

这一现象看似古怪，细想却在情理之中。因为唯有那些在本科阶段并不是很用功的学生，才可能在无意中保护了自己的创造力。他们花一定的时间去看那些考试用不上的书，发展对提升成绩没用的兴趣，游泳、改装无人机、拉小提琴、做一些漂亮的人造晶体送女朋友当项链……他们依靠这些旁逸斜出的兴趣，培养对事物细微变化的敏锐度。

老曹总结说：“搞科研的人要有拉琴的耳朵、观察晶体育种的眼睛、中流击水的触觉，还要有‘这东西没有，咱就做一个’的动手能力。作为实验室的负责人，我终于发现，招收这种警觉又反应机敏的学生，才能打破我们这些已经做了几十年实验的人的思维惯性，提出崭新的设想。他们才是我需要的队友。”

（大浪淘沙摘自微信公众号“清溪舟上人”，阿砂砂图）

言论

把“我很完美”改成“我要努力做得更好”；把“我很聪明”改成“努力就能有回报”；把“好难啊”改成“难的事我才做”；把“我不行”改成“我可以迈一步，看看会发生什么”；把“我很傻”改成“我只是还没学会”。

——关于如何培养成长型思维，朱莉·利思科特-海姆斯如是说

未来将属于两种人：思想的人和劳动的人。可实际上这两种人是一种人，因为思想也是劳动。

——雨果

一千年的时间里，匠人们孜孜不倦地在文明交汇的渡口反复描摹自己文明里的日常和细节，壁画映射了当时的世情和日常，可以说是一座历史的影像库。

——曾有敦煌学学者如此定义莫高窟

每天早上一到这儿，就觉得自己仿佛成了一颗石头，和园子融为一体。

——颐和园保洁员张旭拿着扫帚、抹布向游客介绍园内建筑的“贯口”视频走红网络。对古建筑的热爱，使得他不断探究学习颐和园的历史文化

以为在网上有个自己的小窝了，没想到被现实中认识的人发现了，于是从一个软件“搬家”到另一个软件，从大号搬到小号，甚至连搬几趟，只为找个能自说自话的地方。

——何谓“电子搬家”

无论多么渺小，隐藏得多么深，都要保持一颗小小的火种。

——所谓“志向”，大抵如此

一言不发，二目无神，三餐不吃，四肢无力，五脏翻腾，六神无主，七上八下，久（九）卧不起，十分难受。

——中国科考队队员关于过魔鬼西风带的“十字歌”

家长没有教会我自律，只教会了我反侦察。

——小时候偷偷看电视和父母斗智斗勇，为了不被发现使出了浑身解数

你们的抱负还可以大一些，要勇于挑战看起来不可能的问题。

——在首届国际基础科学大会上，数学家丘成桐鼓励年轻学者一路学、一路做研究，对知识的理解才更加透彻

我希望自己不仅仅是一名轮滑选手，更可以融合轮滑与国风，成为传承、弘扬中华优秀传统文化的使者。

——19岁女大学生秦雨晴身着仙气飘飘的飞天彩衣，脚踩轮滑鞋起舞，一举拿下了2022年全国自由式轮滑锦标赛轮滑花式绕桩成年女子组的冠军。别具一格的传承与创新，大放异彩的文化自信，是青春最美的姿态

太阳会打喷嚏，地球可能会感冒。

——近日，由中国科学院国家空间科学中心牵头建设的大科学装置——圆环阵太阳射电成像望远镜“千眼天珠”正式建成，它不仅能发现太阳何时“打喷嚏”，还能记录“打喷嚏” 的方向和速度，提供空间天气预警，保障地球附近各种设备的安全运行

“脆皮”大学生。

——上厕所“喜提”骨折，打喷嚏致腰椎间盘突出，憋笑致鼻动脉破裂……这些令人哭笑不得的意外就发生在大学生身上。虽说这种自嘲式的调侃充满了乐观精神，但仍需谨记：身体是革命的本钱

尽情玩耍，尽情学习，尽情长大。在需要的时候释放善意，在必要的时候展现强硬。找到热爱的事，找到值得爱的人，然后为了他们全力以赴。

——弗雷德里克·巴克曼

（饼干糖、海星等摘）

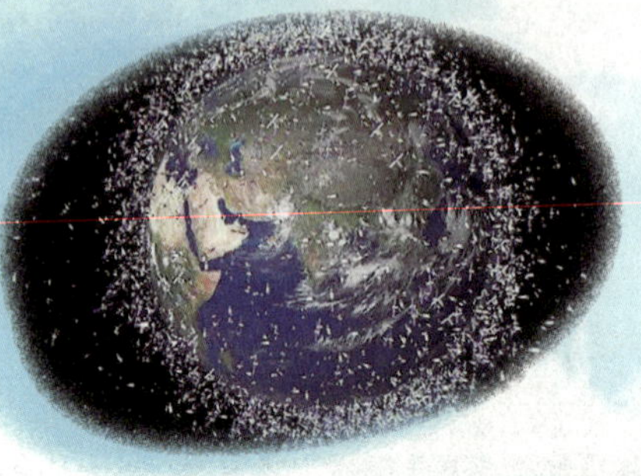

一枚硬币足以击穿“天宫”

●商子文

据美国国家航空航天局统计，人类跟踪的太空碎片大约有3.46万个，但轨道上可能还有1.3亿个碎片由于体积太小而无法被准确探测。它们中的70%距地球表面约2000千米。

一枚硬币大小的太空垃圾足以击穿空间站的保护罩。

神舟十七号载人飞行任务新闻发布会上明确表明，除了常态化工作，本次飞行任务将首次进行中国空间站（天宫）舱外试验性维修作业。

其实，工作人员在空间站前期检查时就已发现，其太阳翼多次受到“微小颗粒”——太空垃圾的撞击，造成轻微损伤。只是这些撞击并不猛烈，都是在设计时就考虑在内的。

但随着我国空间站未来的升级，空间和功能得以扩展，一旦遭遇大型太空垃圾撞击，后果不堪设想。

太空垃圾真有这么大的危害吗？

国际空间站差点被撞毁

这些在太空中的碎片的行进速度，比高速公路的最高行驶速度快300倍。

碎片在太空中以大约每秒10千米的速度移动，由于两个物体都移动得很快，所以相对速度会更高。即使是像油漆斑点一样小的垃圾也是致命的。

一个直径约10厘米的物体——一份手抓饼那么大——可以将一颗普通卫星撞成碎片；一个直径约1厘米的物体——一颗花生那么大——可以击穿覆盖在国际空间站上的防护罩。

这些不是假设。

2021年，熟睡中的国际空间站宇航员被地面控制中心叫醒，他们接到指令：立即关闭重要舱门，进入避难程序。

原因是，俄罗斯反卫星导弹拦截了已经报废数十年的情报卫星空间-1408，从而产生了超过1500块可追踪的卫星碎片，以及数十万块难以追踪的碎片。这些碎片在太空中解体，距离国际空间站只差40千米，驻站的7名宇航员幸运地躲过一劫。

自2000年以来，国际空间站被迫移动了32次，以免过于接近这些“太空垃圾”。而且这些太空垃圾的形态可能超乎你的想象。

凶器有可能是一双手套

太空垃圾的正式名称是轨道碎片。

它们可能是废弃卫星的碎片，运载卫星进入太空的火箭、导弹的碎片，以及宇航员意外遗留的东西。

比如，宇航员埃德·怀特

1965年放错地方的备用手套，宇航员皮尔斯·塞勒斯2006年丢失的一把抹刀，宇航员苏尼塔·威廉姆斯2007年太空行走时掉落的相机，等等。

不过绝大多数太空碎片像公交车一样大，它们是人类制造的航天器的“遗骸”。美国国防部有一份目录，记载了能被空间监视网络追踪到的、直径大于10厘米的太空垃圾有2.7万个；1厘米～10厘米之间的垃圾数量约为50万个；1毫米～1厘米的超过1亿个。

10厘米是一个分界值，对于直径比10厘米大的太空垃圾，需要进行汇总和碰撞评估。“靠预警解决不了一切问题，因为有些太空碎片小到你还来不及反应就飞到了你眼前。”国际空间站前指挥官克里斯·哈德菲尔德说。

它们从何而来？

卫星相撞产生大量碎片

轨道卫星数量增长及碰撞是太空垃圾增多的主要原因。

轨道卫星进入太空的方式和倒垃圾一样简单。截至2015年，在第一颗卫星发射以来的58年里，人类总共向太空发射了7500颗有效卫星。到2023年，这个数字又增加了一倍多。这一增长在很大程度上是由埃隆·马斯克旗下太空探索技术公司的星链计划推动的。

最激烈的碰撞发生在2009年，美国通信卫星铱星33与退役的俄罗斯卫星宇宙-2251相撞，一年之内被识别出来的碎片就多达1740块——这是人造卫星间的首次超高速碰撞。

这些太空垃圾多分布在近地轨道。由于地心引力和空气阻力，500千米高度以下的太空垃圾更容易自然坠入大气层并在坠落过程中烧毁。

而在通信卫星聚集的地球静止同步轨道上，因为同时满足0度轨道倾角和3.6万千米的轨道高度，能够实现与地球相对静止，在此的太空垃圾一旦产生，很难“自燃消失”。

据估计，只有不到10%的碎片会自然脱轨并被烧毁。

现在，地球每周发射火箭3次以上，其中许多都是为部署卫星而发射的，每一次发射都可能产生更多的垃圾。

谁来清理“垃圾”

联合国和平利用外层空间委员会早在50年前就提出了太空活动的相关建议，但这并未阻止“垃圾倾倒”。

其原因在于，在建议提出后，大规模的太空技术才开始进步，各国没有义务遵守这些旧规则。该指导方案中也未涉及要移除已经在太空中的非活动卫星。

据国际咨询公司麦肯锡的报道，可持续的空间活动应包括4个部分：认识环境、协调各方活动、尽量减少空间垃圾的增长和清除碎片。

欧洲航天局已经着手进行碎片清除了。他们把第一份太空垃圾清理订单给了瑞士的一家清洁科技企业，以清理2013年运载火箭“织女星”发射卫星时留在太空的卫星支架。

有数据显示，全世界仍有超过1/3（约29亿人）的人从未使用过互联网，数以万计的卫星通信将会彻底改变这一现状。

按美国科学家唐纳德·K.凯斯勒于1978年提出的“凯斯勒效应”估计：总有一天，当地球轨道上的物体足够多时，灾难性的连锁碰撞必将无法避免。

但足够多是多少？发射卫星的科学家也不知道。

（心香一瓣摘自微信公众号“国家地理中文网”）

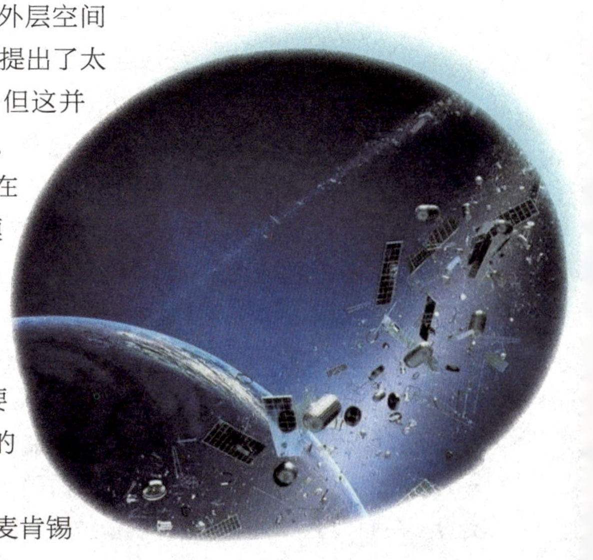

余昊源：被色彩治愈

●常瑜

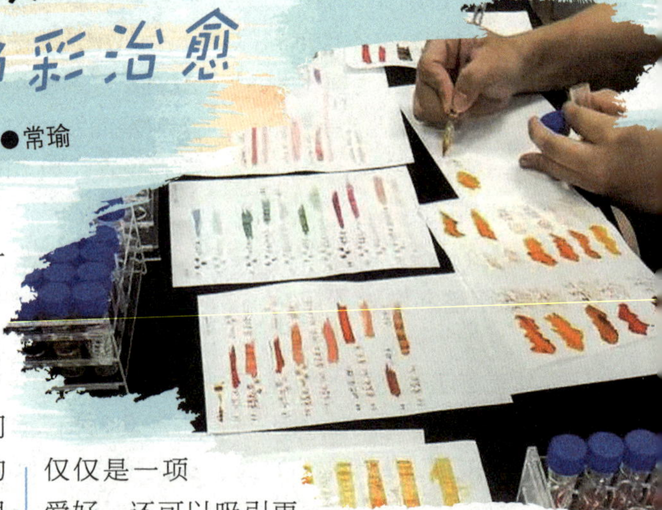

余昊源的公司位于上海市虹口区的一栋写字楼里。全公司其实只有一间办公室，但是当你走进这个不大的空间，第一印象一定是这里的老板和员工非常年轻，而且他们的生意也一定属于年轻人。不仅仅是因为这里“麻雀虽小，五脏俱全”，更是因为这里无处不散发着属于“Z世代”的那份自在、不羁，既高度崇尚实用、简单，又混杂着那么一点儿混乱的气息。就在这种独特的气息中，我们走进了余昊源和星墨的世界。

“不守规矩”的学生

跟余昊源聊天，有一种奇怪的矛盾感。坐在你对面的分明是一个斯文、安静的男生，但是他跟你讲述的，是一些在大多数人看来“不守规矩”“离经叛道”的故事。

初中时刚接触化学，余昊源就表现出对这门学科的强烈兴趣。在同龄人疯狂迷恋电子产品的时候，他把自己的热情都给了化学。他的房间里有一个大大的柜子，专门用来摆放化学试剂和原料，可以说那就是余昊源的世外桃源。而现在回想起来，这无疑是不符合实验室规范且危险的，对一个刚刚接触化学的初中生来说，这绝不该被鼓励和提倡。

不仅如此，升入高中后，余昊源申请成立了一个社团，用学校提供的试剂和原料做硝化纤维实验。在他眼里，硝化纤维的制备过程特别酷，手心能有一团火烧起来。但他不知道的是，被称为火棉的硝化纤维，其爆炸威力是黑火药的2～3倍。余昊源因此多次被叫到校长办公室，校长和教导主任语重心长地对他说：“小余，这些东西你留到上大学后再搞，好不好？”他答应了，然后真的等到上大学后才开始继续钻研。

人会迷恋不必要的精致

余昊源的创业之路起源于大一，那时候他参加的社团鼓励学生摆摊推销自己的手工艺品，比如十字绣、中国结等。由于高中时研究过墨水，余昊源将金粉加入染料，做成亮闪闪的墨水，非常好看，当场就有30多个同学购买了他的墨水，他因此赚了600元。就是从那一刻开始，他意识到研制墨水不仅仅是一项爱好，还可以吸引更多的同龄人。于是，他跟舍友和高中好友一起，用1万多元压岁钱购买了原料、瓶子和包装盒，花了一个星期的时间筹备开了一家网店。开店的第一周生意就很火爆，最高纪录是一天卖掉了三四百瓶墨水，有7000多元的销售额。这对毫无商业经验的余昊源来说，算得上一个惊人的数字。星墨，就这么诞生了。

当被问到在今天这个敲击键盘的时代，书写

已经没有大的市场，他的星墨能走多远时，余昊源给出了一个浪漫而温暖的回答。在他看来，尽管大家都觉得无纸化是必然趋势，但是当你真的坐下来写字的时候，你的注意力是在笔上面的，你的心也是在笔上面的。有一个比喻叫“手机是我们眼睛和耳朵的延伸，是一个外置器官，那么笔和纸就是我们心灵的延伸，是可以帮助我们梳理内心的工具”，而星墨就在做这样的小工具。你落笔的时候，那些曼妙的变色，那些仿佛会讲故事的颜色搭配，你在纸张上感觉到的不同力道，它的顿挫感，笔画边缘和中间的差异等，都会让你平静下来，感到愉快。

“人会迷恋不必要的精致。”这是余昊源多次提到的一句话。这种不必要的精致是一种共通的感官，是人们一眼就可以掌握的信息，它能够传递出很多美观之外的潜在的含义，比如治愈。在余昊源的愿景里，星墨未来也不会有爆发式的增长，而是一直有固定的使用者，并成为这部分人群一直喜欢的品牌。他想传递的治愈就是这样一种稳定的舒服。除此之外，在这间不大的办公室里，余昊源还有一个非常大的梦想。

世界上最早的彩墨品牌简赫本（J. Herbin）于1670年成立，它到现在仍然在稳定地经营，没有人会去怀疑它的商业价值。因此，余昊源坚信“小而美”是有持续的价值的。对于材料的研究，星墨所做的往往超脱于染料和水剂这两个关键词，他们希望能够把各种前沿的技术、材料都拿过来测试，看它们能不能被应用在制作墨水上，那会带来更棒的且有治愈感的体验。此外，他们也会尝试把这些测试的结果和这些色彩的技术运用到别的行业中。因为能够用到颜色的地方是无限的，这是一片广阔的天地。

三代人的荣耀

在余昊源的印象里，爸爸是一位采购和供应链专家，虽然爸爸从来不跟他聊工作，但他在成长的过程中始终能感受到爸爸对钻研事物充满热情。比如吸尘器里的一个注塑的零件，它用了多少料，聚丙烯和回料（聚丙烯再生料）的比例是多少，等等。而爸爸这种钻研的精神正是受了爷爷的影响。爷爷60多年前曾留学德国，是一位电气工程师。很多人告诉余昊源，他的爷爷是苏州第一个做出无刷吸尘器电机的人。余昊源认为自己从小受到的教育就是自己做的事情必须是看得见、摸得着的，是靠技术去争取价值，而不是靠广告或者噱头。

在余昊源看来，自己的创业之路虽然或多或少受到了家庭的影响，但是他和爸爸、爷爷的创业还是有很大区别的。身为“Z世代”，最幸福的莫过于做自己喜欢的、擅长的、有天赋的事，并且将天赋和热爱发挥到极致。

余昊源感觉很荣耀的一件事情，是自己的家族始终跟随着国家的步伐。“你可以看到我们国家的近几代人，或者说过去几十年来的发展，正好就是从无到有、从有到优、从优到特的一个过程。我希望我能和很多奋斗的同龄人一样，在一个非常垂直的领域里把它做得更特别、更具创新性。”

最近，余昊源应邀去了杭州文二路上有名的博库书店。当他把带来的20多箱货品逐一摆出来的时候，一位经验丰富的前辈情不自禁地说：“真的太漂亮了，我们要给它们配上灯，把它们照得亮亮的。”那一刻，余昊源觉得非常幸福，同行的认可是一件让他感到无比骄傲的事情，这既是对星墨的肯定，更是对他执着追求的那份治愈心灵的精致的褒奖。

（谷粒摘自微信公众号“科创Z时代”，本刊节选）

那个魔法少女又回来了

●曹斯旻

依稀记得我们的第一次见面。你穿着一件粉色的条纹短袖，坐在靠窗的座位，眯着眼冲我微笑，脸上带着灵动的表情，像极了宫崎骏笔下的魔法少女琪琪。

你洪亮的声音、挺拔的身姿、娟秀的字迹、优异的成绩，都让别的同学望尘莫及。大家都喜欢你、崇拜你，而你总是谦虚地笑一笑，不好意思地摇摇头。

不知你是否还记得，我第一次批评你是在什么情况下？当时你紧蹙眉头、低头不语，手中紧握着一张69分的数学试卷，任由我猜测你“考砸”的原因。你也知道，你正在走下那个自己塑造的“神坛”。同学们看你的眼神早已不再是崇拜，更多的是怀疑。渐渐地，你变得沉默。

“你怎么现在才来，我们都在等你啊！”“是啊，怎么这么晚啊，马上要比赛了！”周末，舞台剧赛前的排演，你迟到了，其他同学对你抱怨起来。你想要解释些什么，但是话到嘴边又被咽了回去。你站在旁边扮演着旁白的角色，嘴边残留着还没来得及擦掉的午餐油渍。排演间隙，你坐在角落里玩着手机。那时的我满脑子都是剧本细节，我只是看了你一眼，没有靠近你。

你开始陷入无止境的沉默。我忍不住找到你，可是你依旧低头不语。我没有再问下去，只为了保护你仅剩的骄傲。

不知何时，你对墙有了依赖。你开始喜欢靠在墙上听课，靠在墙上写作业，靠在墙上思考，放在你面前的课桌似乎成了摆设。你从不肯把手臂置于桌上。即使在我的强烈要求之下，你也仅仅是把手腕搭在桌上。你不仅依赖教室的墙，也依赖走廊的墙。你总是靠着走廊外侧的矮墙行走，怕妨碍别人。我对你的这些不自在的行为感到奇怪，所以开始暗中观察。

随意丢放在脚边的书包，五六支散落在桌上的水笔，缺了封面、翘着角的书本……你，散落着头发，把头埋在这些杂乱中，专心地用笔在指甲周围画着黑圈，一圈、两圈、三圈……你的书上潦草地写满了自己的名字，却没有任何笔记。偶尔叫你朗诵课文，你的声音却小到极致……我想要找到你的一丝进步，哪怕一次默写全对，我也想给你无限的夸奖，可是你就像坠入深渊，我抓都抓不住你。

你开始找各种理由不来学校，即便来了，也会想方设法不出操、不上公共课，甚至逃课。一次次逃离班级的你，可曾想过我是多么焦急地寻找你的身影？那天，我找遍了所有你可能去的地方。为了保护你的自尊，我没有告诉任何人发生了什么，而你选择了一个狭小的卫生隔间，在那儿一待就是一个小时……当我找到你的那一刻，你是否注意到我眼中焦急的泪水？

学骑自行车的少年

●庞余亮

周末，操场上有一个学骑自行车的黑脸少年，他得意地沿着跑道绕圈转，使劲地按着车铃，丁零丁零——操场上一群觅食的鸡都被吓得飞了起来。

那个骑自行车的少年已在操场上骑了很多圈。他越骑越快。他尝试过用一只手扶着车把，后来又尝试不用手扶车把，多炫酷啊！他无疑很快乐，他还得意地笑，昂着头环视，估计他在寻找操场上有没有观众。

但好景不长，过了一会儿，他就重重地摔了一跤，半天也没有爬起来。我以为他摔伤了，正要从教学楼的阴影处跑出去察看与搀扶，谁想，他迅速爬了起来，紧张地看了看四周，像做贼一样扶起自行车，扳正车头，又用力揿了揿车铃，铃声依旧清脆。

他又骑了起来，在冬日的阳光下，像一匹刚刚学会长途奔跑的马一样，浑身镀着一层志得意满的光晕。

（心香一瓣摘自《扬子晚报》2023年11月21日，本刊节选，视觉中国供图）

你也许不知道，私下里我和你的母亲有过多少次联系，我们如同侦探一样去推测你身上出现这种巨大落差的原因。是不是因为二胎妹妹分散了父母对你的关注？是不是因为连续的考试失败使你丧失了信心？还有，我给你写的那封长信，你认真看了吗？还记得好几次与你在学校长谈，去你家中看你，真不知你心里是如何看我的？是否觉得我小题大做？但是善良的你不管自己有多么难过，也要让我们安心，我实在忘不了你那故作坚强、强颜欢笑的神情。每次想起，我都会在心里暗暗发愁。

当我们排除一切可能，得到的却是一个最可怕的结果——重度抑郁，这个结果恰恰印证了你的种种变化。你说你总能闻到那股从手臂根部散发出的味道，所以你夹紧双臂；你说你总能感到大家对你的冷眼相待，所以你独来独往；你说你总能听见别人对你的侮辱谩骂，所以你无心学习……可是，这一切都不是真实的，你困在自己垒起的高墙里挣扎，我们进不去，你也出不来。

后来，你暂时离开学校，在家休养。那一段时间，你常和我打电话，说身边发生的趣事，你滔滔不绝，与之前判若两人。然而我知道，这一切都是药物的作用。你在电话那头是否能感受到我心如刀绞？

如果可以，我一定会更早地观察你、靠近你、了解你。如果可以，我一定会在你感到无助、孤独时给你一个温暖的拥抱。如果可以，我宁愿你不要那么优秀，不要那么善良。如果一切能够重来，该多好……

几个月后，剪了短发的你回归班级，对我说要从头开始。你一有空就往老师的办公室跑，去请教问题，查漏补缺，我每天都能看到你忙碌的身影。可是我又不愿你如此拼命，我担心你的情绪，担心你的身体。渐渐地，你的成绩有了起色，你离梦想又近了一步。

那年盛夏，你考上了一所普通高中，我知道你并不满意。毕业典礼那天，你带着小小的遗憾离开教室，头也没回，坚定地离开。我默默地看着你的背影，愿你一切安好。我想，与你的羁绊也许就到此为止了。殊不知，第二年年初，你竟提着自家榨的芝麻油来学校看我。你歪着头，害羞地冲我微笑，那种表情真的久违了。

那一刻，我真的感受到了做老师最大的幸福，因为那个我牵挂的女孩，那个灵动的魔法少女琪琪真的又回来了。

（本刊原创稿件，老老老鱼图）

一个“社恐”的孩子和一个曾经“社牛”的妈妈

●刘知非

女儿上初中时去了一所陌生的学校。

六年级的暑假快要结束，新学期即将来临时，她开始惴惴不安，并且这份不安肉眼可见地与日俱增。本来她在那儿躺着翻闲书，或者我们正在商场里闲逛，她突然就会没头没脑地来一句：“妈妈，如果我在新学校里交不到朋友怎么办？”她沮丧地说，如果没有结识到新的好朋友，得不到美好的友谊，她可能没法熬过在那里的生活。

六年级刚开始，她就决绝地给自己盖上了“社恐”的戳儿，时不时就要把它亮出来，作为上课坚决不回答问题、评选班干部和“三好生”时坚决不上台演讲等一系列“后撤”行为的理由。随着年龄的增长，她并没有变得更加开朗。她把自己藏进她和两三个好友建立起的小圈子里。圈外的人最好都不要注意到她，有同盟作为外围替她遮挡莫名而来的窘迫，她感到十分安全。

她读《红楼梦》，喜欢林黛玉，说似乎能理解林黛玉为什么有时会比较刻薄、说话不留情面。那是黛玉早早给自己建起来的一层保护壳，因为怕被别人伤害，所以要先亮出自己的刺。她缩到了这个有刺的壳里，将自己的脆弱和柔软包裹起来，像个受惊的小动物，睁着眼小心翼翼地打量这个世界，一点一点地试探自己行动的范围，慢慢尝试着扩大活动的半径，直到建立起自己的舒适圈。

于是我调侃道：“你看你妈，神经这么大条，经常横冲直撞，而你是一个小心谨慎、敏感多思的孩子，躲在壳里不出来，咱俩这得碰撞出多少火花来！”

女儿笑嘻嘻地问：“妈妈，你小时候怎么横冲直撞了？”

我回答：“如果让你来诊断，大概会认为你妈得了重度‘社牛症’。”

上一年级时，教室里清一色是稚嫩的“小豆包”。老师在黑板上写出要评选的班干部，让大家自己选择做什么。我自信满满地站起来，对着老师和满屋子的同学大声说：“我身体好，跑得特别快，你们都追不上我，所以我要当体育委员。我唱歌好听，声音响亮，能领着大家唱，所以我要当文艺委员……然后，虽然不知道班长是啥，但我感觉这个最厉害，我也要当班长！”

“可老师是不可能让你当这么多班干部的。”

“是不可能，多可惜啊，老师最后只让我当了班长和体育委员。”

上二年级时，那会儿放学晚，我们五点半才排队回家。下午上完两节课，多出来很多时间，大家都挺无聊的。那时候可没现在这么多书看，老师也不总是到教室来，由着我们吵吵闹闹。我就自作主张地走到讲台上，带着大家读课文、写生字，还要叫同学们上讲台默写、做计算题。

女儿倒吸一口凉气：“妈妈，你作为一个七岁的小姑娘，大家能听你的吗？大家都这么讨厌做作业，没人把你轰下讲台去吗？你们老师也不管你吗？”

我叹了一口气：“……那会儿确实太嚣张了。默写不对的同学，还要被我罚写，一个错字抄一行！就说你妈那会儿有多狠吧！这么多年过去，仍有被罚抄的小学同学提起这些事，对我恨得牙痒痒呢！”

“我们可没有那么听班长的话，而且班长也不敢给我们布置作业。自习课上，她都是自己学自己的，我们玩我们的……”

“上三四年级时，夏天我们要午睡。大家把长条凳放到课桌上，然后铺开自带的凉席，各自横七竖八地睡下。那会儿我总是睡不着，也总有好些孩子睡不着。大家交头接耳，窃窃私语，睡着的是少数。巡查的老师看到没睡觉却在说话的，就要进来批评几句。再后来，我跟班主任提议，由我来监督大家睡觉。”

女儿瞪大眼睛：“睡午觉这事也轮得到你监督吗？”

“我也奇怪呢！不知道为什么老师就同意了。不过监督别人睡觉，我就可以理直气壮地不用午睡了。我在教室里走来走去，看谁没睡着在那儿聊天，就拍一拍他的脑袋。这还不算啥，我后来做出了更加猖狂的事情。我说：‘你们怎么老睡不着啊，我给大家唱摇篮曲吧，哄你们睡觉。’未经他们同意，我就充满感情地唱起了当时的流行歌曲，一首接一首，唱得我口干舌燥。终于等来了午休结束的时间。”

“妈妈，你胆子真大，你是真不怕你的歌声把同学们吓得魂飞魄散啊！”

“我不怕，他们怕。所以你妈平生也就开了那么一次个人演唱会。”

“这些我想都不敢想。我就希望我是一团空气，虽然在那里，但谁都不会注意到我，然后我就可以随便做自己想做的事情了。上课的时候，我最怕老师叫我回答问题，有时候我正在走神，被叫起来特别尴尬，都不知道该把手和脚放在哪里。”

“说到这个，咱俩正好是两个极端。你妈胆儿贼大。老师还没提出问题，我就把手高高举起。老师刚把问题说完，我就嚷嚷着：‘老师叫我，叫我！’万一遇到不会的，我就老老实实地承认不会；但如果老师不叫我回答，我一定会抢答，不给别人回答的机会。不仅如此，听老师讲课觉得讲得不对了，我就直接举手质疑老师，记得高一时曾经因为质疑语文老师的一个解释，让老师差点儿下不来台。现在当然觉得那会儿莽撞，可当时才不会考虑这么多。年少时，在许多场合，我都喜欢站在舞台中央的感觉，会去积极争取令人瞩目的机会。所以，那时的我就像一头横冲直撞的牛犊子。”

“妈妈，你就没有‘社恐’的时候吗？”

“还真有，而且还是一个超大号的‘社死’现场，那就是数学课上被老师点名上讲台答题。每次老师环顾教室说：‘下面我叫几个同学上来答题。’完了，我仿佛陷入了时间的旋涡，在里头转来转去，耳朵里嗡嗡的，恨不得把头埋在双脚间，唯恐老师真的叫我。然而根据概率论，大多时候我都会被叫上去。黑板像一个黑洞，上面的题都是扭曲的，我怎么看都看不懂。我恨不得地上裂开一条缝儿，自己直接掉下去，总比呆呆地立在那里只剩窘迫要强百倍。”

女儿大笑：“是太尴尬了，换了我也会这样。我特别能体会你说的这些。”

如今回头再看看这些经历，“社牛”“社恐”都不是多么严重的事，不必过于放在心上。小时候“社牛”，是无知者无畏，不会考虑别人怎么看我。长大后，我更喜欢独处，不希望被人关注和打扰。人松弛下来，凡事尽力，不刻意强求结果，尽量不去理会别人的眼光。做自己就很好。

兜风

●初程

山不过来，我就过去。不起风，我就去找风。

风住在哪里？风居无定所，它没有家，没有落脚之地。可是，风又无处不在。

风是一条看不见的河流，时断时续，有时它迎面而来，风中的你我，如泥沙，如石礁。有时它戛然而止，河流突然干涸，世界好像一片裸露的河滩。

所有的流淌，所有迅速的擦肩而过，都是风。

我们不动的时候，空气与我们擦肩而过，是风来找我们；空气不动的时候，我们与空气擦肩而过，是我们去找风。

在我看来，兜风，不是等风来，而是找风去。要够快，才能找到风。散步太慢了，追不上风。跑起来就可以遇到风，可是跑久了人会累，不如让一匹马、一辆车带我们去找风。一匹马在旷野里驰骋，在空气里飞奔，此刻，头发凌乱，衣袖飞舞，耳畔呼啸，我们正在穿过风的长廊。一辆自行车，无拘无束地在空旷的道路上奔驰，草被吓歪，花被惊颤，一路飞尘尾随。此时，我们就是风，拂过花草，经过道路。

夏天，她骑着摩托带我去山野兜风，我们如一道风在山间缓缓流淌。“兜”这个字，真形象，感觉自己是张开的口袋，兜满了一口袋的风，膨胀、饱满。风把我们的身体吹得鼓了起来，人似失重，已经轻盈羽化，可以自由飞翔。

秋天，如果在夕阳下，或是夜色里开车，遇到一种阻力，那是风在流淌。车窗开到最大，整个车子就是一只去装风的口袋。风经过轻快的我，把车装满了。

兜风的快乐，是让自己轻盈的快乐。

（大浪淘沙摘自《今晚报》2023年11月6日，视觉中国供图）

我们经常会高估别人对自己的关注度。我们总觉得自己处在舞台的中央，举手投足都会被台下的观众注意到，而且会被他们议论和评价。这是我们的错觉。因为大多数人这样想的时候，就没有人会把注意力投注到别人身上。只是关注自己，时间都不够用，所以我们没有那么多的观众。以为自己时时刻刻都会被关注，是一种错误的臆想。不要担心别人怎么看你，一定会有人觉得你不好，可是那又怎么样呢？我们不是为他人而活，我们是为自己、为爱我们的人而活。

所以，我对女儿说，勇敢一点儿，积极尝试新鲜的东西。世界很大，它的层次很多，容得下各种各样的事物，整齐划一从来不是这个世界的特点。在自我的小世界里待久了也会累，那么，不妨走出去看看。从没吃过的东西，尝尝它是什么味道，每每会有意外之喜；从没见过的新奇玩意儿，拿到手里把玩一下，体会别人的用心和匠心。多去陌生的地方走一走，多和陌生的人聊一聊，试试敞开自己的心。等你见过山海，就会对沟渠边蛤蟆的聒噪不以为意了。最重要的是，如果你注定是个“喜欢独处，不爱与人过多纠缠”的人，那就不必强求自己非要到人群和广场中去。接纳这一点，也没什么不可以。

（王世全摘自微信公众号“三联少年刊”，陆世清图）

一份『死亡地图』拯救了伦敦

●邓文

斯诺绘制的第一版地图

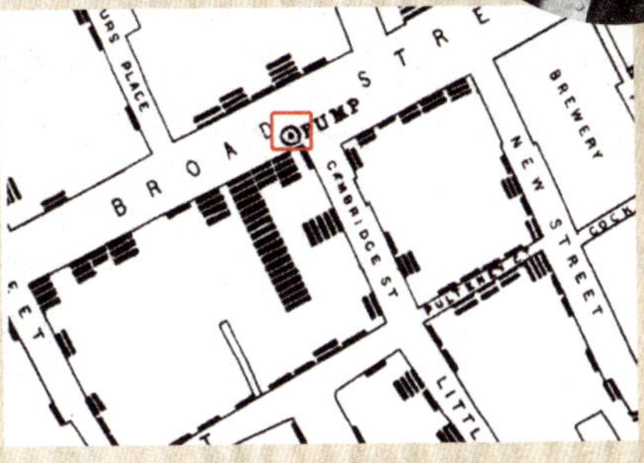

疫源地——
布罗德街和剑桥街交会口的一个免费公共水泵

1854年8月底的伦敦，暴发了一场来势汹汹的瘟疫，一万余人的生命被夺走。霍乱是一种由霍乱弧菌引起的肠道传染病，患者会严重腹泻，如果得不到有效治疗，最终甚至会死亡。然而，当时的人们还不知道微生物的概念，相应的治疗更是无从谈起，医生们对此束手无策，只能眼睁睁地看着成千上万的病患痛苦地死去。人们陷入巨大的恐慌，纷纷逃离疫区。

彼时的伦敦，正值工业革命之后，经济飞速发展，城市不断扩张，人口密度高得惊人。伦敦的空气中弥漫着浓浓的烟雾和恶臭，人们把瘟疫的传播归咎于空气，即“瘴气理论”。可是一位叫约翰·斯诺的英国医生不这么看。

斯诺展开一张伦敦地图，将每天发现的死亡病例一一标注在地图上。随着病例地图越来越完善，一条“线索”浮出水面——死亡病例的分布都围绕着一条叫作布罗德街的街道，准确地说，是围绕着这条大街中的一个公共水泵。斯诺怀疑“凶手”与通过这个水泵汲取的饮水有关。令人疑惑的是，紧邻水泵的啤酒厂却少有人发病。斯诺走访后发现，啤酒厂的工人经常饮用啤酒，很少饮用水泵里的水。原来这就是问题的关键！

斯诺立即向当局报告了他的发现，虽然人们半信半疑，但还是拆除了水泵。就在水泵拆除的次日，霍乱病例开始直线下降。到了9月底，肆虐的疫情被彻底遏制。后来，人们在进行病源调查时，最终确认是一户人家把给患病婴儿洗尿布的水倒入了家门口的排水沟，而这个排水沟紧挨着布罗德街的水泵！污水污染了饮用水，人们喝下了带有霍乱弧菌的水，导致疫情暴发。

斯诺医生，这位医学界的“福尔摩斯”，被认为是现代公共卫生学的鼻祖。他开创性地将统计学和病例地图应用于疫情调查，即使现在看来，这也是流行病学调查的经典案例。

这样一个“缉案追凶”的故事，来自一本图文并茂的少儿科普图书《打开我自己》。这本非同一般的人体百科全书，不仅介绍了人体的基本结构和知识，还用独一无二的表现方式，呈现了各种各样的医学故事，通过画风幽默、夸张的分镜漫画，展示出历史上的医生和科学家是如何拯救人类的。除了臭名昭著的伦敦霍乱事件，还包括非洲男孩柯乔感染疟疾的故事，拯救千万人的青霉素的发明历程，等等。

合上书，此刻，窗外阳光正好。正如100多年前的伦敦，从霍乱的魔爪中被拯救，我们能够拥有这样平静美好的生活，也源于一代代、千千万万医护人员对于生命的守护。

（成浪摘自《科学大观园》2023年11月上）

幽默&漫画

一定有出息

有人问我："你曾经成功地改变过父母的什么观点？"

我答："这孩子将来一定有出息。"

不一样

老师："昨天叫你画画，你画个饺子；今天叫你画画，你还是画个饺子，你……"

我："老师！两个饺子不一样。"

老师："哪里不一样？"

我："馅儿不一样。"

星星会"闪"

飞机上，空乘问一个小女孩："为什么飞机飞这么高都不会撞到星星呢？"

小女孩回答："我知道，因为星星会'闪'啊！"

别联系

今天和平行宇宙的自己联系上了，那边只传来一句话："别联系了，我也混得很惨。"

不懂事

小时候最讨厌的事情就是吃饭和睡觉。

现在想想，当年真是不懂事。

不要侥幸

我的初中同学说，他妈妈把网卡藏起来了。然后有一天，他趁家长不在，东找西找，终于在衣柜里藏着的一个盒子里找到了。一打开，里面有一张字条上赫然写着："人在做，天在看。"

真实写照

我爸弄坏什么东西，我妈会说："笨死了，平常什么也不干，干一次就给我找麻烦！"就在刚才，我妈摔了一只碗，全家没人敢说话，连小狗都窝在我的怀里装睡。我妈幽幽地来了一句："不干活的人永远弄不坏东西……"

确实天真

上小学时，我妈每次当面翻我的日记时，都跟我说："我不看你日记的内容，我只看你的字写得怎么样。"然后我就让她翻了……

神回复

"你相信我吗？""微信。"

"你到底会不会？""约会。"

"你服不服？""仿佛。"

吃　亏

在饭桌上，一个人对我说"吃亏是福"。

然后我回复他："那祝你福如东海。"

不走心

爸爸让我扫地，我轻飘飘、慢悠悠地扫着。爸爸问我："你是不是怕地板受伤？"

怕忘记

同学甲："你为什么跑这么快？离上课还有点儿时间呢。"

同学乙："因为我记忆力差。"

同学甲："这跟记忆力有什么关系？"

同学乙："我刚在家背了一篇课文，担心在路上耽误时间长了，会把课文忘了。"

七分饱

下午我一边吃炸鸡，一边跟同桌抱怨："为什么我每次吃饭只吃七分饱，却还是在变胖？"

同桌冷笑一声："你的七分饱在我这里那就是撑到不行的量。"

学生证

打车去学校，怕司机绕路，就和司机说我是老师。

下车前，司机说："老师，你的学生证掉了。"

（安然、霄肖等摘）

HUMOR & CARTOON

奇怪又可爱

●草木虫

（小肥羊摘自作者的新浪网微博）

形形色色的“三星堆人”

●邹鹏

在三星堆这个青铜王国里，你有机会认识形形色色的“三星堆人”，他们当中既有高高在上、威风凛凛的青铜立人，又有由青铜人头像组成的“青铜军团”，还有数量众多、造型各异的青铜人物雕像。这些人可能来自不同的部落，有着各式各样的身份。他们性别不同、等级各异，却都属于那个神秘的国度。

“尊贵”的跪坐人像

1986年，考古工作者在三星堆遗址的二号祭祀坑中发现了一件极为珍贵的青铜人像。这件人像的整体高度大约只有15厘米，但是制作得十分精巧，全身分成3个部分。最下面是一个镂空的喇叭形底座，底座上装饰的花纹看上去既像熊熊燃烧的火焰，又像缥缈的云雾，许多人认为这个底座代表的是一座“神山”。

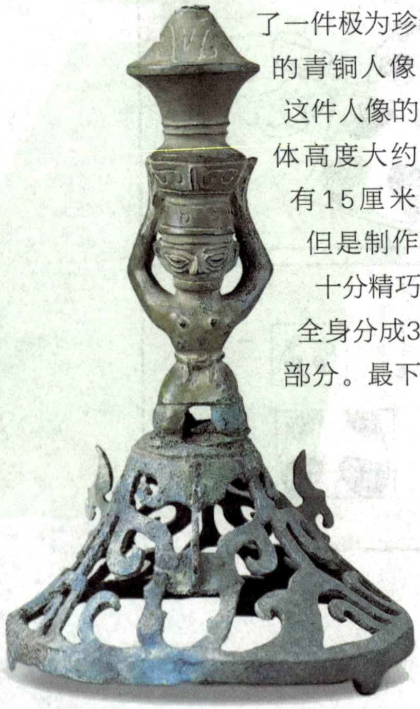

“神山”的上面跪着一个人，她脸上戴着面具，身穿短裙，是一位女性。她双手上举，稳稳地扶住顶在头上的铜尊，似乎正在虔诚地跪拜。

专家们认为，她或许是一位女巫，正跪在“神山”上进行祭祀。她头顶的铜尊里也许盛满了美酒，也许装满了精美的玉器或者价值连城的海贝，这些都是要献给神灵的礼物。

透过这件保存完整的青铜全身人像，我们不仅了解了“三星堆人”使用铜尊的方式，还“亲眼”见证了一次重大的祭祀活动。

奇特的铜兽首冠人像

你们还记得著名的青铜立人像的那双奇特大手吗？同样还是在三星堆二号祭祀坑中，考古工作者又发现了一件拥有同款手势的青铜人像——商铜兽首冠人像。

这是一件下半部分残缺的青铜人像，留存下来的部分高约40厘米。这件青铜人像的下半部分直到今天也没有被发现。从手的姿势分析，这件青铜人像可能并不是双手握住某件东西，而是两手各拿一件东西。细心观察，你会发现他右手的小指还微微翘起，就像我们今天所说的“兰花指”一样，严肃中不乏几分俏皮可爱。

他的头上还有一顶大象头造型的帽子。大象大张着的嘴巴四周各有一个小圆孔，很可能之前装饰着好看的饰品，大象嘴边的太阳轮图案也十分明显。大嘴的上面是长长的、向里卷着的鼻子，两侧还有两只大耳朵。很可惜，由于下半部分残缺不全，我们至今无法明确地知道这件青铜人像是站还是跪，他的脚下是不是也有和青铜立人像脚下一样的神坛呢？也许随着三星堆考古工作的持续开展，将来我们能有机会更好地了解这位朋友。

拱手作揖的“奥特曼”

在从2020年到2022年的新一轮考古发掘中，考古工作者先后在三星堆二号祭祀坑和八号祭祀坑中发现了3件造型相同的青铜立人像，因为他们外形奇特，被人们戏称为三星堆的“奥特曼”。

这几个“奥特曼”的高度都在20厘米左右，头戴尖脊帽，胳膊肘下垂，像是在拱手作揖，估计他们曾紧握着某种祭祀需要的仪仗。考古工作者还在他们的脚底发现了小秘密，那就是足底的小孔，这可能是为了固定人像而特别设计的。

虽然有着“英雄”般的长相，但他们的穿着打扮十分朴素——上身穿着长款的素衣，下身穿着过膝的短裙。和穿着华丽的青铜立人像相比，他们的服饰逊色了不少，也许他们只是普通的祭祀人员，正在默默地为祭祀大典而努力工作着！

“新潮”的立发铜人

在这群“三星堆人”中，不仅有长相酷似奥特曼的，还有一些戴着诸葛亮同款冠帽的。这件特别的人像出土于三星堆三号祭祀坑，目前只发现了头部，通高21.2厘米。

他长着一张国字脸，有粗眉毛、三角眼、高鼻子、大嘴巴、长方形的耳朵，头上的冠帽因为断裂残缺而高高地偏向一边，很是显眼。这顶帽子的表面有许多道沟槽，与后世的纶巾很相似，看上去有几分新潮。

人像的下巴连着一根长柱，就像人的长长的脖子。长柱的末端是尖锥的形状，很可能是用来与其他器物连接的。不过，到目前为止，我们还不知道这位造型颇具个性的朋友究竟是做什么的。

“孔武有力”的青铜人像

在三星堆八号祭祀坑里，考古工作者发现了一件体形硕大的青铜人像，看上去就像一位大力士。

它整体高约1米，分为上、下两个部分。其中，上面的人像脸戴面具，正稳稳地屈膝站立在方台上。方台下面有一个基座，从外形看，这毫无疑问也是用来与其他器物相连的。

与许多身材苗条的人像相比，这位大力士明显健壮得多。他身穿一件无袖的短衣，

不开玩笑，它们真的是文物

●本刊编辑部 整理

博物馆文物似乎一直是带着悠久历史和深沉故事的代表，它们或端庄大气，或神秘莫测。不过现在，你需要改变这种刻板印象，因为这些“高冷”的家伙不再只是静静地待在玻璃橱里，它们的身影正活跃在我们的日常生活之中。

“无语菩萨”在过去的一年里就赚足了眼球，它凭借与生俱来的表情包属性，以“不想说话并且想让你闭嘴”的面容成了大家的心头好。藏于景德镇中国陶瓷博物馆的这尊罗汉，其实是瓷器艺术大师曾龙升的作品——《釉下加彩十八罗汉塑像》系列中的“沉思罗汉”。它面相丰腴、眉目慈善，仿佛在告诉人们：“我不只是一尊塑像，我还是你的心灵伙伴。”

“那些我天天发的表情竟然有原型！”出于对它的好奇，人们纷纷来到博物馆，将镜头对准这尊“沉思罗汉”。传统文物和现代表情包的巧妙结合令人惊叹——没想到键盘上轻轻一敲的表情包，竟有这么丰富的历史背景。

此外，不得不说一说它的邻居，那尊神态自若、眼神里带着点儿调皮的“鸡哔罗汉”（伏虎罗汉）。它的称号来自其幽默的表情和一种似笑非笑的状态，这种貌似在“宠你又嫌弃你”的傲娇神情，让网友们“爱不释手”。

博物馆的老物件穿越了时间，摇身一变成了受人追捧的文化明星。让我们刷起表情包，点赞博物馆，笑对这些威严却又不失幽默的古老面庞。

有点儿类似现在的坎肩，下身穿短裙，大腿和臀部被紧紧裹住，从衣服上精美的花纹可以看出，他的身份非同一般。他半蹲着，似乎正在发力练功，手臂和小腿上的肌肉十分明显。专家推测，他可能是三星堆时期的“力士”，正在忠实地履行自己的职责。

除了以上介绍的几种三星堆青铜人像，考古工作者还在三星堆遗址中发现了身着铠甲的“武士”人像、抬着神兽的跪坐人像、手拿凤鸟的立人像、头戴“冲天冠”的扭头跪坐人像等造型各异的青铜人像。

这些千姿百态的青铜人物群像，为我们展现了3000多年前生活在这片土地上的各色“三星堆人”，他们各司其职、各尽所能，共同创造了辉煌灿烂的三星堆文明。

（叙丞摘自《奇妙博物馆》2023年第11期）

人人都在说的“松弛感”到底是个啥

●世纪君

“chill感视频”“chill感着装”等词语最近成了“流量密码”。

那么“chill”到底是什么意思呢？其实它指的是一种being cool以及go with the flow（顺其自然）的状态。与中文语境下的“松弛感”的内核异曲同工。

和“松弛感”有关的地道英文表达有哪些呢？让我们一起来学习！

take a load off 意为“坐下来放松一下”，通常指在劳累或忙碌的一天之后放松。

Come on in, have a seat, and take a load off!

进来吧，坐下来，放松一下！

calm和**collected** 单独使用时都有“镇静的”的含义，两个词一起使用，即表示“沉着冷静的，泰然自若的”。

She always stays calm and collected in a crisis.

她在危急关头总是冷静镇定，处之泰然。

chill做动词时意为“使冰冷；放松”，**chill out**表示“放松；冷静”。

They sometimes meet up to chill out and watch a movie.

他们有时候会聚在一起看电影放松一下。

Chill out, Dad. The train doesn't leave for another hour!

别紧张，爸爸，火车还有一小时才开呢！

kick back意为“放松，休息”。

With such responsibility on his shoulders during the week, where does he go to kick back on his day off?

在一周的工作中，他肩负着这样的重任，休息日他会去哪里放松一下呢？

let one's hair down的字面意思为“把头发放下来”，可引申为“放松一下，尽情享受”。

It's about time you let your hair down and have some fun!

是时候放松一下，找点乐子了！

flow做名词时意为“流，流动”，**go with the flow**表示“随大溜，顺其自然”。

There's nothing I can do about the problem, so I might as well go with the flow.

对于这个问题我无能为力，倒不如就顺其自然吧。

其实，“松弛”更多时候是一种内在品质。乐观、稳定的情绪状态，可能是“松弛感”的必备要素。“chill”是乏味生活的调剂品，是允许一切发生的平常心。遵从自己的内心，放松紧绷的神经，体会一下“松弛感”吧！

（北北摘自微信公众号“中国日报双语新闻”，视觉中国供图）

那些渴望被看见的时光

●徐宁遥

从小我就是个标准的“乖乖女”，放学到点了从不因疯玩而忘记回家，从不迟交作业，和同伴待在一起时，也经常扮演那个不动声色的聆听者。我的青春安静得像一株无声生长的兰草，翠绿色叶片上零星的花点才能彰显一点活力。我安静地坐在教室的角落里，书桌上放着厚厚一摞参考书，都是按照老师的要求买的。

我给每本书包上封皮——像在进行某种神秘而又盛大的仪式——在上面贴上姓名贴，用五颜六色的笔勾画着书里题干中的关键词。上课的时候，也总能看见我“沙沙沙”地写个不停，做着知识的“速记员”。在班里，我有一个狭小的圈子，结交了两三个还算聊得来的朋友，保持着中规中矩的成绩。没多久又到了一学期一度的家长会环节。我妈去找任课老师聊天，得到的反馈大抵是老师犹豫一下，然后说：“舒窈啊，她蛮乖的。”

只是没有人注意到，所谓的“乖乖女”也有叛逆的时刻。比如，我会羡慕偷偷挑染了一小撮紫色头发的男生逃课去骑行。阿蔡是当时班里最“社会”的少年，他偷偷染发、在网吧打游戏，但他又拥有一颗老天赏饭吃的脑袋，考试成绩从未掉出过班级前三名。我们的学校靠近长江，有一次，他逃课去江边被发现，后来事情发酵，闹到了年级主任那里。年级主任对他的事情有所耳闻，却也只是无奈地摇摇头。他被警告了一次。

阿蔡在班里讲述他称得上“玄幻”的经历。他说江风迎面吹来的时候，空气是湿润的，能看到江上高高竖起的如同风琴的大桥、川流不息驶过的汽车，还能听到轮船靠岸时的鸣笛声。江边有很多形状怪异的石头，黑色正方形的、褐色三角形的、肉色圆形的。他说，手指触摸江水的时候，凉凉的，和童年的夏天与小伙伴光着膀子游过小河时的感觉很像。他把捡来的石头装满瓶子，然后用清水将浑浊的泥沙冲刷掉。透明的瓶子在阳光的照射下熠熠生辉，波光粼粼的世界藏在玻璃瓶之中。同学们都“抨击”他逃课的行为，但一些纷乱的情绪像杂草在我心里生长，我竟觉得阿蔡是自由的，拥有了一个诗意的下午。

还有的时候，比如开班会时，那些有才艺的女生会换上好看的牛仔短裙，在讲台上像黄鹂鸟一样歌唱。升旗仪式上，班上声音最好听的男生会作为学生代表，穿着小西装，在主席台上满怀激情地发言。不管是张扬的“坏学生”阿蔡，还是多才多艺的同学，大家的目光总会有某一瞬停留在他们的身上。而我不同，我没有特长，看上去“乖乖的”，在班级里激不起任何水花。

但是我也有想被看见的时候。一节地理课上，我将言情小说夹在课本里津津有味地翻阅起来，流连在男女主角初次相遇的那场大雪里。我想，哪怕被地理老师批评一顿也是好的，起码我不再是那个“小透明”了，但是事与愿违。当地理老师喊我起来回答问题时，我呆愣在那儿，空气仿佛

苹果树

●凌非

我喜欢热闹
喜欢看屋前满树的苹果
在风中像滚烫的心脏一样跳呀跳

我也喜欢孤独
喜欢看屋前的苹果树上
仅剩一颗苹果
与我相看两不厌

我更喜欢看掉在地上的苹果
身上有霜，有泥土

我喜欢听成熟的苹果掉在地上
“咚”的那一声
——等于成长有了回音

（语乐摘自《格言·校园版》2023年11月上，视觉中国供图）

瞬间凝固了。没多久，她就让我坐下了，甚至压根儿没发现我看言情小说的事，而是将此归咎于“她还没有理解”。

想被看见的心愿像一阵猛烈的龙卷风，只是刮过一阵，就从我的世界里悄然消失了。我的生活又恢复了平静。班里来了一位新老师，她教语文，刚从师范大学毕业。她迅速地和我们打成了一片，也包括我这个“小透明”！语文课前要做眼保健操，班里闹哄哄的，电扇在天花板上“咯吱咯吱”地哼着旧歌谣，广播里播放着机械的女声，我在高高摞起的书本后忘情地写着小说，她的声音温柔得像春天里的花瓣落在我肩上：“你在写小说呀？”

在得到我肯定的答复之后，她试探地询问我是否愿意在课后同她分享小说，我慌乱地点了点头。放学后，在她的办公室里，我有些坐立难安，因为这是我第一次这么正式地被老师注意到。她看完之后，轻轻地把笔记本塞回我的手上，然后耐心地给我讲着她的阅读感受：“你的文章很有灵性，要继续做自己想做的事情呀。”第二天，我的桌上摆着一本石田良衣的《孤独小说家》，是她赠送给我的礼物。我小心翼翼地将书捧回家。我至今记得封面上的那句话：“十年前的梦想，如果还没有熄灭，就让它永远燃烧吧。”

她身上仿佛留存着樱花的香气，在那个鸟鸣莺啼的初春里，路过我安静的世界，给了我无限的勇气，就像一颗耀眼的启明星，轻盈地照亮了我黯然失色的生活。那个藏在角落里安静的女孩，原来也会被看见。在遇见她之前，我的语文成绩只是位于班级的中游，但是为了证明给她看“被看见”给予我的力量，我化身成一只不知疲倦的鱼，向着遥远的对岸游去，一直游啊游，直到我成了班级的第一名。后来，我的语文成绩竟奇迹般地稳居班级前三名。

大三那年，我去一家教育机构实习，也是做语文老师。我努力地学着那位看见我的语文老师，将目光尽可能地投注到教室里的每位学生身上。有一天，我找一个乖巧的女生聊天，她惊讶地问我怎么知道她平时喜欢画画。我说，每个课间都能看到她安静地坐在教室里画人物速写。她的声音低低的，嘴角却露出了一个好看的酒窝：“老师，谢谢你，可以在那么多人里看到我。”

我的心慌乱地跳动了一下，仿佛回到了那个惊慌失措的初春下午，我的语文老师同我分享她曾写过的阴雨连绵的三月、湿热苍绿的热带，以及无处安放的青春往事。窗外的鸟鸣声和她柔软的声线融在一起，是那样和谐。阳光暖烘烘地洒在肩上，我安静的青春终于得到了回应，多么感谢在那些渴望被看见的时光里，她穿越人群走到了我的身边。

（本刊原创稿件，豆薇图）

嘘，别打扰我窃听

●云开

监听，在人类社会里是一个不太光彩却很有用的手段。通过监听能够获取己方所需的关键信息，达到相应的目的。其实，这一手段在动物世界里早就存在了。

多学一门“鸟语”很重要

森林里，一只红胸鸲站在枝头唱歌，忽然一阵“chi-ka-di-di”的叫声响起。红胸鸲振翅起飞，嘴里也发出一阵急促的叫声，一群红胸鸲随之飞起。“chi-ka-di-di”是什么意思，红胸鸲为什么会对此做出反应？

对红胸鸲而言，突如其来的鸟叫声其实是提示危险来临的警报声，只不过这个警报不是来自红胸鸲，而是出自黑顶山雀。黑顶山雀十分喜欢“聊天”，它们会用50多种不同的叫声来表达各种意思，其中“预警系统”最为完善：看到苍鹰和猫头鹰等捕食者时，黑顶山雀就会发出警报声。如果捕食者在远处，黑顶山雀就会发出高音调的短促叫声；如果捕食者就在近处，它们就会发出类似“chi-ka-di-di”的声音；如果捕食者看上去非常凶猛，它们就会多发出几下“di-di”声。

红胸鸲并没有如此完善的“预警系统”，而且，如果只靠自己的“预警系统”，就意味着面对危险捕食者的可能性更大。

在红胸鸲群体中，黑顶山雀的警报声与自身警报声的安全等级近乎一致。美国科学家在野生红胸鸲种群栖息地附近放置了扬声器，不定期播放捕食者和对红胸鸲不构成任何威胁的普通鸟类的录音。当红胸鸲听到捕食者的叫声时，它们会发出一系列快速的、单音节的啁啾声，以向同类传递警报；普通鸟类的叫声则不会引发红胸鸲的警觉。但当科学家播放黑顶山雀的叫声时，即使它们不是捕食者，也会在红胸鸲群体中触发警报系统——这是红胸鸲将黑顶山雀的警报声“破译”后在逐层传递，同样传递着“注意，危险”的信号。

让我听听它们在说什么

一只松鼠在树下觅食，树上的鸟儿在叽叽喳喳地聊天。忽然，聊天声戛然而止，鸟儿们呼啦啦地飞离原地，松鼠停止觅食，窜入森林深处。松鼠偷听鸟儿聊天是为了解闷吗？并不是，它是在将鸟儿的叫声作为报警器。

来自美国俄亥俄州欧伯林学院的研究人员观察了67只野生灰松鼠的日常活动，发现它们能通过“破译”鸟语，从而感知捕食者是否在附近。研究人员先播放了松鼠的天敌之一——猛禽红尾鵟的录音来模拟危险来临，以观察松鼠的警觉性。在听到红尾鵟叫声之后的30秒内，松鼠绷紧了神经——部分松鼠甚至吓得停止了活动，胆大一些的松鼠则是一溜烟儿地跑了，即使最胆大的松鼠也比先前更频繁地抬起头来观察周遭环境。

然后，研究人员又播放了两种不同的录音：一种是多只鸟快乐地鸣叫，另一种是没有鸟叫声的环境声音。听到这些录音的松鼠安心地继续觅食，而且，那些听到鸟类快乐鸣叫声的松鼠，比听到没有鸟叫的环境声音的松鼠更快地恢复到正常、放松的状态。松鼠认为，有平和欢快的鸟叫声的地方更安全，因为如果对鸟类来说是安全的，对它们来说也够安全。

鸟类也会学习其他动物的语言，用以“侵入”它们的警报系统。穴小鸮是一种小型猫头鹰，喜欢生活在洞穴里，但它们不去废弃的洞穴，而是要与吵闹的草原犬鼠挤在一起，为的就是共享草原犬鼠的警报系统。

草原犬鼠以家族为单位居住在一起，它们在觅食时会密切合作，一鼠觅食，另一鼠放风。当郊狼、美洲獾、短尾猫、响尾蛇和各种猛禽出现在视野中时，放风的草原犬鼠会发出一声声细小尖利的吠叫，直到天敌逼近时才逃开，为同伴站好最后一班岗。

穴小鸮熟悉草原犬鼠的警报声，当听到它们的警报声时，便会做出防备动作。科研人员给穴小鸮播放了几种声音：草原犬鼠见到响尾蛇时发出的警报声、牛叫声和飞机引擎声，发现穴小鸮仅在听到草原犬鼠的警报声时才会更加警惕地观察四周的动静，听到其他两种声音时则无动于衷。

听懂“外语”有饭吃

浣熊和刺豚鼠在树林里四处闲逛，忽然一串猴子的叫声传来，它们飞快地向叫声响起的方向奔去……对动物来说，没有比吃饭更重要的事了，所以在浣熊和刺豚鼠听来，猴子的叫声仿佛天籁，意味着“开饭了”。

在巴拿马的丛林中，每年总有一段“饥荒期”。在这个时期里，只有杏仁树会结果，因此丛林里的许多动物只能靠吃杏仁果维生。但是，杏仁果长在树上，除非烂熟，否则不会落到地面，不会爬树的动物们只能“望树兴叹”。在苦苦等待果子落地的过程中，动物们无师自通地学会了新方法——“窃听”猴子“说话”。

猴子会爬树，获取杏仁果对它们来说轻而易举，大多时候它们仅仅尝一口就会将杏仁果丢到地上，丢弃的时候它们还会发出“吱吱”的叫声，好像在说“不过如此”。然而，杏仁果却是那些不会爬树的动物们赖以生存的宝贵食物，因此每当听到猴子的叫声，许多动物就会飞奔到猴子所在的地方，痴痴地等待着食物“从天而降”。

想要从猴子嘴里捡漏，这些动物首先要听懂猴子到底在说什么，什么样的叫声代表它们正在或即将进食。科学家发现，在破译猴子的叫声方面，浣熊和刺豚鼠已经积累了一些经验。丹麦哥本哈根大学的研究人员通过在巴拿马丛林中的32只浣熊和刺豚鼠身上安装定位项圈来跟踪它们的运动，还在杏仁树上安装了摄像机，以此记录当猴子“出现”时，树下的浣熊和刺豚鼠的活动。随后，研究人员用扬声器播放猴子的叫声，观察陆生动物是否会被这些声音所吸引。

结果表明，在几种猴子叫声中，只有猴子进食前后的叫声会吸引被测试动物的注意。浣熊和刺豚鼠听到这种叫声就像学生听到放学的下课铃声，它们立刻停下正在做的事情，飞快地朝猴子叫的方向移动，就像学生奔向食堂或家。

如此看来，在“窃听”消息方面，动物毫不逊色于人类。

（和花摘自《大科技·科学之谜》2023年11月A，Raven图）

英雄不能被遗忘

●原水

夏日炎炎，四川省攀枝花市百花盛放。鲜艳的凤凰花下，“95后”摄影师韩佳龙收起三脚架和补光灯，向前来拍摄的志愿军老兵告别。他准备乘车返回咸阳，寻找下一批拍摄对象。

“70多年前，英雄儿女们为了祖国、为了人民奔赴朝鲜，用鲜血染红阵地，用生命保卫家园。这一战，拼来了山河无恙、家国安宁。70年后，当年的年轻战士都已是耄耋老人，为了与时间赛跑，把英雄的身影留存下来，从2020年开始，我把自己的镜头对准了抗美援朝老兵，义务为他们拍摄肖像照。”韩佳龙说。

韩佳龙的爷爷也是一名志愿军战士。在他儿时，爷爷经常跟他讲起抗美援朝战争期间的故事。遗憾的是，爷爷在韩佳龙上小学时就去世了，没留下一张军装照。韩佳龙上大学时学的是摄影专业，他想：既然无法给爷爷拍照，那就给他的战友们拍。2020年10月，大学毕业的韩佳龙发起“志愿军肖像拍摄计划”，计划为100位抗美援朝老兵免费拍摄肖像。彼时，韩佳龙了解到，这些老兵平均年龄为90岁。韩佳龙说：“如果我们不行动的话，一天天过去，健在的老战士将越来越少。”为了尽可能地减少英雄们及其家人的遗憾，韩佳龙当即拿出上大学时勤工俭学赚的钱，全部用于购置拍摄设备，在陕西省咸阳市退役军人事务部门的支持下，开始了拍摄。

就这样，韩佳龙开始实地走访咸阳当地的一些志愿军老兵。刚开始，老兵们都穿着自己的便服进行拍摄。一天，有位老兵穿上自己的军装，戴上纪念章、勋章，韩佳龙感觉“很符合他们的形象”。于是，他着手联系、采购志愿军服装。“虽然当时只有3件衣服，每位老战士换着穿，但他们很开心。”韩佳龙说。他把老兵们的视频和照片发到自媒体平台后，引起政府部门和越来越多的老兵家属的关注，也收到许多志愿军老战士家属的邀约。

然而，让韩佳龙感到难过的是，就算他的脚步再快，也还是留下了很多遗憾。他说：“很多时候我们和老战士约拍，这周约好了，可能下周人就离开了。”老战士负正喜在拍摄时身体状况已经较差，韩佳龙一度犹豫是否要继续拍摄。负正喜的儿子请求道：“还是留个纪念吧。”大家小心翼翼地将老人从床上扶下来，给他穿上军装、戴上勋章。韩佳龙发现，原本目光有些暗淡的老人，在穿上军装面对镜头的那一刻，眼睛里闪着光。3天后，这位老兵走完了他的一生。

“我在不断地认识更多的老战士，又不断地和他们告别。”韩佳龙感慨，给老兵们拍照，就是在与时间赛跑。2022年，韩佳龙将其他工作暂停，全身心地投入寻找老兵，为老兵拍摄肖像的公益事业，并将原来的拍摄计划更名为“红色记忆工程”。他希望用自己的绵薄之力，为志愿军老战士的晚年生活送去一点儿温暖。

摘抄本

起风的时候，我喜欢在早晨站在阳台上。这当然很傻，每个人都觉得这很傻，他们当然这么觉得。但我喜欢风吹过头发的感觉。

——弗雷德里克·巴克曼《外婆的道歉信》

美好的东西从来不会寻求关注，美好的事物不会央求你记录它最美的一瞬。

——电影《白日梦想家》

我庆幸自己生在诗歌的国度，世界上没有任何语言能够与我们的汉语相媲美。我也庆幸幼时背诵了那么多诗词，能够让那些忽然醒来的美丽诗词，与我心有灵犀。

——马亚伟《忽然醒来的美丽诗词》

你在信里说，只要我笑，即使没发出笑声，你也能感知。我读到这儿，当真笑了，并且连我自己也能感受到你说的“空气中的变化”。

——黎紫书《流俗地》

宇宙就是一行诗，我们每个人都是一个字。这些字组成一个个句子，这首诗就能一直写下去。当这首诗写得足够长，总有一天，我们可以在这首宇宙之诗里，读懂我们存在的意义。

——电影《宇宙探索编辑部》

眼下世界里，青草顶天而生，爬虫昼追日，夜逐月。风是透明的河流，雨是冰凉的流星。

——李娟《遥远的向日葵地》

渐渐地，韩佳龙的投入越来越大，携带的拍摄设备、道具也越来越多。“您是志愿军，我是志愿者，我们是一家人。”每当老兵们要答谢韩佳龙时，他总是这样回答。一天，远在攀枝花的余德红向韩佳龙发出邀请，她说：“韩佳龙是带着情感去做这件事情的，我就想联系上他。父亲对志愿军这个群体是有归属感的。”原来，她的父亲余绍礼也是志愿军老兵。

2023年2月，韩佳龙和他的小伙伴千里迢迢地奔赴攀枝花，为住院治疗的余绍礼拍照。经历了高烧、昏迷，90岁高龄的余绍礼在住院后的第33天终于清醒过来。女儿告诉他，第二天会有人来探望，给他拍一张戎装照，余绍礼高兴得像个孩子。

这是韩佳龙启动“志愿军老兵拍摄计划”后第一次走出陕西。拍摄中，听到余绍礼的英雄事迹，韩佳龙深受感动。进入抗美援朝战场时，余绍礼刚满18岁，身边的战士大多比他年长。后来，韩佳龙了解到，攀枝花市尚且在世的志愿军老兵有上百人，他随即改变计划，留在攀枝花，开始一位一位地寻访拍摄。他和同伴在攀枝花待了3个多月，记录了113位志愿军老战士的故事。

3年来，韩佳龙陆续为170多位志愿军老战士拍摄肖像，足迹遍布西安、咸阳、铜川、延安、攀枝花等地。“每一场拍摄都是一次精神洗礼。”韩佳龙说，他计划做一个志愿军老兵肖像的线上展览，让更多人可以看到老兵们的风采，向老英雄们致敬。“一个人的经历是故事，一群人的经历是历史。”韩佳龙追寻的，正是那段震撼人心的峥嵘岁月和永不磨灭的英雄荣光。他拍下的老兵身影、记录的老兵故事，是留给后人的精神财富。

“一个有希望的民族不能没有英雄，一个有前途的国家不能没有先锋。”如今经济的腾飞发展和人民的幸福生活离不开先烈们的浴血奋战、赴汤蹈火。“英雄不能被遗忘。如果我们永远记着，他们就永远活着。”韩佳龙说。

（成风摘自《做人与处世》2023年第19期）

你看到的万物，都是阳光的化身

孙道荣

太阳出来了，将阳光洒在我的面前；太阳落山了，阳光又被收了回去。从小时候第一眼看到阳光开始，太阳就一直跟我做这个游戏。

我跟爷爷说，我想捉一点儿阳光，留到晚上，照亮我的夜晚。那时候乡下没有电，爷爷又舍不得点煤油灯，夜晚都是漆黑的。邻居家也是。全村都是。没有大事，谁舍得点亮煤油灯，赶走包围我们的夜色？

爷爷笑着说，那你捉捉看。我就捉。用手去抓，去握，去扑，去捧……我能想到的办法都用上了，把阳光装进手心，展开双手就能看到——它们亮晃晃的，暖烘烘的。可是，只要回到屋里，松开双手，它们立刻就逃走了，溜出屋外，比穿堂风跑得还快。我又拿出网兜，像爷爷捕鱼那样，用力撒出去，网住一地的阳光。漏出网眼的阳光星星点点，很好看的样子。我拖着网兜回到屋里，打开却一无所有，难道阳光都变成小鱼，从网眼钻出去逃走了吗？

我无法捉住阳光，哪怕只一粒。那个夜晚，天不黑，有月亮。月光从窗棂射进来，照见了我脸上的失望。爷爷安慰我说：“你看看，这也亮堂堂的呢。”我虽然小，还没有上学，但是我知道阳光就是阳光，月光就是月光，哪能一样呢？可爷爷说：“娃，这你就不知道了。月亮本来也是黑的，跟大年三十的夜晚一样黑，伸手不见五指。但是，阳光落在月亮上，就落地生根了。这样，到了晚上，月亮就将阳光放出来，照亮了大地。”

我相信爷爷的话，因为他从来不骗我。于是我问，那照到别的地方的阳光，也会像照在月亮上的阳光一样，落地生根吗？

爷爷点点头，说：“娃，你仔细找找，到处都有落地生根的阳光。”

果然，我很快就找到了。我是在我的被窝里找到的。那天，阳光特别好，奶奶将我们的棉被都拿到太阳底下晒。我看见阳光落在被子上，亮晃晃的，暖烘烘的，但它们是怎么钻进去的，又是怎么藏起来的，我没有看见。只是到了晚上，我钻进被窝，感觉棉被比以前轻了、松软了，还带着淡淡的香味。奶奶说，这就是阳光的味道。我喜欢那味道，喜欢在我家棉被上生根的阳光，像棉被一样包裹着我，像白天的阳光一样照亮并温暖着我。那一晚，我睡得踏实而香甜。

我在我家屋前的狗尾巴草上，也找到了阳光。它们的叶子被鸡啄过，根也被猪嘴拱过，已经半死不活了。可是，

科学是什么

●〔美〕卡塔琳·考里科

科学的本质，是为人类的知识做出贡献：发现能描述世界本来面貌的事实。在生物学中，我们努力理解生命——理解在各种生物体的细胞中发生的事情。每一个新的发现不仅贡献了一个答案，还带来了全新的问题，那些甚至没有人想过要问的问题。科学就像一幅拥有无尽的形状和规模的拼图，由世界上的许多人共同完成。你在这幅拼图的某个微小部分上工作，可能会花费多年的时间去寻找一块可以精准放入的特定拼图块。最后，你找到了。它放在这里正合适。这个拼图块不仅仅完成了拼图的一部分，它还改变了拼图本身，开启了这幅拼图向外拓展的新维度。

（一言摘自《作文素材·中考版》2023年第12辑，视觉中国供图）

第二天的阳光落在了它们的身上，它们就活过来了。阳光让它们生出了新的嫩芽，又从它们的嫩芽钻进去，进了它们的茎和根——狗尾巴草的根有多长多深，阳光就能扎进去多长多深。不信你看，南墙根的草之所以比北墙根的草茂盛，就是因为落在上面的阳光都落地生根了。

更多的阳光，是在我们家的菜园子里落地生根的。我奶奶只是撒了一把菜籽，没用几天，原本光秃秃的菜地里就冒出了无数的嫩芽，它们向天空伸出小手，接住阳光。后来，它们努力让自己的叶子变得更宽更大，接住了更多的阳光。太阳天天升起，也会天天来到我们家的菜地，来一批就住下一批。直到最后，它们爆裂出一朵朵花。如果你分不清它们是茄子、西红柿、辣椒还是黄瓜，也没关系，就喊它们阳光花吧。反正阳光自己知道，它住在了茄子的枝叶上，就结出茄子；住在西红柿家，就结出红红圆圆的西红柿。

落地生根的阳光从来不会出错。它落在水稻田里，就让水稻抽穗、灌浆，变成一粒粒稻米。它落在西瓜田里，就结出一个个瓜纽。瓜纽里住进的阳光越多，西瓜就越大越甜。等到夏天阳光最炽烈的时候，打开一个西瓜，会发现它的瓜瓤就像天上的太阳一样，又红又沙又甜。落在棉花地里的阳光最调皮了，它先让棉花开一次花、结一回果，然后让那些果子炸开，再爆出另一朵白花来。那朵白花爆得越猛烈，到了冬天就越暖和——是藏在里面的阳光，开了两次花的结果。

有一年春天，我生了一场大病，在屋里躺了十多天，吃了好多药。稍好一点时，奶奶将我抱到屋檐下晒太阳。我已经好多天没有见到阳光了，一时间都睁不开眼睛。阳光可比我大方和热情多了，立即洒满了我的全身。它从我的头发、眼睫毛，以及全身的毛孔钻进我的身体，撒着泼，打着滚儿，让我像狗尾巴草一样活过来了。奶奶见我脸上又有了血色，高兴地说，那是阳光又在我的身体里生了根呢。

小时候，我一直以为，只有照在我家菜地、庄稼地以及照在我们村的阳光，才会落地生根，让我们四周总是郁郁葱葱、生机盎然。长大后，我走出山村，去过很多地方，才发现阳光照到哪儿都会落地生根的。你看到的万物，都是阳光的化身。

（春生摘自《品读》2023年第6期，视觉中国供图）

秋天，是大自然打翻调色盘的多彩时节。国庆假期，很多人选择乘坐飞机旅行，一览祖国的大好河山。如果不巧赶上雷雨大风天气，为保障飞行安全，飞机往往无法按照原定计划起飞。天气好转后，大量飞机在机场的滑行道上排起了大长队。焦急等待的乘客会发现，前序航班起飞后过了好几分钟，后机才不紧不慢地滑跑起飞，真是让人心急啊。善于思考的你们一定会想，为什么不让后机紧跟前机起飞，以缩短排队等待的时间呢？

别急，事情要从2001年11月12日的美国航空587号班机空难说起。

当天上午9时14分，美国航空的一架空客A300-600R客机，从纽约肯尼迪国际机场起飞，2分钟后在纽约市皇后区附近的贝尔港坠毁，造成机上251名乘客、9名机组成员及地面5位居民，共265人罹难。这是美国境内伤亡情况排名第二的空难。

美国国家运输安全委员会的调查报告显示，在前序航班日本航空公司的波音747-400飞机起飞约1分40秒后，这架A300即从同一跑道起飞，由此进入前序飞机的尾涡，导致垂直尾翼在承受巨大压力后整体脱落，飞机随即失速坠毁。

尾涡是什么？

当机翼产生升力时，下翼面的压强高于上翼面的压强，在翼尖处的气流就会由下翼面绕过翼尖流到上翼面，进而绕卷产生两个旋转方向相反、强度相近的旋涡。这一对从飞机机翼的翼尖处脱出、呈喇叭状向后延伸的翼尖涡，就是尾涡。气流在尾涡中呈螺旋状，边旋转边向下游运动。这对翼尖涡脱落后不断旋转着向下沉降，两个旋涡的中心间距约为翼展的70%～90%。飞机从起飞离地到降落的整个飞行过程中都会产生尾涡。

尾涡强度与什么有关？

尾涡的旋转强度和飞机的起飞重量成正比。也就是说，飞机的起飞重量越大，其拖出的尾涡的旋转强度也就越强，对后机产生的尾涡撞击作用就越明显。而后机如果恰好比前机小得多、轻得多，后机的处境就很危险。

尾涡为什么会给飞机飞行带来危险？

飞机起飞后，其拖出的尾涡可以在跑道上空持续演化一段较长的时间。如果后起飞的飞机飞入前机的尾涡影响范围，就会发生尾涡遭遇事件。此时，由于尾涡导致空气剧烈旋转运动，后机会受到额外的滚转力矩和俯仰力矩，升力也会发生低频抖动，致使飞机产生颠簸、横滚、下沉等现象。如果此时飞行员或飞行控制系统应对不当，极易发生飞行安全事故。因此，尾涡遭遇事件被视为影响飞机起降安全的主要飞行风险之一。

尾涡这么危险，可以避免吗？

答案是不可以。尾涡是飞机产生升力必须付出的代价，因此无法避免。幸好，在空气黏性的作用下，尾涡的旋转能量也会随时间流逝逐渐消散，使得尾涡撞击作用的强度逐渐减弱，这就是后机需要等待足够

“戛然而止”的“戛”是一种兵器

● 许晖

“戛然而止”这个成语常常被误写成“嘎然而止”，根本原因在于人们既不知道“戛”字的读音，也不懂得“戛”字到底是什么意思。

“戛”的读音为jiá，从其小篆字形来看，上“首”下“戈”，显然指斩首之戈。《说文解字》：“戛，戟也。”不过戈和戟还是有区别的：戈是平头的，刃向下，可横击，亦可钩杀，但是不能刺；戟则是戈和矛的合体，在戈的头部再加装一个矛尖，用于刺击。戟的实用性比戈强，因此逐渐取代了戈，成为古代战争中士兵的主要武器。

东汉学者张衡的《东京赋》中有“立戈迤戛”之句。戈较短，因此可以立在战车上，此之谓“立戈”；“迤”是斜倚之意，戛比戈长，因此要斜倚在战车上，此之谓“迤戛”。由此看来，斩首之戈的“戛”的形制很像长矛或戟。

“戛”既是戈，当然可以敲打，因此“戛”有敲击之意；而两戈相击，撼人心魄，于是用“戛戛”来比喻诗文的生造或创新。清人洪亮吉在《北江诗话》中以“皆戛戛独造”形容钱澧的五言诗“风连巫峡动，烟入洞庭宽”和七言诗“门接山光来异县，墙分花气与芳邻”；纪晓岚在《阅微草堂笔记》中称赞高冠瀛的文章“喜戛戛生造，硬语盘空”，都是这个意思。

与“戛戛”的造词方式相似，两戈相击，突然停止，即成语“戛然而止”，形容声音被打断而突然中止。清代文学家李绿园所著《歧路灯》第十回《谭忠弼觐君北面　娄潜斋偕友南归》，描写戏正唱得热闹时，戏台上突然出现三只小狗到处乱跑，“原来是戏班子里养的金丝哈巴狗。那看戏的轰然一笑，几乎屋瓦皆震。忽的锣鼓戛然而止，戏已煞却”。锣鼓声恰似击戈之声，戛然而止，真是形容得绝妙。

（月亮狗摘自《天津日报》2023年11月20日，Raven图）

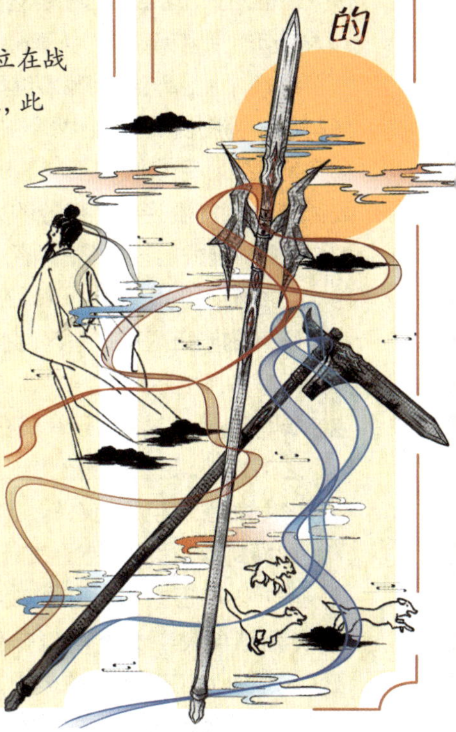

长的时间才能从跑道上起飞的原因。

怎样消除尾涡的坏影响？

在空管术语中，把后机起飞的等待时间称为尾涡间隔时间。为保证飞机在起飞过程中不受尾涡的影响，国际民航组织和我国民用航空局都制定了严格的尾涡间隔标准，即按照前后机的起飞重量，规定起降间隔的最短时间。

如果可以缩短尾涡间隔时间，就能有效提高跑道的利用率，从而增大机场的吞吐量，这对于繁忙的北京、上海、深圳等地的机场有着重要意义。但是，在民航运输业中，安全永远排在效率之前，缩短尾涡间隔时间，必须以确保不发生尾涡遭遇事件为前提。

我国有什么先进举措？

我国民用航空局于2019年发布了《中国民航航空器尾流重新分类方法与间隔标准》（RECAT-CN），有效缩短了以前的尾涡间隔时间，并且已在北京、上海等地的12个主要机场推广应用。北京航空航天大学、上海交通大学、中国民航大学等高校的科学家正在研究新的尾涡稳定性理论，设计新的翼梢小翼构型，以期找到加速尾涡衰减的新办法。相信不久的将来，同学们乘坐的飞机就不用在雷雨过后，在机场跑道上排长队啦！

（月和叶摘自《问天少年》2023年第11期，本刊节选，视觉中国供图）

人与自然的深情和鸣

●任蓉华

一个夏日，兼具作家和生物学家双重身份的妮娜·波顿，住进了一座远离城市喧嚣的乡间小木屋。居于此，她读书、散步、观察、思考，尽情享受大自然的馈赠，并把见闻、感悟形诸笔墨，结集成了《夏日木屋札记》。作者从身边的自然万物入手，用优美的语言记录奇妙变化，追溯生命起源，探究生活意义，富含哲思和趣味，展现了一幅人与自然深情和鸣的动人画卷。

小小木屋，静谧悠然，究竟包裹在何等美丽丰富的自然环境中？该书由《小屋秘密初探》《门外翅声不停》《墙上的蚂蚁军团》《海景阳台》《荒野的力量》《守护树》六辑组成。作者的笔触深入飞禽、走兽、昆虫、游鱼的生存状态，以及一草一木乃至细菌的繁衍之道。翻阅此书，可以更深刻地理解黑格尔的名言：“大自然本身，包括黎明和日出，其实并没有美丑的问题。日出之所以美，是我们看到黎明的时候，唤起了生命里的某种感叹。”

读懂蚂蚁的世界，或许就能读懂人类。书中通过种植真菌、放牧蚜虫、建造巢穴等一个个实例，佐证了蚂蚁社会在形式和种类上，足以与人类社会的复杂性匹敌。当目睹一支庞大的蚂蚁军团不知疲倦地前行时，作者感慨：“蚂蚁之间相互合作，不只是像忠诚的公民和姐妹，更像人体的细胞。”一个蚁群每天可能损失10%的居民，但这不会有什么影响，因为还有其他数十万只蚂蚁活着；与此同时，新的生命也在不断诞生，以维持群落的正常运行。反观人类，我们的身体不也是这样的吗？每天，人体之中数以百万计的细胞不断死亡，而新的细胞也在不断形成，这与蚁群存在某种共通之处。

狐狸是小木屋的邻居和访客，它的“狡猾”在作者看来，其实凸显了一种不受人类控制的、桀骜不驯的精神。书中讲述狐狸的生存智慧，“人类无数次的猎狐行动教会了它们给自己的巢穴设置多个出口，以及通过走回头路或跳入水中来迷惑追捕者”。此外，人类的追捕也许还锻炼了它们寻找逃生路线的能力，从贫瘠的沙漠到高高的山顶，如今世界上到处都有它们的踪迹。走近木工棚地板下的狐狸洞，作者还见证了狐狸耐心养育幼崽的过程。“它（狐狸妈妈）领着它们到堆肥处玩耍……它一停下来，一只幼崽就向它跳了过去，它再一转身，便把幼崽转到了自己的背上。这一切是如此可爱！”

飘浮着的气味分子，会是生命最古老的形式之一吗？在小木屋里，作者发现了不同气味背后的情感连接：“和动物界存在的信息素一样，气味也是生命中一种纯粹的要素，数百万年来，它们一直在提供着重要的帮助。”譬如，新生儿通过气味寻找母乳，而难闻的气味则是变质食物发出的警告。数千年来，人们用花瓣、果皮、种子、叶子，甚至是树根和树皮制成了数不尽的香水。不过，当气味跨越物种界限时，人们对它的解读就会变得模棱两可。人们钟情于薰衣草的气味，是由于它会释放一种叫作萜烯的碳氢化合物，而扁虱、蛾子和跳蚤厌恶薰衣草，也是因为这种物质。

万物有灵，人性向善。大自然的美好，不只在于绝妙的景致，更在于当人们深入其中，可探寻到灵魂的归属。《夏日木屋札记》勾勒了一个与人类密切相关的自然界，呼吁人们放下浮躁的心绪，深情地凝视大自然，开始与不同物种平等对话，诠释和谐共生的基本内涵。

（芝芝摘自《现代青年》2023年第10期）

窗边的高中

●哈喽dog

高中时期选座位，我总是喜欢选择窗边的位子。可以说，我高中时待在教室的百分之八十的时间，都是在窗边度过的。

在我看来，窗边的位子是顶好的。

窗边，有春日的花香，有夏日的微风，有秋日的细雨，有冬日的暖阳，就连空气都格外清新，让人心旷神怡。窗边，也有小鸟的叽喳声，有蝉的鸣叫声，有同学的打闹声，让人感觉充满生机与活力。

我也喜欢在窗边放空自己。或什么都不想，就坐在窗边发呆；或闭眼冥想，思考自己的人生，任自己的思绪向窗外发散，向窗外无限的远方延伸。

每每这时，我总觉得，这一窗之隔，仿佛隔了整个世界。

窗内是喧哗，是压力，是矛盾，是老师的耳提面命，是对自我的怀疑与反思。窗外是美景，是悦音，是自由，是美好，是可期的未来，是向往的远方。

我坐在窗内，感受着窗外的世界。又忽然觉得，这一窗之隔，看似隔了所有，又似乎什么也没隔。

我能感觉到窗外的所有。太阳的温度，风的速度，雨滴的大小，就连空气中的花香我也能分辨出来。樱的香甜，桂的浓郁，梅的淡雅，竹的清冷，它们在不同的时节、不同的方向，以不同的速度向我涌来，让窗外的一切都真实可感。

偶尔从窗外误闯进来的蝴蝶、蜻蜓、蜜蜂，是我与窗外联系的又一媒介。它们让窗内的我，更真实地感受到窗外。每当我看到它们从窗外飞进来，就仿佛看到了远道而来的朋友，心里顿生欣喜。我的目光就这样追随着它们，如影子追随着太阳一般，一刻也舍不得离开。等到它们离开，我也会目送它们，像目送老友一样。直到看不到它们的身影，再依依不舍地收回目光。

这时，窗内与窗外，就似乎没了界限。

我时常苦恼。为这一扇窗苦恼，也为窗内与窗外苦恼。

直到现在，我才明白，窗内与窗外，不过是现在与未来，是现实与理想，是一名高中生对未来的无限向往与憧憬。而我所苦恼的，会在未来一一找到答案。

原来所谓窗边的高中，不过是窗内学习的我，和窗外可期的未来。

（本刊原创稿件，视觉中国供图）

给新物种起个好名字，都有哪些“套路”

●杨晨

2021年3月，一个以中国学者为主的研究团队发表了对我国银环蛇物种进行厘定的文章，文中描述了一种以前未被发现的剧毒蛇——“素贞环蛇”。

素贞？没错，就是传说中的“白素贞”。为什么叫“素贞”？因为该蛇身上有许多白色横纹，在蛇界中与“白蛇”的形象颇为相近，让科研人员不禁联想到那个家喻户晓的神话故事。

但素贞环蛇被称为“素贞”，还是因为“毒”。曾有两位蛇类研究人员将“素贞”误认成其他环蛇，掉以轻心而被咬，导致一死一伤。

让大家更好地了解这个物种、知晓它的“厉害”，是中国科学院成都生物研究所副研究员丁利将其命名为“素贞”的最主要目的。

给物种取名是一门学问。当考察发现的某个物种被证实为新种，并即将通过学术期刊等方式正式“亮相”时，科研人员都会绞尽脑汁地为其取一个响亮又富有个性的名字。

一个好的名字既是对新物种科学的描述，又是意义和精神的承载。它蕴含着科研人员的巧思，常常令人“脑洞”大开。让我们一起看看给物种命名都有哪些“套路”。

最理想的“以特征为名”

在中国，通常情况下，“拉丁名＋中文名”是每个物种的标配。拉丁名和所代表的物种是“一一对应”的关系，为国际通用的学名，一经认定便不能修改。“首发”的中文名则不具备唯一性，以后可能还会出现其他名称。有的物种既有官方名字，也有民间叫法。

新物种的拉丁名，由“属名＋种名”构成。“通常属名和种名是两个不同的拉丁单词，属名定义了该属物种的共性，而种名则标志这一物种在属内的个性。”还有属名和种名相同或相似的情况，如眼镜蛇的拉丁名“Naja naja”。

科研人员给新物种取中文名时多从物种显著的特征入手。例如在四川峨眉山，有一种蛙因喉部声囊作用会发出如传说中“仙姑弹琴”的声音，因此得名“仙琴蛙”。

有的更加直接，如拥有特殊鳞片的闪鳞蛇、表面光滑的光滑爪蟾。整个臭蛙属，不用说，肯定是因为“臭”而得名。还有的物种天生擅长“cosplay（角色扮演）”，如蛇蜥，因没有腿看着像蛇而得名，但其实是蜥蜴。

会发出“吱吱”声的不仅有虫，还有蛙。在安徽黄山，因发音特殊，这种会“吱——”叫的蛙被当地人叫作“水吱”，后经中科院院士赵尔宓和两栖爬行动物学者吴贯夫发现后，被命名为凹耳蛙。因为与其他蛙类的鼓膜紧贴在身体表面不同，凹耳蛙的鼓膜凹入头腔，具有与鸟类相似的外耳道。

“能够以物种形态或生态特征来命名是最理想的，如果行不通，从地名、人名、文化、历史等角度出发也不失为好的方法。”丁利给物种取名的一大准则——有趣、让人过目不忘。

以神话传说命名的物种并非只有素贞环蛇。上古神话中，有一种龙首鱼身的螭吻，又称龙鱼，擅长吞火。螭吻颈槽蛇的名字就取自这个角色，因为该蛇类靠吃萤火虫积累毒素，用于抵御外敌，这与螭吻的“吞火”特性相近。“当物种特征不能简明地体现于名字当中，换一种思路取名说不定更形象。”丁利表示。

“奇遇”也能写进名字

新物种的命名，有时候还极具故事性，融入了一些主观色彩。

生态学专家印开蒲讲述了一个关于垂茎异黄精的故事。从名字上看，就知道其呈垂状。但科考人员第一次发现它时，是以“飘拂黄精”为它命名的。

故事要追溯到20世纪80年代初，中科院组织的横断山综合考察队在贡嘎山海螺沟进行植被调查时，临时驻扎在一个叫青石板的山沟。

某天早晨，考察队队长、植被生态学家刘照光醒后，到一棵树龄四五百年的山毛榉目植物包石栎大树下“方便”。突然几滴露水从树叶上滑落，刚好滴在他的头上。他顿时清醒，下意识地抬头看了看。

眼前这棵胸径1米左右、高约25米的大树枝叶密如华盖，阳光穿过叶缝，金光点点。刘照光突然被头顶上一枝斜生树杈上悬着的约50厘米长的小草吸引。晨光下，它随风飘动。

摇曳中，这株植物显露出叶片腋下的白色钟状小花，如倒挂的铃铛。刘照光迅速在脑海中比对之前观察和研究过的植物，意识到这株小草很可能从未被科研人员发现、记述以及命名。他立即找来随队向导，用一根长竹竿将小草从树干上厚厚的苔藓中戳了下来。

向导告知，在当地这类植物被称为“飘草”。经过后续的鉴定和查阅，刘照光确定其为百合科黄精属新种，并根据对该植物自然状态的印象，和植物分类专家胡孝宏共同给它取了一个生动形象的名字——飘拂黄精。

向前辈致敬

新物种的命名，有时也承载着科研人员对前辈的敬仰和怀念。

2022年8月，中科院成都生物研究所与江西农业大学联合发表了一个鼠李科植物新种——旱谷蛇藤。研究人员为其拟定的拉丁名为“Colubrina zhaoguangii”，以纪念和致敬在横断山区从事植被研究的刘照光。中文名则根据植物的特殊生境，确定为“旱谷”。

用前辈的名字为新物种命名，更被视为一种“传承”。

峨眉髭蟾，其模式标本产于四川省峨眉山。它由我国两栖爬行动物学家刘承钊于1938年调查并采集记录，经过多年的文献研究、标本查考，最终于1945年定名为“峨眉髭蟾”，而这也是第一次被中国科学家记录下来的一个新属种。刘承钊以恩师博爱理之名，将该物种的拉丁名定为“Leptobrachium boringii”。

刘承钊和同为动物学家的妻子胡淑琴，在极其艰苦的条件下对待科研工作的精神，深深地激励着后辈。中科院成都生物研究所李家堂研究员团队曾与中山大学等单位合作，综合分子系统学和形态学等证据，将四川盆地周缘地区分布的隐存种描述为新种——钊琴湍蛙（Amolops chaochin）。新种的中文名分别取两个人名中的“钊”和“琴”，种本名是以两位学者名字的英文写法的末尾词合并而成的：chaochin，以此表达敬意。

（海底飞花摘自《中国科学报》2023年3月24日，本刊节选，邱炯图）

寄不出的信

●金韬

认识你，是一场机缘巧合，也是我的“蓄意谋划”。

刚升入高中时，我一心想着好好学习，关注着大小考试的成绩排名。而你，作为高一稳定的年级第一，不出意外地被我记在心里。你总是简单地扎一个马尾辫，坐在教室的前排，小声背书或是做题。我很少看到你不学习的样子。当初那个“慕强”却自卑、敏感的男生，很想认识你，却没有勇气去打扰你，只敢在角落里仰望你的光。

于是，信便成了我寄托情思的载体。偶然在食堂碰见你了，记下；考试有进步了，记下；晚自习思绪杂乱，记下……

信，越写越多。但我们，依旧不相识。

后来，我得知你打算选择纯文科。想着大概有认识你的机会了，我义无反顾，怀着一腔赤诚，放弃了自己原本很具有优势的“物化生”，一头扎进“政史地”。

我默默地准备分班考试，只为了能与你一同分到实验班——好在一切如愿以偿。

分班后，原先并不突出的“政史地”倒成了我的“优势”，我总是借着问你题目的机会和你聊上几句。每次你都能很快地解答我的问题，而且思路清晰。可我总希望你讲得慢一点儿，也好让我有机会在你的桌前多待一会儿。借着反复问答的机会，我们也算是好朋友了，聊些对学业、大学、未来的想法。

信，又增加了内容，较之前添上了些许欢喜。

借着年级第一的“辅导”，我的“政史地”也有了起色。从刚开始的百来名开外，一路猛进，甚至偶尔可以进入年级前10名。记得很清楚，高二下学期的期中考试，我的“政史地”赋分295（满分300），拿下当时年级“小三门”的最高分。然后，我有了机会，在年级单科表彰的时候，和你一同领取了“政史地”单科前5名的奖状，留下了3张合照。我将它们与我的信放在一起。之后，作为学生代表发言，我在稿子的末尾加了一句：“希望一切的一切，都有回报。遇见更好的自己，遇见更好的你。”

发言结束之后，我在心里默默给自己打气：要是在以后的考试中能够稳定地保持这样的成绩，我便将我的信、我的心意交给你。

不承想这竟然是我高中时期“政史地”的最高峰，接下来的日子，我再也没有考过这般好的成绩了。再加上高三课程难度的提升，英语的反复“背刺”，我开始在学业中疲于奔命、溃不成军。所有的信，都被我藏起。自己的成绩都搞得这般邋遢，又有什么理由向你坦白呢？

距离高考的日子越来越近，我能交出信的可能性也越来越低。

最后的最后，你如愿被一所“985”高校录取，我不过蹉跎于一所普通院校。

或许，人生总会有那些寄不出的信。但我不后悔，遇见已然是极为美好之事了，少年贫瘠的岁月被温柔以待过，人间依旧值得。

（本刊原创稿件，视觉中国供图）

创意

尼古拉斯·布希是来自美国艾奥瓦州达文波特市的摄影师。在过去的这些年中，他一直进行比例模型摄影创作，将幻想世界栩栩如生地呈现出来。他制作每幅图像时都一丝不苟，让人看见时都不敢相信这是模型。

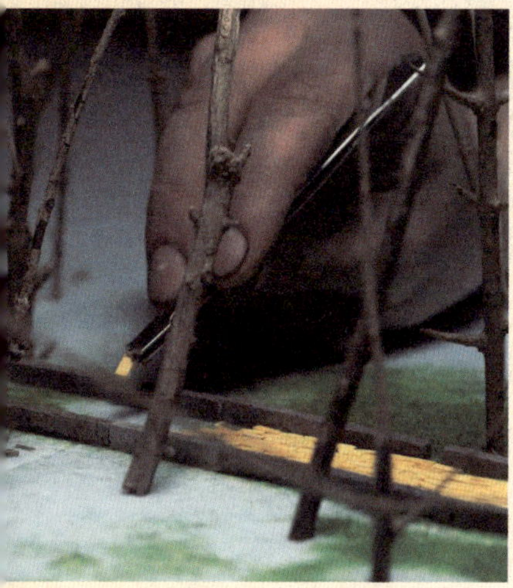

智趣

古树的年龄

一棵古树上挂着一块牌子，上面写着："要问我今年多少岁，100比我小，1000比我大，我的年龄的各位数字之和是21，且相邻的两位数字中，右边的数字总是比左边的数字大2。"你能猜出这棵古树的年龄吗？（答案见下期）

上期答案：有3651天、3652天或3653天，因为10年可能包含1～3个闰年。公元年数可被4整除的为闰年，整百年数（个位和十位均为0）可被400整除的才是闰年。比如1897年至1906年之间，只有1904年是闰年，这10年共有3651天；2013年至2022年之间，2016年和2020年是闰年，这10年共有3652天；2012年至2021年之间，2012年、2016年和2020都是闰年，这10年共有3653天。

未来乡村职业畅想

○《中学生天地》编辑部

新农村的完美变身有目共睹，在新农村变化和改革中出现了各种新兴职业。比如，浙江省安吉县余村出现了农村职业经理人，长兴县的网络主播在售卖农产品，淳安县出现了直播导游，等等。

再过5～10年，当现在的中学生、大学生走上工作岗位，能为未来的农村做些什么？又会有哪些新职业产生呢？让我们看看未来将从事这些职业的同学们是如何畅想的。

乡村心理咨询师

作为在乡下田间长大的学生，我深感农村变化之大、人们生活改善之迅速，因此更能体会到心理咨询师这一职业的重要性。这一职业的作用是倾听人们的内心，帮助他们解决疑惑，如调解邻里关系、疏导农民心理、缓和亲子或朋友间的矛盾，但最主要的是帮助个人走出心理困境，以便他们积极热情地生产和生活，如此方能实现精神世界与物质生活的双丰收，促进农村发展取得新突破。期待这个职业为乡村发展赋能的那一天。

李岩/桐乡高级中学

动物养护员

乡下的草丛里，或是夜间的窗台边、垃圾桶后，流浪的小动物随处可见，它们可能会被善良的村民收养，但也可能误食毒药或被捕杀。一个充满爱与和谐的村子，不仅需要人与人和谐共处，更应是人与动物、人与自然和谐共生。我们可以设置收养站，为小动物提供遮风避雨的场所，由专人看养，招募村民志愿者协助。经费可以是来自民众的捐款。我们还可以给动物们编号拍照，进行宣传，有人前来收养时要登记，后续要回访。给动物一个家，何尝不是给我们自己一个更好的家园！

王奕晨/德清县第一中学

无人机操作员

去新农村旅行的人越来越多，虽然现在已是“人人都是摄影师”的时代，但自己拍摄的照片总是无法呈现村子的全景，或是没法让全家人合照。如果在村里设置无人机操作员，平时可以拍摄村里的美景，放在网络上宣传。如果有游客预约拍全景照片或者视频，无人机操作员就可以有偿帮游客拍摄，从而增加村里的收益。

徐阳/象山中学

农作物科普员

不一定只在景点设置讲解导游，我觉得新农村里也需要懂农作物和各类植物的科普人员。现在，很多旅行都是走马观花，匆匆而过，没有给人留下值得珍藏与回味的记忆。若有游客感兴趣，村里又正好有农作物科普员，游客便可以去找他们，听他们讲讲植物的历史、故事或功效。特别是村里特有的一些植物，游客在认识

听雪

●张祚浩

雪花由高空尘埃吸收水分子，层层凝结而成。亿万雪花表面看似亮絮絮的、白花花的，倘若小心翼翼地把她们摆在显微镜下瞄一瞄，哇，这美丽可爱的六边形晶体，或矮矮胖胖，或纤细修长，或扁平如纸。万千枝杈花哨得令人眼花缭乱，各种奇妙图形玲珑剔透、变幻无穷。

要想听懂雪花的倾诉与感伤，你最好手捧雪花，钻进山洞，一个人静静地听。你把美妙的冰晶雪花移到耳边，她会把那绝不雷同的六边形晶体撕碎了给你听，声细如金丝拨簧。听见了吗？那是情的诉说，爱的丝语，水的眷恋鸣唱。如果你觉得雪花这撕碎之声过于轻微，那你就扑到地上，把耳朵贴近雪面，听雪花们扑簌簌热情地拥抱。

然而，雪花也有愤怒的时刻。在极地，“咔嚓”一声冰脆爆裂，瞬时一如霹雳轰鸣，雷声滚滚，冰原冰山打破万古寂静，发出一声怒吼，崩裂出比一座城市还大的冰块，寻着远方而去。在峡壁，雪崩瞬间，霎时地动山摇，雪花腾云驾雾，呼啸奔腾，紧跟着一阵阵轰隆隆的巨响，震耳欲聋，响彻云霄，直让你耳鸣不绝，“响”为观止。

听雪，听雪的喃喃细语，听大自然的律动，听大地的心跳，听瑞雪兆丰年的无限怀想……

（雨琳摘自《散文选刊》2023年第11期，视觉中国供图）

它们以后，可以把它们当作自己旅行的记忆，这样既了解了当地的生态环境，也增长了知识。

铃凌兰/金华实验中学

乡村游戏规划师

这是我从一些综艺节目里得到的灵感。玩游戏可以让大家情绪高涨，并且能感染周围人的情绪，所以我建议在农村设立一些游戏体验项目。比如，让游客在各种体验中得到线索，然后把线索拼凑起来，从而解决一个难题。把传统文化、村落故事串联起来，变成乡村游戏，让游客在玩中增长见识，说不定可以让很多游客恋恋不舍，想要再来到这里。

可可猫/金华第一中学

合计经济管家

合计经济管家是一个不错的职业，“业如其名”，主要工作是合计农村以及家庭经济量，探索发展新领域。乡村经济发展迅速，需要有人来综合整理相关数据——取样、计算、分析城乡差距并制订未来计划，明确地列出一个或多个目标，指明相关联的实践路径，从而达到经济效益最大化。以如何快速缩短城乡差距为总目标，帮助每一户人家计算月收入、年收入，计算产值产量。深入推进数字化乡村的发展行动，促进乡村的经济增长，充分发挥乡村优势，积极开辟和探索可发展领域，指明乡村未来方向，积极参与实践，使农业生产更加高效、优质。

杨子瑜/松阳县第二中学

人工智能规划维护师

农产品种植智能化，村民办事智能化，直播销售农产品智能化……人工智能已经渐渐融入新农村的发展，我觉得未来每个村子至少应该配备一名人工智能规划维护师。他们在村里生活，用人工智能让村民的生活变得更便捷。他们的日常工作是维护和改进智能系统，这样就不用担心在网络突然出现故障时，整个村里的设施无法运作。

张英豪/台州一中

（易来摘自《中学生天地》2023年10月B，大冰咂图）

原来，你可以停下

●林芝

跟懵懂青涩的大一不同，进入大二，身边几乎所有人都会推着你，不断告诉你：“你要开始规划未来了”“你不能再继续玩儿了”“你要上进”。

那时候，焦虑钻进我的血液，控制了我的脉搏。

对一个习惯于竞争和压力的学生来说，“落后”是一个很严重的词。中学时期，每每看到排行榜上自己名字之前的数字，都会紧张得背脊发凉，大脑缺氧，眼睛再也看不到其他。

我本以为到了大学，我就不会再经历那种窒息感，大一的顺利更是让我天真地以为以后都会如此。

但生活好像就是这样，当你信心满满的时候就会迎头给你一棒，完全敲碎你的自信心。

我的舍友是一个很有能力的人，大小活动都有她的身影，她在各项比赛里获得了各种证书，社交方面也如鱼得水。对我而言，她像一个无法被超越的领头者，在这条竞争的跑道上，始终让我望尘莫及。

同龄人间的差距是最让我痛苦的。我清楚地知道这样优秀的人大家都喜欢，所以我必须不停地奔跑。

如果说我把她当作一个假想敌，那就显得我太不自量力了。我顶多是看着她，独自在心底艳羡，任由焦虑疯长。

恐惧——它催着我继续跑，不能有任何停歇，否则就会落后；我不能放慢速度，否则会被赶超；我不能忽略他人的声音，否则会缺少信息。

究竟我要跑到什么时候？我不知道。

竞赛、考证、竞选班级干部、参加实践活动，我才知道原来在大学里不只看学业成绩，还看个人成就。曾经的排名表不复存在，取而代之的是无处不在的竞争，我要用耀眼的成就来装点自己，向外人宣告我的积极上进与优秀，这样才算是他人口中的“不辜负自己”。

在嘈杂中，我已无心欣赏四季的更替、朝阳与晚霞，我对自己内心的感知力也越来越微弱。我不再注意自己喜欢什么，不再注意自己的需求，也不再关心自己的情绪变化，神经紧绷的大脑里只有对所获得成绩的感知。一次次比赛、一次次失败，这条线已经无法负担起我对生活的热爱了，我全身心地扑在那些奖项里，为此付出了几乎所有的精力与时间。

我安慰自己：就当是玩玩好了，下次再努力。仿佛这样就能逃避失败。

可这样的托词在一次竞选失败后全然崩塌。那是班里要对积极分子候选人进行投票，我准备了很久，也很有自信，却以一票之差输给一个没有准备的同学。

那一刻，我听见自己破碎的声音，仿佛那么久以来都不断用小心翼翼的爱去努力拼补的自己，真正破碎了。我用笑容维持着体面，然后在沉默中流泪。

那天晚上，我拒绝了朋友的陪伴，独自去理发——这是我用以纾解自己的方法。剪到刘海的时候，理发师突然问我："你想怎么剪？"

我满不在乎，看都没看，说："随便吧，都可以。"

理发师不可置信道："你这么'摆烂'吗？"

对这个词，我有些敏感，语气中也带了几分怒气："你说什么？"

剪刀掠过我的发丝，理发师的声音很温柔："你是不是不怎么打理自己？"

我看了一眼镜子里稍显邋遢的自己：粉色卫衣，蓝色长裤，淡黄色的外套上起了不少毛球，粗糙的皮肤显示着我的憔悴，眼皮因为心情烦躁而耷拉着，嘴唇因为等得不耐烦而被我咬破了皮。这是事实，我只能回答："是啊。"

我好像把自己丢弃了。

"你把全部的时间都花在学习上了？"

"……对。"

我想这不是应该的吗？学生不就应该把所有精力奉献给学业吗？

理发师无奈地叹气道："别人上大学，都是来放松的，你是来……"

我接过他的后半句话，也忍俊不禁了："增压的。"

从大一开始，我就没有真正意义上玩乐的时候，我的电脑里躺着做不完的幻灯片和文档，手机里有看不完的信息。似乎，大学比高中更令我感到迷茫了。上高中的时候，我只用想学习，但到了大学，学习却成了一个基础品，所获得的成就才是附加值。

理发师问我："你没想过休息一下吗？"

我苦笑道："不敢休息啊，我怕自己比不过别人。"

"但是总有比这些更重要的事情吧？"理发师或许才是看得透彻的人，他轻轻说，"比如，和朋友在公园散步，和喜欢的人去山顶看日出，在学校草坪上野餐……和别人的比较，是没有尽头的。"

"不过你说的这些事，什么时候都能做吧？"我说。

理发师把我的头发梳到肩膀前，说了一句我至今都觉得很有哲理的话："可今天的太阳落下了，你就再也见不到今天的晚霞了。"

从理发店出来后，我在路边买了个烤红薯，蹲在树下边吃边哭了很久。看着门口的路灯，我才发觉那是我这么久以来第一次放空自己。哭累了，擦干眼泪，我满脸笑容地回到宿舍。

放平心态后，我又审视了一遍自己：我有相处得很好的朋友，也有关爱自己的家人，我没有"挂科"——原来我是幸福的。此时我再去思考自己的奔跑的理由，发现自己已经放下了。

原来，偶尔停下来是被允许的，是不必因此感到自责的。

我想，进入大学后最难的一点就是调整自己的心态，我们会面对很多比自己优秀的人，但这不意味着自己就是差劲的——能有爱自己的人，也能感受到生活中的快乐，就已经是一个很幸运的人了。

一路跑来其实挺累的，如果回到过去，我一定要告诉那个在焦虑中挣扎的自己："你可以停一下。"

感到辛苦，就休息一会儿，把目光重新转向一直努力的自己，也暂时停下脚步，看看肩头的月光吧！

（本刊原创稿件，习k图）

成长，是穿上斑斓蝶衣的蜕变

●茉白

从小到大，我的穿着打扮都由妈妈一手包办。妈妈热爱时尚，还经营着一家服装店，我自然“近水楼台先得月”，乐得做妈妈的小模特。可是，青春期的到来，打破了我们母女间长期的默契。

我上小学五年级时，妈妈给我买过一条灰黑相间的竖条纹的微喇裤。裤子小腿部分靠外侧自上而下依次缝着三只立体的黑底白边蝴蝶，走起路来，蝴蝶的羽翅微微颤动，似翩翩欲飞。上衣搭配的是一件白色的娃娃领衬衫，外罩橙色对襟搭扣毛衣。一次，我正在操场上跳皮筋，路过的女校长突然拍了拍我的肩膀，笑着问我的衣服是哪里买的，她也想给她的女儿买一件。那一刻，我既惊讶又开心，为妈妈的好眼光感到骄傲。

可是，妈妈的审美眼光到了我上初中二年级时忽然急转直下。那时，班上的女同学普遍有了“审美觉醒”，在不需要穿校服的日子里，讲台前那条狭窄的通道简直成了女生们展现“时装”的T台。课间时，男生们喜欢三五成群地聚在一起，偷瞄女生们从讲台前款款走回座位，嬉笑着低声评论几句。女班长个子高挑，冬天常穿一件玫红色收腰羽绒服，戴着淡粉色的套袖，是全班同学心中的“女神”。徐娇娇个头不高，总是一袭马卡龙色系的穿搭，看上去娇小可人，令男生们充满保护欲；放学路上总不乏“护花使者”陪伴其左右。

彼时的我脸上开始长青春痘，迫切希望能从衣品上找回自信，可妈妈买来的衣服无外乎深棕、军绿、纯黑、墨蓝的夹克、短袄、衬衫这类“中性”款式。每次我皱着眉头从妈妈手中接过新衣服，都忍不住问一句：“你真的觉得这件衣服好看吗？”妈妈总是满脸笃定地说：“好看，你要相信妈妈的眼光。”

妈妈的服装店依旧生意红火，我却在花季雨季里扮演着一只落寞的“枯叶蝶”。为了不让我在打理长头发上浪费时间，妈妈坚持让我留一头短发。我的衣服上也没有任何蕾丝边、泡泡袖、蝴蝶结等女孩子常用的装饰。仅在学校文艺会演或者演讲比赛中，作为主持人或参赛选手时，我才能穿上浅色系的衣服，美丽的时刻如昙花一现。

中考时我没能考上市里最好的高中，感到自己从内到外都灰头土脸的。我想，与其成绩不够好，还不如好好打扮，起码有个好心情。于是高一时，我不顾妈妈的反对留起长发，偷偷拉着表姐陪我去逛街买衣服。当我梳着长长的马尾辫，穿着淡蓝色连帽衫走过讲台时，我感到了一道道追随的目光，偶尔也有男生在与我擦肩而过时，故意唱起周杰伦的情歌。但这并不是我想要的。我想要的变美，是自信阳光的青春状态，如一朵花自在绽放，无须掩饰，也无须炫耀。我穿着自己买的衣服去问妈妈：“你不觉得我穿浅色衣服更好看吗？”不料，妈妈狡黠地一

神奇图书馆

●龙向梅

在神奇图书馆读书
是一件惊心动魄的事
晨光中的小野兽，会踮着脚尖儿
在文字里探出头

一阵风吹过
很多文字，纷纷站立
小鸟一样，扑啦啦飞起
又落下
歪着头说一声啾啾，又歪着头
钻到另一页书里了

女巫总在中途酝酿风景
海盗有时会劫持月光
高兴啊，伤心啊
没来由的担忧啊
直至翻到最后一页，露出封底

蔚蓝的海平面上
一只小野兽，摆动
烟雾一样的尾巴
倏地不见了

（竹叽摘自《东方少年》2023年第11期，视觉中国供图）

笑：“我当然知道啦！”我大惑不解：“那你为什么净买些暮气沉沉的衣服给我？”“怕你早恋呀。”妈妈大大方方地表示。“现在不怕我早恋了？”妈妈莞尔一笑：“你不会，你只是需要找回一点儿自信。”我暗自惊叹，真是“知女莫如母”啊！奇妙的是，打扮好看以后，我的成绩也在回升。我仿佛卸下重负的木板，渐渐从幽暗的水底浮出水面。

本以为从此打消了妈妈的顾虑，就能实现“穿衣自由”了，可是直至上了大学，妈妈还是会对我的衣服一一审查，之后少不了一番评价：“你净爱买些带卡通图案的衣服，穿起来还像个小孩儿”“衣服上不要有太多装饰，显得整个人不利落”……每个寒暑假，她都会拉我去逛商场，置办她心目中“好看”的衣服。我穿着妈妈买的衣服，总觉得镜子里的人不是自己。有一回，妈妈给我打电话，碰巧我和室友在外面逛街买衣服，她立即切换成视频通话，非要帮我“把把关”。我又羞又恼地关掉了视频，觉得尴尬不已。室友却温言劝解道：“其实，审美这件事本来就是随着心情、年龄、环境等因素的变化而波动的，而且因人而异。为什么阿姨和你一定要说服彼此呢？”室友的一番话，如一颗投进我心湖的石子，泛起阵阵涟漪。

回想自己从小到大的着装变化，妈妈是我的审美启蒙者。她在我年幼时，让我感受色彩和线条的搭配变化，这份美好潜移默化地在我心里生根发芽；在我情窦初开的年纪，她教我保持朴素整洁，让我有更多时间安心学习、沉淀更好的自己；十八岁以后，她开始引导我融入成人社会，并身体力行地告诉我，穿着得体是一种教养，会令人感到舒服。

由于我坚持自己的想法，妈妈早已不过问我穿衣的事了，偶尔穿着日常衣服，竟还得到她的夸赞。回想之前那段因为穿衣而苦恼挣扎的日子，不过是我在努力寻找一件叫“自我”的衣服。蝴蝶破茧时的蜕变也是如此，都是由内在的努力和生长引起的。我有幸从妈妈那里体验过美的启蒙，更庆幸自己反思过、倔强过，方知妈妈的爱虽然一直如影随形，但人生中总会有某个时刻，需要坚守自己的决定——一个说“这就是我，这就是我的选择”的时刻。

（本刊原创稿件，橙子酱图）

晒

●江苏省宜兴市实验中学
初二（18）班　王梓楠

太阳已经坠下地平线，黄昏总是这般短促。夕阳敛起它最后的光芒，夜幕渐渐铺开……

这时，居住在小区里的人大多已吃过晚饭，下楼散步了。我同外婆悠闲地走着，跟她讲述着学校里发生的事。现在这个时候，最容易碰见外婆的朋友，他们最大的爱好便是“晒娃”。

住在我家隔壁的婆婆最爱在大家聊天的时候“晒娃”。她从包里掏出手机，嘴里念叨着：“我给你们看啊——”然后她随手点开一张自己晒在微信朋友圈的照片，只见她的孙女拿着一张奖状在摆拍。“我的孙女期末又评上了‘三好学生’，成绩排在全年级第五呢！”她脸上有止不住的笑容，举着手机挨个儿给邻居们看。

“你也要让她多运动，不能整天坐着读书。可以像我外孙女这样，学着做菜，要是爸妈工作忙，顾不上给她做饭，她自己就能烧几样小菜……”住在我家对面那栋楼的爷爷说着，也掏出手机滑动了几下，翻出一张张照片，红烧排骨、青椒土豆丝、牛肉面……他自豪地指着照片说：“看，这些都是我外孙女烧的，她可能干了！”

我站在不远处听着大人们滔滔不绝地各种夸赞，不禁有些自卑：我的成绩不拔尖；至于做饭，除了煎鸡蛋，我啥也不会……

远处华灯初上，路边树叶被风吹得沙沙作响，我仿佛置身于一片孤独的海浪之中。

我想着想着，对着脚边的花草开始发呆，直到人群中有人喊我的小名。紧接着，大家的目光都聚焦在我身上。没等我回过神，他们把话题已经转向了我，我局促地站起来，勉强地挤出一丝微笑。

“长这么高啦，上初中了吧？”一位穿着时髦的阿姨笑眯眯地打量着我，“参加摸底考试了吗？排名怎么样？”我低着头，声音弱弱地回答：“一般，我还不太适应初中紧张的学习生活。”顿时，周边的气氛冷了下来。

大人们的“胜负欲”越来越强，这场聊天就这么戛然而止了。

外婆轻轻地拉起我的手，慢慢地踱回家，也许是看出了我的失落，我们一路上并没有交流。快到家门口时，外婆转身看向我，说：“自己跟自己比，今天比昨天进步一点儿就好了。”我点点头。

和昨天的自己比，一步一个脚印，就可能成为有无限可能的自己。做力所能及的事，唱自己喜欢的歌，选择自己要走的路，坚持自己的梦想，用问心无愧诠释生命。“晒”不应该是攀比，而应该是一种分享、一种欣赏。

说一千，道一万，不管怎么晒，善良永远应该是做人的底蕴。

（本刊原创稿件，莉莉夏图，指导老师：成阳）

李白教你写自荐信

●米哈

李白的诗作，总有一两首大家能倒背如流，但你有没有读过他写的自荐信呢？我们或许好奇“笔落惊风雨”的“诗仙”，怎会做出如此世俗的自荐行为，但事实上，投刺，即投递名帖以求见，乃当时的风气。

唐开元二十二年（734），李白向时任荆州大都督府长史韩朝宗自荐，写了《与韩荆州书》。开头第一句，李白说自己听闻天下的人都说：“生不用封万户侯，但愿一识韩荆州。”既押韵，又将韩氏捧上天，更巧妙隐藏了自己求见的动机，说不是为了得到什么官职，只为一见韩氏其人。

接下来，李白表面上以韩氏比作周公，大赞他“有周公之风，躬吐握之事，使海内豪俊，奔走而归之”。实际上，他是将韩氏高举到一个不能下台的位置：既然你是广纳贤人、用人唯才的大好人，又怎会错过如此优秀的我呢？

于是，李白写道，“则三千之中有毛遂，使白得颖脱而出，即其人焉”，说自己好比战国时的毛遂，实在可以脱颖而出、出人头地。

21世纪的求职顾问教我们在面试时，既要说自己的长处，也要说缺点。可没想到，李白也深明此理。首先，他坦白了自己乃“流落楚汉”的布衣，但“十五好剑术，遍干诸侯；三十成文章，历抵卿相”，即文武双全，且追求上进。李白自言：“虽长不满七尺，而心雄万夫。”

言下之意，他唯一的不足，不过是出身和长相，难道“德行动天地，笔参造化，学究天人”的韩氏会因出身和长相而拒绝一个贤人吗？大赞对方，再赞自己。最后李白还有一绝，说明此次自荐所求的，只是一个试用机会。

李白写道：“若接之以高宴，纵之以清谈，请日试万言，倚马可待。”大致是说：若你以盛宴接待我，让我清谈，试我才情，哪怕是倚在马旁，我也可以一日写上万字。

或许你因为自重，不想纡尊降贵，那么下一次，当你向人自荐、求助之时，不妨想一想更有本钱可以恃才傲物的“诗仙”。

（潘光贤摘自《大公报》2023年10月9日，小黑孩图）

“很不中国”的中国画

●张嘉欣　羽羽

谈及中国古代绘画，我们脑海中首先浮现出的，往往是墨分五彩、淡雅悠远的浅绛山水，或是设色艳丽、精工细琢的青绿山水。但是，有一幅描绘秋景的画，从上到下都被浓艳的红黄色调所覆盖，只在很小的局部，有一片浅色地带。

你可能觉得它的画风太现代了，甚至有点儿所谓的“国际范儿”。但其实这幅画诞生在1000多年前的古代中国。现在就让我们一起来看看这幅打破常规、“很不像中国画”的《丹枫呦鹿图》。

《丹枫呦鹿图》

千年之前，重彩出世

跟很多古画一样，这幅画原本没有名字。画面主体是一大片红枫和一群正在鸣叫的野鹿。这幅画诞生于辽代初期，创作者没有留下姓名，专家根据内容考证，应该是当时的宫廷画家所作。

这是一幅绢本重彩绘画。画中的树叶或明黄，或紫红，铺满了整个画布，灵动的群鹿点缀其中。这些鹿姿态各异，有的立于林际，有的隐于林内，有的站立，有的蹲伏。突然，远处似乎传来一阵可疑的声响，长着美丽鹿角的领头雄鹿警觉地竖起耳朵，昂首远望，观察是否有危险袭来。静谧的山光秋色与这突如其来的一惊，构成颇具情趣的动静对比。

相比内容，这幅画的风格更令人称奇。

先看构图，也就是古人说的“章法”“经营位置”，历代理论家、画家有一个基本共识：绘画要疏密有致，尤其忌讳把画面铺得太满。

但你看这幅画，上半部分的植被层层堆叠，密不透风；下半部分有土丘、沟壑，稍有缝隙，也都是紧凑地出现，没有一寸留白；中间鹿群所在的地面颜色较浅，但放大细看，是画家用密密麻麻的短线勾勒出的一大片草甸。

再看技法。这幅画用笔时都是以细细勾勒为主，几乎看不到皴擦和水墨渲染的痕迹，甚至近乎油画的绘制手法，我们能感受到另类的文化元素。

山水花鸟，似是而非

《丹枫呦鹿图》并不像传统文人山水那样保有“留白”的意境，而是全部画满，以求还原画家眼中的真实景象。画中的颜色都来自中国传统矿物质颜料，但呈现的效果却有西方油画丙烯颜料产生的迷幻之美。

在唐代之前，人物画是中国画的主要题材，但如顾恺之等画家已经在作品中表现出了树石背景。在《丹枫呦鹿图》中，我们便可以看到顾恺之《洛神赋图》中的一些画法，只不过在顾恺之的笔下，树石仍然是整幅画面的背景，是用来串联人物和画面故事的“配角”，形成“人大于山”的视觉感受。

《丹枫呦鹿图》的创作技法较前代已经成熟很多，树木与鹿群

《丹枫呦鹿图》（局部）与《洛神赋图》（局部）对比

《丹枫呦鹿图》（局部）与《竹雀双兔图》（局部）对比

的比例自然和谐，树枝的姿态变化真实丰富；作者在描绘的时候也十分注意前后遮挡的关系。

其次，在继承前人传统的基础上，《丹枫呦鹿图》又加入了民族文化元素。叶茂台辽墓出土的《竹雀双兔图》与《丹枫呦鹿图》同为辽代绢本绘画，当我们把这两幅画放在一起比对就能发现：前者花草的设色用了遮盖力较强的石绿和蛤白，在渲染时也并没有沿着勾线轮廓的边缘，而是覆盖住部分墨线，以色块区分形状，这和《丹枫呦鹿图》的设色方式有着异曲同工之妙。

在构图上，两幅作品中的各类元素排列有序、层次分明，画面构图平衡，都有着与传统绘画不同的装饰意味，也许这就能反映出游牧民族与中原地区不同的审美取向。

最后，除了中国本土文化的融合，《丹枫呦鹿图》中也不乏异域文化元素。

同为五代时期的画家徐熙，其作品《雪竹图》就体现了与《丹枫呦鹿图》十分相似的技法特征，呈现出凹凸分明的体积感。这样的表现手法偏重写实，是受随着佛教传入中国的天竺凹凸画法影响的结果。

呦呦鹿鸣，声从何来

看到画名“丹枫呦鹿”，我们很容易想到《诗经·小雅·鹿鸣》：“呦呦鹿鸣，食野之苹……”这幅画的命名者应该也是用了该典故。但是，就这幅画来说，鹿的寓意并没有这么简单。

《丹枫呦鹿图》（局部）与《雪竹图》（局部）对比

北方的草原、森林地区动物众多，辽代的画家为什么偏偏选择鹿作为描绘对象呢？据史料记载，辽人十分崇拜鹿的神灵——麃鹿神，而这种信仰也来自其生活的山林环境。

除了作为精神图腾，鹿还有另一个重要寓意。“逐鹿中原”“鹿死谁手”是我们熟悉的成语，这里作为“猎物”的鹿，成了夺取天下的试金石。辽代虽然是边疆政权，但其统治者及其先祖很早就跟中原地区进行过交流。

据宋代《图画见闻志》记载，包括《丹枫呦鹿图》在内的一组以“鹿”为主题的绘画，曾被辽兴宗赠给宋仁宗。以这样的作品赠给相对峙的中原政权，或许蕴藏着契丹人“逐鹿中原”的意图。

一开始我们就提到，这幅画有很多不按常理出牌的地方，但这种“反常”放在特定的条件下，或许只是“寻常”。

这幅画的铺排方式，在同时期的宋画中很少见，但于现代人而言并不陌生，因为它很写实，甚至就像随手拍下的风景照片。同类的作品，在西方风景写生中也经常出现。

对应到《丹枫呦鹿图》里，树林和鹿群是秋猎时节北方游牧与狩猎民族眼中最为熟悉的场景之一。耳濡目染中，这样的画面在画家脑海中形成了强烈的印象。这种跟注重“疏密结合”“虚实对比”，讲究“留白”的中原绘画截然不同的构图方式，恰恰就是当地人对习以为常的生活场景的写实描绘。

（麦芽摘自《北京青年报》2023年11月1日，本刊节选）

坚持，陪我走过整个青春

●胡皓彦

初识《读者》，它还是父亲手中的一本读物。我们这座小县城没有几家书店和报刊亭，书籍和杂志相对匮乏。过年的时候，父亲会带我去县城里唯一的一家独立书店，也是除新华书店外，书籍和杂志种类最全的一家书店。父亲喜欢看杂志，尤其是《读者》，可以说，《读者》陪伴父亲走过了大半辈子。

小学六年级，我在父亲的引导下逐渐喜欢上了阅读，不仅仅局限于文学作品。很多时候，我会学父亲捧起一本杂志，度过一个午后或黄昏。里面的某些故事可能让我受到启发，我会和父亲谈论这些故事，或真实或虚构。后来，我这个喜欢阅读的少年，渐渐也有了一个不可磨灭的“作家梦”。

2019年，我尝试在本子上写下自己的第一部小说。篇幅有限，也就五六万字。然而因为患有先天性轻微脑瘫，写字对我来说极其不方便，所以我基本上是趴在本子上写作的。我始终执着于写作，没有放弃对文字的热爱。

很幸运，我的同学们也很支持我利用课余时间写小说，他们就是我最初的读者。只要能认出我的字迹的同学，都会帮我抄写和整理我的小说，然后供其他同学传阅。

上了初二，我仍会抽出课余时间写东西。爸妈给我买了电脑，希望我能把写作这件事情坚持下来，并且做得更好。

初二下学期，我开始尝试向全国各地的文学杂志投稿，但是因为“风格不符”“篇幅不合”的因素，稿件始终石沉大海。我在写作的路上一次又一次地遭到退稿。但失败是人生的常态，坚持下来的人才算酷。

初识《读者》（校园版），读到李柏林的《起初我只想拥有一本作文书》，产生了强烈的共鸣，我也因此开始关注这本杂志。我读过杂志上的绝大部分文章，它们大都与青春成长的岁月相关，就像封面上的那句话：“我们都是这样长大的。”这句话深深打动着我，原来，我和很多人都经历了相似的青春。

2022年9月，我写下了《你陪我走过的路铺满了文字》，起初是想感谢那个帮助我抄写、修改和润色文章的女生。这些年，她的鼓励和支持伴我走过了一条很长的路，而我迟迟没有对她说一声“谢谢”。我将这篇文章投给了《读者》（校园版），本以为稿件会再次石沉大海，但令人惊喜的是，我很快收到了用稿通知。

接到编辑老师的用稿通知时，我激动得直接蹦了起来，我的梦想终于实现了。我告诉了父亲和那个女生，他们一个是《读者》多年的读者，另一个是一直支持我的读者。“读者”这两个字，在我的心里有了不可替代的位置。

2023年3月，编辑老师告诉我这篇文章将被其他杂志转载，这也是我的文章第一次被转载。我这个普通的作者，一下得到了莫大的鼓励。

从读杂志到在杂志上发表文章，我如愿以偿，也算是圆了自己的“作家梦”。

如今，纸媒逐渐被电子时代的产物所包围和淹没。需要面对这一现状的不仅有纸媒，有作者，还有更多热爱文字的人。希望《读者》（校园版）能继续影响读者，也希望那些坚持这份热爱的人能够守住自己的初心。

（本刊原创稿件，视觉中国供图）